КОНРАД ЛОРЕНЦ

ОБОРОТНАЯ СТОРОНА ЗЕРКАЛА

МЫСЛИТЕЛИ XX ВЕКА

МОСКВА
ИЗДАТЕЛЬСТВО
"РЕСПУБЛИКА"
1998

ББК 60.55
Л78

Перевод с немецкого
А. И. Федорова, Г. Ф. Швейника

Под редакцией *А. В. Гладкого*

Составление *А. В. Гладкого, А. И. Федорова*

Послесловие *А. И. Федорова*

Лоренц К.

Л78   Оборотная сторона зеркала: Пер. с нем. / Под ред. А. В.
Гладкого; Сост. А. В. Гладкого, А. И. Федорова; Послес-
ловие А. И. Федорова. — М.: Республика, 1998. — 393 с.
— (Мыслители XX века).
ISBN 5—250—02644—3

Имя замечательного австрийского биолога и философа, лауреата Нобелевской
премии Конрада Лоренца (1903—1989), его книги о животных известны во всем мире
и хорошо знакомы нашим читателям. В данном издании собраны работы Лоренца,
в которых он пытается найти ответ на самые острые проблемы социальной жизни, на
проблемы глобального характера, перед лицом которых оказалось современное
человечество, а также выявить те глубинные корни поведения людей и процесса
человеческого познания, которые объединяют нас с "братьями меньшими". Две из
трех работ Лоренца, вошедших в книгу, на русском языке публикуются впервые.
Издание адресовано широким кругам читателей.

ББК 60.55

ISBN 5—250—02644—3   © Издательство "Республика", 1998

ВОСЕМЬ СМЕРТНЫХ ГРЕХОВ ЦИВИЛИЗОВАННОГО ЧЕЛОВЕЧЕСТВА

ОПТИМИСТИЧЕСКОЕ ПРЕДИСЛОВИЕ

Предлагаемая работа была написана для юбилейного сборника, выпущенного к семидесятилетию моего друга Эдуарда Баумгартена. По сути своей она, собственно, не подходит ни к этому счастливому событию, ни к жизнерадостной натуре юбиляра. Это, по существу, иеремиада, призыв к раскаянию и исправлению, обращенный ко всему человечеству, призыв, какого можно было бы ожидать не от естествоиспытателя, а от сурового проповедника, подобного знаменитому венскому августинцу Аврааму из Санта-Клары. Мы живем, однако, в такое время, когда некоторые опасности яснее всего видит естествоиспытатель. Поэтому проповедь становится его долгом.

Моя проповедь, переданная по радио, нашла неожиданный для меня отклик. Я получил несметное число писем от людей, желавших иметь ее печатный текст, и в конце концов мои лучшие друзья категорически потребовали сделать эту работу доступной широкому кругу читателей.

Все это само по себе уже опровергало пессимизм, который можно было усмотреть в этой работе: человек, уверенный, что глас его вопиет в пустыне, имел перед собой, как оказалось, многочисленных и вполне понимающих слушателей! Более того, перечитывая написанное, я замечаю много высказываний, уже тогда звучавших преувеличенно, а теперь и вовсе неверных. Так, на с. 72 можно прочесть, что значение экологии недостаточно признано. Сейчас этого утверждать уже нельзя, так как наша баварская "Экологическая группа" находит, к счастью, понимание и отклик в ответственных учреждениях. Все большее число разумных и ответственных людей правильно оценивает опасности перенаселения и "идеологии роста". Повсюду принимаются меры против опустошения жизненного пространства — пока далеко не достаточные, но подающие надежду скоро стать таковыми.

Я рад, что мои высказывания нуждаются в поправке еще в одном отношении. Говоря о бихевиористской доктрине, я полагал, что на ней, несомненно, лежит "изрядная доля вины в угрожающем Соединенным Штатам моральном и культурном развале". Между тем в самих Соединенных Штатах раздался ряд весьма энергичных протестов против этого лжеучения. С ними еще борются всеми средствами, но они *слышны*, а правду можно долго подавлять, лишь заглушив ее голос. Эпидемии духовных болезней нашего времени, начинаясь в Америке, достигают обычно Европы с некоторым запозданием. И в то время, как в Америке бихевиоризм пошел на убыль, он свирепствует сейчас среди психологов и социологов Европы. Можно предвидеть, что эпидемия постепенно угаснет.

Наконец, я хотел бы внести небольшую поправку по поводу вражды поколений. Когда нынешние молодые люди не одержимы политическим фанатизмом и вообще способны хоть в чем-нибудь поверить старшим, они готовы прислушиваться к основным биологическим истинам. И вполне возможно убедить революционно настроенную молодежь в справедливости того, о чем говорится в седьмой главе этой книги.

Было бы высокомерием полагать, что невозможно объяснить большинству других людей то, что мы хорошо знаем сами. Все написанное в этой книге понять гораздо легче, чем, например, интегральное и дифференциальное исчисления, которые должен изучать каждый старшеклассник. Любая опасность становится гораздо менее страшной, если известны ее причины. Поэтому я верю и надеюсь, что моя книга в какой-то степени послужит уменьшению угрожающих человечеству опасностей.

Зеевизен, 1972.

Конрад Лоренц

4

Глава 1

СТРУКТУРНЫЕ СВОЙСТВА
И НАРУШЕНИЯ ФУНКЦИЙ ЖИВЫХ СИСТЕМ

Этология как отрасль науки возникла тогда, когда при исследовании поведения животных и человека начали применять постановки вопросов и методы, самоочевидные и обязательные со времен Чарлза Дарвина во всех других биологических дисциплинах. Причины такого удивительного запоздания заключаются в истории изучения поведения, которой мы коснемся еще в главе об индоктринировании. Этология рассматривает поведение животных и человека как функцию *системы*, обязанной своим существованием и своей особой формой *историческому* ходу ее становления, отразившемуся в истории вида, в развитии индивида и, у человека, в истории культуры. На вопрос о причине: *почему* определенная система обладает такими, а не другими свойствами, — правомерным ответом может быть лишь естественное объяснение этого хода развития.

В возникновении всех органических форм наряду с процессами мутации и рекомбинации генов важнейшую роль играет *естественный отбор*. В процессе отбора вырабатывается то, что мы называем *приспособлением*: это настоящий познавательный процесс, посредством которого организм воспринимает содержащуюся в окружающей среде информацию, важную для его выживания, или, иными словами, *знание* об окружающей среде.

Возникшие в результате приспособления структуры и функции характерны для живых организмов, в неорганическом мире ничего подобного нет. Они ставят перед исследователем неизбежный вопрос, неведомый физику и химику — вопрос: "Зачем?" Если этот вопрос задает биолог, то он не ищет телеологического* смысла, а всего лишь спрашивает себя, каким образом некоторый признак служит сохранению вида. Если мы спрашиваем, зачем кошке кривые когти, и отвечаем: "Чтобы ловить мышей", то это лишь более краткая постановка вопроса: "Каким образом эта выработанная отбором форма когтей способствует сохранению вида?"

Кто в течение долгих лет исследования снова и снова задавал себе такой вопрос в отношении самых удивительных структур и форм поведения и снова и снова получал на него убедительный ответ, тот не может не склоняться к мнению, что сложные и даже неправдоподобные формы строения тела и поведения могли появиться лишь в результате отбора и приспособления и никак иначе. Сомнения могут возникнуть лишь

тогда, когда мы спрашиваем "Зачем?" об определенных регулярно наблюдаемых способах поведения цивилизованных людей. Зачем нужны человечеству безмерный рост его численности, все убыстряющаяся до безумия конкуренция, возрастающее и все более страшное вооружение, прогрессирующая изнеженность урбанизированного человека, и т. д. и т. п.? При ближайшем рассмотрении оказывается, однако, что едва ли не все эти вредные явления представляют собой расстройства вполне определенных механизмов поведения, первоначально весьма ценных для сохранения вида. Иначе говоря, их следует рассматривать как *патологические*.

Анализ органической системы, лежащей в основе социального поведения людей, — самая трудная и самая почетная задача, какую может поставить перед собой естествознание, ибо эта система — безусловно сложнейшая на Земле. Можно подумать, что это и без того крайне трудное предприятие совершенно нереально по той причине, что на поведение людей разнообразными и непредсказуемыми способами накладываются, искажая его, патологические явления. К счастью, это не так. Напротив, патологическое расстройство не только не является непреодолимым препятствием при анализе органической системы, но очень часто дает ключ к ее пониманию. В истории физиологии известно немало случаев, когда исследователь вообще замечал существование некоторой важной органической системы лишь благодаря тому, что ее патологическое расстройство вызывало болезнь. Когда Э. Т. Кохер попытался лечить так называемую базедову болезнь, удаляя щитовидную железу, это сначала приводило к тетании, приступам судорог, потому что он захватывал при этом паращитовидные железы, регулирующие кальциевый обмен. Исправив эту ошибку, но делая все же слишком радикальную операцию удаления щитовидной железы, он получил комплекс симптомов, названный им *Kachexia thyreopriva,* в некоторых отношениях сходный с микседемой, формой идиотии, часто встречающейся у обитателей альпийских долин, где вода бедна йодом. Из этого открытия и ему подобных стало ясно, что железы внутренней секреции образуют единую систему, в которой буквально все со всем соединено причинными взаимодействиями. Каждый из выделяющихся в кровь секретов эндокринных желез производит вполне определенное воздействие на организм в целом, которое может относиться к обмену веществ, процессам роста, поведению и т. д. Они называются поэтому гормонами (от греческого *hormaō* — привожу в движение, возбуждаю). Действия двух гормонов могут быть противоположны друг другу, и в этом случае они "антагонистичны" точно так же, как это происходит в случае двух мускулов, взаимодействие которых приводит сустав в требуемое положение и удерживает его в нем. Пока сохраняется гормональное равновесие, ничто не указывает на то, что система эндокринных желез состоит из отдельных частей, выполняющих свои особые функции. Стоит, однако, произойти малейшему нарушению этой гармонии действий и противодействий, как общее состояние организма отклоняется от требуемого "номинального значения", т. е. наступает болезнь. Избыток гормона щитовидной железы вызывает базедову болезнь, недостаток — микседему.

Система эндокринных желез и история ее исследования доставляют нам ценные указания, как следует поступать, когда мы пытаемся понять всю систему человеческих стимулов в целом. Разумеется, эта система устроена гораздо сложнее, хотя бы уже потому, что включает в себя систему эндокринных желез в качестве подсистемы. Без сомнения, у человека число независимых стимулов чрезвычайно велико, и очень многие из них могут быть сведены к филогенетически* возникшим программам поведения — "инстинктам". Прежде я называл человека "существом с редуцированными инстинктами", но это описание ошибочно. Справедливо, правда, — как убедительно показал на хищниках из семейства кошачьих П. Лейхаузен — что длинные, замкнутые в себе цепи врожденных способов поведения могут "разрываться" в ходе филогенетического развития способности к обучению и пониманию в том смысле, что утрачиваются облигатные* связи между частями этих цепей, так что каждая из них может быть независимо использована действующим субъектом. Однако одновременно, как установил тот же Лейхаузен, каждая из этих доступных для использования частей превращается в автономный стимул, а именно возникает отвечающее этому стимулу аппетентное поведение*, направленное к его проявлению. У человека, несомненно, отсутствуют длинные цепи облигатно связанных друг с другом инстинктивных движений, но, насколько мы вправе экстраполировать на него результаты, полученные на высокоразвитых млекопитающих, можно предполагать, что подлинно инстинктивных стимулов у него не меньше, а больше, чем у любого животного. Во всяком случае, при попытке системного анализа мы должны считаться с этой возможностью.

Это особенно важно при оценке явно патологического поведения. Безвременно скончавшийся психиатр Роналд Харгривс писал мне в одном из своих последних писем, что он взял себе за правило, пытаясь понять сущность того или иного душевного расстройства, каждый раз задавать себе одновременно *два* вопроса: во-первых, в чем состоит нормальное, способствующее сохранению вида действие расстроенной в данном случае системы; во-вторых, какого рода это расстройство, в частности, вызвано ли оно повышенной или пониженной функцией какой-либо подсистемы? Подсистемы сложного органического целого находятся в столь тесном взаимодействии, что часто трудно разграничить их функции, ни одна из которых в своем нормальном виде немыслима без всех остальных. Не всегда удается даже отчетливо определить структуры подсистем. В этом смысле и говорит о подчиненных системах Поул Вейс в своей остроумной работе "Расслоенный детерминизм": "Система — это все достаточно цельное, чтобы заслуживать отдельного названия".

Есть очень много человеческих стимулов, достаточно цельных, чтобы найти себе названия в повседневном языке. Такие слова, как ненависть, любовь, дружба, гнев, верность, преданность, недоверие, доверие и т. д., все означают состояния, соответствующие готовности ко вполне определенным способам поведения, точно так же, как и принятые в научном исследовании поведения термины: агрессивность, ранговый порядок, территориальность и т. д., вместе со всеми сложными выражениями, содержащими слово "установка": установка на выведение потомства, на ухаживание, на полет и т. д. Наш естественно возникший язык выражает глубокие психологические связи с чуткостью, столь же заслуживающей доверия, как интуиция ученого, наблюдающего животных, и мы можем принять — пока в виде рабочей гипотезы, — что каждому из этих слов, обозначающих душевные состояния и установки человека, соответствует реальная стимулирующая система; для начала не важно, в какой мере тот или иной стимул черпает свою силу из филогенетических или культурных источников. Мы можем допустить, что каждый из этих стимулов является звеном упорядоченной, гармонически работающей системы и в этом качестве *необходим*. Вопрос, "хороши" или "плохи" ненависть, любовь, верность, недоверие и т. д., задается без всякого понимания системного функционирования этого целого и так же нелеп, как если бы кто-нибудь спросил, хороша или плоха щитовидная железа. Ходячее представление, что явления этого рода можно разделить на хорошие и плохие, что любовь, верность и доверие сами по себе хороши, а ненависть, неверность и недоверие сами по себе плохи, происходит лишь от того, что в нашем обществе первых, вообще говоря, недостает, а вторые имеются в избытке. Чрезмерная любовь портит бесчисленное множество подающих надежды детей, "верность Нибелунгов", превращенная в абсолютную самодовлеющую ценность, приводит к адским последствиям, и неопровержимые аргументы, приведенные недавно Эриком Эриксоном, показывают, насколько необходимо недоверие.

Одним из структурных свойств всех высокоинтегрированных органических систем является управление с помощью так называемых циклов регулирования, или гомеостазов. Чтобы понять их действие, представим себе сначала ряд, состоящий из некоторого числа систем, каждая из которых усиливает действие другой таким образом, что система a усиливает действие b, b усиливает действие c и т. д., и, наконец, система z, в свою очередь, усиливает действие a. Такой цикл с "положительной обратной связью" может находиться в лучшем случае в состоянии неустойчивого равновесия: малейшее усиление действия одной из систем неизбежно вызывает лавинообразное нарастание функций всего ряда в целом, и обратно, малейшее ослабление вызывает угасание всякой активности. Как давно известно в технике, такую неустойчивую систему можно превратить в устойчивую, введя в циклический процесс единственное звено, воздействие которого на следующее звено цепи тем слабее, чем сильнее влияет на него предыдущее. Таким образом возникает цикл регулирования — гомеостаз, или, как его часто называют на плохом немецком языке, "отрицательный feedback"[1]*. Это один из немногих процессов, изобретенных в технике прежде, чем они были открыты естествознанием в мире живых организмов.

В живой природе существует бесчисленное множество циклов регулирования. Они столь необходимы для сохранения жизни, что самое ее возникновение едва ли можно себе представить без одновременного "изобретения" цикла регулирования. Циклы с положительной обратной связью в природе почти не встречаются; их можно увидеть разве лишь

---

[1] *Обратная связь *(англ.).* — *Примеч. пер.*

в таких быстро нарастающих и столь же быстро угасающих явлениях, как лавина или степной пожар. На них похожи также многие патологические расстройства общественной жизни людей, при виде которых приходят на ум слова Фридриха Шиллера из "Колокола" о силе огня: "Беда, когда с цепи сорвется!"

Благодаря отрицательной обратной связи в циклах регулирования нет необходимости в том, чтобы действие каждой участвующей в них подсистемы было установлено на строго определенное значение. Небольшое отклонение функции в ту или другую сторону легко выравнивается. Опасное расстройство всей системы может произойти лишь в случае, когда величина отдельной функции возрастает или уменьшается настолько, что гомеостаз не в состоянии ее выровнять, или когда что-нибудь не в порядке в самом механизме регулирования. В дальнейшем мы познакомимся с примерами того и другого.

Глава 2

ПЕРЕНАСЕЛЕНИЕ

В отдельном организме едва ли можно найти в нормальных условиях хоть один цикл с положительной обратной связью. Только жизнь в целом может предаваться этой крайности — пока, как может показаться, безнаказанно. Органическая жизнь встроилась, как некая странная плотина, в поток рассеивающейся энергии вселенной, она "пожирает" отрицательную энтропию, захватывает энергию и растет за ее счет, а этот рост дает ей возможность захватывать все больше и больше энергии, и тем быстрее, чем больше она уже захватила. Если это не привело еще к чрезмерному разрастанию и катастрофе, то лишь потому, что безжалостные силы неорганической природы, законы вероятности удерживают размножение живых организмов в некоторых пределах, а также потому, что внутри отдельных видов выработались циклы регулирования. Как они действуют, мы увидим в следующей главе, где говорится об опустошении жизненного пространства Земли. Но в первую очередь надо обсудить безграничное возрастание числа людей, хотя бы потому, что очень многие явления, рассматриваемые в дальнейшем, вытекают из него.

Все блага, доставляемые человеку глубоким познанием окружающей природы, прогрессом техники, химическими и медицинскими науками, все, что предназначено, казалось бы, облегчить человеческие страдания, — все это ужасным и парадоксальным образом способствует гибели человечества. Ему угрожает то, что почти никогда не случается с другими живыми системами, — опасность задохнуться в самом себе. Ужаснее всего, однако, что в этом апокалипсическом ходе событий высочайшие и благороднейшие свойства и способности человека — именно те, которые мы по праву ощущаем и ценим как исключительно человеческие, — по-видимому, обречены на гибель прежде всего.

Все мы, живущие в густонаселенных культурных странах и тем более в больших городах, уже не осознаем, насколько не хватает нам обыкновенной, теплой и сердечной человеческой любви. Нужно побывать в действительно безлюдном краю, где соседей разделяет много километров плохих дорог, и зайти незваным гостем в какой-нибудь дом, чтобы оценить, насколько гостеприимен и человеколюбив бывает человек, когда его способность к социальным контактам не подвергается длительной перегрузке. Одно незабываемое переживание довело это когда-то до моего сознания. У меня гостила американская супружеская пара из Висконсина. Это были профессиональные защитники природы, живущие в полном одиночестве посреди леса. Когда мы собрались ужинать, раздался звонок, и я раздраженно воскликнул: "Кого это еще там принесло!" Я не смог бы сильнее шокировать моих гостей, если бы совершил самый непристойный поступок. Что кто-то может реагировать на неожиданный звонок в дверь иначе, как радостью, — это было для них скандалом.

Без сомнения, скученность людских масс в современных больших городах в значительной мере повинна в том, что в этой фантасмагории вечно меняющихся, накладывающихся друг на друга и стирающихся человеческих образов мы не можем больше разглядеть лик нашего ближнего. Наша любовь к ближнему настолько разбавляется массой этих ближних, притом слишком близких, что в конце концов даже следов ее невозможно обнаружить. Кто хочет испытывать сердечные и теплые чувства к людям вообще, должен сосредоточить их на небольшом числе друзей; как бы ни было правильно и этично требование любить всех людей, мы так устроены, что не можем его исполнить. Нам приходится поэтому делать выбор и тем самым в эмоциональном отношении "держать на расстоянии" множество других людей, несомненно, не менее достойных нашей дружбы. Зачастую одна из главных забот жителя большого города — "Not to get emotionally involved"[1]*. Но в этом неизбежном для нас всех образе действий чувствуется губительное дыхание *бесчеловечности;* он напоминает американских плантаторов старого времени, вполне человечно обращавшихся со своей негритянской "дворней", но рабов на плантациях рассматривавших в лучшем случае как ценный домашний скот. Если это намеренное отгораживание от человеческого общения заходит достаточно далеко, то в сочетании с обсуждаемым дальше притуплением чувств оно ведет к тем чудовищным проявлениям равнодушия, о которых мы каждый день читаем в газетах. Чем больше скопление людей, тем настоятельнее для каждого необходимость "not to get involved", и вот, именно в самых больших городах грабежи, убийства и насилия могут происходить теперь среди бела дня на самых оживленных улицах, не вызывая вмешательства "прохожих".

Дело не ограничивается тем, что скученность людей в тесном пространстве ведет к бесчеловечности косвенным образом — вследствие истощения и распада отношений между людьми: скученность самым непосредственным образом вызывает агрессивное поведение. Из множества опытов над животными известно, что скученность усиливает внутривидовую агрессию. Кто не был в лагере для военнопленных или другом принудительном сборище людей, едва ли может себе пред-

---

[1] *Не ввязываться эмоционально *(англ.).* — *Примеч. пер.*

ставить, насколько возрастает в таких условиях раздражимость от малейшего пустяка. И если пытаешься сдерживаться и вежливо, т. е. дружелюбно, обращаться с собратьями по виду, которые не являются твоими друзьями, но с которыми приходится ежедневно и ежечасно сталкиваться, — состояние это становится просто мучительным. Общее недружелюбие, наблюдаемое во всех больших городах, явно возрастает пропорционально плотности скопления людей в определенных местах. Например, на больших вокзалах или на автобусной станции в Нью-Йорке оно достигает устрашающей степени.

Косвенным образом перенаселение способствует всем тем расстройствам и явлениям упадка, о которых пойдет речь в следующих главах. Некоторые полагают, что с помощью надлежащего "кондиционирования" можно вывести новую породу людей, нечувствительных к дурным последствиям сколь угодно тесной скученности. Я считаю такой взгляд опасным заблуждением.

Глава 3
ОПУСТОШЕНИЕ ЖИЗНЕННОГО ПРОСТРАНСТВА

Широко распространено заблуждение, будто "природа" неисчерпаема. Каждый вид животных, растений и грибов — поскольку к великому механизму природы принадлежат все три категории живых организмов — приспособлен к своему окружению, а к этому окружению относятся, само собой, не только неорганические составляющие данной местности, но и все другие населяющие ее живые существа. Итак, все организмы данного жизненного пространства приспособлены *друг к другу*. Это относится и к тем из них, которые на первый взгляд друг другу враждебны, как, например, хищник и его добыча, пожирающий и пожираемый. При ближайшем рассмотрении обнаруживается, что эти организмы, рассматриваемые как виды, а не как индивиды, не только не вредят друг другу, но часто даже объединены общностью интересов. Совершенно ясно, что пожиратель жизненно заинтересован в дальнейшем существовании вида, служащего ему добычей, будь то животное или растение. Чем более он специализирован в своем питании на единственном виде, тем настоятельнее этот интерес. В таких случаях хищник никогда не может полностью истребить свою добычу: последняя пара хищников умерла бы с голоду задолго до того, как им попалась бы последняя пара вида, служащего им добычей. Когда плотность популяции добычи опускается ниже известного уровня, хищник гибнет, — как это, к счастью, произошло с большей частью китобойных предприятий. Когда динго, первоначально бывший домашней собакой, попал в Австралию и там одичал, он не истребил ни одного из видов, которыми питался, но зато погубил обоих крупных сумчатых хищников: сумчатого волка (*Thylacinus*) и сумчатого дьявола (*Sarcophilus*). Эти сумчатые, наделенные поистине страшными зубами, намного превзошли бы динго в прямой схватке, но с их примитивным мозгом они нуждались в гораздо большей плотности добычи, чем более умная дикая собака. Динго не закусал их насмерть, а уморил голодом в конкурентной борьбе.

Редко случается, чтобы размножение животного прямо зависело от количества наличной еды. Это было бы невыгодно как добытчику, так и добыче. Рыбак, живущий за счет некоторого водоема, поступает разумно, если вылавливает рыбу лишь в таком количестве, чтобы оставшаяся популяция могла размножиться до максимума, восполняющего улов. Каково оптимальное значение улова, можно установить лишь весьма сложным минимаксным расчетом. Если ловить слишком мало, озеро окажется перенаселенным и прирост молоди сократится. Если ловить слишком много, останется недостаточно производителей, чтобы снова довести популяцию до такой численности, какая могла бы прокормиться и вырасти в водоеме. Как показал В. К. Уинн-Эдвардс, подобной экономической деятельностью занимаются очень многие виды животных. Наряду с разграничением территорий, препятствующим слишком тесному соседству, есть и ряд других способов поведения, препятствующих чрезмерной эксплуатации доступных ресурсов.

Нередко случается, что пожирающий вид приносит пожираемому явную пользу. Дело не только в том, что потребитель регулирует прирост животных или растений, служащих ему пищей, так что выпадение этого фактора нарушило бы их жизненное равновесие. Популяционные катастрофы, наблюдаемые у быстро размножающихся грызунов сразу же после того, как плотность их населения становится максимальной, заведомо опаснее для сохранения вида, чем поддержание выверенного среднего числа хищниками, "снимающими" избыток. Очень часто симбиоз между пожираемым и пожирателем заходит гораздо дальше. Многие виды трав явно "сконструированы" в "расчете" на то, чтобы их постоянно укорачивали и топтали крупные копытные; этому приходится подражать при уходе за газонами, постоянно выкашивая и прикатывая их. Когда эти факторы выпадают, травы с такими свойствами сразу же вытесняются другими, не выдерживающими подобного обращения, но более жизнеспособными в чем-нибудь другом. Короче говоря, два вида живых организмов могут находиться в отношениях зависимости, очень похожих на взаимоотношения человека с его домашними животными и культурными растениями. Поэтому и закономерности таких взаимодействий часто напоминают экономику человека; изучающая их биологическая дисциплина называется *экологией,* так что самый термин подчеркивает указанное сходство*. Впрочем, *одно* из экономических понятий, которым мы здесь еще займемся, в экологии животных и растений не встречается; это понятие *хищнической эксплуатации.*

Взаимодействия в системе из многих видов животных, растений и грибов, совместно заселяющих некоторое жизненное пространство и образующих жизненное сообщество, или *биоценоз,* невероятно многообразны и сложны. Приспособление различных видов живых организмов в течение промежутков времени, сравнимых не с историей человечества, а с геологическими периодами, привело к состояниям равновесия, столь же достойным изумления, сколь и легко уязвимым. Множество процессов регулирования охраняет эти равновесные состояния от неизбежных нарушений, например от погоды. Медленные изменения, какие производит, например, эволюция видов или постепенно меняющийся климат, не представляют угрозы для равновесия жизненного пространства. Однако внезапные воздействия, сколь бы незначительными они ни были с виду, могут вызвать неожиданно большие, даже катастрофические последствия. Завоз какого-нибудь совершенно безобидного с виду животного может буквально превратить в пустыню обширные области страны — как это случилось из-за кролика в Австралии. В этом случае равновесие биотопа* было нарушено вмешательством человека. В принципе подобные явления мыслимы и без его участия, хотя и реже.

Экологическая среда человека меняется во много раз быстрее, чем у всех других живых существ. Темп этого изменения обусловлен непрерывным развитием техники, ускоряющимся в геометрической прогрессии. Поэтому человек не может не вызывать глубоких изменений и — слишком часто — полного разрушения биоценозов, в которых и за счет которых он живет. Исключение составляют лишь очень немногие "дикие" племена, например некоторые индейцы девственных лесов Южной Америки, живущие собирательством и охотой, или обитатели некоторых океанических островов, немного занимающиеся земледелием, а в основном питающиеся кокосовыми орехами и дарами моря. Такие культуры влияют на свой биотоп не больше, чем популяции какого-либо вида животных. Это один теоретически возможный способ жизни человека в равновесии со своим биотопом; другой же состоит в том, что человек, как земледелец и скотовод, *создает* новый, полностью приспособленный к своим потребностям биоценоз, который в принципе может длительно существовать точно так же, как и возникший без его участия. Так обстоит дело во многих старых земледельческих культурах, где люди живут в течение многих поколений на одной и той же земле, любят ее и возвращают ей то, что от нее получают, пользуясь своими основательными, почерпнутыми из практики экологическими знаниями.

Крестьянин знает то, о чем все цивилизованное человечество, по-видимому, забыло: он знает, что жизненные ресурсы всей нашей планеты *не безграничны*. После того как в Америке обширные местности были превращены в пустыни эрозией почвы, возникшей из-за хищнической эксплуатации земли, после того как целые области закарстовались* вследствие вырубки леса и вымерло множество видов полезных животных, эти факты постепенно начали вновь осознаваться, и прежде всего потому, что крупные сельскохозяйственные, рыболовные и китобойные предприятия начали болезненно ощущать их коммерческие последствия. Однако до сих пор это не общепризнано и еще не проникло в сознание общественности!

Нынешняя спешка, о которой пойдет речь в следующей главе, не оставляет людям времени проверить и подумать, прежде чем приступить к действию. И они еще гордятся этим в своем неведении, называя себя "doers", "деятелями", тогда как в действительности они становятся злодеями по отношению к природе и к самим себе. Злодеяния совершаются теперь повсюду, где применяются химические средства, например при истреблении насекомых в земледелии и плодоводстве, и почти столь же близоруко — в фармакопее. Иммунологи выдвигают серьезные возражения против общеупотребительных медикаментов. Психология "Получить сейчас же!", к которой я еще вернусь в четвертой главе, делает некоторые отрасли химической промышленности прямо-таки преступно легкомысленными, побуждая их распространять средства, длительное воздействие которых вообще невозможно предвидеть. Во всем, что касается экологического будущего земледелия, а также требований медицины, господствует поистине невероятная бездумность. Тех, кто предостерегает от беззаботного применения ядов, подлейшим образом дискредитируют и затыкают им рот.

Цивилизованное человечество готовит себе экологическую катастрофу, слепо и варварски опустошая окружающую и кормящую его живую природу. Когда оно почувствует экономические последствия, то оно, возможно, осознает свои ошибки, но весьма вероятно, что тогда уже будет поздно. И меньше всего человечество замечает, какой ущерб наносит этот варварский процесс его душе. Всеобщее и быстро распространяющееся отчуждение от живой природы в значительной мере повинно в эстетическом и этическом очерствении цивилизованного человека. Откуда возьмется у подрастающего человека *благоговение* перед чем бы то ни было, если все, что он видит вокруг себя, является делом рук человеческих, и притом весьма убогим и безобразным? Горожанин не может даже взглянуть на звездное небо, закрытое многоэтажными домами и химическим загрязнением атмосферы. Поэтому неудивительно, что распространение цивилизации сопровождается столь прискорбным изуродованием города и деревни. Достаточно сравнить с открытыми глазами старый центр любого немецкого города с его современной окраиной или эту позорную для культуры окраину, быстро вгрызающуюся в окружающую землю, с еще не захваченными ею местами. Сравните затем гистологическую картину* любой здоровой ткани с картиной злокачественной опухоли: вы обнаружите поразительные аналогии! Если это впечатление выразить объективно и перевести с языка эстетики на язык науки, то в основе этих различий лежит *потеря информации*.

Клетка злокачественной опухоли отличается от нормальной прежде всего тем, что она лишена генетической информации, необходимой для того, чтобы быть полезным членом сообщества клеток организма. Она ведет себя поэтому как одноклеточное животное или, точнее, как молодая эмбриональная клетка. Она не обладает никакой специальной структурой и размножается безудержно и бесцеремонно, так что опухолевая ткань, проникая в соседние, еще здоровые ткани, врастает в них и разрушает их. Бросающиеся в глаза аналогии между картинами опухоли и городской окраины основаны на том, что в обоих случаях здоровые пространства "застраивались" по многочисленным, очень различным, но тонко дифференцированным и дополняющим друг друга планам, мудрая уравновешенность которых достигалась благодаря информации, накопившейся в процессе длительного исторического развития, между тем как пространства, опустошенные опухолью или современной техникой, заполнены немногими крайне упрощенными конструкциями. Гистологическая картина совершенно однородной, структурно бедной опухолевой ткани до ужаса напоминает аэрофотографию современного городского предместья с его унифицированными домами, которые, недолго думая, в спешке конкуренции проектируют культурно нищие архитекторы. Бег человечества наперегонки с самим собой, описываемый в следующей главе, оказывает губительное воздействие на строительство жилищ. Не только коммерческие соображения, заставляющие использовать более дешевые в массовом изготовлении стандартные блоки, но и все нивелирующая мода приводят к тому, что во всех пригородах всех цивилизованных стран возникают сотни тысяч массовых жилищ, различимых друг от друга лишь номерами и не заслуживающих имени "домов", так как в лучшем случае — это нагромождения стойл для человеческого скота (Nutzmenschen), если дозволено ввести такой термин по аналогии с "домашним скотом" (Nutztiere).

Клеточное содержание кур-леггорнов справедливо считается мучительством животных и позором нашей культуры. Однако содержание в таких же условиях людей находят вполне допустимым, хотя именно человек менее всего способен выносить подобное обращение, в подлинном смысле унижающее человеческое достоинство. Самоуважение нормального человека побуждает его утверждать свою индивидуальность, и это его бесспорное право. Филогенез сконструировал человека таким образом, что он не способен быть, подобно муравью или термиту, анонимным и легко заменимым элементом среди миллионов точно таких же организмов. Достаточно внимательно посмотреть на какой-нибудь поселок огородников-любителей, чтобы увидеть, какие формы принимает там стремление людей выразить свою индивидуальность. Обитателям стойл для человеческого скота остается единственный способ сохранить самоуважение: им приходится вытеснять из сознания самый факт существования многочисленных товарищей по несчастью и прочно отгораживаться от своего ближнего. В очень многих массовых жилищах балконы разделены стенками, чтобы нельзя было увидеть соседа. Человек не может и не хочет вступать с ним в общение "через забор", потому что страшится увидеть в его лице свой собственный отчаявшийся образ. Это еще один путь, которым скопление людских масс ведет к изоляции и безучастности к ближнему.

Эстетическое и этическое чувства теснейшим образом связаны друг с другом, и, разумеется, у людей, вынужденных жить в только что описанных условиях, атрофируется и то и другое. Для духовного и душевного здоровья человека необходимы красота природы и красота созданной человеком культурной среды. Всеобщая душевная слепота к прекрасному, так быстро захватывающая нынешний мир, представляет собой психическую болезнь, и ее следует принимать всерьез уже потому, что она сопровождается нечувствительностью к этическому уродству.

Когда принимается решение проложить улицу, построить электростанцию или завод, что может навсегда разрушить красоту обширного ландшафта, то эстетические соображения вообще не играют роли для тех, от кого это зависит. Начиная с председателя общинного совета маленькой деревни и кончая министром экономики большого государства, все они вполне согласны между собою в том, что ради красоты природы нельзя идти на экономические и тем более политические жертвы. Немногие защитники природы и ученые, ясно видящие надвигающееся бедствие, совершенно бессильны. Какие-нибудь принадлежащие общине участки на опушке горного леса повысятся в цене, если к ним подвести дорогу; ради этого чарующий ручеек, вьющийся по деревне, заключают в трубу, выпрямляют, отводят под землю — и прелестная деревенская улица превращается в омерзительное пригородное шоссе.

Глава 4

БЕГ НАПЕРЕГОНКИ С САМИМ СОБОЙ

Как я уже говорил в начале первой главы, для поддержания равновесия (steady state) живых систем необходимы циклы регулирования, или отрицательные обратные связи; что касается циклов с положительной обратной связью, то они всегда несут с собой опасность лавинообразного нарастания любого отклонения от равновесия. Специальный случай положительной обратной связи встречается, когда индивиды *одного и того же* вида вступают между собой в соревнование, влияющее на развитие вида посредством *отбора*. Этот *внутривидовой* отбор действует совсем иначе, чем отбор, происходящий от факторов окружающей среды; вызываемые им изменения наследственного материала не только не повышают перспектив выживания соответствующего вида, но в большинстве случаев заметно их снижают.

Последствия внутривидового отбора можно проиллюстрировать на примере маховых перьев самца фазана-аргуса (*Argusianus argus L.*), приведенном еще Оскаром Гейнротом. Во время токования эти перья развертываются и обращаются в сторону самки подобно хвосту павлина, где такую же роль играют образующие его верхние кроющие перья. Выбор партнера, как это достоверно установлено в случае павлина, зависит исключительно от самки; по-видимому, так же обстоит дело у аргуса, так что перспективы петуха иметь потомство находятся в прямом отношении к привлекательному действию его органа ухаживания на кур. Однако в то время как хвост павлина в полете складывается и вряд ли мешает ему, принимая более или менее обтекаемую форму, удлинение маховых перьев у самца аргуса делает его почти неспособным летать. И если он не разучился летать совсем, то, конечно, благодаря отбору в противоположном направлении, осуществляемому наземными хищниками, которые берут на себя, таким образом, необходимую регулирующую роль.

Мой учитель Оскар Гейнрот говаривал в своей грубоватой манере: "После маховых перьев фазана-аргуса темп работы современного человечества — глупейший продукт внутривидового отбора". В его время это высказывание было явно пророческим, но в наши дни оно звучит как разительное преуменьшение, классическое "understatement"[1]*. У аргуса, как и у многих животных с аналогичными образованиями, воздействия внешней среды не дают виду развиваться посредством внутривидового отбора в направлении все большего уродства и в конечном счете прийти

---

[1] *Преуменьшение *(англ.).* — *Примеч. пер.*

к катастрофе. Эти благотворные регулирующие силы не действуют в культурном развитии человечества: оно сумело, на горе себе, подчинить своей власти всю окружающую среду, но знает о самом себе так мало, что стало беспомощной жертвой дьявольских сил внутривидового отбора.

”Homo homini lupus”[1]* — человек человеку хищник — это тоже ”understatement”, как и знаменитое изречение Гейнрота. Человек, ставший единственным фактором отбора, определяющим дальнейшее развитие своего вида, увы, далеко не так безобиден, как хищник, даже самый опасный. Соревнование человека с человеком действует, как ни один биологический фактор до него, против ”предвечной силы благотворной”, и разрушает едва ли не все созданные ею ценности холодным дьявольским кулаком, которым управляют одни только слепые к ценностям коммерческие расчеты*.

Под давлением соревнования между людьми уже почти забыто все, что хорошо и полезно для человечества в целом и даже для отдельного человека. Подавляющее большинство ныне живущих людей воспринимает как ценность лишь то, что лучше помогает им перегнать своих собратьев в безжалостной конкурентной борьбе. Любое пригодное для этого средство обманчивым образом представляется ценностью само по себе. Гибельное заблуждение *утилитаризма* можно определить как смешение средства с целью. Деньги в своем первоначальном значении были средством; это еще знает повседневный язык — говорят, например: ”У него ведь есть средства”. Много ли, однако, осталось в наши дни людей, вообще способных понять вас, если вы попытаетесь им объяснить, что деньги сами по себе не имеют никакой цены? Точно так же обстоит дело со временем: для того, кто считает деньги абсолютной ценностью, изречение ”Time is money”[2]* означает, что и каждая секунда сбереженного времени сама по себе представляет ценность. Если можно построить самолет, способный перелететь через Атлантический океан немного быстрее предыдущих, то никто не спрашивает, какую цену за это придется уплатить в виде удлинения посадочных полос, возрастания скорости посадки и взлета и, вследствие этого, увеличения опасности, усиления шума и т. д. Выигрыш в полчаса оказывается в глазах всего света самостоятельной ценностью, ради которой никакая жертва не может быть слишком велика. Каждый автомобильный завод должен заботиться о том, чтобы новый тип машины имел несколько бóльшую скорость, и вот приходится расширять все улицы, закруглять все повороты, якобы для большей безопасности, а в действительности лишь для того, чтобы можно было ездить еще немного быстрее — и поэтому с большей опасностью.

Возникает вопрос, что больше вредит душе современного человека: ослепляющая жажда денег или изматывающая спешка. Во всяком случае, власть имущие всех политических направлений заинтересованы в том и другом, доводя до гипертрофии мотивы, толкающие людей

---

[1] *Человек человеку волк *(лат.)*. Дальше автор переводит эту латинскую пословицу с намеренным изменением. — *Примеч. пер.*

[2] *Время — деньги *(англ.)*. — *Примеч. пер.*

к соревнованию. Насколько мне известно, эти мотивы еще не изучались с позиций глубинной психологии*, но я считаю весьма вероятным, что, наряду с жаждой обладания и более высокого популяционного ранга, или с тем и другим, важнейшую роль здесь играет *страх* — страх отстать в беге наперегонки, страх разориться и обеднеть, страх принять неверное решение и не справиться с изматывающей ситуацией. Страх во всех видах является, безусловно, важнейшим фактором, подрывающим здоровье современного человека, вызывающим у него повышенное артериальное давление, сморщивание почек, ранние инфаркты и другие столь же прекрасные переживания. Человек спешит, конечно, не только из алчности, никакая приманка не могла бы побудить его столь энергично вредить самому себе; спешит он потому, что его что-то *подгоняет,* а подгонять его может только страх.

Боязливая спешка и торопливый страх в значительной мере повинны в потере человеком своих важнейших качеств. Одно из них — *рефлексия.* Как я уже говорил в работе "Innate Bases of Learning"[1]*, весьма вероятно, что в загадочном процессе становления человека решающую роль сыграл тот момент, когда существо, любознательно исследовавшее окружающий мир, увидело вдруг в поле своего исследования *самого себя.* Конечно, это открытие собственной личности нельзя еще сопоставить с тем изумлением при виде само собою разумеющегося, которое явилось рождением философии; но уже тот факт, что ощупывающая и хватающая рука, наряду с предметами внешнего мира, которые она ощупывает и хватает, стала однажды и сама восприниматься как предмет внешнего мира, должен был создать новую связь, последствия которой означали новую эпоху. Существо, еще не знавшее о собственном существовании, никоим образом не могло развить отвлеченное мышление, словесный язык, совесть и ответственную мораль. Существо, *перестающее* рефлектировать, подвергается опасности потерять все эти свойства и способности, специфические для человека.

Одно из наихудших последствий спешки или, может быть, непосредственно стоящего за спешкой страха — это очевидная неспособность современного человека хотя бы ненадолго остаться наедине с самим собой. С пугливой старательностью люди избегают всякой возможности подумать о себе, как будто боятся, что размышление откроет им какой-то ужасный автопортрет, подобный описанному Оскаром Уайльдом в его классическом романе ужасов "The Picture of Dorian Grey"[2]*. Лихорадочную страсть к шуму, парадоксальную при обычной для современных людей неврастении, можно объяснить только тем, что им необходимо что-то *заглушить.* Однажды во время прогулки в лесу мы с женой вдруг услышали быстро приближающийся визг транзисторного приемника, прикрепленного к багажнику одинокого велосипедиста, паренька лет шестнадцати. "Он боится услышать, как поют птицы!" — сказала жена. По-моему, он боялся хотя бы на мгновение встретиться с самим собой. Почему некоторые люди, в остальном весьма взыска-

---

[1] *"Врожденные основы обучения" *(англ.). — Примеч. пер.*
[2] *"Портрет Дориана Грея" *(англ.). — Примеч. пер.*

тельные в интеллектуальном отношении, предпочитают собственному обществу безмозглые рекламные передачи телевидения? Несомненно, только потому, что это помогает им вытеснить размышление.

Итак, люди *страдают* от нервных и психических нагрузок, которые им навязывает бег наперегонки со своими собратьями. И хотя их дрессируют с самого раннего детства, приучая видеть прогресс во всех безумных уродствах соревнования, как раз самые прогрессивные из них яснее всех выдают своим взглядом подгоняющий их страх, и как раз самые деловые, старательнее всех "идущие в ногу со временем" особенно рано умирают от инфаркта.

Если даже сделать неоправданно оптимистическое допущение, что перенаселение Земли не будет дальше возрастать с нынешней угрожающей быстротой, то, надо полагать, экономический бег человечества наперегонки с самим собой и без того достаточен, чтобы его погубить. Каждый циклический процесс с положительной обратной связью рано или поздно ведет к катастрофе, а в описываемом здесь ходе событий содержится несколько таких процессов. Кроме коммерческого внутривидового отбора на все ускоряющийся темп работы действует и другой опасный циклический процесс, описанный в нескольких книгах Вэнсом Паккардом, — процесс, ведущий к постоянному возрастанию человеческих *потребностей*. Понятно, что каждый производитель всячески стремится повысить потребность покупателей в своем товаре. Ряд "научных" институтов только и занимается вопросом, какими средствами можно лучше достигнуть этой негодной цели. Методы, выработанные в результате изучения общественного мнения и рекламной техники, применяются к потребителям, которые в большинстве своем оказываются достаточно глупыми, чтобы с удовольствием повиноваться такому руководству; почему это происходит, объясняется прежде всего явлениями, описанными в 1-й и 7-й главах. Никто не возмущается, например, когда вместе с каждым тюбиком зубной пасты или пачкой бритвенных лезвий приходится покупать рекламную упаковку, стоящую нередко столько же или больше, чем сам товар.

Дьявольский круг, в котором сцеплены друг с другом непрерывно нарастающие производство и потребление, вызывает к жизни явления роскоши, а это рано или поздно приведет к пагубным последствиям все западные страны, и прежде всего Соединенные Штаты; в самом деле, их население не выдержит конкуренции с менее изнеженным и более здоровым населением стран Востока. Поэтому капиталистические господа поступают крайне близоруко, продолжая придерживаться привычного образа действий, т. е. вознаграждая потребителя повышением "уровня жизни" за участие в этом процессе и "кондиционируя" его этим для дальнейшего, повышающего кровяное давление и изматывающего нервы бега наперегонки с ближним.

Но, сверх того, эти явления роскоши ведут к пагубному циклическому процессу особого рода, который будет рассмотрен в следующей главе.

Глава 5

ТЕПЛОВАЯ СМЕРТЬ ЧУВСТВА*

У всех живых существ, способных к образованию условных реакций классического павловского типа, этот процесс может вызываться двумя противоположными по своему действию видами стимулов: во-первых, приучающими стимулами *(reinforcement)*, усиливающими предшествующее поведение, во-вторых, отучающими *(deconditioning, extinguishing)*, ослабляющими или вовсе тормозящими его. У человека действие стимулов первого рода связано с чувством удовольствия, второго — с чувством неудовольствия, и вряд ли мы впадем в слишком грубый антропоморфизм, если также и в применении к высшим животным будем кратко называть эти процессы вознаграждением и наказанием.

Возникает вопрос, почему филогенетически развившаяся программа аппарата, осуществляющего эти формы обучения, работает с двумя видами стимулов, а не с одним, что было бы проще. На этот вопрос уже предлагались различные ответы. Простейший из них состоит в том, что действенность процесса обучения удваивается, если организм может извлекать полезные выводы не только из успеха или неудачи, но из того и другого вместе. Другой гипотетический ответ состоит в следующем. Если требуется оградить организм от определенных вредных воздействий окружающей среды и обеспечить ему оптимальные для него условия тепла, освещенности, влажности и т. д., то наказывающих стимулов вполне достаточно, и мы в самом деле видим, что аппетенции* к оптимуму и тем самым к свободе от стимулов, которые Уоллес Крейг именно по этой причине называет "аверсиями"*, по большей части вызываются этим путем. Если же, напротив, требуется приучить животное к некоторому специфическому способу поведения, хотя бы к отысканию вполне определенной, точно заданной местности, то было бы очень трудно загнать его в это место с помощью одних только отрицательных стимулов. Легче заманить его туда вознаграждающими стимулами. Уже Уоллес Крейг указал, что эволюция вступила на этот путь решения задачи повсюду, где требовалось приучить животное к отысканию специфических стимулирующих ситуаций, например запускающих спаривание или прием пищи.

Эти объяснения двойственного принципа вознаграждения и наказания, разумеется, в некоторой мере справедливы. Но есть и еще одна функция принципа удовольствия и неудовольствия, несомненно важнейшая из всех; обнаруживается она лишь в тех случаях, когда ее патологическое нарушение делает заметными последствия ее выпадения. В истории медицины и физиологии часто случалось, что само существование вполне определенного физиологического механизма обнаруживалось лишь вследствие его заболевания.

Приучение к некоторой форме поведения посредством подкрепляющего вознаграждения всегда побуждает организм мириться с неудовольствием в настоящем ради удовольствия в будущем или — на объективном языке — не реагировать на такие стимулирующие ситуации, которые без предшествующего обучения произвели бы отталкивающее и отучающее воздействие. Ради привлекательной добычи собака или волк делает многое, на что в других обстоятельствах идет весьма неохотно — бежит через колючие заросли, прыгает в холодную воду и подвергается опасностям, которых очевидным образом боится. Полезность всех этих отучающих механизмов для сохранения вида состоит, очевидно, в том, что они составляют противовес действию приучающих; они препятствуют организму, стремящемуся к вознаграждающей ситуации, приносить чрезмерные жертвы и подвергаться чрезмерным опасностям, несоразмерным с ожидаемым благом. Организм не может себе позволить платить цену, которая не "окупается". Полярной зимой волк принимает в расчет погоду и не рискует выходить на охоту в холодные ветреные ночи, чтобы не поплатиться за еду отмороженными лапами. *Возможны,* однако, обстоятельства, при которых такой риск оправдан, например, когда хищнику грозит голодная смерть, и он вынужден поставить все на карту, чтобы выжить.

Противостоящие друг другу принципы вознаграждения и наказания, удовольствия и неудовольствия нужны, таким образом, чтобы взвешивать соотношения между ожидаемым благом и требуемой за него ценой; это однозначно подтверждается тем, что интенсивность того и другого колеблется в зависимости от экономического положения организма. Если, например, питание имеется в избытке, то его привлекательное действие ослабевает настолько, что животное едва дает себе труд сделать несколько шагов по направлению к пище, и малейшей ситуации неудовольствия достаточно, чтобы блокировать аппетенцию к еде. Напротив, в случае необходимости приспособительная способность механизма удовольствия—неудовольствия позволяет организму платить безмерную цену за достижение жизненно важной цели.

Аппарату, осуществляющему у всех высших организмов это жизненно важное приспособление поведения к изменяющейся "конъюнктуре", присущи некоторые основные физиологические свойства, общие почти всем нейросенсорным системам* подобной сложности. Во-первых, для него характерен широко распространенный процесс привыкания, или адаптации чувств. Это значит, что любая стимулирующая комбинация, повторяющаяся много раз, постепенно теряет свою действенность, причем — и это существенно — порог реакции на другие, даже весьма сходные, стимулирующие ситуации не изменяется. Во-вторых, этот механизм обладает столь же широко распространенным свойством инертности реакций. Если, например, сильные стимулы, вызывающие неудовольствие, выводят его из равновесия, то внезапное прекращение таких стимулов вызывает не простое возвращение системы в положение равновесия по плавной кривой, но резкий скачок в другую сторону, так что простое прекращение неудовольствия воспринимается как заметное удовольствие. Это превосходно выражает старинная австрийская крестьянская шутка: "Сегодня я порадовал мою собаку: сначала как следует отлупил ее, а потом перестал"*.

Оба этих физиологических свойства системы "удовольствие—неудовольствие" важны в связи с нашим предметом, поскольку они — в соединении с некоторыми другими ее свойствами — могут привести в условиях жизни современного цивилизованного человека к опасным расстройствам этой системы. Но прежде чем к ним перейти, надо еще кое-что добавить по поводу только что упомянутых свойств. Они восходят к тем экологическим условиям, при которых рассматриваемый механизм — наряду с многими другими врожденными программами поведения — выработался в истории нашего вида. Жизнь человека была тогда суровой и опасной. Охотник и пожиратель мяса, он полностью зависел от случайной добычи, почти всегда был голоден и никогда не был уверен в своем пропитании; дитя тропиков, он постепенно углублялся в умеренные широты, где климат заставлял его тяжело страдать; а крупным хищникам того времени он мог противопоставить лишь свое примитивное оружие, не дававшее ему никакого превосходства, так что жизнь его проходила в состоянии напряженной бдительности и страха.

При таких условиях многое, что теперь воспринимается как "порок" или по меньшей мере вызывает презрение, было вполне правильной и даже жизненно необходимой стратегией выживания. Обжорство было добродетелью; в самом деле, если уж удалось поймать в ловушку крупного зверя, то разумнее всего было набить себе желудок, насколько можно. Оправдан был и смертный грех лени: чтобы загнать добычу, требовалось столько усилий, что разумно было не тратить энергию, когда это не было строго необходимо. Опасности, подстерегавшие человека на каждом шагу, были столь серьезными, что любой ненужный риск был безответственной глупостью, и единственно правильным законом поведения была крайняя, граничащая с трусостью осторожность. Короче говоря, в ту пору, когда программировалась бо́льшая часть инстинктов, которые мы и до сих пор в себе носим, нашим предкам вовсе не приходилось "мужественным" или "рыцарским" образом искать себе жизненные испытания, потому что испытания навязывались им сами собой, насколько их еще можно было снести. Принцип, предписывающий избегать по возможности всякой опасности и всякого расхода энергии, был навязан человеку филогенетически возникшим механизмом удовольствия—неудовольствия и был в то время вполне правилен.

Гибельные ошибочные действия того же механизма в условиях нынешней цивилизации объясняются его филогенетически возникшим устройством и его основными физиологическими свойствами—привыканием и инерцией. Еще в незапамятные времена мудрейшие из людей осознали, что, если человек очень уж успешно следует своему инстинктивному стремлению получать удовольствие и избегать неудовольствия, это никак не идет ему на пользу. Уже в древности люди высокоразвитых культур умели избегать всех ситуаций, причиняющих неудовольствие; а это может привести к опасной *изнеженности,* по всей вероятности, часто ведущей даже к гибели культуры. Люди очень давно обнаружили, что действие ситуаций, доставляющих удовольствие, может быть усилено ловким сочетанием стимулов, причем постоянное изменение их может предотвратить притупление удовольствий от привычки; это изобретение, сделанное во всех высокоразвитых культурах, ведет к *пороку,* который, впрочем, едва ли когда-нибудь способствует упадку культуры в такой степени, как изнеженность. С тех пор как мудрые люди начали размышлять и писать, раздавались проповеди против изнеженности и порока, но с бо́льшим усердием всегда обличали порок.

Развитие современной технологии, и прежде всего фармакологии, как никогда прежде поощряет общечеловеческое стремление избегать неудовольствий. Современный "комфорт" стал для нас чем-то само собою разумеющимся до такой степени, что мы не сознаем уже, насколько от него зависим. Самая скромная домашняя работница возмутилась бы, если бы ей предложили комнату с таким отоплением, освещением, удобствами для сна и умывания, которые вполне устраивали тайного советника фон Гёте или даже саму герцогиню Анну Амалию Веймарскую. Когда несколько лет назад в Нью-Йорке из-за крупной аварии системы управления выключился на несколько часов электрический ток, многие всерьез уверовали, что наступил конец света. Даже те из нас, кто тверже всех убежден в преимуществах доброго старого времени и в воспитательной ценности спартанского образа жизни, пересмотрели бы свои взгляды, если бы им пришлось подвергнуться обычной 2000 лет назад хирургической операции.

Все более овладевая окружающим миром, современный человек неизбежно сдвигает "конъюнктуру" своей экономии удовольствия—неудовольствия в сторону постоянного обострения чувствительности ко всем ситуациям, вызывающим неудовольствие, и столь же постоянного притупления чувствительности ко всякому удовольствию. А это по ряду причин ведет к пагубным последствиям.

Возрастающая нетерпимость к неудовольствию — в сочетании с убыванием притягательной силы удовольствия — ведет к тому, что люди теряют способность вкладывать тяжелый труд в предприятия, сулящие удовольствие лишь через долгое время. Отсюда возникает нетерпеливая потребность в *немедленном* удовлетворении всех едва зародившихся желаний. Эту потребность в немедленном удовлетворении *(instant gratification)*, к сожалению, всячески поощряют производители и коммерческие предприятия, а потребители удивительным образом не видят, как их порабощают "идущие им навстречу" фирмы, торгующие в рассрочку.

По легко понятным причинам принудительная потребность в немедленном удовлетворении приводит к особенно вредным последствиям в области полового поведения. Вместе с потерей способности преследовать отдаленную цель исчезают все более тонко дифференцированные формы поведения при ухаживании и образовании пар — как инстинктивные, так и культурно запрограммированные, т. е. не только формы, возникшие в истории вида с целью сохранения парного союза, но и специфически человеческие нормы поведения, выполняющие аналогичные функции в рамках культуры. Вытекающее отсюда поведение — восхваляемое и возводимое в норму во множестве современных фильмов немедленное спаривание — было бы неправильно называть "животным"; поскольку у высших животных нечто подобное встречается лишь в виде редчайшего исключения; вернее уж было бы назвать такое поведение "скотским", понимая под "скотом" домашних животных, у которых для удобства их разведения все высокодифференцированные способы поведения при образовании пар устранены человеком в ходе искусственного отбора.

Поскольку механизму удовольствия—неудовольствия, как уже было сказано, свойственна инерция и тем самым образование контраста, преувеличенное стремление любой ценой избежать малейшего неудовольствия неизбежно влечет за собой исчезновение определенных форм удовольствия, в основе которых лежит именно контраст. Как говорится в "Кладоискателе" Гёте, "веселым праздникам" должны предшествовать "тяжкие недели"; этой старой мудрости угрожает забвение. И прежде всего болезненное уклонение от неудовольствия уничтожает *радость*. Гельмут Шульце указал на примечательное обстоятельство: ни слово, ни понятие "радость" не встречаются у Фрейда*. Он знает наслаждение, но не радость. Когда, говорит Шульце, человек взбирается, вспотевший и усталый, с ободранными пальцами и ноющими мускулами, на вершину труднодоступной горы, собираясь сразу же приступить к еще более утомительному и опасному спуску, то во всем этом, вероятно, нет наслаждения, но есть величайшая радость, какую можно себе представить. Во всяком случае, наслаждение можно еще получить, не расплачиваясь за него ценой неудовольствия в виде тяжкого труда; но прекрасная божественная искра Радости* дается только этой ценой. Все возрастающая в наши дни нетерпимость к неудовольствию превращает возникшие по воле природы вершины и бездны человеческой жизни в искусственно выровненную плоскость, из величественных гребней и провалов волн она делает едва ощутимую зыбь, из света и тени — однообразную серость. Короче, она создает смертную скуку.

Эта "эмоциональная тепловая смерть" особенно сильно угрожает, по-видимому, радостям и страданиям, неизбежно возникающим из наших *общественных* отношений, из наших связей с супругами и детьми, родителями, родственниками и друзьями. Высказанное Оскаром Гейнротом в 1910 году предположение, что "в нашем поведении по отношению к семье и чужим, при ухаживании и приобретении друзей действуют врожденные процессы, гораздо более древние, чем обычно принято думать", полностью подтверждено данными современной этологии человека. Эти чрезвычайно сложные способы поведения наследственно запрограммированы таким образом, что все они вместе и каждый в отдельности приносят нам не только радости, но и много страданий. Вильгельм Буш выразил это стихами: "Хоть судят юноши превратно, что в наши дни любить приятно, но видят, против ожиданья, что и любовь несет страданья". Кто избегает страдания, лишает себя существенной части человеческой жизни. Эта отчетливо наметившаяся тенденция опасным образом соединяется с уже описанными на с. 10 следствиями перенаселения (not to get involved)[1]*. У ряда культурных групп стремление любой ценой избежать печали вызывает причудливое, поистине жуткое отношение к смерти любимого человека. У значительной доли населения Соединенных Штатов она вытесняется в смысле Фрейда: умерший внезапно исчезает, о нем не говорят, упоминать о нем бестактно — ведут себя так, как будто его никогда не было. Еще ужаснее приукрашивание смерти, которое заклеймил в своей книге "Возлюбленный" самый жестокий из сатириков, Ивлин Во. Мертвеца искусно гримируют, и считается хорошим тоном восхищаться, как он прекрасно выглядит.

---

[1]*Не ввязываться *(англ.). — Примеч. пер.*

Далеко зашедшее стремление избегать неудовольствия действует на подлинную человечность таким уничтожающим образом, что по сравнению с ним столь же безграничное стремление к удовольствию кажется просто безобидным. Можно, пожалуй, сказать, что современный цивилизованный человек слишком уж вял и пресыщен, чтобы развить в себе сколько-нибудь примечательный порок. Поскольку способность испытывать удовольствие исчезает главным образом из-за привычки к сильным и постоянно усиливающимся раздражителям, неудивительно, что пресыщенные люди охотятся за все *новыми* раздражениями. Эта "неофилия" охватывает едва ли не все отношения к предметам внешнего мира, на которые человек вообще способен. Для человека, пораженного этой болезнью культуры, любая принадлежащая ему вещь — пара ботинок, костюм или автомобиль — очень скоро теряет свою привлекательность, точно так же, как возлюбленная, друг или даже отечество. Примечательно, как легко распродают многие американцы при переезде весь свой домашний скарб, покупая потом все заново. Обычная рекламная приманка всевозможных туристических агентств — перспектива "to make new friends"[1]*. На первый взгляд может показаться парадоксальным и даже циничным, если я выражу уверенность, что сожаление, которое мы испытываем, выбрасывая в мусорный ящик верные старые брюки или курительную трубку, имеет некоторые общие корни с социальными связями, соединяющими нас с друзьями. И тем не менее, когда я думаю о том, с какими чувствами я в конце концов продал наш старый автомобиль, с которым были связаны бесчисленные воспоминания о чудесных путешествиях, я совершенно уверен, что это было чувство того же рода, как и при расставании с другом. Такая реакция, разумеется, ошибочная по отношению к неодушевленному предмету, по отношению к высшему животному — например, собаке, — не только оправдана, но может служить прямо-таки тестом богатства или бедности человеческой личности. Я внутренне отворачивался от многих людей, рассказывавших о своей собаке: "...а потом мы переехали в город, и ее пришлось отдать".

Явление неофилии в высшей степени желательно для крупных производителей, эксплуатирующих его в широчайших масштабах с помощью описываемого в 8-й главе индоктринирования масс для получения коммерческой выгоды. Как в моде на одежду, так и в моде на автомобили принцип "built-in obsoletion", "встроенного устаревания", играет весьма важную роль.

В заключение главы мне хотелось бы обсудить возможности терапевтического противодействия изнеженности и тепловой смерти чувства. Сколь легко понять причины этих явлений, столь же трудно их устранить. Не хватает здесь, конечно, *естественных препятствий*, преодоление которых закаляет человека, навязывая ему терпимость к неудовольствию, и в случае успеха доставляет ему радость. Большая трудность состоит здесь в том, что препятствия эти, как уже сказано, должны быть естественными, вытекающими из природы вещей. Преодоление нарочно выдуманных затруднений никакого удовлетворения не дает. Курт Ган добивался крупных терапевтических успехов, направляя пресыщенных

---

[1] *Приобрести новых друзей *(англ.).* — *Примеч. пер.*

и скучающих юношей на приморские станции спасения утопающих. Эти ситуации испытаний, непосредственно воздействующие на глубокие слои личности, принесли подлинное исцеление многим пациентам. Аналогичные способы применял Гельмут Шульце, ставивший своих пациентов в ситуации прямой опасности, "пограничные ситуации", как он их называет, в которых, если выразить это совсем уж вульгарным языком, изнеженные люди так близко сталкиваются с настоящей жизнью, что это выбивает из них дурь. Сколь бы ни были успешны такие методы лечения, независимо развитые Ганом и Шульце, они не дают общего решения проблемы. Ведь нельзя же устроить столько кораблекрушений, чтобы доставить всем нуждающимся в этом целебное переживание преодоления препятствий, нельзя посадить их всех на планеры и так напугать, чтобы они осознали, как прекрасна все-таки жизнь. Замечательным примером стойкого излечения могут служить не столь уж редкие случаи, когда скука от тепловой смерти эмоций приводит к попытке самоубийства, оставляющей более или менее тяжкие длительные повреждения. Много лет назад опытный учитель слепых из Вены рассказывал мне, что молодые люди, потерявшие зрение при попытке самоубийства выстрелом в висок, никогда не пытаются снова покончить с собой. Они не только продолжают жить, но удивительным образом созревают, превращаясь в уравновешенных и даже счастливых людей. Подобный же случай произошел с одной дамой, которая, будучи еще молодой девушкой, выбросилась в попытке самоубийства из окна и сломала себе позвоночник, но затем, с поврежденным спинным хребтом, вела счастливую и достойную жизнь. Без сомнения, все эти отчаявшиеся от скуки молодые люди смогли вернуть себе интерес к жизни, потому что столкнулись с труднопреодолимым препятствием.

У нас нет недостатка в препятствиях, которые мы должны преодолеть, чтобы человечество не погибло, и победа над ними поистине достаточно трудна, чтобы поставить каждого из нас в надлежащую ситуацию преодоления препятствий. Довести до общего сведения существование этих препятствий — вот безусловно выполнимая задача, которую должно ставить себе воспитание.

Глава 6

ГЕНЕТИЧЕСКОЕ ВЫРОЖДЕНИЕ

Некоторые способы социального поведения приносят пользу сообществу, но вредны для индивида. Объяснение возникновения и тем более сохранения таких способов поведения из принципов мутации и отбора представляет, как недавно показал Норберт Бишоф, трудную проблему. Если бы даже возникновение "альтруистических" способов поведения могло быть объяснено не очень понятными процессами группового отбора, в которые я не буду здесь углубляться, то все же возникшая таким образом социальная система неизбежно оказалась бы *неустойчивой*. Если, например, у галок (*Coloeus monedula L.*) возникает защитная реакция, при которой каждый индивид в высшей степени храбро вступается за схваченного хищником собрата по виду, то легко понять и объяснить, почему группа, члены которой ведут себя таким образом, имеет больше шансов на выживание, чем группа, где такого поведения нет. Что, однако, препятствует появлению *внутри* группы таких индивидов, у которых реакция защиты товарищей отсутствует? Мутации выпадения функций вполне вероятны и рано или поздно непременно происходят. И если они относятся к альтруистическому поведению, о котором шла речь, то для затронутого ими индивида они должны означать селекционное преимущество, если допустить, что защищать собратьев по виду опасно. Но тогда подобные "асоциальные элементы", паразитируя на социальном поведении своих еще нормальных собратьев, рано или поздно должны были бы составить в таком обществе большинство. Разумеется, все это верно лишь для таких общественных животных, у которых функции размножения и социальной работы не разделены между различными индивидами, наподобие "государственных" насекомых, у которых указанной выше проблемы нет, так что, возможно, именно по этой причине "альтруизм" рабочих и солдат принимает у этих насекомых столь крайние формы.

Мы не знаем, что препятствует разложению сообщества социальными паразитами у общественных позвоночных. Трудно, в самом деле, представить себе, чтобы, скажем, галка возмутилась "трусостью" асоциального субъекта, не принимающего участия в реакции защиты товарища. "Возмущение" асоциальным поведением известно лишь на относительно низком и на самом высоком уровне интеграции живых систем, а именно в "государстве" клеток и в человеческом обществе. Иммунологи обнаружили тесную и весьма знаменательную связь между способностью к образованию антител и опасностью появления злокачественных опухолей. Можно даже утверждать, что образование специфических защитных веществ вообще было впервые "изобретено" под селекционным давлением, какое могли испытывать лишь долгоживущие и, прежде всего, долго растущие организмы, которым всегда угрожает опасность возникновения при бесчисленных делениях клеток опасных "асоциальных" клеточных форм вследствие так называемых соматических мутаций. У беспозвоночных нет ни злокачественных опухолей, ни антител, но оба эти явления сразу же возникают в ряду живых организмов уже у самых низших позвоночных, круглоротых или циклостом, к которым относится, например, речная минога. Вероятно, все мы уже в молодости умирали бы от злокачественных опухолей, если бы наше тело не выработало, в виде реакций иммунитета, своеобразную "клеточную полицию", своевременно устраняющую асоциальных паразитов.

У нас, людей, нормальный член общества наделен весьма специфическими формами реакций, которыми он отвечает на асоциальное поведение. Оно "возмущает" нас, и самый кроткий из людей реагирует прямым нападением, увидев, что обижают ребенка или насилуют женщину. Сравнительное исследование правовых структур в различных культурах свидетельствует о совпадениях, доходящих до подробностей и не объяснимых культурно-историческими связями. Как говорит Гёте, "никто уже не вспоминает о праве, что родится с нами". Но, конечно, вера в существование естественного права, независимого от законодательства той или иной культуры, с древнейших времен связывалась с представлением о сверхъестественном, непосредственно божественном происхождении этого права.

По замечательному совпадению, как раз в тот день, когда я начал писать эту главу, я получил письмо от специалиста по сравнительному праву Петера Г. Занда, из которого приведу следующую цитату: "В современных исследованиях в области сравнительного права все больше внимания уделяется структурному *сходству* между различными правовыми системами мира (например, можно сослаться на недавно опубликованный коллективный проект Корнельского университета "Common Core of Legal Systems"[1]*). Чтобы объяснить довольно многочисленные совпадения, были предложены до сих пор три главных концепции: метафизическая концепция естественного права (соответствующая витализму в естествознании), историческая (обмен идеями путем взаимного проникновения и контакта между различными правовыми системами, т. е. поведение, усвоенное посредством имитации) и экологическая (приспособление к внешней среде, соответственно к инфраструктуре, т. е. формы поведения, усвоенные благодаря общему опыту). В последнее время к ним присоединилось *психологическое* объяснение, которое выводит общее "правовое чувство" (инстинктивное понятие!) из типичного опыта детства, с прямой ссылкой на Фрейда (это относится прежде всего к проф. Альберту Эренцвейгу из Беркли с его "психоаналитической юриспруденцией"). Существенно в этом новом направлении то, что оно сводит социальное явление "права" к индивидуальным структурам, а не наоборот, как традиционная теория права. Но, как я полагаю, достоин сожаления тот факт, что и это направление все еще уделяет исключительное внимание *усвоенным* способам поведения и пренебрегает возможными *врожденными* способами поведения в области права. Читая собрание Ваших сочинений (не всегда легких для юриста!), я твердо убедился, что в этом таинственном "правовом чувстве" (а надо сказать, что эти слова широко употреблялись в старой теории права, хотя и без объяснения) следует видеть типичные врожденные формы поведения".

Я вполне разделяю этот взгляд, отдавая себе, конечно, отчет в том, что его убедительное доказательство связано с большими трудностями; на них также указывает проф. Занд в своем письме. Но что бы ни выявило будущее исследование филогенетических и культурно-исторических источников человеческого правового чувства, можно считать твердо установленным научным фактом, что вид *Homo sapiens* обладает высокодифференцированной системой форм поведения, служащей для искоренения угрожающих обществу паразитов и действующей вполне аналогично системе образования антител в государстве клеток.

В современной криминологии также ставится вопрос, в какой степени преступное поведение может быть объяснено генетическим выпадением врожденных форм социального поведения и реакций торможения и в какой мере оно происходит от нарушений в культурной передаче социальных норм. Решение этого вопроса, хотя и столь же трудное, как в теории права, имеет здесь, однако, гораздо большее практическое

---

[1]*"Общее ядро юридических систем" *(англ.). — Примеч. пер.*

значение. Право есть право, и следовать ему нужно независимо от того, возникла ли его структура филогенетическим или культурно-историческим путем. Однако при вынесении приговора преступнику важно знать, обусловлен его дефект генетически или же происходит от воспитания; от этого существенно зависят перспективы сделать его снова терпимым членом общества. Я не хочу сказать, что генетические отклонения не могут быть исправимы с помощью целесообразной тренировки: как сообщает Кречмер, некоторые лептосомы*, занимаясь гимнастикой с подлинно шизотимной последовательностью*, сумели искусственно приобрести почти атлетическую мускулатуру. Если бы все филогенетически запрограммированное *ipso facto*[1]* не поддавалось влиянию обучения и воспитания, то человек был бы безответственной игрушкой своих инстинктивных побуждений. Предпосылка любого культурного сожительства людей состоит в том, что человек способен укрощать свои побуждения; к этому сводится вся истина, заключенная в проповедях аскезы. Но господство разума и ответственности не безгранично. Его едва хватает и здоровому, чтобы он мог занимать свое место в культурном обществе. Между тем — пользуясь моим старым сравнением — можно сказать, что душевно здоровый человек и психопат различаются между собой не больше, чем люди с компенсированным и декомпенсированным пороком сердца. Человек, как удачно сказал Арнольд Гелен, по своей природе, т. е. по своему филогенезу, есть культурное существо. Иными словами, его инстинктивные побуждения и культурно обусловленное, ответственное владение ими составляют *единую* систему, в которой функции обеих подсистем точно согласованы друг с другом. Небольшой недостаток или избыток с той или другой стороны приводит к нарушению гораздо легче, чем думает большинство людей, склонных верить во всемогущество человеческого разума и обучения. И, к сожалению, человек, по-видимому, лишь в весьма незначительных пределах способен компенсировать такие нарушения, тренируя свою власть над собственными побуждениями.

Прежде всего, криминологии слишком хорошо известно, как мало можно надеяться превратить в социальных людей так называемых эмоционально бедных. Это одинаково верно в отношении как родившихся эмоционально бедными, так и тех несчастных, у кого почти такое же нарушение возникло от недостатка воспитания, особенно от госпитализации (в смысле Рене Спитса*). Недостаточный личный контакт с матерью в младенческом возрасте вызывает — если дело не кончается еще хуже — неспособность к социальным связям, симптомы которой чрезвычайно напоминают врожденную эмоциональную бедность. Итак, если неверно, что все врожденные дефекты неизлечимы, то еще менее верно, будто излечимы все приобретенные; старое врачебное правило: "лучше предупреждать, чем лечить" применимо и к нарушениям психики.

На вере во всемогущество условных реакций лежит немалая доля вины за некоторые причудливые ошибки правосудия. Ф. Хеккер в своих лекциях, прочитанных в клинике Меннинджера в Топеке (Канзас), рас-

---

[1] *Тем самым *(лат.)*. — *Примеч. пер.*

сказал о случае, когда один молодой убийца, принятый на психотерапевтическое лечение, был через некоторое время выпущен как "излечившийся" и очень скоро совершил новое убийство. Это повторилось не более и не менее как четырежды, и лишь после того как преступник убил четвертого человека, гуманное, демократическое и бихевиористское общество осознало, что он социально опасен.

Эти четыре мертвеца — еще небольшой вред по сравнению с тем, какой причиняет само отношение нынешнего общественного мнения к преступлению. Превратившееся в религию убеждение, что все люди рождаются равными и что все нравственные пороки преступника надо относить за счет его воспитателей, которые перед ним грешны, приводит к уничтожению всякого естественного правового чувства, и прежде всего у самого отщепенца; преисполненный жалости к себе, он считает себя жертвой общества. В одной австрийской газете можно было недавно увидеть крупный заголовок: "Семнадцатилетний из страха перед родителями стал убийцей". Этот парень изнасиловал свою десятилетнюю сестру и, так как она угрожала рассказать об этом родителям, задушил ее. В этом сложном стечении обстоятельств родители по крайней мере отчасти могли быть повинны, но уж, конечно, не в том, что нагнали на юнца слишком большой страх.

Чтобы понять эти явно патологические крайности общественного мнения, нужно прежде всего отдать себе отчет в том, что оно является функцией одной из тех саморегулирующихся систем, которым, как мы говорили вначале, свойственны *колебания*. Общественное мнение *инертно,* оно реагирует на новые влияния лишь после длительной "задержки"; сверх того, оно любит грубые упрощения, большей частью преувеличивающие подлинное положение вещей. Поэтому оппозиция, критикующая общественное мнение, по отношению к нему чуть ли не всегда права. Но в схватке мнений она переходит на крайние позиции, каких никогда не заняла бы, если бы не стремилась компенсировать противоположное мнение. И если господствовавшее до этого мнение рушится — а это обычно происходит внезапно, — то маятник колеблется в сторону столь же крайнего, преувеличенного взгляда прежней оппозиции.

Нынешняя гротескная форма либеральной демократии находится в кульминационной точке колебания. На противоположном конце, где маятник находился не так уж давно, были Эйхман и Освенцим, эвтаназия*, расовая ненависть, уничтожение народов и суд Линча. Мы должны понять, что по обе стороны точки, где остановился бы маятник, если бы когда-нибудь пришел в равновесие, *стоят подлинные ценности:* "слева" — ценность свободного развития личности, "справа" — ценность общественного и культурного здоровья. Бесчеловечны лишь эксцессы в *любую* сторону. Колебание продолжается, и вот в Америке уже намечается опасность, что вполне оправданный сам по себе, но неумеренный мятеж молодежи и негров может вызвать столь же неумеренную реакцию ничему не научившихся праворадикальных элементов, дав им желанный повод навязывать обществу другую крайность. Хуже всего, однако, что эти идеологические колебания не только не затухают, но угрожают расшатать всю систему вплоть до катастрофы. Дело ученого — попытаться наладить настоятельно необходимое *торможение* этих дьявольских колебаний.

Один из многих парадоксов, в которых запуталось цивилизованное человечество, состоит в том, что требование человечности по отношению к личности опять вступило здесь в противоречие с интересами человечества. Наше сострадание к асоциальным отщепенцам, неполноценность которых может быть вызвана либо необратимым повреждением в раннем возрасте (госпитализация!), либо наследственным недостатком, мешает нам защитить тех, кто этим пороком не поражен. Нельзя даже применять к людям слова "неполноценный" и "полноценный", не навлекая на себя сразу же подозрение, что ты сторонник газовых камер.

То "таинственное правовое чувство", о котором говорит П. Г. Занд, без сомнения, представляет собой систему генетически закрепленных реакций, побуждающих нас выступать против асоциального поведения наших собратьев по виду. Эти реакции образуют неизменный в течение исторических времен основной мотив, на который накладывались вариации независимо возникавших в отдельных культурах правовых и моральных систем. Несомненно, далее, что вероятность грубо ошибочных действий этого неосознанного правового чувства столь же велика, как и при любой другой инстинктивной реакции. Если человек чужой культуры совершит оплошность (как это сделали, например, участники первой немецкой экспедиции на Новую Гвинею, срубив священную пальму), его предают смерти с таким же праведным самодовольством, как если бы это был член собственного общества, хотя бы нечаянно нарушивший табу своей культуры. "Mobbing"[1]*, столь легко ведущий к суду Линча, — поистине один из самых бесчеловечных способов поведения, до которых можно довести современного нормального человека. Он вызывает все жестокости по отношению к "варварам" вне собственного общества и к меньшинствам внутри него, усиливает склонность к образованию псевдовидов в смысле Эриксона и лежит в основе целого ряда других, хорошо известных социальной психологии явлений проецирования — например, типичного поиска "козла отпущения" за собственные неудачи и еще многих других чрезвычайно опасных и аморальных импульсов, интуитивно неразличимых для неискушенного и входящих в то же глобальное правовое чувство.

И все же для механизма нашего социального поведения это правовое чувство столь же необходимо, как щитовидная железа для наших гормонов, и отчетливо наметившаяся в наши дни тенденция огульно осудить его и не дать ему действовать может привести лишь к таким же печальным последствиям, как попытка лечить базедову болезнь полным удалением щитовидной железы. Опасные последствия нынешней тенденции к абсолютной терпимости, выключающей естественное правовое чувство, усиливаются еще и действием псевдодемократической доктрины, считающей все поведение человека результатом обучения. В нашем поведении, служащем сохранению общества или вредящем ему, многое зависит от благословения или проклятия, которое запечатлела в нас в раннем детстве более или менее проницательная, ответственная и, прежде всего, эмоционально здоровая родительская чета. Столь же многое, если не большее, обусловлено генетически. Как мы знаем,

---

[1] *Нападение толпы* *(англ.). — Примеч. пер.*

великий регулирующий механизм ответственного, категорического суждения лишь в весьма тесных пределах способен компенсировать недостатки социального поведения, как происходящие от воспитания, так и генетические. Кто умеет мыслить биологически и знает силу инстинктивных побуждений, а также относительное бессилие всякой ответственной морали и всевозможных благих намерений и кто еще в некоторой мере понимает, с позиций психиатрии и глубинной психологии, как возникают нарушения социального поведения, тот не может осуждать "нарушителя" с тем же праведным гневом, как это делает каждый эмоционально здоровый наивный человек. Он видит в отщепенце не дьявольски злого, а больного человека, гораздо больше заслуживающего сострадания, и с чисто теоретической точки зрения это вполне правильно. Но если к такой оправданной установке присоединяется еще заблуждение псевдодемократической доктрины, будто все человеческое поведение структурируется кондиционированием и поэтому его можно так же неограниченно изменять и исправлять, то отсюда происходит тяжкое прегрешение против сообщества людей.

Чтобы представить себе, какими опасностями угрожает человечеству выпадение унаследованного инстинкта, нужно понять, что в условиях современной цивилизованной жизни нет ни одного фактора, осуществляющего отбор в направлении простой доброты и порядочности, за исключением нашего врожденного чувства к этим ценностям. В экономическом соревновании западной культуры за них полагается безусловно отрицательная селекционная премия! Счастье еще, что экономический успех и показатель размножения не обязательно связаны положительной корреляцией.

Есть старая еврейская шутка, хорошо иллюстрирующая необходимость морали. Миллиардер приходит к шадхену (брачному посреднику) и дает ему понять, что хотел бы жениться. Шадхен, ревностно взявшись за дело, тут же принимается восхвалять некую необычайно красивую девушку, трижды подряд завоевавшую звание "Мисс Америка", но богач отклоняет предложение: "Я сам достаточно красив!" Шадхен, со свойственной его профессии гибкостью, сразу же начинает превозносить другую невесту, с приданым в несколько миллиардов долларов. "Богатства мне не надо, — отвечает Крез, — я сам достаточно богат". Шадхен сразу же переходит на третий регистр и рассказывает о невесте, уже в 21 год ставшей доцентом математики, а сейчас, в 24 года, занимающей должность ординарного профессора теории информации МТИ[1]*. "Умной мне не надо, — говорит презрительно миллиардер, — я сам достаточно умен!" Тогда шадхен в отчаянии восклицает: "Какой же, ради Бога, она *должна* быть?" — "Она должна быть *порядочной*", — гласит ответ.

Мы знаем на примере наших домашних животных и даже диких животных, разводимых в неволе, как быстро при отпадении специфического отбора может наступить разложение форм социального поведения. У многих рыб, воспитывающих потомство, при искусственном разведении в коммерческих целях в течение нескольких поколений настолько нарушаются генетические системы ухода за потомством, что из несколь-

---

[1] *Массачусетский технологический институт. — *Примеч. пер.*

ких десятков пар с трудом удается найти одну, еще способную правильно заботиться о нем. Примечательно, что при этом, как и при разложении норм социального поведения, выработанных культурой (с. 37 и далее), самые дифференцированные и исторически молодые механизмы, по-видимому, наиболее уязвимы. Старые, общераспространенные побуждения, например к питанию и спариванию, очень часто доходят при этом до гипертрофии. (Следует, впрочем, учитывать, что человек, разводящий животных, по всей вероятности, селективно поощряет неразборчивую, жадную еду и такое же спаривание, стремясь в то же время подавить мешающие ему стимулы к агрессии и бегству.)

В целом домашнее животное выглядит злой карикатурой на своего хозяина. Как я указал в одной из предыдущих работ (1954), наше эстетическое восприятие отчетливо связано с телесными изменениями, регулярно выступающими в ходе одомашнивания. Типичные признаки одомашнивания, такие, как исчезновение мышц и замена их жиром, с возникающим отсюда отвислым животом, укорочение основания черепа и конечностей, обычно рассматриваются и в животных, и в человеке как уродство, в то время как противоположные признаки считаются "благородными". Совершенно аналогична наша эмоциональная оценка особенностей поведения, которые одомашнивание уничтожает или по меньшей мере ставит под угрозу: материнская любовь, самоотверженная и храбрая защита семьи и общества — инстинктивно запрограммированные нормы поведения, точно так же, как еда и спаривание, но мы определенно воспринимаем их как нечто лучшее и более благородное.

В упомянутых работах я проследил во всех подробностях тесные связи между угрозой исчезновения определенных признаков при одомашнивании и оценкой их нашим этическим и эстетическим чувством. Корреляция здесь слишком отчетлива, чтобы быть случайной, и объяснить ее можно лишь допущением, что в основе наших ценностных суждений лежат встроенные механизмы, предохраняющие человечество от угрожающих ему вполне определенных явлений вырождения. Это наводит на предположение, что в основе нашего правового чувства также лежит филогенетически запрограммированный механизм, функция которого — противодействовать инфильтрации общества асоциальными представителями нашего вида.

Один синдром наследственных изменений, несомненно, проявляется аналогичным образом и по сходным причинам у человека и у его домашних животных: это примечательная комбинация ранней половой зрелости и удлинения юношеской стадии развития. Как давно уже указал Больк, человек целым рядом своих физических признаков больше напоминает юношеские формы, чем взрослых животных ближайших ему зоологических видов. Длительную задержку в юношеском состоянии обычно называют в биологии неотенией. Отмечая это явление у человека, Л. Больк (1926) особенно подчеркивает замедление человеческого онтогенеза*, так называемую ретардацию. Тем же закономерностям, что и онтогенез тела, подчиняется и онтогенез человеческого поведения. Я сделал попытку показать (1943), что сохраняющаяся у человека до глубокой старости исследовательская любознательность, проявляющася в виде игры, его "открытость по отношению к миру", как называет ее Арнольд Гелен (1940), представляет собой удержавшийся юношеский признак.

Детскость — один из самых важных, необходимых и в благороднейшем смысле человечных признаков человека. "Человек лишь тогда человек вполне, когда он играет", — говорит Фридрих Шиллер. "В подлинном мужчине запрятан ребенок, который хочет играть", — говорит Ницше. "Почему же запрятан?" — спрашивает моя жена. Отто Ган сказал мне после первых нескольких минут знакомства: "Скажите, ведь у вас, в сущности, детская натура? Надеюсь, вы меня правильно поймете!"

Детские качества принадлежат, без сомнения, к предпосылкам возникновения человека. Вопрос лишь в том, не разовьется ли это характерное для человека генетическое "впадение в детство" до опасных пределов. Как я уже говорил на с. 20 и далее, явления нетерпимости к неудовольствию и притупления чувств могут вести к инфантильному поведению. Имеется серьезное подозрение, что к этим генетически обусловленным процессам могут присоединиться процессы, порожденные культурой. Нетерпеливое требование немедленного удовлетворения желаний, полное отсутствие ответственности и внимания к чувствам других — все это типичные свойства маленьких детей, им вполне простительные. Терпеливая работа для далекой цели, ответственность за свои поступки и внимательное отношение даже к далеким людям — таковы нормы поведения, характерные для *зрелого* человека.

О *незрелости* говорят исследователи рака, считающие ее одним из основных свойств злокачественной опухоли. Когда клетка отвергает все свойства, делающие ее полноправным членом некоторой ткани — кожи, эпителия кишечника или молочной железы, то с нею неизбежно происходит "регрессия" до состояния, соответствующего более ранней фазе развития вида или индивида, т. е. она начинает вести себя как одноклеточный организм или эмбриональная клетка, а именно делиться без учета интересов организма в целом. Чем дальше заходит такая регрессия, чем больше вновь образовавшаяся ткань отличается от нормальной, тем злокачественнее опухоль. Папиллома, еще обладающая многими свойствами нормальной кожи и всего лишь выступающая из нее в виде бородавки, — доброкачественная опухоль, саркома же, состоящая из совершенно однородных, никак не дифференцированных клеток мезодермы, — злокачественная. Гибельный рост злокачественных опухолей, как уже было сказано, происходит оттого, что определенные защитные средства, с помощью которых организм обороняется от возникновения "асоциальных" клеток, перестают действовать или подавляются этими клетками. При этом смертоносный инфильтрующий рост опухоли возможен лишь в случае, когда клетки окружающей ткани обращаются с ними как со "своими" и кормят их.

Рассмотренная в предыдущем абзаце аналогия может быть продолжена дальше. Человек, у которого не созрели нормы социального поведения, застревает в инфантильном состоянии и неизбежно становится в обществе паразитом. Он ожидает как чего-то само собою разумеющегося, что взрослые будут и дальше о нем заботиться, как будто он ребенок. В "Süddeutsche Zeitung" сообщалось недавно об одном юноше, убившем свою бабушку, чтобы отобрать у нее несколько марок на кино. Вся его ответственность сводилась к упорному повторению одной фразы: он ведь *говорил* бабушке, что ему нужны деньги на кино. Конечно, этот человек был слабоумным.

Огромное множество молодых людей относится теперь враждебно к нынешнему общественному порядку и тем самым к своим родителям. Но, несмотря на такую установку, они считают само собой разумеющимся, что это общество и эти родители их содержат, и в этом сказывается их бездумная инфантильность.

Если, как я опасаюсь, рост инфантильности и юношеской преступности у цивилизованных людей действительно происходит от генетического разложения, то перед нами серьезнейшая опасность. Наша высокая эмоциональная оценка хорошего и порядочного остается, с подавляющей вероятностью, единственным фактором отбора, сколько-нибудь действенно препятствующим ныне разложению социального поведения. Даже прожженный делец из нашего многозначительного анекдота хотел жениться на порядочной девушке! Все, о чем шла речь в предшествующих главах — перенаселение, коммерческая конкуренция, разрушение естественной среды и отчуждение от ее внушающей благоговение гармонии, вызываемая изнеженностью неспособность к сильным чувствам, — все это действует совместно, чтобы лишить современного человека всякого суждения о том, что хорошо и что плохо. И ко всему этому прибавляется еще отпущение грехов асоциальным элементам, навязываемое нам пониманием генетических и психологических причин их поведения.

Мы должны научиться соединять проницательную гуманность по отношению к индивиду с учетом того, что нужно человеческому сообществу.

Отдельный человек, у которого выпали некоторые способы социального поведения и вместе с тем нарушена способность к сопровождающим их чувствам, вполне заслуживает нашего сострадания; это и в самом деле несчастный больной. Но само по себе выпадение — *просто зло*. Это не только отрицание и регресс творческого процесса, превратившего животное в человека, но нечто гораздо худшее, поистине жуткое. Неким загадочным путем нарушение морального поведения очень часто приводит не просто к отсутствию всего, что мы воспринимаем как хорошее и порядочное, но к активной враждебности против добра и порядочности. Именно это явление породило во многих религиях веру во врага и состязателя Господня. И если в наши дни посмотреть открытыми глазами на все происходящее в мире, то нечего возразить верующему, убежденному, что Антихрист уже пришел.

Без сомнения, разложение генетически закрепленных форм поведения угрожает нам Апокалипсисом, и при этом в особенно страшной форме. Но все же одолеть эту опасность, пожалуй, легче, чем другие, как, например, перенаселение или дьявольский круг коммерческого соревнования, которым можно противопоставить лишь самые радикальные меры, самое меньшее — переоценку путем воспитания всех почитаемых ныне мнимых ценностей. Чтобы остановить генетическое вырождение человечества, достаточно держаться старой мудрости, классически выраженной в рассказанной выше еврейской шутке. Достаточно при выборе супруги или супруга не забывать простого и очевидного требования: она должна быть *порядочной* — и не в меньшей степени он.

Прежде чем перейти к следующей главе, где говорится об опасностях разрыва с традицией, возникающих из слишком радикального бунта молодежи, я хотел бы предупредить возможное недоразумение. Все, что было сказано выше об опасных последствиях роста инфантильности, в особенности об исчезновении чувства ответственности и восприимчивости к ценностям, относится к быстро нарастающей юношеской преступности, но никоим образом не к распространившемуся на весь мир бунту современной молодежи. Сколь бы энергично ни выступал я в дальнейшем против опасных заблуждений, в которые она впадает, столь же недвусмысленно я хотел бы здесь заявить, что она никоим образом не страдает недостатком социальной и моральной восприимчивости, и тем более — слепотой к ценностям. Совсем напротив: у этих молодых людей необычайно верное ощущение, что не только неладно что-то в датском государстве, но и в гораздо бóльших государствах очень многое неладно.

Глава 7
РАЗРЫВ С ТРАДИЦИЕЙ

В развитии каждой человеческой культуры обнаруживаются замечательные аналогии с историей развития вида. *Кумулирующая традиция,* лежащая в основе развития всей культуры, строится на функциях, новых по своему существу, не свойственных ни одному виду животных, и прежде всего на отвлеченном мышлении и словесном языке, доставивших человеку способность образовывать свободные символы и тем самым небывалую до того возможность распространять и передавать индивидуально приобретенное знание. Возникшее отсюда "наследование приобретенных свойств"*, в свою очередь, привело к тому, что историческое развитие культуры происходит на много порядков* быстрее, чем филогенез любого существующего вида.

Процессы, с помощью которых культура приобретает новое знание, способствующее сохранению системы, а также процессы, позволяющие хранить это знание, отличны от тех, какие встречаются при изменении видов. Но метод выбора из многообразного данного материала того, что подлежит сохранению, в обоих случаях явно один и тот же: это отбор после основательного испытания. Конечно, отбор, определяющий структуры и функции некоторой культуры, менее строг, чем отбор при изменении вида, поскольку человек уклоняется от факторов отбора, устраняя их один за другим путем все большего овладения окружающей природой. Поэтому нередко в культурах встречается нечто, едва ли возможное у видов животных: так называемые явления роскоши, т. е. структуры, характер которых *не* может быть выведен ни из какой-либо функции, полезной для сохранения системы, ни из более ранних форм системы. Человек может позволить себе таскать с собой больше ненужного балласта, чем дикое животное.

Замечательно, однако, что *один лишь* отбор решает, что должно войти в сокровищницу знаний культуры в качестве ее традиционных, "священных" обычаев и нравов. Похоже, что изобретения и открытия, происшедшие от догадки или рационального исследования, также приобретают со временем ритуальный и даже религиозный характер, если они достаточно долго передаются из поколения в поколение. Мне придется еще вернуться к этому в следующей главе. Если унаследованные нормы социальных отношений некоторой культуры изучаются в том виде, как они наблюдаются в данный момент, без привлечения сравнительно-исторического подхода, то невозможно отличить нормы, развившиеся из случайно возникших "суеверий", от тех, которые обязаны своим появлением подлинной проницательности или изобретению. Несколько утрированно можно сказать, что *все* сохраняемое культурной традицией в течение достаточно продолжительного времени принимает в конце концов характер "суеверия" или "доктрины".

На первый взгляд это может показаться "конструкционной ошибкой" механизма, доставляющего и накапливающего знания в человеческих культурах. При более внимательном рассмотрении, однако, обнаруживается, что величайшая консервативность в сохранении однажды испытанного принадлежит к числу жизненно необходимых свойств аппарата традиции, осуществляющего в развитии культуры ту же функцию, какую геном* выполняет в изменении видов. Сохранение не просто так же важно, но гораздо важнее нового приобретения, и нельзя упускать из виду, что без специально направленных на это исследований мы вообще не в состоянии понять, какие из обычаев и нравов, переданных нам нашей культурной традицией, представляют собой ненужные, устаревшие предрассудки и какие — неотъемлемое достояние культуры. Даже в случае норм поведения, дурное воздействие которых кажется очевидным — например, охоты за черепами у многих племен Борнео и Новой Гвинеи, — вовсе не ясно, какие реакции может вызвать их радикальное устранение в системе норм социального поведения, поддерживающей цельность такой культурной группы. Ведь подобная система норм служит, в некотором смысле, остовом любой культуры, и, не поняв всего многообразия ее взаимодействий, в высшей степени опасно произвольно удалить из нее хотя бы один элемент.

Заблуждение, будто лишь рационально постижимое или даже лишь научно доказуемое составляет прочное достояние человеческого знания, приносит гибельные плоды. Оно побуждает "научно просвещенную" молодежь выбрасывать за борт бесценные сокровища мудрости и знания, заключенные в традициях любой старой культуры и в учениях великих мировых религий. Кто полагает, что всему этому грош цена, закономерно впадает и в другую столь же гибельную ошибку, считая, что наука конечно же может создать всю культуру со всеми ее атрибутами чисто рациональным путем из ничего. Это почти так же глупо, как мнение, будто мы уже достаточно знаем, чтобы как угодно "улучшить" человека, переделав человеческий геном. Ведь культура содержит столько же "выросшего", приобретенного отбором знания, сколько животный вид, а до сих пор, как известно, не удалось еще "сделать" ни одного вида!

Эта чудовищная недооценка нерациональных знаний, заключенных в сокровищах культуры, и столь же чудовищная переоценка знаний, которые человек сумел составить с помощью своего *ratio*[1]* в качестве *homo faber*[2]*, не являются, впрочем, ни единственными, ни тем более решающими факторами, угрожающими гибелью нашей культуре. У надменного просвещения нет причин выступать против унаследованной традиции с такой резкой враждебностью. В крайнем случае оно должно было бы относиться к ней, как биолог к старой крестьянке, настойчиво уверяющей его, что блохи возникают из опилок, смоченных мочой. Однако установка значительной части нынешнего молодого поколения по отношению к поколению их родителей не имеет в себе ничего от подобной мягкости, а преисполнена высокомерного презрения. Революцией современной молодежи движет *ненависть,* и притом ненависть особого рода, ближе всего стоящая к *национальной ненависти*, опаснейшему и упорнейшему из всех ненавистнических чувств. Иными словами, бунтующая молодежь реагирует на старшее поколение так же, как некоторая культурная или "этническая" группа реагирует на чужую группу, враждебную ей.

Эрик Эриксон первый указал на то, что далеко заходит аналогия между дивергирующим развитием* независимых этнических групп в истории культуры и изменением подвидов, видов и родов в ходе их эволюции. Он ввел термин *"pseudo-speciation",* "псевдовидообразование". Возникшие в истории культуры ритуалы и нормы социального поведения, с одной стороны, поддерживают цельность бо́льших или меньших культурных сообществ, с другой — отгораживают их друг от друга. Определенный характер "манер", особый групповой диалект, способ одеваться и т. п. может превратиться в символ сообщества, который любят и защищают точно так же, как и саму эту группу лично знакомых и любимых людей. Как я показал в другой работе (1967), эта высокая оценка всех символов собственной группы идет рука об руку со столь же низкой оценкой символов любого другого сравнимого культурного сообщества. Чем дольше две этнические группы развивались независимо друг от друга, тем значительнее различия между ними, и из этих различий, аналогично сравнению признаков у видов животных, можно реконструировать ход развития. И в том и в другом случае можно с уверенностью принять, что шире распространенные признаки, принадлежащие более крупным сообществам, старше других.

Каждая достаточно четко выделенная культурная группа стремится и в самом деле рассматривать себя как замкнутый в себе вид — настолько, что членов других сравнимых сообществ не считают полноценными людьми. В очень многих туземных языках собственное племя обозначается попросту словом "человек". Тем самым лишение жизни члена соседнего племени не рассматривается как настоящее убийство! Это

---

[1] *Разум, рассудок *(лат.). — Примеч. пер.*
[2] *Человек деятельный (буквально: человек-мастер, человек-ремесленник *(лат.). — Примеч. пер.*

следствие образования псевдовидов в высшей степени опасно, поскольку оно в значительной мере снимает торможение, мешающее убить своего собрата по виду, между тем как внутривидовая агрессивность, вызываемая собратьями по виду и никем другим, продолжает действовать. По отношению к "врагам" испытывают ненависть, какую могут вызвать лишь другие люди, но не вызывает и злейший хищный зверь, и в них можно спокойно стрелять, потому что они ведь не настоящие люди. Само собой разумеется, что испытанная техника всех поджигателей войны поддерживает такое мнение.

Тот факт, что нынешнее младшее поколение, несомненно, начинает рассматривать старшее как чужой псевдовид, вызывает глубокое беспокойство. Это выражается в ряде симптомов. Конкурирующие и враждебные этнические группы имеют обыкновение вырабатывать себе или создавать *ad hoc*[1]* подчеркнуто различные костюмы. В Центральной Европе местные крестьянские костюмы давно исчезли, и только в Венгрии они полностью сохранились повсюду, где близко друг к другу расположены венгерские и словацкие деревни. Тамошние жители носят свой костюм не только с гордостью, но и с несомненным намерением досадить членам другой этнической группы. Точно так же ведут себя многие самочинно возникшие группы бунтующей молодежи, причем поразительно, насколько сильно у них — вопреки кажущемуся отвращению ко всякому милитаризму — стремление *носить мундир*. "Специалисты" различают разные группировки "битников", "теддибойз", "рокс", "модз", "рокеров", "хиппи", "бродяг" и т. д. по их нарядам с такой же уверенностью, как узнавали некогда полки императорской королевской* австрийской армии.

Бунтующая молодежь стремится также как можно дальше отойти от поколения родителей в своих обычаях и нравах; традиционное поведение старших не просто игнорируют, но замечают в малейших деталях и во всем поступают наоборот. В этом состоит, например, одно из объяснений проявления половых излишеств в группах, в которых половая потенция, по-видимому, вообще снизилась. Только тем же усиленным стремлением нарушить родительские запреты можно объяснить случаи, когда бунтующие студенты у всех на глазах мочились и испражнялись — как было в Венском университете.

Мотивировка всех этих странных, даже причудливых способов поведения остается у этих молодых людей полностью бессознательной, и они приводят самые разнообразные, часто весьма убедительно звучащие псевдорационализации своего образа действий: они протестуют против общей бесчувственности своих богатых родителей к бедным и голодным, против войны во Вьетнаме, против произвола университетских властей, против всех *"establishments"*[2]* всех направлений — но почему-то удивительно редко против насилия Советского Союза над Чехословакией. В действительности же атака направляется против всех старших без разбора, совершенно безразлично к их политическим взглядам. Студен-

---

[1] *Для данного случая, для данной цели *(лат.)*. — *Примеч. пер.*
[2] *Установившаяся система власти, не обязательно формальная *(англ.)*. — *Примеч. пер.*

ты леворадикального направления поносят самых леворадикальных профессоров ничуть не меньше, чем правых; коммунистические студенты под предводительством Кон-Бендита подвергли грубейшей травле Г. Маркузе, осыпав его поистине безмозглыми обвинениями, например, что он платный агент ЦРУ. Мотив нападения состоял вовсе не в различии политических взглядов, а исключительно в том, что он принадлежит к другому поколению.

Точно так же, бессознательно и эмоционально, старшее поколение *понимает* эти мнимые протесты как то, чем они являются на самом деле, — как исполненные ненависти воинственные выкрики и брань. Так возникает быстрая и опасная эскалация ненависти, которая по существу своему — как уже было сказано — родственна национальной ненависти, т. е. ненависти между различными этническими группами. Даже мне, искушенному этологу, трудно воздержаться от гневной реакции на красивую синюю блузу хорошо обеспеченного коммуниста Кон-Бендита, и достаточно присмотреться к выражению лиц этих людей, чтобы понять, что именно такой реакции они и желают. При таких условиях возможность взаимопонимания становится минимальной.

Как в моей книге об агрессии (1963), так и в публичных лекциях (1968, 1969) я занимался уже вопросом, в чем можно усмотреть вероятные этологические причины войны поколений; поэтому я ограничусь здесь самым необходимым. В основе всего этого круга явлений лежит функциональное нарушение процесса развития, происходящего у человека в период созревания. Во время этой фазы молодой человек начинает освобождаться от традиций родительского дома, критически проверять их и осматриваться в поисках новых идеалов, новой группы, к которой он мог бы примкнуть, почитая ее дело своим. Более того, при выборе объекта решающее значение имеет, особенно у молодых мужчин, инстинктивное стремление *бороться* за хорошее дело. В этой фазе наследие прошлого кажется скучным, а все новое — привлекательным, так что можно говорить о физиологической неофилии.

Без всякого сомнения, этот процесс имеет важное значение для сохранения вида, отчего он и вошел в филогенетически возникшую программу поведения человека. Функция его состоит в том, чтобы сделать передачу норм культурного поведения менее жесткой, способной к некоторому приспособлению; происходящее при этом можно сравнить с линькой рака, вынужденного сбрасывать свой жесткий внешний скелет, чтобы иметь возможность расти. Как во всех прочих структурах, при передаче культурного наследия необходимая опорная функция должна быть куплена ценой потери некоторых степеней свободы и, как всегда в таких случаях, разборка, нужная для любой перестройки, несет с собой известные опасности, поскольку во время между разборкой и сборкой неизбежны неустойчивость и беззащитность. Это одинаково относится и к линяющему раку, и к созревающему человеку.

В нормальных условиях период физиологической неофилии сменяется возрождением любви к традиционному наследию. Это происходит постепенно; как может засвидетельствовать большинство из нас, стариков, в шестьдесят лет человек гораздо выше ценит многие взгляды своего отца, чем в восемнадцать. А. Мичерлих удачно называет это явление "поздним послушанием". Система, состоящая из физиологической неофилии и позднего послушания, содействует сохранению культуры в целом, устраняя явно устаревшие, затрудняющие развитие элементы унаследованной культуры и продолжая при этом поддерживать ее существенную и необходимую структуру. Поскольку функция этой системы неизбежно зависит от взаимодействия целого ряда внешних и внутренних факторов, понятно, что она легкоуязвима.

Задержки развития, которые могут быть обусловлены не только факторами внешнего мира, но заведомо и генетическими причинами, имеют весьма различные последствия в зависимости от момента, когда они возникли. Индивид, застрявший на одной из ранних инфантильных стадий, может никогда не выйти из традиции старшего поколения, сохраняя с родителями нерушимую связь. Такие люди плохо ладят со своими ровесниками и часто превращаются в чудаков. Физиологически ненормальная задержка на стадии неофилии ведет к характерному злопамятному раздражению против родителей, иногда давно умерших, и тоже к обособлению определенного типа. Психоаналитикам оба эти явления хорошо известны.

Однако расстройства, ведущие к ненависти и войне между поколениями, имеют другие причины, и притом двоякого рода. Во-первых, требуемые приспособительные изменения культурного наследия становятся от поколения к поколению все больше. Во времена Авраама изменения в нормах поведения, унаследованных от отца, были столь незначительны, что — как это убедительно изобразил Томас Манн в своем чудесном психологическом романе "Иосиф и его братья" — многие из тогдашних людей вообще не были в состоянии отделить собственную личность от личности отца, и, следовательно, отождествление происходило самым совершенным способом, какой можно себе представить. В наше время, при темпе развития, навязанном нынешней культуре ее техникой, критически настроенная молодежь справедливо считает устаревшей весьма значительную часть традиционного достояния, все еще хранимого старшим поколением. И тогда описанное выше (с. 37) заблуждение, будто человек способен произвольным и рациональным образом выстроить на голом месте новую культуру, приводит к совсем уже безумному выводу, что родительскую культуру лучше всего полностью уничтожить, чтобы приняться за "творческое" строительство новой. Это и в самом деле можно было бы сделать, но только заново начав с до-кроманьонских людей!

Впрочем, убеждение в том, что следует "выплеснуть вместе с водой родителей", широко распространенное в наши дни среди молодежи, имеет еще и другие причины. Изменения, которым подвергается структура семьи в ходе прогрессирующей технизации человечества, действуют вместе и по отдельности в направлении ослабления связи между родителями и детьми. И начинается это уже с грудных младенцев. Поскольку мать в наши дни никогда не может посвящать ребенку все свое время, почти везде возникают, в большей или меньшей степени, явления, описанные Рене Спитсом под именем госпитализации. Наихудший ее симптом — тяжелое или даже необратимое ослабление способности общения с людьми. Этот эффект опасным образом сочетается с уже рассмотренным (с. 10) нарушением способности к человеческой симпатии.

Несколько позже, особенно у мальчиков, становится заметным расстройство из-за выпадения отцовского образца. За исключением крестьянской и ремесленной среды, мальчик в наши дни почти не видит отца за работой, и еще реже приходится ему помогать в этой работе, ощущая при этом впечатляющее превосходство взрослого мужчины. Далее, в современной малой семье отсутствует ранговая структура, при которой в первоначальных условиях "старик" мог внушать уважение. Пятилетний мальчик, конечно, не в состоянии непосредственно оценить превосходство своего сорокалетнего отца, но ему импонирует сила десятилетнего брата, он понимает почтение, оказываемое этим братом старшему, пятнадцатилетнему, и эмоционально приходит к правильным выводам, видя, как уважает отца этот старший сын, уже достаточно умный, чтобы признавать его духовное превосходство.

Признание рангового превосходства не препятствует любви. Каждый может припомнить, что в детстве он любил людей, на которых смотрел снизу вверх и которым безусловно повиновался, не меньше, а больше, чем равных или низших по рангу. Я до сих пор уверен, что к моему рано умершему другу Эммануэлю Ларошу, который, будучи на четыре года старше меня, осуществлял в качестве бесспорного главаря справедливую, но строгую власть в нашей дикой шайке ребят возрастом от десяти до шестнадцати лет, я не просто испытывал уважение и старался заслужить его признание смелыми поступками, но, как я и сейчас столь же ясно помню, я его любил. Чувство это было, несомненно, того же свойства, как те, какие я испытывал впоследствии к некоторым весьма почитаемым старшим друзьям и учителям. Одно из величайших преступлений псевдодемократической доктрины состоит в том, что она изображает естественный ранговый порядок между двумя людьми как фрустрирующее препятствие для любых теплых чувств: без рангового порядка не может существовать даже самая естественная форма человеческой любви, соединяющая в нормальных условиях членов семьи; в результате воспитания по пресловутому принципу *"non-frustration"*[1]* тысячи детей были превращены в несчастных невротиков.

Как я уже объяснил в упомянутых работах, в группе без рангового порядка ребенок оказывается в крайне неестественном положении. Поскольку он не может подавить свое собственное, инстинктивно запрограммированное стремление к высокому рангу и, разумеется, тиранит не оказывающих сопротивления родителей, ему навязывается роль лидера группы, в которой ему очень плохо. Без поддержки сильного "начальника" он чувствует себя беззащитным перед внешним миром, всегда враждебным, потому что "не фрустрированных" детей нигде не любят. И когда он в понятном раздражении пытается бросить родителям вызов и "просит ремня"[2]*, как это прекрасно говорится на баварско-австрийском диалекте, он, вместо инстинктивно ожидаемой им обратной агрес-

---

[1] *Без фрустраций* *(англ.).* — *Примеч. пер.*
[2] *Буквально: выпрашивает оплеуху. — *Примеч. пер.*

сии, на которую подсознательно надеется, наталкивается на резиновую стену спокойных, псевдорассудительных фраз.

Но человек никогда не отождествляет себя с порабощенным и слабым; никто не позволит такому наставнику предписывать себе нормы поведения, и уж конечно никто не признаёт за культурные ценности то, что он почитает. Усвоить культурную традицию другого человека можно лишь тогда, когда любишь его до глубины души и при этом ощущаешь его превосходство. И вот, устрашающее большинство молодых людей вырастает теперь без такого "образа отца". Физический отец слишком часто не годится, а нынешнее массовое производство в школах и университетах не дает уважаемому учителю его заменить.

К этим чисто этологическим основаниям, по которым отвергается родительская культура, у многих мыслящих молодых людей прибавляются и подлинно этические. В нашей современной западной культуре, с ее скученностью, с ее опустошением природы, с ее слепотой к ценностям и бегом наперегонки с самим собой в погоне за деньгами, с ее ужасающим обеднением чувств и отупением под действием индоктринирования, во всем этом и вправду так много не заслуживающего подражания, что слишком легко забыть о глубокой истине и мудрости, заключенной также и в нашей культуре. Со всевозможными *"establishments"* молодежь *действительно* имеет убедительные и разумные причины вести борьбу. Очень трудно, однако, уяснить себе, какую долю среди бунтующих молодых людей — в том числе и студентов — составляют те, кто в самом деле действует по этим мотивам. То, что действительно происходит при публичных столкновениях, очевидным образом вызывается совсем иными, подсознательно этологическими побуждениями, среди которых этническая ненависть стоит, безусловно, на первом месте. Вдумчивые молодые люди, действующие по разумным мотивам, меньше прибегают к насилию, поэтому внешняя картина бунта представляет, по преимуществу, симптомы невротической регрессии*. К сожалению, разумные молодые люди из-за ложно понятой лояльности явно оказываются не в состоянии отмежеваться от поведения толпы. Из дискуссий со студентами я вынес впечатление, что доля разумных не так мала, как можно было бы заключить по внешней картине бунта.

В этих размышлениях не следует, впрочем, забывать, что разумные соображения — гораздо более слабое побуждение, чем стихийная первичная сила стоящей за ними в действительности инстинктивной агрессии. Тем более нельзя забывать о последствиях такого полного отвержения родительской традиции для самой молодежи. Эти последствия могут быть гибельными. В течение фазы "физиологической неофилии" созревающий молодой человек одержим неодолимым влечением примкнуть к некоторой этнической группе и прежде всего принять участие в ее коллективной агрессии. Влечение это столь же сильно, как и всякое другое филогенетически запрограммированное побуждение, столь же сильно, как голод или половое влечение. И точно так же, как в случае других инстинктов, вдумчивый подход и процессы обучения позволяют в лучшем случае фиксировать его на определенном объекте, но никогда нельзя полностью подчинить его разуму и тем более подавить. Когда это с виду удается, возникает опасность невроза.

Как уже было сказано, на этой стадии онтогенеза "нормальным", т. е. имеющим смысл для сохранения культуры как системы, следует считать процесс, состоящий в том, что молодые люди некоторой этнической группы объединяются в служении некоторым новым идеалам и предпринимают, соответственно этому, существенные реформы традиционных норм поведения, не выбрасывая при этом за борт все достояние родительской культуры в целом. Таким образом, молодой человек безусловно отождествляет себя с молодой группой старой культуры. Глубочайшая сущность человека, как культурного по своей природе существа, позволяет ему найти вполне удовлетворительное отождествление лишь в культуре и с культурой. И если рассмотренные выше препятствия отнимают у него такую возможность, то он удовлетворяет свое влечение к отождествлению и групповой принадлежности точно так же, как это происходит с неудовлетворенным половым влечением, т. е. с помощью *замещающего объекта*. Исследователи инстинктов давно уже знают, с какой неразборчивостью подавленные влечения находят себе выход, выбирая самые неподходящие объекты; но вряд ли можно привести более впечатляющий пример этого, чем те объекты, какие нередко находит жаждущая групповой принадлежности молодежь. Хуже всего — не принадлежать вообще ни к какой группе; лучше уж стать членом самой прискорбной из всех, группы наркоманов. Как показал специалист в этой области Аристид Эссер, именно влечение к групповой принадлежности, наряду со скукой, о которой была речь в пятой главе, служит главной причиной, толкающей к наркотикам все большее число молодых людей.

Где нет группы, к которой можно примкнуть, всегда имеется возможность устроить "по мере надобности" новую группу. Преступные и полупреступные шайки юнцов, вроде тех, которые так удачно изображены в пользующемся заслуженной известностью мюзикле *"West Side Story"*[1]*, представляют в прямо-таки схематической простоте филогенетическую программу этнической группы, но, увы, без унаследованной культуры, свойственной естественно возникшим, не патологическим группам. Как показано в этом мюзикле, две шайки часто образуются одновременно, с единственной целью служить друг другу подходящими объектами коллективной агрессии. Типичным примером могут служить, если они еще существуют, английские "рокс энд модз". Эти агрессивные двойные группы все же, пожалуй, более сносны, чем, скажем, гамбургские "рокеры", сделавшие своей жизненной задачей избиение беззащитных стариков.

Эмоциональное возбуждение тормозит разумное действие, гипоталамус* блокирует кору. Ни к какой самой извращенной эмоции это не относится в такой степени, как к коллективной, этнической ненависти, которую мы слишком хорошо знаем под именем национальной. Надо понять, что ненависть младшего поколения к старшим имеет тот же источник. Ненависть действует хуже, чем всеобщая слепота или глухота,

---

[1] *"Вестсайдская история" *(англ.). — Примеч. пер.*

потому что она извращает и обращает в свою противоположность любое полученное сообщение. Что бы вы ни сказали бунтующей молодежи, чтобы помешать ей разрушить ее собственное важнейшее достояние, можно предвидеть, что вас обвинят в ухищрениях с целью поддержать ненавистный *"establishment"*. Ненависть не только ослепляет и оглушает, но и невероятно оглупляет. Тем, кто нас ненавидит, трудно будет оказать благодеяние, в котором они нуждаются. Трудно будет доказать им, что возникшее в ходе культурного развития так же незаменимо и так же достойно благоговения, как возникшее в истории вида, трудно будет внушить им, что культуру можно погасить, как пламя свечи.

Глава 8

ИНДОКТРИНИРУЕМОСТЬ

Мой учитель Оскар Гейнрот, естествоиспытатель до мозга костей и записной насмешник над гуманитарными науками, имел обыкновение говорить: "То, что думают, по большей части ошибочно, но что знают, то уж верно". Эта гносеологически невинная фраза превосходно выражает ход развития всякого человеческого знания, а быть может, и всякого знания вообще. Вначале "что-то думают", потом сравнивают это с опытом и с поступающими в дальнейшем чувственными данными, чтобы затем из совпадения или несовпадения заключить, верно или неверно "то, что думали". Это сравнение между внутренней, каким-то образом возникающей в организме закономерностью и другой закономерностью, существующей во внешнем мире, является, вероятно, важнейшим из методов, с помощью которых живой организм приобретает познания. Карл Поппер и Дональд Кэмпбелл называют этот метод *"pattern matching"*[1]*; оба слова здесь не поддаются точному переводу на немецкий.

Этот процесс осуществляется, по существу, тем же способом, хотя и в простейшей форме, уже на самом низком уровне жизни; в физиологии восприятия он встречается на каждом шагу, а в сознательном мышлении человека принимает вид гипотезы и последующего ее подтверждения. То, что поначалу в виде предположения думают, при испытании на конкретных случаях очень часто оказывается ошибочным, но если предположение выдерживает такое испытание достаточно часто, оно становится знанием. В науке эти процессы называют построением гипотезы и проверкой.

К сожалению, эти два шага познания отделяются друг от друга не столь четко, а результат второго из них не столь ясен, как можно было бы подумать, судя по изречению моего учителя Гейнрота. При построении познания гипотеза играет роль строительных лесов, о которых строитель заранее знает, что по мере продвижения его замысла их

---

[1] *Приблизительный русский перевод: сравнение признаков. *(англ.).* — Примеч. пер.*

45

придется разбирать. Она является *предварительным* допущением, и делать такое допущение вообще имеет смысл лишь тогда, когда существует практическая возможность опровергнуть его нарочито отысканными для этой цели фактами. Гипотеза, не поддающаяся никакому *опровержению**, тем самым не может быть проверена и потому непригодна для экспериментальной работы. Создатель гипотезы должен быть благодарен каждому, кто укажет ему новые пути, на которых его гипотеза может быть найдена недостаточной; в самом деле, единственно возможная проверка состоит в том, что гипотеза способна выдержать попытки ее опровергнуть. В поисках такого подтверждения и состоит, в сущности, *работа* любого естествоиспытателя; поэтому говорят также о рабочих гипотезах, и такая гипотеза тем полезнее для работы, чем больше она предоставляет возможностей для проверки: вероятность ее правильности возрастает с числом приводимых фактов, которые с ней согласуются.

Иногда считают — заблуждение это распространено также и среди специалистов по теории познания, — будто гипотеза может быть окончательно опровергнута одним или несколькими фактами, которые с ней не удается согласовать. Если бы это было так, то все существующие гипотезы были бы опровергнуты, потому что вряд ли найдется среди них хоть одна, согласная со *всеми* относящимися к ней фактами. Любое наше познание представляет собой лишь *приближение* — хотя и последовательно улучшаемое приближение — к внесубъективной действительности, которую мы стремимся познать. Гипотеза никогда не опровергается единственным противоречащим ей фактом; опровергается она лишь другой гипотезой, которой подчиняется *большее* число фактов. Итак, "истина" есть рабочая гипотеза, способная наилучшим образом проложить путь другим гипотезам, которые сумеют объяснить больше.

Однако наше мышление и наше чувство не могут подчиниться этому теоретически бесспорному положению вещей. Как бы мы ни старались не упускать из виду, что все наше знание, все, о чем говорит наше восприятие внесубъективной действительности, представляет собой лишь грубо упрощенную, приближенную картину существующего "в себе", мы все же не можем помешать себе считать некоторые вещи попросту верными и быть убежденными в абсолютной правильности этого знания.

Убеждение это, если рассмотреть его надлежащим образом с психологической, и прежде всего с феноменологической, точки зрения*, следует отождествить с *верой,* в любом смысле этого слова. Если естествоиспытатель проверил некоторую гипотезу настолько, что она заслуживает наименования теории, и если эта теория настолько "удалась", что, как можно предвидеть, в дальнейшем придется лишь уточнять ее дополнительными гипотезами, но не придется изменять ее в основных чертах, то мы в такую теорию "твердо верим". Вера эта не причиняет, впрочем, какого-либо вреда, поскольку "замкнутые" теории такого рода сохраняют свою "истинность" в пределах области их применимости, даже если эта область оказывается не столь всеобъемлющей, как полагали во время построения теории. Так обстоит дело, например, со всей классической физикой: квантовая механика ограничила область ее применения, но в собственном смысле ее не опровергла.

Есть целый ряд теорий, проверенных, по-видимому, до границ возможной *достоверности*, в которые я "верю" в том же смысле, что и в принципы классической механики. Так, например, я твердо убежден в правильности так называемой коперниканской картины мира; я был бы по меньшей мере беспредельно поражен, если бы оказалась правильной пресловутая теория пустотелого мира* или если бы планеты, как полагали во времена Птолемея, ползали все-таки по небесному потолку, описывая причудливые эпициклические петли.

Есть, однако, и такие вещи, в которые я верю столь же твердо, как в доказанные теории, хотя у меня нет ни малейшего доказательства правильности моего убеждения. Я верю, например, что Вселенная управляется единой системой не противоречащих друг другу законов природы, которые никогда не нарушаются. Убеждение это, имеющее лично для меня прямо-таки аксиоматический характер, исключает сверхъестественные события; иными словами, все явления, описанные парапсихологами и спиритами, я считаю самообманом. Мнение это совершенно ненаучно — ведь сверхъестественные процессы могли бы быть, во-первых, очень редкими, а во-вторых, незначительными по своим масштабам, и то обстоятельство, что я никогда не сталкивался с ними лицом к лицу, не дает мне, разумеется, никакого права высказываться об их существовании или несуществовании. Я признаю моей чисто религиозной верой, что есть лишь *одно* великое чудо и нет никаких *чудес* во множественном числе или, как это выразил поэт-философ Курд Ласвиц, что Богу незачем творить чудеса.

Как я уже сказал, эти убеждения — и научно обоснованные, и эмоциональные — феноменологически тождественны вере. Чтобы найти для своего стремления к познанию хотя бы по видимости прочное основание, человек необходимым образом должен принять некоторые положения в качестве твердо установленных истин, "подставив" их, как архимедовы точки опоры, под конструкцию своих умозаключений. При построении гипотезы сознательно исходят из *фикции*, будто такая подстановка надежна, и "поступают так, как если бы"* гипотеза была верна, чтобы посмотреть, что из этого получится. И чем дольше удается строить на таких фиктивных архимедовых точках опоры внутренне непротиворечивое и неразваливающееся сооружение, тем вероятнее становится, по принципу взаимного прояснения, безумно смелое вначале допущение, что гипотетически выбранные архимедовы точки опоры соответствуют действительности.

Гипотетическое допущение, что некоторые вещи попросту *верны*, принадлежит, таким образом, к неизбежным способам действия человеческого стремления к познанию. Точно так же к мотивационным предпосылкам человеческого исследования принадлежит *надежда*, что допущение верно, что гипотеза правильна. Лишь некоторые, относительно немногочисленные естествоиспытатели предпочитают продвигаться *"per exclusionem"*[1]*, экспериментально исключая одну возможность объяснения за другой, пока не остается единственная, содержащая в себе истину. Большинство же из нас — в этом нужно отдавать себе отчет — *любит*

---

[1] *Методом исключения *(лат.).* — Примеч. пер.*

47

свои гипотезы, и, как я говорил уже однажды, полезно проделывать ежедневно, наподобие утренней гимнастики, болезненное, но сохраняющее молодость и здоровье упражнение — выбрасывать за борт какую-нибудь любимую гипотезу*. Нашей "любви" к гипотезе способствует, естественно, и продолжительность времени, в течение которого мы ее защищали; привычки мышления столь же легко превращаются в "любимые" привычки, как и все другие. И особенно легко это происходит, когда мы не создаем такие привычки сами, а перенимаем их у великого и почитаемого учителя. Если этот учитель открыл новый принцип объяснения и у него было поэтому *много* учеников, то с такой привязанностью соединяется еще массовое воздействие мнения, разделяемого многими людьми.

Сами по себе эти явления вовсе не дурны и даже имеют свое оправдание. Хорошая рабочая гипотеза в самом деле выигрывает в вероятности, если в течение длительного, даже многолетнего исследования не обнаруживается ни один противоречащий ей факт. С течением времени возрастает действенность принципа взаимного прояснения. Оправданно также самое серьезное отношение к словам ответственного учителя, который особенно строго взвешивает все, что передает своим ученикам, или же усиленно подчеркивает гипотетический характер сказанного. Такой человек основательно размышляет, прежде чем признать какую-либо из своих теорий "созревшей для учебника". Точно так же не заслуживает безусловного осуждения, если мы укрепляемся в своем мнении оттого, что его разделяют другие. Четыре глаза видят лучше, чем два, и особенно верно это в случае, когда другой исходит в своей индукции из данных иного рода, приходя при этом к результатам, согласующимся с нашими, — что означает однозначное подтверждение.

Но все эти воздействия, укрепляющие наши убеждения, могут, к сожалению, происходить и *без* только что упомянутых оправданий. Прежде всего, как было уже сказано на с. 46, гипотеза может быть построена так, что все диктуемые ею опыты заранее должны лишь подтверждать ее. Например, гипотеза, что рефлекс является единственным заслуживающим изучения элементарным актом центральной нервной системы, вела исключительно к таким опытам, в которых регистрировался ответ системы на некоторое *изменение* состояния среды. Что нервная система способна не только пассивно реагировать на стимулы, при такой постановке опытов не могло не остаться скрытым. Требуется самокритика, а также богатая творческая фантазия, чтобы не впасть в ошибку, обесценивающую гипотезу в качестве рабочей гипотезы, сколь бы она ни была "плодотворной" в поставке "информации" — в том смысле, как это слово понимается в теории информации. Иначе гипотеза не приносит больше нового познания или приносит его лишь в виде исключения.

Точно так же доверие к слову учителя, сколь бы оно ни было ценно при основании новой "школы", т. е. нового направления исследований, влечет за собой опасность образования доктрины. Великий гений, открывший новый принцип объяснения, склонен, как известно, переоценивать широту области его применимости. Это делали Жак Лёб, Иван Петрович Павлов, Зигмунд Фрейд и многие другие из самых великих людей. Если еще вдобавок теория слишком пластична и мало стимулирует опровержение, то это вместе с почтением к учителю может привести к тому, что ученики превращаются в последователей*, а школа — в религию и культ, как это произошло во многих местах с учением Зигмунда Фрейда.

Однако решающий шаг, ведущий к образованию доктрины в узком смысле слова, состоит в том, что к двум только что рассмотренным факторам, укрепляющим теорию до превращения ее в убеждение, прибавляется еще слишком большое *число* ее сторонников. В наши дни возможности распространения, доставляемые подобному учению так называемыми средствами массовой информации — газетами, радио и телевидением, — очень легко приводят к тому, что учение, представляющее собой не более чем непроверенную научную гипотезу, становится не только общенаучным, но и просто общественным мнением.

С этого момента, к несчастью, приходят в действие все механизмы, служащие для сохранения испытанных традиций, о которых подробно говорилось в 7-й главе. Доктрину защищают с тем же упрямством, с той же горячностью, какие были бы уместны, если бы надо было спасти от гибели испытанную мудрость, просветленное отбором знание старой культуры. Всякого несогласного с ходячим мнением клеймят как еретика, осыпают клеветой и, насколько возможно, дискредитируют. На него обрушивается в высшей степени специфическая реакция ”mobbing”, общественной ненависти и травли.

Подобная доктрина, ставшая всеохватывающей религией, доставляет своим приверженцам субъективное удовлетворение окончательным познанием, принимающим характер откровения. Все противоречащие ей факты отрицаются, игнорируются или, чаще всего, *вытесняются* в смысле Зигмунда Фрейда, т. е. загоняются ниже порога сознания. Вытесняющий эти факты человек оказывает ожесточенное, в высшей степени окрашенное аффектами сопротивление любой попытке вновь довести вытесненное до его сознания, и сопротивление это тем сильнее, чем бо́льшие изменения это вызвало бы в его представлениях, прежде всего в представлениях о самом себе. ”Всякий раз, когда встречались между собой люди с противоположными доктринами, — говорит Филип Уайли, — с каждой стороны возникало сильнейшее отвращение, каждая сторона была убеждена, что другая погрязла в заблуждении, язычестве, неверии и варварстве, да и вообще состоит из вломившихся разбойников. После чего неизменно начиналась священная война”.

Все это случалось много раз; говоря словами Гёте, ”где дьявол праздник свой справляет, он ярость партий распаляет, и ужас потрясает мир”*. Но поистине дьявольским индоктринирование становится лишь тогда, когда огромные массы людей, целые континенты, а может быть, даже все человечество соединяется в одном и том же вредном заблуждении. Именно такая опасность угрожает нам сейчас. Когда в конце прошлого века Вильгельм Вундт предпринял первую серьезную попытку превратить психологию в естественную науку, то, как это ни странно, вновь возникшее направление исследований ориентировалось не на биологию. Хотя открытия Дарвина были уже в то время общеизвестны, новой экспериментальной психологии остались совершенно чужды сравнительные методы и постановки вопросов, связанные с происхождением видов. Она равнялась на образец физики, где как раз в это время атомная теория торжествовала свои победы. И она приняла допущение, что поведение живых существ, как и все в материальном мире, должно состоять из отдельных неделимых элементов. При этом правильное само по себе стремление одновременно учитывать при исследовании поведения его взаимно дополнительные физиологические и психологические аспекты привело неизбежным образом к тому, что *рефлекс* стал рассматриваться как важнейший и даже единственный составляющий элемент всех, даже наиболее сложных нервных процессов. В то же время открытия И. П. Павлова создали впечатление, что процесс образования условных рефлексов является очевидным физиологическим коррелятом к изученным Вундтом ассоциативным процессам. Прерогатива гения — переоценивать область применимости открытого им принципа объяснения. Не приходится поэтому удивляться, что эти поистине составившие новую эпоху и столь убедительно согласные между собой открытия ввели в заблуждение не только самих первооткрывателей, но и весь научный мир, уверовавший, что на основе рефлекса и условной реакции можно объяснить "все" поведение животных и человека.

Огромные и бесспорно заслуживающие признания первоначальные успехи, достигнутые учением о рефлексах и изучением условных реакций, подкупающая простота гипотезы и кажущаяся точность опытов сделали оба эти направления исследований поистине господствующими во всем мире. Однако большое влияние, оказанное ими на общественное мнение, нуждается в другом объяснении. Дело в том, что вытекающие из них теории оказались весьма удобными в применении к человеку, рассеивая всякую озабоченность, вытекающую из существования в человеке инстинктивных и подсознательных побуждений. Ортодоксальные приверженцы этого учения заявляют коротко и ясно, что человек рождается подобным чистому листу бумаги, а все, что он думает, чувствует, знает и во что он верит, является результатом его "кондиционирования" (к сожалению, немецкие психологи также пользуются этим словом).

По причинам, весьма ясно указанным Филипом Уайли, такое мнение получило поддержку со всех сторон. Даже религиозных людей можно было к нему склонить; в самом деле, если ребенок рождается в виде *"tabula rasa"*[1]*, то каждый верующий обязан заботиться о том, чтобы его дитя — а по возможности и все другие — было воспитано в его собственной, единственно истинной вере. Таким образом бихевиористская догма укрепляет каждого доктринера в его убеждении, ничего не делая для примирения религиозных доктрин. Либеральные и интеллигентные американцы, которых это крепко сколоченное, простое и удобопонятное, а самое главное, механистическое учение привлекает с большой силой, почти все без исключения примкнули к этой доктрине, и прежде всего потому, что она ухитрилась обмануть их, выдавая себя за свободолюбивый и демократический принцип.

Что все люди имеют право на равные возможности развития — это несомненная этическая истина. Слишком легко, однако, эта истина

---

[1] *Букв. — чистая дощечка; чистый лист; нечто чистое, нетронутое *(лат.)*. — Примеч. пер.*

обращается в ложь, будто все люди потенциально равноценны. Бихевиористская доктрина идет еще дальше, заявляя, что все люди были бы равны друг другу, если бы могли развиваться в одинаковых внешних условиях, и притом стали бы совершенно идеальными людьми, если бы только эти условия были идеальны. Тем самым люди не могут или, лучше сказать, им *не позволяется* обладать никакими унаследованными свойствами, и прежде всего никакими свойствами, определяющими их социальное поведение и их социальные потребности.

Люди, держащие в своих руках власть в Америке, в Китае и в Советском Союзе, в наши дни вполне сходятся между собой в одном вопросе: по их общему мнению, неограниченная кондиционируемость людей в высшей степени желательна. Их вера в эту псевдодемократическую доктрину — как утверждает Уайли — происходит от желания, чтобы она была верна, ибо сами эти манипуляторы вовсе не какие-то дьявольски хитрые сверхчеловеки, а всего лишь слишком человеческие жертвы собственной бесчеловечной доктрины. Для этой доктрины все специфически человеческое нежелательно; но все рассмотренные в этой работе явления, способствующие потере человечности, ей в высшей степени на руку, ибо они делают массы более удобным объектом манипуляций. "Проклятие индивидуальности!" — таков лозунг. И крупному капиталисту, и советскому чиновнику должно быть одинаково удобно кондиционировать людей до состояния возможно более однородных, идеально неспособных к сопротивлению подданных — почти так же, как это изобразил Олдос Хаксли в своем столь жутком романе о будущем "Прекрасный новый мир".

Заблуждение, будто от человека, подвергнутого надлежащему "кондиционированию", можно потребовать решительно всего, можно сделать из него решительно все, лежит в основе многих смертных грехов цивилизованного человечества против природы, а также против природы человека и человечности. Такие вреднейшие последствия и *должны* получаться, когда охватившая весь мир идеология, вместе с вытекающей из нее политикой, основана на лжи. На псевдодемократической доктрине несомненно лежит также изрядная доля вины за угрожающий Соединенным Штатам моральный и культурный развал, который, по всей вероятности, увлечет в пучину и весь западный мир.

А. Мичерлих, столь ясно сознающий опасность индоктринирования человечества ложной системой ценностей, желательной лишь для манипулирующих им людей, высказывает, однако, странную мысль: "Мы никоим образом не вправе утверждать, что хитроумная система манипуляции больше препятствует в наше время индивидуальному становлению человека, чем в былые времена". Я вполне убежден, что такое утверждение верно! Никогда еще столь большие массы людей не входили в небольшое число этнических групп, никогда еще не было столь действенно массовое внушение, никогда еще манипуляторы не располагали столь развитой, построенной на научных экспериментах рекламной техникой, никогда еще не было у них столь вездесущих "средств массовой информации", как в наши дни.

Поскольку одинакова в своей основе целевая установка, повсюду в мире одинаковы и методы, с помощью которых различные "*establishments*" хотят превратить своих подданных в идеальных представителей *American Way of Life*[1]*, идеальных чиновников и советских людей или еще в какой-нибудь идеал. Мы, якобы свободные люди западной культуры, уже не сознаем, в какой мере нами манипулируют крупные фирмы посредством своих коммерческих решений. При поездке в Германскую Демократическую Республику или в Советский Союз нам повсюду бросаются в глаза красные транспаранты и плакаты, сама вездесущность которых должна производить такое же глубокое внушающее действие, как "*babbling machines*"[2]* Олдоса Хаксли, тихо, настойчиво и непрерывно бормочущие пропагандируемые догматы веры. Однако мы с удовольствием ощущаем при этом отсутствие световой рекламы и всяческого расточительства. Не выбрасывается ни одна вещь, из которой можно еще извлечь пользу, газетная бумага употребляется для завертывания покупок, за древними автомобилями любовно ухаживают. Мало-помалу становится совершенно ясно, что широко развернутая реклама фабрикантов по природе своей никоим образом не аполитична, а выполняет — *mutatis mutandis*[3]* — в точности те же функции, что и лозунги на Востоке. Можно держаться разных мнений о том, все ли, к чему призывают красные плакаты, глупо и плохо. Однако выкидывание едва взятых в употребление товаров ради покупки новых, лавинообразное нарастание производства и потребления несомненно столь же глупо, сколь и плохо, в этическом смысле этого слова. По мере того как ремесло вытесняется конкуренцией промышленности и мелкий предприниматель, в том числе крестьянин, не может больше существовать, все мы оказываемся просто вынужденными подчинять наш образ жизни желаниям крупных фирм, пожирать такие съестные припасы и напяливать на себя такие предметы одежды, какие, по их мнению, для нас хороши, и, что хуже всего, из-за кондиционирования, которому нас уже подвергли, мы даже не замечаем всего этого.

Самый неотразимый метод, позволяющий манипулировать большими массами людей, унифицируя их устремления, доставляет *мода*. Первоначально она возникает, видимо, просто из общечеловеческого стремления дать явное выражение своей принадлежности к некоторой культурной или этнической группе; достаточно вспомнить хотя бы о различных народных костюмах, составляющих, вследствие типичного процесса образования псевдовидов, удивительные "виды", "подвиды" и "местные формы", особенно в горных долинах. На с. 39 я говорил уже об отношении этих костюмов к коллективной агрессии между группами. Другая, более существенная для наших целей функция моды выступает на сцену лишь там, где внутри больших городских сообществ проявляется стремление публично выразить особенностями одежды свое "положение", свой общественный ранг. Как превосходно показал Лейвер в своем докладе на симпозиуме в лондонском *Institute of Biology*[4]* в 1964 году, когда-то именно высшие сословия следили за тем, чтобы нижестоящие отнюдь не присваивали себе неподобающих им по "сословному положе-

---

[1] *Американского образа жизни *(англ.).* — *Примеч. пер.*
[2] *Болтающие машины *(англ.).*— *Примеч. пер.*
[3] *С необходимыми изменениями *(лат.).* — *Примеч. пер.*
[4] *Институт биологии *(англ.).* — *Примеч. пер.*

нию" ранговых знаков. Вряд ли найдется другая область истории культуры, где возрастающая демократизация европейских стран выразилась бы так отчетливо, как в модах на одежду.

В своей первоначальной функции мода оказывает, вероятно, стабилизирующее, консервативное влияние на развитие культуры. Ее законы диктовались патрициями и аристократами. Как показал Отто Кёниг, в истории мундиров старые, восходящие еще к рыцарским временам особенности одежды, давно уже исчезнувшие в мундирах рядовых, сохранялись еще очень долго в качестве знаков различия у офицеров высоких и наивысших рангов. Когда стали заметны описанные выше явления неофилии (с. 40), оценка унаследованного в области моды начала применяться с обратным знаком. Отныне для больших человеческих масс стало признаком высокого ранга маршировать в первых рядах последователей всех "современных" новшеств. Само собою разумеется, в интересах крупных фирм было укрепить общественное мнение, считающее такое поведение "прогрессивным" и даже патриотическим. Прежде всего им удалось, по-видимому, убедить широкие массы потребителей, что обладание новейшими образцами одежды, мебели, автомобилей, стиральных машин, машин для мойки посуды, телевизоров и т. д. служит самым надежным "символом статуса" (и самым действенным образом повышает кредитоспособность владельца). Самую смехотворную мелочь фирма может использовать в качестве такого символа и превратить в предмет широкомасштабной финансовой эксплуатации. Это видно из следующего трагикомического примера: как могут припомнить старые знатоки автомобилей, у машин фирмы "Бьюик" были раньше по обе стороны капота лишенные каких бы то ни было функций отверстия с хромированным краем, напоминавшие по форме бычий глаз; у восьмицилиндровой машины было с каждой стороны по три таких дыры, а у более дешевой шестицилиндровой — лишь по две. Когда фирма в один прекрасный день стала делать по три бычьих глаза также и на шестицилиндровых машинах, эта мера возымела желаемое действие: продажа машин этого типа резко увеличилась; фирма нуждалась в таком утешении, поскольку получала бесчисленные жалобы от владельцев восьмицилиндровых машин, горько сокрушавшихся, что им придется делиться подобающим лишь их машинам символом статуса с владельцами машин низшего ранга.

Наихудшие воздействия мода производит, однако, в области естественных наук. Было бы большой ошибкой думать, что профессиональные ученые не затронуты болезнями культуры, составляющими предмет этой работы. Лишь представители прямо относящихся к этому наук, например экологи и психиатры, вообще замечают, что неладно что-то в виде *Homo sapiens L.;* но как раз эти ученые имеют крайне низкий статус в ранговом порядке, который нынешнее общественное мнение приписывает различным наукам, что превосходно изобразил недавно Джордж Гейлорд Симпсон в своей сатирической статье о *"peck order"*[1]* в сообществе наук.

---

[1]*"Порядок клевания"* *(англ.). — Примеч. пер.*

Не только общественное мнение *о* науке, но и мнение *внутри* наук, несомненно, склонно считать важнейшими те из них, которые представляются таковыми лишь с точки зрения нынешнего человечества — в массе своей деградировавшего, отчужденного от природы, верящего лишь в коммерческие ценности, эмоционально нищего, низведенного до уровня домашнего скота и потерявшего связь с культурной традицией. В общем и целом общественное мнение ученых страдает теми же болезнями упадка, о которых была речь в предыдущих главах. *"Big Science"*[1]* — это ни в коем случае не наука о самых великих и высоких вещах на этой планете, не наука о человеческой душе и человеческом духе; это прежде всего и исключительно то, что приносит много денег или много энергии, или то, что дает бо́льшую власть, хотя бы это была всего лишь власть уничтожать все истинно великое и прекрасное.

Первенствующую роль, которая действительно подобает физике среди естественных наук, никак невозможно отрицать. Физика составляет основание, на котором держится непротиворечивая многоэтажная система естественных наук. Любой удавшийся анализ на любом, сколь угодно высоком уровне интеграции естественных систем является шагом "вниз", по направлению к физике. "Анализ" в немецком переводе означает *Auflösung* (растворение, разложение); но в процессе анализа растворяются и устраняются вовсе не особые закономерности, свойственные специальным естественным наукам, а одни лишь *границы,* отделяющие ту или иную науку от ближайшей к ней более общей. Подлинное растворение границы в этом смысле удалось до сих пор лишь однажды: физическая химия действительно сумела свести законы природы, открытые в ее области исследования, к более общим физическим законам. Аналогичное явление начинается теперь в биохимии, где растворяется граница между биологией и химией. И хотя в других естественных науках столь разительных успехов, по-видимому, указать нельзя, принцип аналитического исследования всегда остается неизменным: пытаются свести явления и закономерности некоторой области знания или, как выразился бы Николай Гартман, некоторого "слоя реального бытия", к явлениям и закономерностям, существующим в ближайшей более общей области, и объяснить их *из более специальной структуры,* свойственной лишь этому более высокому слою бытия. Впрочем, мы, биологи, считаем изучение этих структур и их истории достаточно важным, а также достаточно трудным, чтобы не рассматривать биологию, вслед за Криком, как несложную боковую ветвь физики *(a rather simple extension of physics);* мы подчеркиваем также, что и физика, в свою очередь, покоится на некотором основании, и основанием этим является биологическая наука, а именно наука о живом человеческом духе*. Но в указанном выше смысле мы твердые "физикалисты" и признаем физику той основой, к которой наше исследование всегда ведет.

Я утверждаю, однако, что репутацией "величайшей из наук", которой физика пользуется в глазах общественного мнения, она обязана вовсе не этой оправданно высокой оценке ее как основы всех наук о природе, а совсем другим, безусловно дурным причинам, о которых

---

[1] *"Большая наука" (англ.). — Примеч. пер.*

было сказано выше. Лишь отправляясь от этих причин — и некоторых других, обсуждаемых дальше, — можно объяснить удивительную оценку наук нынешним общественным мнением, ценящим каждую отдельную науку — как справедливо считает Симпсон — тем ниже, чем выше, сложнее и значительнее предмет ее изучения.

Естествоиспытатель, конечно, вправе избрать себе предмет исследования, принадлежащий любому слою реального бытия, любому, сколь угодно высокому уровню интеграции жизненных явлений. Наука о человеческом духе, и прежде всего теория познания, также начинает превращаться в биологическую естественную науку. Так называемая точность естествознания не имеет ничего общего со сложностью и с уровнем интеграции ее предмета, а зависит исключительно от самокритичности исследователя и чистоты применяемых им методов. Употребительное обозначение физики и химии как "точных естественных наук" есть клевета на все другие науки. Известные изречения вроде того, что любое исследование природы является наукой в той мере, в какой в ней используется математика*, или что наука состоит в том, чтобы "измерять то, что измеримо, и делать измеримым то, что не измеримо", представляют собой и в смысле теории познания, и с человеческой точки зрения величайшую нелепость, когда-либо срывавшуюся с языка у людей, которым следовало бы лучше понимать, что они говорят.

Но хотя все эти псевдопремудрости, как можно доказать, ложны, образ науки и до сих пор складывается преимущественно под их влиянием. В наше время *модно* пользоваться методами, возможно более похожими на методы физики, причем безразлично, обещают ли они успех в изучении выбранного предмета. Каждая естественная наука, и физика в том числе, начинает с описания, переходит затем к упорядочению описанных явлений и лишь после этого к абстрагированию их закономерностей. Эксперимент служит для проверки абстрагированных законов природы и занимает поэтому в ряду методов последнее место. Эти стадии, выделенные уже Виндельбандом под именами дескриптивной, систематической и номотетической, должна пройти каждая естественная наука. Поскольку физика давно уже находится в номотетической и экспериментальной стадии развития и поскольку она, сверх того, столь далеко продвинулась за границы наглядного, что вынуждена определять свои объекты, по существу, операциями, доставляющими о них знания, многие люди полагают, что те же методы следует применять и к таким предметам исследования, для которых в настоящее время, при нынешнем состоянии наших знаний, уместно лишь простое наблюдение и описание. Чем сложнее и выше интегрирована органическая система, тем строже должна соблюдаться виндельбандовская последовательность методов; поэтому именно в области исследования поведения современный преждевременно экспериментальный операционализм приносит особенно абсурдные плоды. Это ложное направление, конечно, поддерживается верой в псевдодемократическую доктрину, согласно которой поведение животного и человека определяется вовсе не филогенетически возникшими структурами центральной нервной системы, а исключительно внешними влияниями и обучением. Фундаментальная ошибка способа мышления и работы, диктуемого бихевиористской доктриной, состоит как раз в этом пренебрежении структурами: описание их считается просто излишним, и допускаются лишь операционные и статистические методы. Поскольку, однако, все биологические закономерности вытекают из действия структур, попытки абстрагировать законы поведения животного без дескриптивного изучения структур, от которых зависит это поведение, представляют собой напрасный труд.

Насколько очевидны эти элементарные общие принципы науки (которые должны быть, собственно, понятны каждому поступающему в университет), настолько же упрямо и твердолобо модное подражание физике захватывает почти все области современной биологии. Действует это тем вреднее, чем сложнее изучаемая система и чем меньше о ней известно. Нейросенсорная система*, определяющая поведение высших животных и человека, в обоих отношениях может быть поставлена здесь на первое место. Модное представление, будто исследование на низших уровнях интеграции "более научно", слишком легко ведет в этой области к атомизму, т. е. к частным исследованиям подчиненных систем без обязательного учета того, каким образом они связаны между собой, составляя единое целое. Методическая ошибка состоит здесь не в общем всем естествоиспытателям стремлении свести все явления жизни, даже принадлежащие наивысшим уровням интеграции, к основным законам природы и объяснить их, исходя из этих законов, — в этом смысле мы все "редукционисты", — методическая ошибка, которую мы называем редукционизмом, состоит в том, что при таких попытках объяснения упускается из виду безмерно сложная *структура,* в которую складываются подсистемы и из которой только и могут быть поняты системные свойства целого. Кто хочет ближе познакомиться с методологией систематического естествознания, должен прочесть "Строение реального мира" Николая Гартмана или "Reductionism stratified"[1]* Поула Вейса. В обеих этих работах говорится, по существу, об одном и том же; поскольку предмет рассматривается в них с весьма различных точек зрения, он предстает особенно выпукло.

Наиболее вредное воздействие нынешней научной моды происходит, однако, оттого, что она, точь-в-точь как мода на одежду или автомобили, создает символы статуса, поскольку из этого только и возникает высмеянный Симпсоном ранговый порядок наук. Нынешний здравомыслящий операционалист, редукционист, квантификатор и статистик смотрит с сострадательным презрением на всякого старомодного субъекта, полагающего, что наблюдение и описание поведения животных и человека, без экспериментов и даже без подсчетов, может привести к новым и существенным постижениям природы. Занятие высокоинтегрированными живыми системами признается "научным" лишь тогда, когда от связанных со структурами системных свойств с помощью нарочитых мер — *"simplicity filters"*[2]*, как удачно назвал их Дональд Гриффин, — домогаются обманчивой "точности", т. е. внешней простоты, напоминающей физику, или когда статистическая обработка внушительного численного материала позволяет забыть, что изучаемые "элементарные

---

[1] *"Расслоенный редукционизм" *(англ.). — Примеч. пер.*
[2] *"Фильтров простоты" *(англ.). — Примеч. пер.*

частицы" — не нейтроны, а люди. Короче говоря, исследование признается "научным", лишь если выбрасывается из рассмотрения все, чем действительно интересны высокоинтегрированные органические системы, в том числе человек. Прежде всего это относится к субъективному переживанию: как нечто крайне неприличное, оно вытесняется в смысле Фрейда. Если кто-либо сделает предметом исследования собственное субъективное переживание, его окружают величайшим презрением как субъективиста, особенно если он отважится воспользоваться изоморфизмом психологических и физиологических явлений, чтобы понять какой-нибудь физиологический процесс. Сторонники псевдодемократической доктрины открыто писали на своем знамени "Психология без души", совершенно забывая при этом, что сами они, даже в своих "самых объективных" исследованиях, лишь путем собственного субъективного переживания могут получать знание об изучаемом объекте. Если же кто-нибудь утверждает, что науку о человеческом духе также можно разрабатывать как естественную науку, такого человека попросту считают безумцем.

Все эти ошибочные установки нынешних ученых, по существу, не связаны с наукой. Объяснить их можно только идеологическим давлением массы одинаково настроенных, жестко индоктринированных людей, давлением, часто вызывающим и в других областях человеческой жизни совершенно невероятные глупости моды. Особая же опасность модного индоктринирования в области науки состоит в том, что оно уводит стремление к знанию слишком многих, хотя, к счастью, не всех современных естествоиспытателей в сторону, прямо противоположную подлинной цели всего человеческого познания, а именно — лучшему самопознанию человека. Тенденция, предписываемая наукам нынешней модой, бесчеловечна в худшем смысле слова. Многие мыслители, ясно видящие разрастающиеся повсюду, подобно злокачественным опухолям, явления обесчеловечения, склоняются к мнению, что само научное мышление, как таковое, бесчеловечно и что опасность "дегуманизации" вызвана его колдовством. Как видно из уже сказанного, я не придерживаюсь этого взгляда. Я полагаю, напротив, что нынешние ученые, как дети своего времени, заражены процессами дегуманизации, первоначально возникающими повсюду в не-научной культуре. Имеется отчетливое, доходящее до подробностей соответствие между этими общими болезнями культуры и специальными болезнями, касающимися науки; и первые неизменно оказываются, при ближайшем рассмотрении, причиной последних, а не их следствием. Опасное модное индоктринирование науки, угрожающее отнять у человечества его последнюю опору, никогда не могло бы возникнуть, если бы ему не подготовили почву болезни культуры, рассмотренные в первых четырех главах. Перенаселение с неизбежно сопровождающими его потерей индивидуальности и унификацией; отчуждение от природы, отнимающее способность к благоговению; коммерческий бег человечества наперегонки с самим собой, превращающий в утилитарном мышлении средство в самоцель, причем первоначальная цель забывается; и не в последнюю очередь всеобщее притупление чувства — все эти явления находят свое отражение в процессах дегуманизации наук; они не следствия этих процессов, а их причины.

Глава 9

ЯДЕРНОЕ ОРУЖИЕ

Если сравнить угрозу атомного оружия с воздействиями на человечество семи других смертных грехов, то трудно не прийти к заключению, что из всех восьми этого греха избежать легче всего. Конечно, дурак или нераспознанный психопат может пробраться к пусковой кнопке; конечно, простая авария на стороне противника может быть ошибочно принята за нападение и вызвать чудовищное несчастье. Но можно, по крайней мере, ясно и определенно сказать, что надо делать против "бомбы": надо ее попросту не изготавливать или не сбрасывать. При невероятной коллективной глупости человечества добиться этого довольно трудно. Но что касается других опасностей, то даже те, кто их ясно видит, не знают, что можно против них предпринять. В отношении несбрасывания атомной бомбы я настроен более оптимистически, чем относительно семи других смертных грехов.

Величайший вред, который ядерная угроза уже сейчас причиняет человечеству и который остается даже в самом благоприятном случае, состоит в том, что оно создает общее "настроение конца света". Проявления безответственного и инфантильного стремления к немедленному удовлетворению примитивных желаний и сопровождающая их неспособность к ответственности за сколько-нибудь отдаленное будущее — все это, несомненно, связано с тем, что подсознательно в основе всех решений лежит жуткий вопрос, как долго еще простоит наш мир.

Глава 10

РЕЗЮМЕ

Мы рассмотрели восемь различных, но тесно связанных причинными отношениями процессов, угрожающих гибелью не только нашей нынешней культуре, но и всему человечеству как виду.

Это следующие процессы:

1. Перенаселение Земли, вынуждающее каждого из нас защищаться от избыточных социальных контактов, отгораживаясь от них некоторым в сущности "не человеческим" способом, и, сверх того, непосредственно возбуждающее агрессивность вследствие скученности множества индивидов в тесном пространстве.

2. Опустошение естественного жизненного пространства, не только разрушающее внешнюю природную среду, в которой мы живем, но и убивающее и в самом человеке всякое благоговение перед красотой и величием открытого ему творения.

3. Бег человечества наперегонки с самим собой, подстегивающий гибельное, все ускоряющееся развитие техники, делает людей слепыми ко всем подлинным ценностям и не оставляет им времени для подлинно человеческой деятельности — размышления.

4. Исчезновение всех сильных чувств и аффектов вследствие изнеженности. Развитие техники и фармакологии порождает возрастающую нетерпимость ко всему, что вызывает малейшее неудовольствие. Тем самым исчезает способность человека переживать ту радость, которая дается лишь ценой тяжких усилий при преодолении препятствий. Приливы страданий и радости, сменяющие друг друга по воле природы, спадают, превращаясь в мелкую зыбь невыразимой скуки.

5. Генетическое вырождение. В современной цивилизации нет никаких факторов, кроме "естественного правового чувства" и некоторых унаследованных правовых традиций, которые могли бы производить селекционное давление в пользу развития и сохранения норм общественного поведения, хотя с ростом общества такие нормы все более нужны. Нельзя исключить, что многие проявления инфантильности, делающие из значительных групп нынешней "бунтующей" молодежи общественных паразитов, могут быть обусловлены генетически.

6. Разрыв с традицией. Он наступает, когда достигается критическая точка, за которой младшему поколению больше не удается достичь взаимопонимания со старшим, не говоря уже о культурном отождествлении с ним. Поэтому молодежь обращается со старшими как с *чужой этнической группой,* выражая им свою национальную ненависть. Это нарушение отождествления происходит прежде всего от недостаточного контакта между родителями и детьми, вызывающего патологические последствия уже у грудных младенцев.

7. Возрастающая индоктринируемость человечества. Увеличение числа людей, принадлежащих одной и той же культурной группе, вместе с усовершенствованием технических средств воздействия на общественное мнение приводит к такой унификации взглядов, какой до сих пор не знала история. Сверх того, внушающее действие доктрины возрастает с массой твердо убежденных в ней последователей, быть может, даже в геометрической прогрессии. Уже и сейчас во многих местах индивид, сознательно уклоняющийся от воздействия средств массовой информации, например телевидения, рассматривается как патологический субъект. Эффекты, уничтожающие индивидуальность, приветствуются всеми, кто хочет манипулировать большими массами людей. Зондирование общественного мнения, рекламная техника и искусно направленная мода помогают крупным капиталистам по эту сторону "железного занавеса" и чиновникам по ту сторону весьма сходным образом держать массы в своей власти.

8. Ядерное оружие навлекает на человечество опасность, но ее легче избежать, чем опасностей от описанных выше семи других процессов.

Явлениям обесчеловечения, рассмотренным в первых семи главах, содействует псевдодемократическая доктрина, согласно которой общественное и моральное поведение человека вообще не определяется устройством его нервной системы и органов чувств, выработанным историей вида, но складывается исключительно под действием "кондиционирования" человека в течение его онтогенеза той или иной культурной средой.

Список литературы

Bolk L. Das Problem der Menschwerdung. Jena, 1926.

Campbell D. T. Pattern matching as an essential in distal knowing// Hammond K. R. The psychology of Egon Brunswik. New York: Holt, Rinehart & Winston, 1966.

Carson R. Silent Spring. Boston: Univ. of Washington Press, 1966.

Erikson E. H. Ontogeny of ritualisation in Man//Philosophical Transactions Royal Society. London, 251 B., 1966. P. 337—349.

Erikson E. H. Insight and Responsibility. N. Y.: Norton, 1964.

Hahn K. Die List des Gewissens//Erziehung und Politik. Minna Specht zu ihrem 80. Geburtstag. Frankfurt: Öffentliches Leben, 1960.

Hartmann N. Der Autbau der realen Welt. Berlin: De Gruyter, 1964.

Heinroth O. Beiträge zur Biologie, namentlich Ethologie und Psychologie der Anatiden//Verhandl. V. Internation. Ornithol. Kongreß. Berlin, 1910.

Holst E. v. Über den Prozeß der zentralnervösen Koordination//Pflügers Archiv. 1935. V. 236. S. 149—158.

Holst E. v. Vom Dualismus der motorischen und der automatischrhythmischen Function im Rückenmark und vom Wesen des automatischen Rhythmus//Pflügers Archiv. 1936. Bd. 237. S. 3.

Huxley A. Brave new World. London: Chatto & Windus, 1932.

Laver J. Costume as a means of social aggression//The natural history of agression/Ed. by J. D. Carthy and F. J. Ebling. London; N. Y.: Academic Press, 1964.

Leyhausen P. Über die Funktion der relativen Stimmungshierarchie. Dargestellt am Beispiel der phylogenetischen und ontogenetischen Entwicklung des Beutefangs von Raubtieren//Z. Tierpsychol. 1965. Bd. 22. S. 412—494.

Lorenz K. Psychologie und Stammesgeschichte//Heberer G. (Hrsg.), Die Evolution der Organismen. Jena: Fischer, 1954.

Lorenz K. Das sogenannte Böse. Zur Naturgeschichte der Agression. Wien: Borotha-Schoeler, 1963.

Lorenz K. Evolution and Modification of Behaviour. Chicago: Univ. Press, 1965.

Lorenz K. Die instinktiven Grundlagen menschlicher Kultur//Die Naturwissenschaften. 1967. Bd. 54. S. 377—388.

Lorenz K. Innate Bases of Learning. Harvard: Univ. Press, 1969.

Koenig O. Kultur und Verhaltensforschung. Einführung in die Kulturethologie. München: Deutscher Taschenbuchverlag, 1970.

Mitscherlich A. Die vaterlose Gesellschaft. München: Piper, 1963.

Montagu M. F. Man and Aggression. N. Y.: Oxford Univ. Press, 1968.

Popper K. R. The logic of scientific discovery. N. Y.: Harper & Row, 1959.

Schulze H. Der progressiv domestizierte Mensch und seine Neurosen. München: Lehmann, 1964.

Schulze H. Das Prinzip Handeln in der Psychotherapie. Stuttgart: Enke, 1971.

Simpson G. G. The crisis in biology//The American Scholar. 1967. V. 36. P. 363—377.

Spitz R. A. The first year of life. N. Y.: Int. Univ. Press, 1965.

Weiss P. A. The living system: determinism stratified//Arthur Koestler & Smythies. Beyond Reductionism. London: Hutchinson, 1969.

Wylie Ph. The Magic Animal. N. Y.: Doubleday, 1968.

Wynne-Edwards V. C. Animal Dispersion in Relation to Social Behaviour. London: Oliver & Boyd, 1962.

ТАК НАЗЫВАЕМОЕ ЗЛО

К естественной истории агрессии

Жене моей посвящается

ПРЕДИСЛОВИЕ

Один мой друг, взявший на себя подлинно дружеский труд критически прочитать рукопись этой книги, писал мне, добравшись до ее середины: "Вот уже вторую главу подряд я читаю с захватывающим интересом, но и с возрастающим чувством неуверенности. Почему? Потому что не вижу ясно их связи с целым. Тут ты должен мне помочь". Его критика была вполне справедлива; и это предисловие написано для того, чтобы с самого начала разъяснить читателю, с какой целью написана вся книга и в какой связи с этой целью находятся отдельные главы.

В книге идет речь об *агрессии,* т. е. об инстинкте борьбы, направленном *против собратьев по виду,* у животных и у человека. Решение написать ее возникло в результате случайного совпадения двух обстоятельств. Я был в Соединенных Штатах: во-первых, для того чтобы читать психологам, психоаналитикам и психиатрам лекции о сравнительной этологии и физиологии поведения, а во-вторых, чтобы проверить в естественных условиях на коралловых рифах у побережья Флориды гипотезу о боевом поведении некоторых рыб и о функции их окраски для сохранения вида, — гипотезу, построенную на аквариумных наблюдениях. В американских клиниках мне впервые довелось разговаривать с психоаналитиками, для которых теории Фрейда были не непререкаемыми догмами, а рабочими гипотезами, как и должно быть в любой науке. При таком подходе мне стало понятно в теориях Зигмунда Фрейда многое из того, что прежде вызывало у меня возражения, так как казалось чересчур смелым. В дискуссиях по поводу его учения об инстинктах выявились неожиданные совпадения выводов психоанализа и физиологии поведения — совпадения, важные именно потому, что эти дисциплины различаются и постановкой вопросов, и методами исследования, и — главное — базисом индукции.

Я ожидал непреодолимых разногласий по поводу понятия "инстинкта смерти", который, согласно одной из теорий Фрейда, противостоит всем жизнеутверждающим инстинктам как разрушительное начало. Эта гипотеза, чуждая биологии, с точки зрения этолога является не только ненужной, но и неверной. Агрессия, проявления которой часто отождествляются с проявлениями "инстинкта смерти", — это такой же инстинкт, как и все остальные, и в естественных условиях так же, как и они, служит сохранению жизни и вида. У человека, который собственным трудом слишком быстро изменил условия своей жизни, агрессивный инстинкт часто приводит к губительным последствиям; но аналогично — хотя не столь драматично — обстоит дело и с другими инстинктами. Начав отстаивать эту точку зрения перед друзьями-психоаналитиками, я неожиданно оказался в положении человека, ломящегося в открытую дверь. На множестве цитат из статей Фрейда они показали мне, как мало он сам полагался на свою дуалистическую гипотезу, которая ему, как подлинному монисту и механистически мыслящему естествоиспытателю, должна была быть принципиально чуждой и неприятной.

Вскоре после того я изучал в естественных условиях теплого моря коралловых рыб, в отношении которых значение агрессии для сохранения вида совер-

62

шенно очевидно, и тогда мне захотелось написать эту книгу. Этология знает уже так много о естественной истории агрессии, что можно говорить о причинах некоторых нарушений этого инстинкта у человека. Понять причину болезни еще не значит найти эффективный способ ее лечения, однако такое понимание является одной из предпосылок терапии.

Я чувствую, что мои литературные способности недостаточны для выполнения стоящей передо мной задачи. Почти невозможно описать словами, как работает система, в которой каждый элемент находится в сложных причинных взаимосвязях со всеми остальными. Даже когда объясняешь устройство автомобильного мотора, и то не знаешь, с чего начать, потому что невозможно усвоить информацию о работе коленчатого вала, не зная предварительно, как действуют шатуны, поршни, клапаны, кулачковые валы и т. д. Отдельные элементы общей системы можно понять лишь в их взаимодействии, иначе вообще ничего понять нельзя. И чем сложнее система, тем больше эти трудности, которые нужно преодолеть, чтобы исследовать ее и объяснить другим; между тем структура взаимодействий инстинктивных и социально обусловленных способов поведения, составляющих общественную жизнь человека, несомненно является сложнейшей системой, какую мы только знаем на Земле. Чтобы разъяснить те немногие причинные связи, которые я могу, как мне кажется, проследить в этом лабиринте взаимодействий, мне волей-неволей приходится начинать издалека.

К счастью, все наблюдаемые факты сами по себе интересны. Можно надеяться, что схватки коралловых рыб из-за охотничьих участков, инстинкты и способы их торможения у общественных животных, напоминающие человеческую мораль, бесчувственная семейная и общественная жизнь кваквы, ужасающие массовые побоища серых крыс и другие поразительные образцы поведения животных удержат внимание читателя до тех пор, пока он подойдет к пониманию глубинных взаимосвязей.

Я стараюсь подвести его к этому, по возможности, точно тем же путем, каким шел сам, и делаю это из принципиальных соображений. Индуктивное естествознание всегда начинается с непредвзятого наблюдения отдельных фактов и от них переходит к абстрагированию общих закономерностей, которым все эти факты подчиняются. В большинстве учебников ради краткости и большей доступности идут по обратному пути и предпосылают "специальной части" "общую". При этом изложение выигрывает в смысле обозримости, но проигрывает в убедительности. Легко и просто развить сначала некую теорию, а затем "подвести под нее фундамент" с помощью примеров, ибо природа настолько многообразна, что, если хорошенько поискать, можно найти убедительные с виду примеры, подкрепляющие даже самую бессмысленную гипотезу. Моя книга лишь тогда будет по-настоящему убедительна, если читатель на основе фактов, которые я ему покажу, сам придет к тем же выводам, к каким пришел я. Но я не могу требовать, чтобы он безоглядно двинулся по столь тернистому пути, и поэтому предлагаю ему краткое резюме глав книги — своего рода путеводитель.

Я начинаю в двух первых главах с описания простых наблюдений типичных форм агрессивного поведения; затем в 3-й главе перехожу к его значению для сохранения вида, а в 4-й говорю о физиологии инстинктивного движения вообще и инстинкта агрессии в частности — говорю достаточно для того, чтобы стала ясной спонтанность их неудержимых, ритмически повторяющихся прорывов. В 5-й главе я разъясняю процесс ритуализации и обособления новых инстинктивных побуждений, возникающих в ходе этого процесса, — в той мере, насколько это нужно в дальнейшем для понимания роли этих новых инстинктов в сдерживании агрессии. Той же цели служит 6-я глава, в которой дан общий обзор системы взаимодействий разных инстинктивных побуждений. В 7-й главе будет на конкретных примерах показано, какие механизмы "изобрела" эволюция, чтобы направить агрессию в безопасное русло, какую роль при выполнении этой задачи играет ритуал и насколько похожи возникающие при этом формы поведения на те, которые у человека диктуются ответственной моралью. Эти главы создают предпосылки для того, чтобы можно было понять функционирование четырех очень разных типов общественной организации. Первый тип — это анонимная стая, свободная от какой-либо агрессивности, но в то же время не знающая ни личного самосознания, ни общения отдельных особей. Второй тип — семейная и общественная жизнь, основанная лишь на локальной структуре защищаемых участков, как у кваквы и других птиц, гнездящихся колониями. Третий тип — удивительная большая семья крыс, члены которой не различают друг друга лично, но узнают по родственному запаху и проявляют друг к другу образцовую лояльность; однако с любой крысой, принадлежащей к другой семье, они сражаются с ожесточенной партийной ненавистью. И наконец, четвертый вид общественной организации — это такой, в котором узы личной любви и дружбы не позволяют членам сообщества бороться между собой и вредить друг другу. Эта форма сообщества, во многом аналогичного человеческому, подробно описана на примере серых гусей.

Надо полагать, что после всего сказанного в первых одиннадцати главах я смогу объяснить причины ряда нарушений инстинкта агрессии у человека. 12-я глава — "Проповедь смирения" — должна создать для этого новую предпосылку, устранив определенное внутреннее сопротивление, мешающее многим людям увидеть самих себя как частицу Вселенной и признать, что их собственное поведение тоже подчинено законам природы. Это сопротивление заложено, во-первых, в отрицательном отношении к понятию причинности, которое кажется противоречащим факту свободной воли, а во-вторых, в духовном высокомерии человека. 13-я глава имеет целью объективно показать современное состояние человечества — примерно так, как увидел бы его, скажем, биолог-марсианин. В 14-й главе я пытаюсь предложить возможные меры против тех ошибочных проявлений инстинкта агрессии, причины которых, как я полагаю, уже понятны.

Глава 1

ПРОЛОГ В МОРЕ

В широком море ты свой путь начни!
Все твари там из малого родятся,
Растут, преуспевают и плодятся,
Глотая жадно меньших, чем они,
И к высшему свершению стремятся.

Гёте

Извечная мечта о полете стала явью: я невесомо парю в невидимой среде и легко скольжу над залитой солнцем равниной. При этом я двигаюсь не так, как счел бы должным двигаться человек, обывательски заботящийся о приличиях — животом вперед и головой кверху, — а в положении, освященном древним обычаем всех позвоночных: спиною к небу и головой вперед. Если я хочу посмотреть вперед, приходится выгибать шею, и это неудобство напоминает, что я, в сущности, обитатель другого мира. Впрочем, я этого не хочу или хочу очень редко; как и подобает земному исследователю, я смотрю по большей части вниз, на то, что происходит подо мной.

"Но там внизу страшно, и человек не должен искушать богов и никогда не должен стремиться увидеть то, что они милостиво укрывают мраком и ужасом". Но раз уж они это *не* делают, раз уж они — совсем наоборот — посылают благодатные лучи южного солнца, чтобы одарить животных и растения всеми красками спектра, человек непременно должен стремиться проникнуть туда, и я советую это сделать каждому хоть раз в жизни, пока он не слишком стар. Для этого человеку нужны лишь маска и дыхательная трубка — в крайнем случае для полной важности еще пара резиновых ластов, — ну и деньги на дорогу к Средиземному морю или к Адриатике, если только попутный ветер не занесет его еще дальше на юг.

С изысканной медлительностью пошевеливая плавниками, я скольжу над сказочным ландшафтом. Это не настоящие коралловые рифы с их буйно расчлененным рельефом живых гор и ущелий, а менее впечатляющая, но ничуть не менее заселенная поверхность дна возле берега одного из тех многочисленных островков, сложенных коралловым известняком, — так называемых Киз (Keys), — которые длинной цепью примыкают к южной оконечности полуострова Флорида. На дне из коралловой гальки повсюду сидят диковинные полушария кораллов-мозговиков, несколько реже — пышно разветвленные кусты ветвистых кораллов, развеваются султаны роговых кораллов, или горгоний, различных видов, а между ними — чего не увидишь на настоящем коралловом рифе дальше в океане — всевозможные водоросли, коричневые, красные и золотистые. На большом расстоянии друг от друга стоят громадные "черепаховые" губки, толщиной в обхват и высотой со стол, некрасивой, но правильной формы, словно сделанные человеческими руками. Безжизненного каменистого дна не видно нигде: все пространство между уже названными организмами заполнено густой порослью мшанок, гидрополипов и губок; фиолетовые и оранже-во-красные виды покрывают большие площади, и о многих из этих пестрых бугристых покрывал я даже не знаю, животные это или растения.

Не прилагая усилий, я постепенно выплываю на мелководье; кораллов становится меньше, зато растений больше. Подо мной расстилаются обширные леса очаровательных водорослей, имеющих точно такую же форму и точно такие же пропорции, как африканская зонтичная акация; и это сходство прямо-таки навязывает иллюзию, будто я парю не над атлантическим коралловым дном на высоте человеческого роста, а в сотни раз выше над эфиопской саванной. Подо мной уплывают вдаль широкие поля взморника и меньшие поля карликового взморника, и, когда воды подо мною остается чуть больше метра, при взгляде вперед я вижу длинную, темную, неровную стену, которая простирается влево и вправо, насколько хватает глаз, и без остатка заполняет промежуток между освещенным дном и зеркалом водной поверхности. Это — много-значительная граница между морем и сушей, берег Lignum Vitae Key, Острова Древа Жизни.

Вокруг становится гораздо больше рыб. Они десятками разлетаются подо мной, и это снова напоминает аэроснимки из Африки, где стада диких животных разбегаются во все стороны от тени самолета. В других местах, над густыми лугами взморника, забавные толстые рыбы-шары разительно напоминают куропаток, которые вспархивают над полем из-под колосьев, чтобы, немного пролетев, нырнуть в них обратно. Другие рыбы поступают наоборот — прячутся в водоросли прямо под собою, едва я приближаюсь. Многие из них самых невероятных расцветок, но при всей пестроте их краски сочетаются безукоризненно. Толстый "дикобраз" с изумительными дьявольскими рожками над ультрамариновыми глазами лежит совсем спокойно, осклабившись, — я ему ничего плохого не сделал. А вот мне один из его родни кое-что сделал: за несколько дней до того я неосторожно взял такую рыбку (американцы называют ее "Spiny Boxfish", "колючая рыба-коробка"), и она своим попугайским клювом из двух зубов, растущих навстречу друг другу и острых как бритвы, без труда отщипнула у меня с указательного пальца правой руки порядочный кусок кожи. Я ныряю к только что замеченному экземпляру — надежным, сберегающим силы способом пасущейся на мелководье утки, подняв над водой заднюю часть, — осторожно хватаю этого малого и поднимаюсь с ним наверх. Сначала он безуспешно пробует кусаться, но вскоре осознает серьезность положения и начинает себя накачивать. Я отчетливо ощущаю рукой, как работает "поршень" маленького насоса — глотательных мышц рыбы. Когда она достигает предела упругости своей кожи и превращается у меня на ладони в туго надутый шар с торчащими во все стороны шипами, я отпускаю ее и забавляюсь потешной торопливостью, с какой она выплевывает лишнюю воду и исчезает в морской траве.

Затем я поворачиваюсь к стене, отделяющей здесь море от суши. С первого взгляда можно подумать, что она из туфа — так причудливо изъедена ее поверхность, столько пустот смотрят на меня, черных и бездонных, словно глазницы черепов. На самом же деле эта скала — скелет, остаток доледникового кораллового рифа, погибшего во время сангаммонского оледенения, оказавшись над уровнем моря. Вся скала состоит из останков кораллов тех же видов, какие живут и сегодня; среди этих останков вкраплены раковины моллюсков, живые собратья которых по виду и сейчас населяют эти воды. Здесь мы находимся сразу на *двух* рифах: на старом, который мертв уже десятки лет, и на новом, растущем на трупе старого. Кораллы, как и цивилизации, растут обычно на скелетах своих предшественников.

Я плыву к изъеденной ”причальной стенке”, а потом вдоль нее, пока не нахожу удобный, не слишком острый выступ и хватаюсь за него правой рукой, чтобы встать на якорь. В дивной невесомости, в идеальной прохладе, но не в холоде, словно гость в сказочной стране, отбросив все земные заботы, я отдаюсь колыханию нежной волны, забываю о себе и весь обращаюсь в зрение — воодушевленный, восторженный привязной аэростат!

Вокруг меня со всех сторон рыбы — на небольшой глубине почти сплошь мелкие. Они с любопытством подплывают ко мне издали или из своих укрытий, куда успели спрятаться при моем приближении, снова шарахаются назад, когда я ”кашляю” своей трубкой, резким выдохом выталкивая из нее просочившуюся снаружи и образовавшуюся в результате конденсации воду. Но как только я снова начинаю дышать спокойно и тихо, они сразу возвращаются. Мягкие волны колышут их синхронно со мною, и я от полноты своего классического образования вспоминаю: ”Вы снова рядом, зыбкие созданья? Когда-то, смутно, я уж видел вас... Но есть ли у меня еще желанье схватить вас, как мечтал я в прошлый раз?” Именно наблюдая рыб, я впервые увидел, на самом деле еще очень смутно, некоторые общие закономерности поведения животных, поначалу ничего в них не понимая; а безумная мечта постигнуть их еще в этой жизни по-прежнему владеет мною! Зоолог, как и художник, никогда не устает в своем стремлении охватить жизнь во всей полноте ее форм.

Многообразие форм, окружающих меня здесь — некоторые из них настолько близко, что я не могу их четко рассмотреть своими уже дальнозоркими глазами, — поначалу кажется подавляющим. Но через некоторое время физиономии вокруг становятся роднее, и восприятие образов — этот чуднейший инструмент человеческого познания — начинает охватывать множество окружающих обличий. И тогда вдруг оказывается, что вокруг хотя и немало разных видов, но совсем не так много, как казалось вначале. По тому, как они появляются, рыбы сразу делятся на две различные категории: одни подплывают стаями, по большей части со стороны моря или вдоль скалистого берега, другие же, когда проходит паника, вызванная моим появлением, медленно и осторожно выбираются из норы или из другого укрытия, и всегда — *поодиночке!* Об этих я уже знаю, что одну и ту же рыбу можно всегда, даже через несколько дней или недель, встретить в одном и том же месте. Все время, пока я был на острове Ки Ларго, я регулярно, каждые несколько дней, навещал одну изумительно красивую рыбу-бабочку в ее жилище под причальной эстакадой, опрокинутой ураганом Донна, и всегда заставал ее дома.

Другие рыбы бродят стаями с места на место; их можно встретить то здесь, то там. К таким относятся миллионные стаи маленьких серебристых колосянок, разные мелкие сельдевые, живущие около самого берега, и их опасные враги — стремительные сарганы; чуть дальше, под сходнями, причалами и береговыми обрывами тысячами собираются серо-зеленые рифовые окуни-люцианы, или снепперы[1]* и — среди многих других — красноротики с прелестными желтыми и голубыми полосами, которых американцы называют "grunts" ("ворчуны") из-за звука, который издает эта рыба, когда ее вынимают из воды. Особенно часто встречаются и особенно красивы синеполосчатые, белые и желтополосчатые красноротики; эти названия выбраны неудачно, поскольку окраска всех трех видов состоит из голубого и желтого, только в разных сочетаниях. По моим наблюдениям, они и плавают зачастую вместе, в смешанных стаях. Немецкое название рыбы (Purpurmaul — буквально "багровая пасть") происходит от броской, ярко-красной окраски слизистой оболочки рта, которая видна лишь в том случае, если рыба угрожает своему сородичу широко раскрытой пастью, на что тот отвечает подобным же образом. Однако ни в море, ни в аквариуме я никогда не видел, чтобы эти впечатляющие взаимные угрозы привели к серьезной схватке.

Замечательно бесстрашное любопытство, с которым следуют за ныряльщиком уже упомянутые и другие яркие красноротики, а также многие снепперы, часто плавающие с ними вместе. Вероятно, они точно так же сопровождают мирных крупных рыб или почти уже вымерших — увы! — ламантинов, легендарных морских коров, в надежде поймать рыбешку или другую мелкую живность, которую вспугнет крупное животное. Когда я впервые выплывал из своего "порта приписки" — с мола у мотеля "Ки Хэйвн" в Тавернье на острове Ки Ларго, — я был просто потрясен неимоверным числом ворчунов и снепперов, окруживших меня столь плотно, что я ничего не видел вокруг. И куда бы я ни плыл — они были повсюду в таком же количестве. Лишь постепенно до меня дошло, что это *те же самые* рыбы, что они меня сопровождают; даже при осторожной оценке их было несколько тысяч! Если я плыл параллельно берегу к следующему молу, расположенному примерно в семистах метрах, то стая следовала за мной приблизительно до половины пути, а затем внезапно разворачивалась и стремительно уносилась домой. Когда мое приближение замечали рыбы, обитавшие под следующим причалом, из темноты под мостками навстречу мне вылетало ужасающее чудовище, нескольких метров в ширину, почти такой же высоты, длиною во много раз больше, отбрасывавшее на освещенное солнцем дно плотную черную тень, и лишь вблизи оно распадалось в бесчисленную массу все тех же дружелюбных красноротиков. Когда это случилось в первый раз, я перепугался до смерти! Потом как раз эти рыбки стали вызывать во мне совершенно противоположное чувство: пока они рядом, можно быть совершенно спокойным, что нигде поблизости нет крупной барракуды!

Совсем иначе ведут себя ловкие маленькие разбойники — сарганы, которые охотятся у самой поверхности воды небольшими группами, по

---

[1] *От англ. snap — хватать, кусать. — *Примеч. пер.*

пять-шесть рыбок в каждой. Тонкие, как прутики, они почти невидимы с моей стороны, потому что их серебристые бока отражают свет точно так же, как нижняя поверхность воздуха, всем нам более знакомая во второй своей ипостаси как поверхность воды. Впрочем, при взгляде сверху они отливают серо-зеленым, точь-в-точь как вода, так что заметить их, пожалуй, еще труднее, чем снизу. Развернувшись в широкую цепь, они прочесывают самый верхний слой воды и охотятся на крошечных колосянок, silversides[1]*, которые миллионами и миллионами роятся в воде, густо, как снежинки в пургу, сверкая, словно серебряная канитель. Меня эти крошки совсем не боятся — для рыбы моего размера они не добыча, я могу плыть прямо сквозь их скопления, и они почти не расступаются, так что порой я непроизвольно задерживаю дыхание, чтобы не затянуть их себе в горло, как это часто случается, когда имеешь дело с такой же тучей комаров. Я дышу через трубку в другой среде, но рефлекс остается. Однако стоит приблизиться самому крошечному саргану, как серебристые рыбки мгновенно разлетаются во все стороны — вниз, вверх, даже выскакивают из воды, так что в одну секунду образуется большое пространство, свободное от серебряных хлопьев, которое постепенно заполняется лишь тогда, когда охотники исчезают вдали.

Как бы ни отличались головастые, похожие на окуней ворчуны и снепперы от тонких, вытянутых, стремительных сарганов, у них есть общий признак: они не слишком отклоняются от привычного представления, которое связывается со словом "рыба". С оседлыми обитателями нор дело обстоит иначе. Великолепного синего "ангела" с желтыми поперечными полосами, украшающими его юношеский наряд, пожалуй, еще можно счесть "нормальной рыбой". Но вот то, что показалось в щели между двумя коралловыми глыбами, нерешительно продвигаясь вперед и раскачиваясь взад и вперед наподобие челнока, — какой-то бархатно-черный диск с ярко-желтыми полукруглыми лентами поперек и сияющей ультрамариновой каймой по нижнему краю: рыба ли это вообще? Или вот эти два создания, бешено промчавшиеся мимо, размером со шмеля и столь же округлые, у которых на тельце кричащего оранжево-красного цвета хорошо виден черный глаз, окаймленный голубой полосой, и притом на *задней* трети тела? Или маленький самоцвет, сверкающий вон из той норки, с идущей наискось, снизу вверх и спереди назад границей двух ярких окрасок, фиолетово-синей и лимонно-желтой? Или вот этот невероятный клочок темно-синего звездного неба, усеянный голубыми огоньками, который появляется из-за коралловой глыбы прямо *подо мной,* парадоксально извращая все пространственные понятия? Конечно же, при более близком знакомстве оказывается, что все эти сказочные существа — вполне приличные рыбы, причем они состоят не в таком уж дальнем родстве с моими давними друзьями и сотрудниками, рифовыми окунями. "Звездное небо", "Jewel Fish" ("рыбка-самоцвет") и рыбка с синей спинкой и головой и с желтым брюшком и хвостом ("Beau Gregory" — "красавец Грегори") — эти даже и вовсе близкая родня. Оранжево-красный шмель — это детеныш рыбы, кото-

---

[1] *"Серебристобоких" *(англ.). — Примеч. пер.*

рую местные жители с полным основанием называют "Rock Beauty" ("скальная красавица"), а черно-желтый диск — молодой черный "ангел". Но какие краски и какие невероятные сочетания красок! Можно подумать, что они подобраны нарочно, чтобы быть как можно заметнее на возможно большем расстоянии, как знамя или, лучше сказать, как плакат!

Надо мной колышется громадное зеркало, подо мной звездное небо, хоть и крошечное, я невесомо витаю в прозрачной среде, окруженный кишащим роем ангелов, поглощен созерцанием, благоговейно восхищенный творением и его красотой. Но все же, хвала Творцу, я вполне способен наблюдать существенные детали. И тут мне бросается в глаза вот что: у рыб тусклой или, как у красноротиков, пастельной окраски я почти всегда вижу многих или хотя бы нескольких представителей одного и того же вида *одновременно,* часто они плавают вместе громадными, плотными стаями. Но из ярко окрашенных видов в моем поле зрения лишь *один* синий и *один* черный "ангел", *один* "красавец Грегори" и *один* "самоцвет"; а из двух малюток "скальных красавиц", которые только что промчались мимо, одна с величайшей яростью гналась за другой.

Хотя вода и теплая, от неподвижной аэростатной жизни я начинаю мерзнуть, но наблюдаю дальше. И тут замечаю вдали — а это даже в очень прозрачной воде всего 10—12 метров — еще одного "красавца Грегори", который медленно приближается, очевидно, в поисках корма. Местный "красавец" замечает пришельца гораздо позже, чем я со своей наблюдательной вышки, когда до него остается не больше четырех метров. В тот же миг местный с беспримерной яростью бросается на чужого, и, хотя тот крупнее нападающего, он тут же разворачивается и удирает изо всех сил, дикими зигзагами, к чему здешний вынуждает его чрезвычайно серьезными таранными ударами, каждый из которых нанес бы тяжелую рану, если бы попал в цель. По меньшей мере один все-таки попал: я вижу, как опускается на дно блестящая чешуйка, кружась, словно опавший лист. Когда чужак скрывается вдали в сине-зеленых сумерках, победитель тотчас возвращается к своей норке. Он мирно проплывает сквозь плотную толпу молодых красноротиков, кормящихся возле самого входа в его пещеру; и полнейшее безразличие, с каким он обходит этих рыбок, наводит на мысль, что для него они значат не больше, чем камешки или другие несущественные и неодушевленные помехи. Даже маленький синий "ангел", довольно похожий на него и формой, и окраской, не вызывает у него ни малейшей враждебности.

Вскоре после этого я наблюдаю точно такую же, во всех деталях, стычку двух черных рыбок-"ангелов", размером едва с палец. Эта стычка, быть может, даже несколько драматичнее: еще сильнее кажется ожесточение нападающего, еще очевиднее панический страх удирающего пришельца, — хотя это может быть и потому, что мой медленный человеческий глаз лучше уловил движения "ангелов", чем "красавцев", которые разыграли свой спектакль слишком стремительно.

Постепенно до моего сознания доходит, что мне уже по-настоящему холодно. И пока я выбираюсь на коралловую стену в теплый воздух под золотое солнце Флориды, я формулирую все увиденное в нескольких коротких фразах: яркие, "плакатно" окрашенные рыбы — все оседлые. Только у них я видел, что они защищают определенный участок. Их яростная враждебность направлена только против им подобных; я никогда не видел, чтобы рыбы разных видов нападали друг на друга, сколь бы ни была агрессивна каждая из них.

Глава 2

ПРОДОЛЖЕНИЕ В ЛАБОРАТОРИИ

> Что не у вас в руках, нельзя добыть,
> Что вам не взвесить, то не может быть,
> Что не считали, в дело не идет,
> И что вы не чеканили — не в счет.
>
> *Гёте*

В предыдущей главе я допустил поэтическую вольность. Я умолчал о том, что по аквариумным наблюдениям уже знал, как ожесточенно борются с себе подобными яркие коралловые рыбы, и что у меня уже сложилось предварительное мнение о биологическом значении этой борьбы. Во Флориду я поехал, чтобы проверить эти гипотезы. Если бы факты им противоречили, я был бы готов сразу же выбросить их за борт. Или, лучше сказать, выплюнуть их в море через дыхательную трубку: ведь трудно что-нибудь выбросить за борт, когда плаваешь под водой. Вообще нет лучшей утренней гимнастики для исследователя, чем каждое утро перед завтраком расправляться с какой-нибудь своей любимой гипотезой. Это сохраняет молодость.

Когда я, за несколько лет до того, начал изучать в аквариуме красочных рыб с коралловых рифов, меня привлекало, наряду с эстетической радостью от их чарующей красоты, мое "чутье" на интересные биологические проблемы. Прежде всего напрашивался вопрос: зачем же все-таки эти рыбы так ярки?

Когда биолог ставит вопрос в такой форме — "зачем?" — он вовсе не стремится постичь глубочайший смысл мироздания вообще и рассматриваемого явления в частности; постановка вопроса гораздо скромнее: он хотел бы узнать нечто совсем простое, что в принципе всегда поддается исследованию. С тех пор как, благодаря Чарлзу Дарвину, мы знаем об историческом становлении органического мира и даже кое-что о его причинах, вопрос "зачем?" означает для нас нечто вполне определенное. А именно: мы знаем, что причиной изменения формы органа является его *функция*. Лучшее — всегда враг хорошего. Если незначительное, само по себе случайное наследственное изменение делает какой-либо орган хоть немного лучше и эффективнее, то носитель этого признака и его потомки составляют своим не столь одаренным собратьям по виду такую конкуренцию, которой те выдержать не могут. Раньше или позже они исчезают с лица Земли. Этот вездесущий процесс называется естественным отбором. Отбор — это один из двух великих конструкторов эволюции; второй, предоставляющий материал для отбора, — это изменчивость, или мутация, необходимость которой Дарвин с гениальной прозорливостью постулировал в то время, когда ее существование еще не было доказано.

Все великое множество сложных и целесообразных конструкций животных и растений всевозможнейших видов обязано своим возникновением терпеливой работе Изменчивости и Отбора в течение многих миллионов лет. В этом мы убеждены теперь больше, чем был убежден сам Дарвин, и, как мы вскоре увидим, с бо́льшим основанием. Некоторых может разочаровать, что все многообразие форм жизни, чья гармоническая соразмерность вызывает наше благоговение, а красота восхищает эстетическое чувство, появилось таким прозаическим и, главное, причинно-обусловленным путем. Но естествоиспытатель не устает восхищаться именно тем, что Природа создает все свои высокие творения, никогда не нарушая собственных законов.

На наш вопрос "зачем?" можно получить разумный ответ лишь в том случае, если *оба* великих конструктора работали вместе, как мы упомянули выше. Он равнозначен вопросу о функции, служащей сохранению вида. Когда на вопрос: "Зачем кошкам острые кривые когти?" мы отвечаем: "Чтобы ловить мышей", это вовсе не говорит о нашей приверженности к метафизической телеологии, а означает лишь то, что ловля мышей является специальной функцией, важность которой для сохранения вида выработала у всех кошек именно такую форму когтей. Тот же вопрос не получает разумного ответа, когда изменчивость, действуя сама по себе, приводит к чисто случайным результатам. Если, например, у кур или у других одомашненных животных, которых защищает человек, исключая естественный отбор по окраске, можно встретить всевозможные пестрые и пятнистые расцветки, то бессмысленно спрашивать, для чего эти животные окрашены именно так, а не иначе. Но если мы встречаем в природе высокоспециализированные правильные образования, крайне маловероятные как раз из-за их соразмерности, — как, например, сложная структура птичьего пера или какого-нибудь инстинктивного способа поведения, — случайность их возникновения можно исключить. Здесь мы должны задаться вопросом, какое селекционное давление привело к появлению этих образований, иными словами — для чего они нужны. Задавая этот вопрос, мы вправе надеяться на разумный ответ, потому что уже получали такие ответы довольно часто, а при достаточном усердии вопрошавших почти всегда. И тут ничего не меняют те немногие исключения, когда исследования не дали — или пока еще не дали — ответа на этот важнейший из всех биологических вопросов. Зачем, например, нужна моллюскам изумительная форма и расцветка раковин? Ведь их собратья по виду все равно не смогли бы их увидеть своими слабыми глазами, даже если бы они не были спрятаны, как часто бывает, складками мантии, да еще и укрыты темнотой морских глубин.

Кричаще яркие краски коралловых рыб требуют объяснения. Какая видосохраняющая функция вызвала их появление?

Я купил самых ярких рыбок, каких только мог найти, а для сравнения — нескольких менее ярких видов, в том числе и простой маскировочной окраски. Тут я сделал неожиданное открытие: у подавляющего большинства действительно ярких коралловых рыб — "плакатной", или "флаговой", расцветки — совершенно невозможно держать в небольшом аквариуме больше одной особи каждого вида. Стоило поместить в аквариум несколько рыбок одного вида, как вскоре, после яростных баталий, в живых оставалась лишь самая сильная. Потом во Флориде на меня произвело сильнейшее впечатление повторение в открытом море той же картины, какая регулярно наблюдалась в моем аквариуме после завершения смертельной борьбы: *одна* рыба некоторого вида мирно уживается с рыбами других видов, столь же ярких, но других расцветок, причем из каждого другого вида тоже присутствует только одна. У небольшого мола, неподалеку от моей квартиры, милейшим образом уживались *один* "красавец Грегори", *один* маленький черный "ангел" и *одна* "глазчатая бабочка". Мирная совместная жизнь двух особей одного вида плакатной расцветки возможна лишь у тех рыб, которые живут в *устойчивом браке,* как многие птицы. Такие супружеские пары я наблюдал в естественных условиях у синих "ангелов" и у "красавцев", а в аквариуме — у коричневых и у бело-желтых "бабочек". Супруги в таких парах поистине неразлучны, причем интересно, что по отношению к другим собратьям по виду они проявляют еще бо́льшую враждебность, чем одинокие рыбы их вида. Почему это так, мы выясним позже.

В открытом море принцип "два сапога — *не* пара" осуществляется бескровно: побежденный бежит с территории победителя, а тот вскоре прекращает преследование. Но в аквариуме, где бежать некуда, победитель часто сразу же добивает побежденного. По меньшей мере он занимает весь бассейн как собственное владение и в дальнейшем настолько изводит остальных постоянными нападениями, что те растут гораздо медленнее, и его преимущество становится все значительнее — вплоть до трагического исхода.

Чтобы наблюдать нормальное взаимное поведение владельцев охотничьих участков, нужно иметь достаточно большой бассейн, где могли бы уместиться территории хотя бы двух особей изучаемого вида. Поэтому мы построили аквариум длиной 2,5 метра, который вмещал больше двух тонн воды и давал маленьким рыбкам, живущим вблизи от берега, место для нескольких территорий. Молодь у плакатно окрашенных видов почти всегда еще ярче, еще привязаннее к месту обитания и еще яростнее взрослых рыб, так что на этих миниатюрных рыбках можно хорошо наблюдать изучаемые явления в сравнительно малом пространстве.

Итак, в этот аквариум были запущены рыбки длиной от двух до четырех сантиметров следующих видов: 7 разных видов рыб-"бабочек", 2 вида рыб-"ангелов", 8 видов семейства Pomacentridae, к которому принадлежат "звездное небо" и "красавец Грегори", 2 вида спинорогов, 3 вида губанов, 1 вид рыбы-"доктора" и несколько других, не ярких и не агрессивных видов, таких, как "кузовки", "шары" и т. п. Таким образом, в аквариуме оказалось примерно 25 видов плакатно окрашенных рыб, в среднем по 4 каждого вида, — из некоторых видов больше, из других всего по одной, — а всего больше 100 особей. Рыбки сохранились наилучшим образом, почти без потерь, прижились, воспряли духом и, в полном соответствии с программой, начали драться.

И тогда представилась замечательная возможность кое-что *подсчитать*. Если представителю "точного" естествознания удается что-нибудь подсчитать или измерить, он всегда испытывает радость, которую непосвященному подчас трудно понять. "Разве в том лишь величие природы, что она вам дозволяет считать?" — так спрашивает Фридрих Шиллер ученого, озабоченного измерениями. Я должен признаться поэту, что сам я знал бы о сущности внутривидовой агрессии почти столько же, если бы и *не* производил подсчетов. Но мое высказывание о том, что я знаю, было бы гораздо менее доказательным, если бы мне пришлось облечь его в одни лишь слова: "Яркие коралловые рыбы кусают *почти* исключительно собратьев по виду". Как раз *укусы* мы и подсчитали — и получили следующий результат: для каждой рыбки, живущей в аквариуме, вероятность *случайно* напасть на одну из трех своих собратьев по виду среди 96 других рыбок равна 3:96. Однако количество укусов, нанесенных собратьям по виду, относится к количеству межвидовых укусов примерно как 85:15. И даже это малое последнее число (15) не отражает подлинной картины, так как почти все соответствующие нападения — на счету Pomacentridae, которые почти постоянно сидят в своих норках, почти невидимые снаружи, и яростно атакуют каждую рыбу, вторгающуюся в их убежище. В свободной воде и они игнорируют любую рыбу другого вида. Если исключить эту группу из описанного опыта — что мы, кстати, и сделали, — то получаются еще более впечатляющие цифры.

Другая часть нападений на рыб чужого вида приходилась на долю тех немногих, которые не имели собратьев по виду во всем аквариуме и потому были вынуждены вымещать свою здоровую злость на других объектах. Однако выбор этих объектов столь же убедительно подтверждал правильность моих предположений, как и точные цифры. Например, там была одна-единственная удивительно красивая рыба-"бабочка" неизвестного нам вида, которая и по форме, и по рисунку настолько точно занимала среднее положение между бело-желтым и бело-черным видами, что мы сразу же окрестили ее бело-черно-желтой. И она, очевидно, полностью разделяла наше мнение о ее систематическом положении, так как делила свои атаки почти поровну между представителями этих видов. Мы ни разу не видели, чтобы она укусила рыбу какого-нибудь третьего вида. Пожалуй, еще интереснее вел себя синий спинорог — тоже единственный у нас, — который по-латыни называется Odonus niger, "черная зубастая рыба". Зоолог, давший такое название, видел, надо полагать, лишь ее обесцвеченный труп в формалине, потому что живая она не черная, а ярко-синяя, с нежными оттенками фиолетового и розового, особенно по краям плавников. Когда у фирмы "Андреас Вернер" появилась партия этих рыбок, я с самого начала купил только одну; битвы, которые они затевали уже в бассейне магазина, позволяли предвидеть, что мой большой аквариум окажется слишком мал для двух примерно шестисантиметровых молодцов этой породы. За неимением собратьев по виду мой синий спинорог первое время вел себя довольно мирно, хотя и раздал несколько укусов, многозначительным образом разделив их между представителями *двух* совершенно разных видов. Во-первых, он преследовал так называемых "синих дьяволов", близких родственников ”красавца Грегори”, похожих на него великолепной синей окраской, а во-вторых, обеих рыб другого вида спинорогов, так называемых ”рыб Пикассо”. Как видно из любительского названия этой рыбки, она расцвечена чрезвычайно ярко и причудливо, так что в этом смысле не имеет ничего общего с синим спинорогом, хотя весьма похожа на него по форме. Когда через несколько месяцев сильнейшая из двух ”Пикассо” отправила слабейшую в рыбий ”мир иной” — в формалин, между оставшейся и синим спинорогом возникло острое соперничество, причем агрессивность последнего по отношению к ”Пикассо” несомненно усиливалась и тем обстоятельством, что за это время ”синие дьяволы” успели сменить ярко-синюю юношескую окраску на взрослую сизую и поэтому раздражали его меньше. И в конце концов наш синий этого ”Пикассо” погубил. Я мог бы привести еще много примеров, когда из нескольких рыб, взятых для описанного выше эксперимента, в живых оставалась только одна — как это было с королевской рыбой. В тех случаях, когда при образовании пары две рыбьих души соединялись в одну, в живых оставалась одна пара, как у коричневых и бело-желтых ”бабочек”. Известно великое множество случаев, когда животные, — не только рыбы, — которым за неимением собратьев по виду приходилось переносить свою агрессивность на другие объекты, выбирали при этом наиболее близких родственников или виды, похожие хотя бы по окраске.

Таким образом, эти наблюдения в аквариуме и их подытоживание бесспорно подтверждают правило, установленное и моими наблюдениями в море: по отношению к собратьям по виду рыбы гораздо агрессивнее, чем по отношению к рыбам других видов.

Однако, как видно уже из поведения различных рыб на свободе, описанного в первой главе, есть и значительное число видов, далеко не столь агрессивных, как коралловые рыбы, которых я изучал в своем эксперименте. Стоит представить себе разных рыб, неуживчивых и более или менее уживчивых, как сразу же напрашивается мысль о тесной взаимосвязи между их окраской, агрессивностью и оседлостью. Среди рыб, которых я наблюдал в естественных условиях, крайняя воинственность, сочетающаяся с оседлостью и направленная против собратьев по виду, встречается исключительно у тех форм, у которых яркая окраска, наложенная крупными плакатными пятнами, оповещает об их видовой принадлежности уже на значительном расстоянии. Как уже было сказано, именно эта чрезвычайно характерная окраска и возбудила мое любопытство, натолкнув на мысль о существовании некоей проблемы. Пресноводные рыбы тоже бывают очень красивыми и очень яркими, в этом отношении многие из них ничуть не уступают морским, так что различие здесь не в красоте, а в чем-то другом.

У большинства ярких пресноводных рыб особая прелесть их сказочной расцветки состоит в ее непостоянстве. Пестрые окуни (Buntbarsche), чья великолепная окраска определила их немецкое название, лабиринтовые рыбы, многие из которых еще превосходят красочностью этих окуней, красно-зелено-голубая колюшка и радужный горчак наших вод, как и великое множество других рыб, известных нам по домашним аквариумам, — все они расцвечивают свои наряды лишь тогда, когда распаляются любовью или духом борьбы. У многих из них окраску можно использовать как индикатор настроения и в каждый данный момент определять, в какой мере в них спорят за главенство агрессивность, сексуальное возбуждение и стремление к бегству. Как исчезает радуга, едва лишь облако закроет солнце, так гаснет все великолепие этих рыб, едва спадет возбуждение, бывшее его причиной, либо уступит место другому чувству, особенно страху, который тотчас облекает рыбу в неприметный маскировочный цвет. Иными словами, у всех этих рыб окраска является *средством выражения* и появляется лишь тогда, когда она нужна. Соответственно у них у всех мальки, а часто и самки, окрашены в маскировочные цвета.

Иначе у агрессивных коралловых рыб. Их великолепное одеяние настолько постоянно, будто нарисовано на теле. И дело не в том, что они не способны к изменению цвета; почти все они доказывают такую способность, когда, отходя ко сну, надевают ночную рубашку, расцветка которой самым разительным образом отличается от дневной. Но в течение дня, пока рыбы бодрствуют и активны, они любой ценой сохраняют свои яркие плакатные цвета. Побежденный, который старается уйти от преследователя отчаянными зигзагами, расцвечен точно так же, как торжествующий победитель. Они спускают опознавательные флаги своего вида не чаще, чем английские военные корабли в морских романах Форстера. Даже в транспортном контейнере, где, право же, приходится несладко, даже погибая от болезней, они демонстрируют неизменное красочное великолепие; и даже после смерти оно долго еще сохраняется, хотя в конце концов угасает.

Кроме того, у всех типичных плакатно окрашенных коралловых рыб не только оба пола имеют одинаковую расцветку, но и совсем крошечные детеныши несут на себе кричаще яркие краски, причем — что поразительно — очень часто совсем иные и еще более яркие, чем у взрослых рыб. И что уж совсем невероятно — у некоторых форм яркими бывают *только* дети. Например, упомянутые выше "самоцвет" (с. 69) и "синий дьявол" (с. 74) с наступлением половой зрелости превращаются в тусклых сизо-серых рыб с бледно-желтым хвостовым плавником.

Распределением красок, наталкивающим на сравнение с плакатом (крупные, контрастные пятна), коралловые рыбы отличаются не только от большинства пресноводных, но и вообще от большинства менее агрессивных и менее оседлых рыб. У этих нас восхищают тонкость цветовой гаммы, изящные нюансы мягких пастельных тонов, прямо-таки "любовная" проработка деталей. Если смотреть на моих любимых красноротиков издали, то видишь просто зеленовато-серебристую, совсем неприметную рыбку, и лишь разглядывая их вблизи — благодаря бесстрашию этих любопытных созданий это легко и в естественных условиях, — можно заметить золотистые и небесно-голубые иероглифы, извилистой вязью покрывающие всю рыбу, словно изысканная парча. Без сомнения, этот рисунок тоже является сигналом, позволяющим узнавать свой вид, но он предназначен для того, чтобы его могли видеть вблизи сородичи, плывущие рядом. Точно так же, вне всяких сомнений, плакатные краски территориально агрессивных коралловых рыб приспособлены для того, чтобы их можно было заметить и узнать на возможно большем расстоянии. Что узнавание своего вида вызывает у этих животных яростную агрессивность — это мы уже хорошо знаем.

Многие люди, в том числе и те, кто в остальном проявляет понимание природы, считают странным и совершенно излишним, когда мы, биологи, по поводу каждого яркого пятна, которое видим на каком-нибудь животном, тотчас задаемся вопросом — какую видосохраняющую функцию могло бы выполнять это пятно и какой естественный отбор мог бы привести к его появлению. Более того, мы знаем из опыта, что очень многие ставят нам это в вину как проявление грубого материализма, слепого по отношению к ценностям и потому достойного всяческого осуждения. Однако оправдан *каждый* вопрос, на который есть разумный ответ, а ценность и красота любого явления природы никоим образом не страдают, если нам удается понять, *почему* оно происходит именно так, а не иначе. Радуга не стала менее прекрасной от того, что мы узнали законы преломления света, благодаря которым она возникает. Восхитительная красота и правильность рисунков, расцветок и движений наших рыб могут вызвать у нас лишь еще большее восхищение, когда мы узнаём, что они существенно важны для сохранения вида украшенных ими живых существ. И как раз о великолепной боевой раскраске коралловых рыб мы знаем уже вполне определенно, какую особую роль она выполняет: она вызывает у собрата по виду — и *только* у него — яростный порыв к защите своего участка, если он находится на собственной территории, и устрашающе предупреждает его о боевой готовности хозяина, если он вторгся в чужие владения. В обеих функциях это как две капли воды похоже на другое воодушевляюще прекрасное явление природы — на пение птиц, на песню соловья, красота которой "поэта к творчеству влечет", как хорошо сказал Рингельнац. Как расцветка коралловой рыбы, так и песня соловья служат для того, чтобы издали оповестить собратьев по виду — ибо обращены только к ним, — что здешний участок уже нашел себе постоянного и воинственного хозяина.

Если проверять эту теорию, сравнивая боевое поведение плакатно расцвеченных и неярких рыб, находящихся в близком родстве и обитающих в одном и том же жизненном пространстве, то теория подтверждается полностью, и особенно впечатляют те случаи, когда яркий и тусклый виды принадлежат к одному роду. Так, например, есть принадлежащая к семейству Pomacentridae рыба простой поперечно-полосатой окраски, которую американцы называют "обер-фельдфебель" — Sergeant major; это мирная рыба, держащаяся стаями. Ее собрат по роду, клыкастый абудефдуф — роскошная бархатно-черная рыба с ярко-голубым полосчатым узором на голове и передней части тела и с желтым, цвета серы, поперечным поясом посреди туловища, — напротив, едва ли не самый свирепый из всех свирепых территориальных видов, с какими я познакомился за время изучения коралловых рыб. Наш большой аквариум оказался слишком мал для двух крошечных мальков этого вида, длиной едва по 2,5 см. Один из них занял весь аквариум, другой влачил жалкое существование в левом верхнем переднем углу, за струей пузырьков от аэратора, скрывавшей его от глаз враждебного собрата. Другой хороший пример дает сравнение рыб-"бабочек". Единственный среди них уживчивый вид, какой я знаю, в то же время имеет и единственную в своем роде расцветку, состоящую из деталей настолько мелких, что характерный рисунок можно различить лишь на очень малом расстоянии.

Но наиболее примечательным является тот факт, что коралловые рыбы, которые в молодости расцвечены плакатно, а в зрелом возрасте тускло, демонстрируют такую же корреляцию между окраской и агрессивностью: в молодости они яростно защищают свою территорию, но с возрастом становятся несравненно более уживчивыми. Многие из них производят даже впечатление, что им необходимо снять боевую раскраску, чтобы вообще допустить мирное сближение разных полов. Это, несомненно, верно для одного из родов семейства Pomacentridae — пестрых рыбок, часто резкой черно-белой расцветки, — размножение которых в аквариуме я наблюдал несколько раз; для этой цели они меняют свою контрастную окраску на одноцветную тускло-серую, но тотчас же после нереста вновь поднимают свои боевые знамена.

Глава 3

ЧЕМ ХОРОШО ЗЛО

> Часть силы той, что без числа
> Творит добро, всегда желая зла.
>
> *Гёте*

Для чего вообще борются друг с другом живые существа? Борьба — вездесущий в природе процесс; способы поведения, предназначенные для борьбы, как и оружие, наступательное и оборонительное, настолько высоко развиты и настолько очевидно возникли под селекционным давлением соответствующих видосохраняющих функций, что мы, вслед за Дарвином, несомненно, должны заняться этим вопросом.

Неспециалисты, сбитые с толку сенсационными выдумками прессы и кино, представляют себе взаимоотношения "диких зверей" в "зеленом аду" джунглей как кровожадную борьбу всех против всех. Совсем еще недавно бывали фильмы, в которых можно было увидеть, например, схватку бенгальского тигра с питоном, а сразу после этого — питона с крокодилом. С чистой совестью могу заявить, что в естественных условиях такого не бывает никогда. Да и какой смысл одному из этих зверей уничтожать другого? Ни один из них жизненных интересов другого не затрагивает!

Точно так же и формулу Дарвина "борьба за существование", превратившуюся в модное выражение, которым часто злоупотребляют, непосвященные чаще всего ошибочно относят к борьбе между различными видами. На самом же деле "борьба", о которой говорил Дарвин и которая движет эволюцию, — это в первую очередь *конкуренция* между ближайшими родственниками. То, что заставляет вид, каков он сегодня, исчезнуть или превращает его в другой вид, — это какое-нибудь удачное "изобретение", выпавшее на долю одного или нескольких собратьев по виду в результате совершенно случайного выигрыша в вечной лотерее Изменчивости. Потомки этих счастливцев, как было уже сказано на с. 71, очень скоро вытеснят всех остальных, так что вид будет состоять только из особей, обладающих новым "изобретением".

Конечно же *бывают* враждебные столкновения и между разными видами. Филин по ночам убивает и пожирает даже хорошо вооруженных хищных птиц, хотя они наверняка очень энергично сопротивляются. Со своей стороны, если они встречают эту большую сову среди бела дня, то нападают на нее, преисполненные ненависти. Почти каждое хоть сколько-нибудь вооруженное животное, начиная с мелких грызунов, яростно сражается, если у него нет возможности бежать. Кроме этих трех особых случаев межвидовой борьбы существуют и другие, менее специфические. Две птицы разных видов могут подраться из-за дупла, пригодного под гнездо; любые два животных, равных по силе, могут схватиться из-за пищи, и т. д. О случаях межвидовой борьбы, иллюстрированных тремя вышеприведенными примерами, необходимо здесь кое-что сказать, чтобы подчеркнуть их своеобразие и отграничить от внутривидовой агрессии, которая собственно и является предметом нашей книги.

Функция сохранения вида гораздо яснее при любых межвидовых столкновениях, нежели в случае внутривидовой борьбы. Взаимное влияние хищника и жертвы дает замечательные образцы того, как селекционное давление некоторой функции вызывает соответствующие приспособления. Быстрота преследуемых копытных вырабатывает мощную силу прыжка и страшно вооруженные лапы у крупных кошек, а те, в свою очередь, развивают у жертвы все более тонкое чутье и все более быстрый бег. Впечатляющий пример такого эволюционного соревнования между наступательным и оборонительным оружием дает хорошо прослеженная палеонтологически специализация зубов травоядных млекопитающих, которые становились все более крепкими и лучше приспособленными для жевания, и параллельное развитие пищевых растений, которые по возможности защищались от съедения отложением кремниевой кислоты и другими способами. Но такого рода "борьба" между поедающим и поедаемым *никогда* не приводит к полному уничтожению жертвы хищником; между ними *всегда* устанавливается некое равновесие, которое — если говорить о видах в целом — выгодно для обоих. Последние львы издохли бы от голода гораздо раньше, чем убили бы последнюю пару антилоп или зебр, способную к продолжению рода, так же, как — в переводе на человечески-коммерческий язык — китобойный флот обанкротился бы задолго до истребления последних китов. Кто непосредственно угрожает существованию вида — это, как уже было сказано, не "пожиратель", а конкурент, именно он и только он. Когда в давние времена в Австралии появились динго — поначалу домашние собаки, завезенные туда людьми и там одичавшие, они не истребили ни одного вида из тех, что служили им добычей, зато под корень извели крупных сумчатых хищников, которые охотились на тех же животных, что и они. Местные хищники, сумчатый волк и сумчатый дьявол, были значительно сильнее динго, но в охотничьем искусстве эти древние, сравнительно глупые и медлительные звери уступали "современным" млекопитающим. Динго настолько уменьшили поголовье добычи, что охотничьи методы их конкурентов больше "не окупались", так что теперь они обитают лишь на Тасмании, куда динго не добрались.

Но также и в другом отношении столкновение между хищником и добычей не является борьбой в собственном смысле слова. Конечно, удар лапы, которым лев сбивает свою добычу, формой движения подобен тому, каким он бьет соперника, так же, как охотничье ружье тоже похоже на армейский карабин; однако внутренние физиологические мотивы поведения охотника и бойца совершенно различны. Когда лев убивает буйвола, этот буйвол вызывает в нем не больше агрессивности, чем во мне аппетитный индюк, висящий в кладовке, на которого я смотрю с таким же удовольствием. Различие внутренних побуждений ясно видно уже по выразительным движениям. Когда собака в охотничьем азарте преследует зайца, у нее бывает точно такое же напряженно-радостное выражение лица, с каким она приветствует хозяина или предвкушает что-нибудь приятное. И по львиной морде в драматический момент перед прыжком можно вполне отчетливо видеть, как это зафиксировано на многих превосходных фотографиях, что он вовсе не зол. Рычание, прижатые уши и другие выразительные движения, связанные с боевым поведением, можно видеть у охотящихся хищников только тогда, когда они всерьез боятся своей вооруженной добычи — но и в этом случае лишь в виде намека.

Ближе к подлинной агрессии, чем нападение охотника на добычу, стоит интересный обратный процесс: "контратака" добычи против хищника. Особенно это касается стадных животных, которые всем скопом нападают на хищника, стоит лишь им его заметить; поэтому в английском языке описываемое явление называется "mobbing"*. В обиходном немецком языке соответствующего слова нет, только в старом охотничьем жаргоне есть подобное выражение: говорят, что вороны или другие птицы "hassen auf" ("травят") филина, кошку или другого ночного хищника, если он попадется им на глаза при свете дня. Если сказать, что стадо коров "затравило" таксу, этим можно шокировать даже последователей святого Губерта*; однако, как мы вскоре увидим, здесь и в самом деле идет речь о совершенно аналогичных явлениях.

Нападение на хищника-пожирателя имеет очевидный смысл для сохранения вида. Даже когда нападающий мал и безоружен, он причиняет субъекту нападения весьма чувствительные неприятности. Все хищники, охотящиеся в одиночку, могут рассчитывать на успех лишь в том случае, если их нападение внезапно. Когда лисицу сопровождает по лесу кричащая сойка, когда вслед за кобчиком летит с предостерегающим щебетом стая трясогузок — охота у них бывает основательно испорчена. С помощью травли многие птицы отгоняют обнаруженную днем сову так далеко, что на следующий вечер ночной хищник охотится где-нибудь в другом месте. Особенно интересна функция травли у ряда птиц с высокоразвитой общественной организацией, таких, как галки и многие гуси. У первых важнейшее значение травли для сохранения вида состоит в том, чтобы показать неопытной молодежи, как выглядит опасный враг. Такого врожденного знания у галок нет. У птиц это уникальный случай передачи знания с помощью традиции!

Гуси благодаря строго избирательному врожденному механизму "знают", что нечто пушистое, рыже-коричневое, вытянутое в длину и крадущееся — чрезвычайно опасно. Однако и у них видосохраняющая функция "моббинга" со всем его переполохом, когда отовсюду слетаются тучи гусей, имеет в основном учебную цель. Те, кто этого еще не знал, узнаю́т: *здесь лисы бывают.* Когда на нашем озере лишь часть берега была защищена от хищников специальной изгородью, гуси избегали любых укрытий, под которыми могла бы спрятаться лиса, держась на расстоянии не меньше 15 метров от них; в то же время они безбоязненно заходили в чащу молодого сосняка на защищенных участках. Кроме этих дидактических целей травля хищных млекопитающих и у галок, и у гусей имеет, разумеется, и первоначальную задачу: отравлять врагу существование. Галки его бьют, настойчиво и основательно, а гуси, по-видимому, запугивают своим криком, числом и бесстрашным поведением. Крупные канадские казарки атакуют лису даже на земле пешим сомкнутым строем; и я никогда не видел, чтобы лиса попыталась при этом схватить одного из своих мучителей. С прижатыми ушами, с явным отвращением на морде, она оглядывается через плечо на трубящую стаю и медленно, "сохраняя лицо", трусит прочь.

Наиболее эффективен "моббинг", разумеется, у крупных и вооруженных травоядных, которые, если их много, "берут на прицел" даже крупных хищников. Зебры, по одному достоверному сообщению, нападают даже на леопарда, если он попадется им в открытой степи. У наших домашних коров и свиней инстинкт общего нападения на волка сидит в крови настолько прочно, что, если зайти на пастбище к большому стаду в сопровождении молодой и пугливой собаки, которая, вместо того чтобы облаять нападающих или самостоятельно удрать, ищет защиты у ног хозяина, это может оказаться весьма опасно. Мне самому с моей собакой Штази пришлось однажды прыгнуть в озеро и спасаться вплавь, когда стадо молодняка окружило нас полукольцом и, опустив рога, угрожающе двинулось вперед. А мой брат во время первой мировой войны провел в южной Венгрии прелестный вечер на иве, забравшись туда со своим шотландским терьером под мышкой: их окружило, с недвусмысленно обнаженными клыками, стадо полудиких венгерских свиней, свободно пасшихся в лесу, и круг начал сжиматься.

О таких эффективных нападениях на настоящего или мнимого хищника-пожирателя можно было бы рассказывать долго. У некоторых птиц и рыб специально для этой цели развилась яркая "апосематическая"*, или предостерегающая, окраска, которую хищник может легко заметить и ассоциировать с теми неприятностями, какие он имел, встречаясь с данным видом. Ядовитые, противные на вкус или как-либо иначе защищенные животные самых различных групп поразительно часто "выбирают" для предупредительного сигнала сочетания одних и тех же цветов — красного, белого и черного. И чрезвычайно примечательны два вида, которые кроме поистине "ядовитой" агрессивности не имеют ничего общего ни друг с другом, ни с упомянутыми ядовитыми животными, а именно — утка-пеганка и рыбка суматранский усач. О пеганках давно известно, что они люто травят хищников и их яркое оперение настолько противно лисам, что они могут безнаказанно высиживать утят в лисьих норах в присутствии хозяев. Суматранских усачей я купил специально, чтобы узнать, зачем эти рыбки окрашены так ядовито; они тотчас же ответили на этот вопрос, устроив в большом общем аквариуме такую травлю крупных пестрых окуней, что мне пришлось спасать хищных великанов от этих безобидных с виду малюток.

Как и при нападении хищника на добычу или при травле хищника его жертвами, столь же очевидна видосохраняющая функция третьего типа боевого поведения, который мы с Г. Гедигером называем *критической реакцией*. В английском языке выражение "сражаться, как крыса, загнанная в угол" символизирует отчаянную борьбу, в которую боец вкладывает все, потому что не может ни бежать, ни рассчитывать на пощаду. Эта самая яростная форма боевого поведения мотивируется *страхом,* сильнейшим стремлением к бегству, которое не может быть реализовано потому, что опасность *слишком близка*. Животное, можно сказать, уже не рискует повернуться к ней спиной и нападает само, с пресловутым "мужеством отчаяния". Именно это происходит, когда бегство невозможно из-за ограниченности пространства, как в случае загнанной в угол крысы, но точно так же может подействовать и необходимость защиты выводка или семьи. Нападение курицы-наседки или гусака на любой объект, оказавшийся слишком близко к птенцам, тоже следует рассматривать как критическую реакцию. При внезапном появлении опасного врага в пределах определенной критической зоны многие животные яростно набрасываются на него, хотя бежали бы с гораздо большего расстояния, если бы заметили его приближение издали. Гедигер весьма наглядно описал, как цирковые дрессировщики загоняют крупных хищных зверей в любое место на арене, ведя рискованную игру на границе между дистанцией бегства и критической дистанцией. В тысяче охотничьих рассказов можно прочесть, что крупные хищники опаснее всего в густых зарослях. Это прежде всего потому, что там дистанция бегства особенно мала; в чаще зверь чувствует себя укрытым и рассчитывает, что человек, продираясь сквозь заросли, не заметит его, даже если пройдет совсем близко. Но если при этом человек перешагнет рубеж критической дистанции данного зверя, то происходит так называемый несчастный случай на охоте — быстро и трагично.

В только что рассмотренных случаях борьбы между животными различных видов есть общая черта: здесь вполне ясно, какую пользу для сохранения вида получает или "должен" получить каждый из участников борьбы. Но и внутривидовая агрессия — агрессия в узком и собственном смысле этого слова — тоже служит сохранению вида. В отношении ее тоже можно и нужно задать дарвиновский вопрос "для чего?". Многим это покажется не столь уж очевидным; а люди, свыкшиеся с идеями классического психоанализа, могут усмотреть в таком вопросе зломамеренную попытку апологии жизнеразрушающего начала, или попросту зла. Обычному цивилизованному человеку случается увидеть подлинную агрессию лишь тогда, когда сцепятся его сограждане или его домашние животные; разумеется, он видит лишь дурные последствия таких раздоров. Здесь можно увидеть поистине устрашающий ряд постепенных переходов — от петухов, подравшихся на помойке, к грызущимся собакам, к тузящим друг друга мальчишкам, потом к парням, разбивающим о головы друг друга пивные кружки, потом к отчасти уже политически окрашенным трактирным побоищам и, наконец, войнам и атомным бомбам.

У нас есть веские основания считать внутривидовую агрессию наиболее серьезной из всех опасностей, угрожающих человечеству в современных условиях культурно-исторического и технического развития. Но перспектива справиться с этой опасностью, конечно, не улучшится, если мы будем относиться к ней как к чему-то метафизическому и неотвратимому; если же попытаться проследить цепь естественных причин ее возникновения — тогда, возможно, удастся помочь делу. Всякий раз, когда человек обретал способность преднамеренно изменять какое-либо явление природы в определенном направлении, он был обязан этим своему пониманию причинно-следственных связей, определяющих это явление. Наука о нормальных жизненных процессах, выполняющих функцию сохранения вида, — так называемая физиология, — образует необходимое основание для науки о нарушениях этих процессов — патологии. Поэтому забудем на время, что в условиях цивилизации агрессивный инстинкт очень серьезно "сошел с рельсов", и постараемся по возможности беспристрастно исследовать его естественные причины. Как подлинные дарвинисты, мы по уже изложенным причинам прежде всего зададимся вопросом о видосохраняющей функции, которую выполняет борьба между собратьями по виду в естественных или, лучше сказать, в предкультурных условиях, и о селекционном давлении этой функции, благодаря которому она так сильно развилась у очень многих высших животных; ведь не одни только рыбы борются с собратьями по виду, как было описано выше, — то же происходит у огромного большинства позвоночных.

Как известно, вопрос о пользе борьбы для сохранения вида поставил уже сам Дарвин, и он же дал ясный ответ: для вида, для будущего всегда выгодно, чтобы область обитания или самку завоевал сильнейший из двух соперников. Как часто случается, эта вчерашняя истина хотя и не стала сегодня заблуждением, но оказалась лишь частным случаем; в последнее время экологи обнаружили другую функцию агрессии, еще более существенную для сохранения вида. Термин "экология" происходит от греческого οἶκος — дом. Это наука о многосторонних взаимосвязях организма с его естественным жизненным пространством, в котором он "у себя дома"; а в этом пространстве, разумеется, необходимо считаться и с другими животными и растениями, обитающими там же. Если специальные интересы социальной организации не требуют тесной совместной жизни, то по вполне понятным причинам наиболее благоприятным будет по возможности равномерное распределение особей вида в используемом жизненном пространстве. В терминах человеческой деловой жизни: если в какой-нибудь местности хотят обосноваться несколько врачей, или торговцев, или механиков по ремонту велосипедов, то представители любой из этих профессий поступят лучше всего, разместившись как можно дальше друг от друга.

Опасность, что в какой-то части биотопа, имеющегося в распоряжении вида, его избыточно плотное население исчерпает все ресурсы питания и будет страдать от голода, в то время как другая часть останется неиспользованной, — эта опасность проще всего устраняется тем, что животные одного и того же вида *отталкиваются* друг от друга. Именно в этом, вкратце, состоит важнейшая видосохраняющая функция внутривидовой агрессии. Теперь мы можем понять, почему именно оседлые коралловые рыбы так невероятно расцвечены. На Земле мало биотопов, в которых имелось бы такое количество и особенно такое *разнообразие* пищи, как на коралловых рифах. Здесь вид рыбы в ходе эволюционного развития может приобрести "всевозможнейшие профессии". Рыба в качестве "неквалифицированного рабочего" вполне может довольствоваться тем, что в любом случае доступно каждой "средней рыбе" — охотиться на более мелкую, не ядовитую, не защищенную панцирем, шипами или еще чем-либо живность, которая большими массами прибывает на риф из открытого моря: частью пассивно заносится ветром и волнами в качестве планктона, частью активно приплывает с "намерением" осесть на рифе, как это делают миллионы и миллионы свободно плавающих личинок всех обитающих на рифе организмов.

С другой стороны, некоторые виды рыб специализируются на поедании организмов, живущих на самом рифе. Но такие организмы всегда как-то защищены, и потому рыбе необходимо найти способ борьбы с их оборонительными приспособлениями. Сами кораллы кормят целый ряд видов рыб, и притом очень по-разному. Остроносые рыбы-"бабочки", или щетинозубы, по большей части паразитируют на кораллах и других стрекающих животных. Они постоянно обследуют коралловые кусты в поисках мелкой живности, попавшей в щупальца коралловых полипов. Обнаружив что-либо съедобное, они создают взмахами грудных плавников струю воды, направленную на добычу настолько точно, что в этом месте между кораллами образуется "пробор": струя расталкивает их в стороны и сжимает вместе с обжигающими щупальцами, так что рыба может схватить добычу, почти не обжигая себе рыльце. Все-таки слегка ее обжигает; видно, как рыба "чихает" — слегка дергает носом, — но кажется, что это раздражение ей даже приятно, вроде перца. Во всяком случае, такие рыбы, как мои красавицы-"бабочки", желтые и коричневые, явно предпочитают ту же добычу, скажем, рыбку, когда она уже попалась в щупальца, а не свободно плавает в воде. Другие родственные виды выработали у себя более сильный иммунитет к стрекательному яду и съедают добычу вместе с поймавшим ее коралловым полипом. Третьи вообще не обращают внимания на стрекательные клетки кишечнополостных и поедают коралловых полипов, гидрополипов и даже крупных, очень жгучих актиний, как корова траву. Рыбы-попугаи вдобавок к иммунитету против яда развили у себя мощные клешнеобразные челюсти и съедают коралловые кусты буквально целиком. Если нырнуть вблизи от пасущейся стаи этих великолепно расцвеченных рыб, то слышишь треск и скрежет, как будто работает маленькая камнедробилка, и это вполне соответствует действительности. Испражняясь, рыба-попугай оставляет за собой облачко белого песка, оседающее на дно, и когда видишь это — с изумлением понимаешь, что весь снежно-белый коралловый песок, покрывающий каждую прогалину в коралловом лесу, несомненно проделал путь через рыб-попугаев.

Другие рыбы, скалозубы, к которым принадлежат забавные рыбы-шары, кузовки и рыбы-ежи, приспособились разгрызать моллюсков в твердых раковинах, ракообразных и морских ежей. Такие рыбы, как императорские ангелы, — специалисты по молниеносному обдиранию перистых корон, которые выдвигают из своих твердых известковых трубок некоторые трубчатые черви. Короны втягиваются настолько быстро, что этой быстротой защищены от нападения других, не столь проворных врагов. Но императорские ангелы умеют подкрадываться сбоку и хватать голову червя боковым рывком, настолько мгновенным, что быстрота реакции червя оказывается недостаточной. И если в аквариуме они нападают на другую добычу, не умеющую быстро прятаться, то все равно не могут схватить ее каким-либо другим движением, кроме описанного.

Риф предоставляет и много других возможностей для "профессиональной специализации" рыб. Там есть рыбы, очищающие других рыб от паразитов. Самые свирепые хищные рыбы их не трогают, даже если они забираются к тем в пасть или в жабры, чтобы выполнить там свою благотворную работу. Что еще невероятнее, есть такие, которые паразитируют на крупных рыбах, выедая у них кусочки кожи; а среди них — что самое поразительное — есть такие, которые цветом, формой и повадкой выдают себя за только что упомянутых чистильщиков и подкрадываются к своим жертвам с помощью этой маскировки. Кто все народы сосчитает, кто имена их назовет?

Для нашего исследования существенно, что все или почти все эти возможности специального приспособления — так называемые "экологические ниши" — часто имеются в одном и том же кубометре океанской воды. Каждой отдельной особи, какова бы ни была ее специализация, при огромном обилии пищи на рифе нужно для пропитания лишь несколько квадратных метров площади дна. И в этом небольшом ареале могут и "хотят" сосуществовать столько рыб, сколько в нем экологических ниш — а это очень много, как знает каждый, кто с изумлением наблюдал толчею над рифом. Но каждая из этих рыб чрезвычайно заинтересована в том, чтобы на ее маленьком участке не поселилась другая рыба ее же вида. Специалисты других "профессий" мешают ее процветанию так же мало, как в вышеприведенном примере наличие в деревне врача влияет на доходы живущего там велосипедного механика.

В биотопах, заселенных не так густо, где такое же пространство предоставляет возможность для жизни лишь трем-четырем видам, оседлая рыба или птица может "позволить себе" держать от себя подальше любых животных других видов, которые, собственно говоря, ей не мешают. Если бы того же захотела оседлая рыба на коралловом рифе, она бы извелась, но все равно не смогла бы очистить свою территорию от тучи неконкурентов различных профессий. Экологические интересы *всех* оседлых видов выигрывают, если каждый из них производит пространственное распределение своих особей отдельно, без оглядки на другие виды. Описанные в первой главе яркие "плакатные" расцветки и вызываемые ими избирательные боевые реакции приводят к тому, что каждая рыба каждого вида выдерживает определенную дистанцию лишь по отношению к своим сородичам, которые являются ее конкурентами, так как им нужна та же самая пища. В этом и состоит совсем простой ответ на часто и много обсуждавшийся вопрос о функции расцветки коралловых рыб.

Как уже сказано, обозначающее вид пение играет у певчих птиц ту же роль, что оптическая сигнализация у только что описанных рыб. Несомненно, что другие птицы, еще не имеющие собственного участка, по этому пению узнают: в этом месте заявил свои территориальные притязания самец такого-то рода и племени. Быть может, важно еще и то, что у многих видов по пению можно очень точно определить, насколько силен поющий, а возможно, и его возраст — иными словами, насколько он опасен для слушающего его пришельца. У многих птиц, акустически маркирующих свои владения, обращают на себя внимание значительные индивидуальные различия издаваемых ими звуков. Многие исследователи считают, что у таких видов может иметь значение персональная визитная карточка: если Гейнрот переводит крик петуха словами: "Здесь петух", то Боймер, наилучший знаток кур, слышит в этом крике гораздо более точное сообщение: "Здесь петух Балтазар!"

Млекопитающие по большей части "думают носом"; нет ничего удивительного в том, что у них важнейшую роль играет маркировка своих владений *запахом.* Для этого были выработаны самые разнообразные способы, для этого развились самые разнообразные пахучие· железы, возникли удивительнейшие ритуалы выделения мочи и кала, из которых каждому известно задирание лапы у собак. Некоторые знатоки млекопитающих утверждают, что эти пахучие отметки не имеют ничего общего с заявкой на территорию, поскольку такие отметки известны и у общественных животных, не занимающих собственных территорий, и у животных, кочующих на большие расстояния; однако эти возражения справедливы лишь отчасти. Во-первых, доказано, что собаки — и, безусловно, другие животные, живущие стаями, — узнают друг друга по запаху меток *индивидуально,* так что члены стаи тотчас же обнаружат, если чужак осмелится задрать лапу в их охотничьих владениях. А во-вторых, как доказали Лейхаузен и Вольф, существует весьма интересная возможность размещения животных определенного вида по имеющемуся биотопу — с таким же успехом — с помощью не пространственного, а *временнóго* плана. Они обнаружили на примере бродячих кошек, живущих на открытой местности, что несколько особей могут использовать один и тот же охотничий участок без каких-либо столкновений, причем охота регулируется строгим расписанием, точь-в-точь как пользование общей прачечной у домохозяек нашего зеевизенского института. Дополнительной гарантией против нежелательных встреч являются пахучие метки, которые эти животные — кошки, а не домохозяйки — оставляют обычно через правильные промежутки времени, где бы они ни были. Эти метки действуют, как блок-сигнал на железной дороге, который аналогичным образом служит для того, чтобы предотвратить столкновение поездов: кошка, обнаружившая на своей охотничьей тропе сигнал другой кошки, может очень точно определить время подачи этого сигнала; если он свежий, то она останавливается или сворачивает в сторону, если же ему уже несколько часов — спокойно продолжает свой путь.

У тех животных, чья территория определяется не таким временны́м способом, а более простым пространственным, тоже не следует представлять себе участок как землевладение, точно очерченное географическими границами и как бы внесенное в земельный кадастр. Напротив, он определяется лишь тем обстоятельством, что готовность данного животного к борьбе бывает наивысшей в наиболее знакомом ему месте, а именно в центре его участка. Иными словами, пороговое значение вызывающего агрессивную реакцию раздражения ниже всего там, где животное "чувствует себя увереннее всего", т. е. где его агрессия меньше всего подавлена стремлением к бегству. С удалением от этой "штаб-квартиры" боеготовность убывает по мере того, как обстановка становится все более чужой и внушающей страх. Кривая этого убывания имеет поэтому разную крутизну в разных направлениях; у рыб центр области обитания почти всегда находится на дне, и их агрессивность особенно резко убывает по вертикали — очевидно, потому, что наибольшие опасности грозят рыбе именно сверху.

Таким образом, территория, которая, как кажется, принадлежит животному, — это лишь функция различий степени его агрессивности в разных местах, обусловленных локальными факторами, подавляющими эту агрессивность. С приближением к центру области обитания агрессивность возрастает в геометрической прогрессии. Это возрастание настолько велико, что компенсирует все различия в величине и силе, какие могут встретиться у взрослых половозрелых особей одного и того же вида. Поэтому если у территориальных животных — скажем, у горихвосток, перед домом или у колюшек в аквариуме — известны центральные точки участков двух подравшихся владельцев участков, то, исходя из места их схватки, можно наверняка предсказать ее исход: ceteris paribus[1]* победит тот, кто в данный момент находится ближе к своему дому.

Когда же побежденный обращается в бегство, инерция реакций обоих животных приводит к явлению, происходящему во всех саморегулирующихся системах с торможением, а именно к колебаниям. У преследуемого по мере приближения к его штаб-квартире вновь появляется мужество, а преследователь, проникнув на вражескую территорию, свое мужество теряет. В конце концов беглец вдруг поворачивается и столь же внезапно, сколь энергично нападает на недавнего победителя, которого теперь, как можно было предвидеть, бьет и прогоняет. Все это повторяется еще несколько раз, пока в конце концов колебания не затухнут и бойцы не остановятся у вполне определенной точки равновесия, где они лишь угрожают друг другу, но не нападают.

Таким образом, эта точка, "граница" их участков, вовсе не отмечена на земле, а определяется исключительно равновесием сил, и при малейшем нарушении этого равновесия может переместиться ближе к штаб-квартире ослабевшего, пусть даже это произошло только из-за того, что одна из рыб наелась досыта и потому обленилась. Эти колебания границ можно проиллюстрировать старым протоколом наблюдений за поведением двух пар одного из видов цихлид. Из четырех рыб этого вида, помещенных в большой аквариум, сильнейший самец "А" тотчас же занял левый задний нижний угол и начал безжалостно гонять трех остальных по всему водоему; другими словами, он сразу же

---

[1] *При прочих равных условиях *(лат.). — Примеч. пер.*

заявил претензию на весь аквариум как на "свой" участок. Через несколько дней самец "В" освоил крошечное местечко у самой поверхности воды, расположенное в правом переднем верхнем углу аквариума, и здесь стал храбро отражать нападения первого самца. Обосноваться у поверхности — отчаянный поступок для рыбы: она мирится с опасностью, чтобы взять верх над более сильным собратом по виду, который в таком месте по описанным выше причинам нападает менее решительно. Страх злого соседа перед поверхностью становится союзником обладателя такого участка.

В течение ближайших дней пространство, защищаемое самцом "В", росло на глазах, и главное — все больше и больше распространялось книзу, пока наконец он не переместил свой опорный пункт в правый передний нижний угол аквариума, отвоевав себе таким образом полноценную штаб-квартиру. Теперь у него были равные шансы с "А", и он быстро оттеснил того настолько, что аквариум оказался разделен между ними примерно пополам. Когда они угрожающе противостояли друг другу, непрерывно патрулируя вдоль границы, это была красивая картина. Но однажды утром граница вновь резко переместилась вправо, на бывшую территорию "В", который отстаивал теперь лишь несколько квадратных дециметров своего дна. Я тотчас же понял, что произошло: "А" образовал пару с самкой, а поскольку у всех крупных пестрых окуней задача защиты территории разделяется обоими супругами поровну, то "В" был вынужден противостоять удвоенному давлению, что соответственно сузило его участок. Уже на следующий день рыбы снова угрожающе стояли друг против друга на середине водоема, но теперь их было четыре: "В" тоже приобрел супругу, так что было восстановлено равновесие сил по отношению к семье "А". Через неделю я обнаружил, что граница переместилась далеко влево, в глубь территории "А"; причина состояла в том, что супружеская чета "А" только что отнерестилась и один из супругов был постоянно занят охраной икры и заботой о ней, так что охране границы мог посвятить себя только один. Когда вскоре после того отнерестилась и пара "В", немедленно восстановилось и прежнее равномерное распределение пространства. Джулиан Хаксли однажды очень красиво представил это поведение физической моделью, сравнив территории с воздушными шарами, заключенными в замкнутый объем и плотно прилегающими друг к другу, так что изменение внутреннего давления в одном из них увеличивает или уменьшает размеры всех остальных.

Этот совсем простой физиологический механизм борьбы за территорию прямо-таки идеально решает задачу "справедливого", т. е. наиболее выгодного *для всего вида в его совокупности,* распределения особей по ареалу, в котором данный вид может жить. При этом и более слабые могут прокормиться и дать потомство, хотя и в более скромном пространстве. Это особенно важно для таких животных, которые, как многие рыбы и пресмыкающиеся, достигают половой зрелости рано, задолго до приобретения своих окончательных размеров. Каково мирное достижение "злого начала"!

Тот же эффект у многих животных достигается и без агрессивного поведения. Теоретически достаточно того, что животные какого-либо вида друг друга "не выносят" и, соответственно, избегают. До некоторой степени уже кошачьи пахучие метки (с. 86) представляют собой такой случай, хотя за ними и прячется молчаливая угроза настоящей агрессии. Однако есть позвоночные, совершенно лишенные внутривидовой агрессии и тем не менее строго избегающие собратьев по виду. Многие лягушки, особенно древесные, определенно склонны к одиночеству — кроме периодов размножения — и, как можно заметить, распределяются по доступному им жизненному пространству очень равномерно. Как недавно установили американские исследователи, это достигается очень просто: каждая лягушка убегает от кваканья своих сородичей. Правда, эти результаты не объясняют, каким образом достигается распределение по территории самок, которые у большинства лягушек немы.

Мы можем считать достоверным, что равномерное распределение в пространстве животных одного и того же вида является важнейшей функцией внутривидовой агрессии. Но это отнюдь не единственная ее функция! Уже Чарлз Дарвин верно заметил, что половой отбор — выбор наилучших, наиболее сильных животных для продолжения рода — в значительной степени определяется борьбой соперничающих животных, особенно самцов. Сила отца, естественно, обеспечивает потомству непосредственные преимущества у тех видов, где отец принимает активное участие в заботе о детях и прежде всего в их защите. Тесная связь между заботой самцов о потомстве и их поединками наиболее отчетливо проявляется у тех животных, которые не "территориальны" в вышеописанном смысле слова, а ведут более или менее кочевой образ жизни, как, например, крупные копытные, наземные обезьяны и многие другие. У этих животных внутривидовая агрессия не играет существенной роли в распределении пространства, в "spacing out"[1]*; достаточно вспомнить о таких видах, как бизоны, антилопы, лошади и т. п., которые собираются в огромные сообщества и которым разделение участков и борьба за территорию совершенно чужды, потому что корма у них вполне достаточно. Тем не менее самцы этих животных яростно и драматически сражаются друг с другом, и нет никаких сомнений как в том, что отбор, вытекающий из этой борьбы, приводит к появлению особенно крупных и хорошо вооруженных защитников семьи и стада, — как и обратно, в том, что именно видосохраняющая функция защиты стада привела к возникновению такого отбора в жестоких поединках. Таким образом и появляются столь внушительные бойцы, как быки бизонов или самцы крупных павианов, которые при каждой опасности для сообщества воздвигают вокруг более слабых членов стада стену мужественной круговой обороны.

В связи с поединками нужно упомянуть об одном факте, который каждому небиологу кажется поразительным, даже парадоксальным, и который чрезвычайно важен для дальнейшего содержания нашей книги: чисто *внутривидовой* отбор может привести к возникновению форм и способов поведения, не только совершенно бесполезных для приспособления к среде, но и прямо вредных для сохранения вида.

---

[1]*Рассредоточение *(англ.).* — *Примеч. пер.*

Именно поэтому я так подчеркивал в предыдущем абзаце, что защита семьи, т. е. некоторая форма столкновения с *вневидовым* окружением, привела к появлению поединка, а уже поединок отобрал обороноспособных самцов. Если отбор направляется в определенную сторону лишь половым соперничеством, безотносительно к направленной вовне видосохраняющей функции, то при известных обстоятельствах это может привести к появлению причудливых образований, которые для вида как такового совершенно бесполезны. Оленьи рога, например, развились исключительно для поединков; безрогий олень не имеет ни малейших шансов произвести потомство. Ни для чего другого эти рога, как известно, не годны. От хищников олени-самцы тоже защищаются только передними копытами, а не рогами. Что расширенные глазничные отростки на рогах северного оленя служат для разгребания снега, оказалось сказкой. Они, скорее, нужны для защиты глаз при одном совершенно определенном ритуализованном движении, когда самец ожесточенно бьет рогами по низким кустам.

В точности к тем же последствиям, что и поединок соперников, часто приводит половой отбор, направляемый самкой. Если мы обнаруживаем у самцов преувеличенное развитие пестрых перьев, причудливых форм и т. п., то можно сразу же заподозрить, что самцы уже не сражаются, а последнее слово в супружеском выборе принадлежит самке и у кандидата в супруги нет ни малейшей возможности "обжаловать приговор". В качестве примера можно привести райскую птицу, турухтана, утку-мандаринку и фазана-аргуса. Самка аргуса реагирует на большие маховые перья петуха, украшенные великолепным узором из глазчатых пятен, которые он, токуя, разворачивает перед ее глазами. Они настолько велики, что петух уже почти не может летать, но чем они больше, тем сильнее возбуждается курица. Число потомков, которые появляются у петуха за определенный срок, находится в прямой зависимости от длины этих перьев. Хотя в других отношениях их чрезмерное развитие может оказаться для него вредным, — например, хищник съест его гораздо раньше, чем соперника, у которого органы токования не так чудовищно гипертрофированы, — однако потомства этот петух оставит столько же, а то и больше; и таким образом поддерживается предрасположенность к росту огромных маховых перьев, полностью вопреки интересам сохранения вида. Можно представить себе, что самка аргуса реагировала бы на маленькие красные пятнышки на маховых перьях самца, которые исчезают из виду, когда крылья сложены, и не мешают ни полету, ни маскировке. Но так или иначе, эволюция фазана-аргуса зашла в тупик, состоящий в том, что самцы соперничают друг с другом в отношении величины маховых перьев. Иными словами, животные этого вида никогда не найдут разумного решения и не "договорятся" отказаться впредь от этой бессмыслицы.

Здесь мы впервые сталкиваемся с эволюционным процессом, который на первый взгляд кажется странным, а если вдуматься — прямо-таки жутким. Легко понять, что метод слепых проб и ошибок, которым пользуются Великие Конструкторы, неизбежно приводит порой к появлению не самых целесообразных конструкций. Вполне естественно, что и в животном, и в растительном мире наряду с целесообразным существует также и все *не настолько* нецелесообразное, чтобы отбор его полностью искоренил. Однако в данном случае мы обнаруживаем нечто совсем иное. Отбор, этот суровый страж целесообразности, не просто "смотрит сквозь пальцы" и пропускает второсортную конструкцию: нет, он сам, заблудившись, заходит здесь в гибельный тупик. *Это всегда происходит в тех случаях, когда отбор направляется одной лишь конкуренцией собратьев по виду, безотносительно к вневидовому окружению.*

Мой учитель Оскар Гейнрот часто шутил: "Крылья фазана-аргуса и темп работы людей западной цивилизации — самые глупые продукты внутривидового отбора". И в самом деле, спешка, которой охвачено индустриализованное и коммерциализованное человечество, являет собой прекрасный пример нецелесообразного развития, происходящего исключительно вследствие конкуренции между собратьями по виду. Нынешние люди заболевают болезнями бизнесменов — гипертонией, сморщенностью почек, язвами желудка, мучительными неврозами, они впадают в варварство, потому что у них нет больше времени на культурные интересы. И все это без всякой необходимости: ведь они вполне могли бы договориться работать впредь поспокойнее — то есть теоретически могли бы, ибо на практике это им, очевидно, не легче, чем петухам-аргусам договориться об уменьшении длины маховых перьев.

Легко понять, по каким причинам человек особенно подвержен вредным воздействиям внутривидового отбора. Он подчинил себе все враждебные силы внешнего мира, как ни одно живое существо до него. Истребив медведей и волков, он и в самом деле стал своим собственным врагом, как говорит латинская пословица: Homo homini lupus[1]*. Современные американские социологи отчетливо осознали это в своей области. Ванс Паккард в своей книге "The Hidden Persuaders"[2]* впечатляюще описывает, в какое почти безнадежное положение может зайти коммерческая конкуренция. При ее чтении легко подумать, что внутривидовой отбор является "корнем всякого зла" в более прямом смысле, чем агрессия в любом ее проявлении.

Причина, по которой здесь, в главе о видосохраняющей функции агрессии, я так подробно говорю об опасностях внутривидового отбора, состоит в следующем: именно агрессивное поведение в большей степени, чем другие свойства и функции, способно ввиду своих пагубных результатов перерасти в нелепый гротеск. В дальнейших главах мы увидим, к каким последствиям это привело у некоторых животных, например у египетских гусей или у крыс. Но прежде всего более чем вероятно, что пагубная избыточная агрессивность, которая сегодня, как злое наследство, сидит в крови у нас, людей, является результатом внутривидового отбора, влиявшего на наших предков десятки тысяч лет на протяжении всего палеолита. Едва лишь люди продвинулись настолько, что, будучи вооружены, одеты и социально организованы, смогли в какой-то степени преодолеть внешние опасности — голод, холод, диких зверей, так что эти опасности утратили роль существенных селекционных факторов, как

---

[1]*Человек человеку волк *(лат.).* — *Примеч. пер.*
[2]*"Тайные преследователи" *(англ.).* — *Примеч. пер.*

тотчас же в игру вступил пагубный внутривидовой отбор. Отныне движущим фактором отбора стала война, которую вели друг с другом враждующие соседние группы людей*; а война должна была до крайности развить все так называемые "воинские доблести". К сожалению, они еще и сегодня многим кажутся весьма заманчивым идеалом; к этому мы вернемся в последней главе книги.

Возвращаясь к теме о значении поединка для сохранения вида, мы утверждаем, что он служит полезному отбору лишь там, где бойцы проверяются не только внутривидовыми дуэльными правилами, но и схватками с врагом, внешним по отношению к виду. Важнейшая функция поединка состоит в выборе боевого защитника семьи, что предполагает еще одну функцию внутривидовой агрессии — охрану потомства. Эта функция настолько очевидна, что говорить о ней просто нет нужды. Но чтобы устранить любые сомнения, достаточно сослаться на тот факт, что у многих животных, у которых лишь *один* пол заботится о потомстве, по-настоящему агрессивны по отношению к собратьям по виду представители именно этого пола, или по меньшей мере их агрессивность несравненно сильнее. У колюшки это самцы, у многих мелких цихлид — самки. У кур и уток только самки заботятся о потомстве, и они гораздо неуживчивее самцов, если, конечно, не иметь в виду поединки. Нечто подобное должно быть и у человека.

Было бы неправильно думать, что три уже упомянутые в этой главе функции агрессивного поведения — распределение особей данного вида по его жизненному пространству, отбор в поединках и защита потомства — являются единственно важными для сохранения вида. Мы еще увидим в дальнейшем, какую незаменимую роль играет агрессия в большом концерте инстинктов; как она бывает мотором и "мотивацией", причем и в таких формах поведения, которые внешне не имеют ничего общего с агрессией и даже кажутся ее прямой противоположностью. То, что как раз самые интимные личные связи, какие вообще бывают между живыми существами, в полной мере насыщены агрессией, — это факт, о котором не знаешь, что сказать: парадокс это или банальность. Однако нам придется поговорить еще о многом другом, прежде чем мы доберемся в нашей естественной истории агрессии до этой центральной проблемы. Важную функцию, выполняемую агрессией в демократическом взаимодействии инстинктов внутри организма, нелегко понять и еще труднее описать.

Но что можно описать уже здесь — это роль агрессии в системе более высокого уровня, которая, несмотря на это, более доступна для понимания, а именно в сообществе социальных животных, состоящем из многих особей. Принципом организации, без которого, по-видимому, не может развиться упорядоченная совместная жизнь высших животных, является так называемый *ранговый порядок*.

Он состоит попросту в том, что каждый из совместно живущих индивидов знает, кто сильнее его и кто слабее, так что каждый может без борьбы отступить перед более сильным и может ожидать, что более слабый, в свою очередь, отступит перед ним, когда бы они ни попались друг другу на пути. Шьельдеруп-Эббе был первым, кто исследовал явление рангового порядка на домашних курах и предложил термин "порядок клевания", по-английски "pecking order", который до сих пор сохраняется в специальной литературе, особенно английской. Мне всегда бывает как-то забавно, когда говорят о "порядке клевания" у крупных позвоночных, которые вовсе не клюют друг друга, а кусают или бьют рогами. Широкая распространенность рангового порядка, как уже указывалось, убедительно свидетельствует о его важной видосохраняющей функции, так что мы должны задаться вопросом, в чем же эта функция состоит.

Естественно, сразу же напрашивается ответ, что это позволяет избежать борьбы между членами сообщества, на что можно возразить следующим вопросом: чем же это лучше торможения агрессивности по отношению к членам сообщества? И снова можно дать ответ, даже не один, а несколько. Во-первых, — нам придется очень подробно об этом говорить в одной из следующих глав (гл. 11, "Союз") — вполне может случиться, что сообществу (скажем, волчьей стае или стаду обезьян) крайне необходима агрессивность по отношению к другим сообществам того же вида, так что борьба должна быть исключена лишь *внутри* группы. А во-вторых, напряженные отношения, которые возникают внутри сообщества благодаря инстинкту агрессии и вырабатываемому им ранговому порядку, могут придавать сообществу во многих отношениях полезную структуру и прочность. У галок, да и у многих других птиц с высоким уровнем общественной организации, ранговый порядок непосредственно приводит к защите слабых. Так как каждый индивид постоянно стремится повысить свой ранг, то между непосредственно выше- и нижестоящими всегда возникает особенно сильная напряженность и даже враждебность; и обратно, эта враждебность тем меньше, чем дальше друг от друга ранги двух животных. А поскольку галки высокого ранга, особенно самцы, непременно вмешиваются в любую ссору между двумя нижестоящими, эти ступенчатые различия в социальной напряженности имеют благоприятное следствие: галка высокого ранга всегда вступает в борьбу на стороне слабейшего, словно по рыцарскому принципу "Место сильного — на стороне слабого!".

Уже у галок с агрессивно завоеванным ранговым положением связана и другая форма "авторитета": с выразительными движениями индивида высокого ранга, особенно старого самца, члены колонии считаются значительно больше, чем с движениями молодой птицы низкого ранга. Если, например, молодая галка напугана чем-то малозначительным, то остальные птицы, особенно старшие, почти не обращают внимания на проявления ее страха. Если же подобную тревогу выражает старый самец — все галки, какие могут это заметить, поспешно взлетают, обращаясь в бегство. Примечательно, что у галок нет врожденного знания их хищных врагов, каждая особь учится их узнавать по поведению более опытных старших птиц; поэтому должно быть очень существенно, чтобы "мнению" более старых и опытных птиц высокого ранга придавался, как только что описано, больший "вес".

Вообще, чем выше развит вид животных, тем большее значение приобретают индивидуальный опыт и обучение, в то время как врожденное поведение хотя и не теряет своей важности, но сводится к более простым элементам. С общим прогрессом эволюции все более возрастает роль опыта старых животных; можно даже сказать, что именно вследствие этого совместная социальная жизнь у наиболее умных млекопитающих приобретает новую функцию в сохранении вида, делая возможной передачу индивидуально приобретенной информации с помощью традиции. Естественно, столь же справедливо и обратное утверждение: совместная социальная жизнь, несомненно, производит селекционное давление в направлении лучшего развития способности к обучению, поскольку эта способность у общественных животных идет на пользу не только отдельной особи, но и сообществу в целом. Тем самым и долгая жизнь, значительно превышающая период способности к размножению, приобретает ценность для сохранения вида. Как это описали Фрейзер Дарлинг и Маргарет Альтман, у многих оленей предводительницей стада бывает дама преклонного возраста, которой материнские обязанности давно уже не мешают выполнять ее общественный долг.

Таким образом — при прочих равных условиях — возраст животного находится, как правило, в прямой связи с тем положением, которое оно занимает в ранговом порядке своего сообщества. И поэтому вполне целесообразно, что "конструкция" поведения полагается на это правило: члены сообщества, которые не могут вычитать возраст своего вожака в его свидетельстве о рождении, соразмеряют степень своего доверия к нему с его рангом. Сотрудники Йеркса давно уже сделали чрезвычайно интересное, поистине поразительное наблюдение: шимпанзе, которые известны своей способностью обучаться путем прямого подражания, принципиально подражают только собратьям более высокого ранга. Из группы этих обезьян забрали одну, низкого ранга, и научили ее доставать бананы из специально сконструированной кормушки с помощью весьма сложных манипуляций. Когда эту обезьяну вместе с ее кормушкой вернули в группу, то собратья более высокого ранга пытались отнимать у нее заработанные бананы, но никому из них не пришло в голову посмотреть, как работает презираемый собрат, и чему-то у него поучиться. Затем таким же образом работе с этой кормушкой научили шимпанзе наивысшего ранга. Когда его вернули в группу, остальные наблюдали за ним с живейшим интересом и мгновенно переняли у него новый навык.

С. Л. Уошбэрн и Эрвэн Де Вор, наблюдая павианов на свободе, установили, что стадо управляется не одним вожаком, а "коллегией" нескольких престарелых самцов, которые поддерживают свое превосходство над более молодыми и гораздо более сильными членами стада тем, что всегда держатся вместе — а вместе они сильнее любого молодого самца. В наблюдавшемся случае один из трех сенаторов был почти беззубым старцем, и двое других тоже давно уже были не в цвете лет. Когда однажды стаду грозила опасность забрести в безлесном месте в лапы — или, лучше сказать, в пасть — ко льву, то стадо остановилось, и молодые сильные самцы образовали оборонительное кольцо вокруг более слабых животных. Но старец *в одиночку* вышел из круга, осторожно выполнил опасную задачу — установить местонахождение льва, так, чтобы тот его не заметил, — затем вернулся к стаду и отвел его дальним кружным путем, в обход льва, к безопасному ночлегу на деревьях. Все следовали за ним в слепом повиновении, никто не усомнился в его авторитете.

Теперь оглянемся на все, что мы узнали в этой главе из объективных наблюдений за животными о пользе внутривидовой агрессии для сохранения вида. Жизненное пространство распределяется между животными одного вида таким образом, что по возможности каждый находит себе пропитание. На благо потомству выбираются лучшие отцы и лучшие матери. Дети находятся под защитой. Сообщество организовано так, что несколько мудрых самцов — "сенат" — обладают достаточным авторитетом, чтобы решения, необходимые сообществу, не только принимались, но и выполнялись. Мы ни разу не обнаружили, чтобы целью агрессии было уничтожение собрата по виду, хотя, конечно, в ходе поединка может произойти несчастный случай, когда рог попадает в глаз или клык в сонную артерию; а в неестественных условиях, не предусмотренных "конструкцией" эволюции, например в неволе, агрессивное поведение может привести к губительным последствиям.

Попробуем вглядеться в наше собственное нутро и уяснить себе — без гордыни, но и не считая себя заранее злыми грешниками, — что бы мы хотели сделать со своим ближним, вызывающим у нас наивысшую степень агрессивности. Надеюсь, я не изображаю себя лучше, чем я есть, утверждая, что моя окончательная цель, удовлетворяющая инстинктивное побуждение, *не* состоит в убийстве моего врага. Конечно, я с наслаждением надавал бы ему самых звонких пощечин или, может быть, даже слегка хрустящих ударов в челюсть, но ни в коем случае не хотел бы вспороть ему живот или пристрелить его. И желаемая окончательная ситуация состоит отнюдь не в том, чтобы противник лежал передо мною мертвым. О нет! Он должен быть *чувствительно побит* и смиренно признать мое физическое, а если он павиан, то и духовное превосходство. А поскольку я в принципе мог бы избить лишь такого типа, которому подобное обращение пошло бы только на пользу, то я выношу не слишком суровый приговор соответствующим инстинктам. Конечно, надо признать, что желание избить легко может привести и к смертельному удару, например, если в руке случайно окажется оружие.

Если оценить все это, вместе взятое, то внутривидовая агрессия вовсе не покажется нам ни дьяволом, ни уничтожающим началом, ни даже "частью силы той, что без числа творит добро, всегда желая зла": она вполне однозначно окажется частью организации всех живых существ, сохраняющей их систему функционирования и самую их жизнь. Как и все на свете, она может допустить ошибку и при этом уничтожить жизнь. Но в великом становлении органического мира эта сила предназначена к добру. И притом мы еще не приняли в расчет, — мы узнаем об этом лишь в 11-й главе, — что оба Великих Конструктора, Изменчивость и Отбор, которые растят все живое, избрали именно грубую ветвь внутривидовой агрессии, чтобы вырастить на ней цветы личной дружбы и любви.

Глава 4

СПОНТАННОСТЬ АГРЕССИИ

> Недолго ждать! Напиток так хорош,
> Что в каждой женщине Елену ты найдешь.
>
> *Гёте*

В предыдущей главе, как я надеюсь, достаточно ясно показано, что наблюдаемая у столь многих животных агрессия, направленная против собратьев по виду, вообще говоря, никоим образом не вредна для этого вида, а, напротив, является инстинктом, необходимым для его сохранения. Однако это отнюдь не должно внушить нам оптимизм по поводу современного состояния человечества — совсем наоборот. Какое-нибудь изменение окружающих условий, даже ничтожное само по себе, может полностью вывести из равновесия врожденные механизмы поведения. Они настолько неспособны быстро приспосабливаться к изменениям, что при неблагоприятных условиях вид может погибнуть. Между тем изменения, произведенные самим человеком в окружающей его среде, далеко не ничтожны. Если глазами непредубежденного наблюдателя посмотреть на человека, каков он сегодня, с водородной бомбой, даром его собственного разума, и с инстинктом агрессии в душе — наследством человекообразных предков, с которым его рассудок не может совладать, то трудно предсказать ему долгую жизнь! Но если смотреть на ту же ситуацию глазами человека, который сам в ней оказался, то она представляется жутким кошмаром, и трудно поверить, что агрессия не является сама по себе патологическим симптомом современного упадка культуры.

Можно было бы лишь мечтать, чтобы это так и было! Как раз знание того, что агрессия является подлинным инстинктом — первичным, направленным на сохранение вида, — позволяет нам понять, насколько она опасна. Главная опасность инстинкта состоит в его спонтанности. Если бы он был лишь *реакцией* на определенные внешние условия, как предполагают многие социологи и психологи, то положение человечества было бы не так опасно, каково оно в действительности. Тогда можно было бы основательно изучить и исключить факторы, вызывающие эту реакцию. Фрейд заслужил себе славу, впервые распознав самостоятельное значение агрессии; он же показал, что недостаточность социальных контактов и особенно их исчезновение ("потеря любви") относятся к числу сильных факторов, благоприятствующих агрессии. Из этого представления, которое само по себе правильно, многие американские педагоги сделали неправильный вывод, будто дети вырастут в менее невротичных, более приспособленных к окружающей действительности и, главное, менее агрессивных людей, если их с малолетства оберегать от любых разочарований (фрустраций) и во всем им уступать. Основанная на этом предположении американская методика воспитания показала лишь, что инстинкт агрессии, как и столь многие другие инстинкты, спонтанно прорывается изнутри человека. Появилось неисчислимое множество невыносимо наглых детей, которым недоставало чего угодно, кроме агрессивности. Трагическая сторона этой трагикомической ситуации проявлялась позже, когда такие дети, выходя из семьи, вместо своих покорных родителей внезапно сталкивались с безжалостным общественным мнением, например при поступлении в колледж. Как говорили мне американские психоаналитики, очень многие из воспитанных таким образом молодых людей, попав под весьма жесткий нажим общественного порядка, как раз и превращались в невротиков. Подобные методы воспитания, как видно, еще не окончательно вымерли; еще в прошлом году один весьма уважаемый американский коллега, работавший в нашем институте в качестве гостя, попросил у меня разрешения остаться еще на три недели и в качестве основания не стал приводить какие-либо новые научные замыслы, а просто-напросто сказал без комментариев, что к его жене только что приехала в гости сестра, у которой трое "non-frustration children"[1]*.

Совершенно ошибочная доктрина, согласно которой поведение животных и человека является по преимуществу *реактивным,* и если даже оно содержит какие-то врожденные элементы, то его всегда можно изменить обучением, имеет глубокие и цепкие корни в неправильном понимании правильных по существу демократических принципов. С ними как-то не вяжется тот факт, что люди от рождения не так уж равны друг другу и что не все имеют "по справедливости" равные шансы стать идеальными гражданами. К тому же в течение многих десятилетий единственным элементом поведения, которому уделяли внимание психологи с серьезной репутацией, была *реакция,* или "рефлекс", в то время как "спонтанность" поведения животных была областью "виталистически"*(что всегда означает некоторую долю мистицизма) настроенных наблюдателей природы.

В области исследования поведения Уоллес Крэйг был первым, кто сделал явление спонтанности предметом научного изучения. Еще до него Уильям Мак-Дугалл противопоставил девизу Декарта "Animal non agit, agitur"[2]*, который начертала на своем щите американская психологическая школа так называемых бихевиористов, свой гораздо более верный афоризм — "The healthy animal is up and doing"[3]*. Но сам он считал эту спонтанность следствием мистической жизненной силы, о которой никто не знает, что же собственно под ней понимается. Потому он и не догадался точно пронаблюдать ритмическое повторение спонтанных способов поведения, каждый раз измеряя при этом порог провоцирующего раздражения, как это сделал впоследствии его ученик Крэйг.

Крэйг провел серию опытов с самцами горлицы, отбирая у них самок на ступенчато возрастающие промежутки времени и экспериментально устанавливая, какие объекты все еще способны вызвать токование самца. Через несколько дней после исчезновения самки своего вида самец горлицы был готов ухаживать за белой домашней голубкой, которую он перед тем полностью игнорировал. Еще через несколько дней он пошел дальше и стал выполнять свои поклоны и воркованье

---

[1] *"Дети без фрустрации" *(англ.). — Примеч. пер.*
[2] *"Животное не действует, а является объектом действия" *(лат.). — Примеч. пер.*
[3] *Здоровое животное активно и что-нибудь делает" *(англ.). — Примеч. пер.*

перед чучелом голубя, еще позже — перед смотанной в узел тряпкой и, наконец, через несколько недель одиночества стал адресовать свое толкование пустому углу клетки, где пересечение ребер ящика создавало хоть какую-то оптическую точку, способную задержать его взгляд. В переводе на язык физиологии эти наблюдения означают, что при длительной приостановке некоторого инстинктивного поведения — в описанном случае токования — *порог запускающего его раздражения снижается*. Это явление настолько распространено и закономерно, что народная мудрость уже давно с ним освоилась и выразила в простой поговорке: "При нужде черт муху слопает"; Гёте выразил ту же закономерность словами Мефистофеля: "Недолго ждать — напиток так хорош, что в каждой женщине Елену ты найдешь". А если ты голубь, то в конце концов увидишь ее даже в старой пыльной тряпке или в пустом углу своей тюрьмы!

Снижение порога запускающего раздражения может привести к тому, что в особых условиях его величина может упасть до нуля, т. е. при определенных обстоятельствах соответствующее инстинктивное действие может "прорваться" без какого-либо видимого внешнего стимула. У меня жил много лет скворец, взятый из гнезда в младенчестве, который никогда в жизни не поймал ни одной мухи и никогда не видел, как это делают другие птицы. Всю жизнь он получал пищу в своей клетке из кормушки, которую я ежедневно наполнял. Но однажды я увидел его сидящим на голове бронзовой статуэтки в столовой венской квартиры моих родителей, и вел он себя очень странно. Наклонив голову набок, он, казалось, оглядывал белый потолок над собой; затем по движениям его глаз и головы можно было, казалось, безошибочно определить, что он внимательно следит за какими-то движущимися предметами. Наконец он взлетал вверх к потолку, хватал что-то мне невидимое, возвращался на свою наблюдательную вышку, производил все движения, какими насекомоядные птицы убивают свою добычу, и что-то как будто глотал. Потом встряхивался, как это делают очень многие птицы, освобождаясь от напряжения, и устраивался на отдых. Я десятки раз карабкался на стул, даже затащил в столовую лестницу-стремянку (в венских квартирах того времени потолки были высокие), чтобы найти ту добычу, которую ловил мой скворец. Никаких насекомых, даже самых мелких, там не было!

"Накопление" инстинкта, происходящее при долгом отсутствии запускающего стимула, имеет следствием не только вышеописанное возрастание готовности к реакции, но и вызывает многие другие, более глубокие процессы, в которые вовлекается весь организм в целом. В принципе, каждое подлинно инстинктивное движение, которое, как это описано выше, не может быть выполнено, *приводит животное в состояние общего беспокойства и вынуждает его к поискам запускающего это движение стимула*. Эти поиски, которые в простейшем случае состоят в беспорядочной беготне, полете или плавании в разные стороны, а в самых сложных могут включать в себя любые формы поведения, приобретенные обучением и пониманием, Уоллес Крэйг назвал аппетентным поведением. Фауст не сидит и не ждет, чтобы женщины появились в его поле зрения; чтобы обрести Елену, он, как известно, отваживается на весьма рискованное хождение к Матерям!

К сожалению, приходится констатировать, что снижение раздражающего порога и аппетентное поведение лишь в немногих формах инстинктивного поведения проявляются столь же отчетливо, как в случае внутривидовой агрессии. В первой главе мы уже видели примеры этого: вспомним рыбу-бабочку, которая за неимением собратьев по виду избирала в качестве замещающего объекта рыбу близкородственного вида, или же спинорога, который в аналогичной ситуации нападал не только на спинорогов других видов, но и на совершенно непохожих рыб, не имевших ничего общего с его собственным видом, кроме запускающего стимула — синего цвета. У цихлид семейная жизнь захватывающе интересна, и нам придется еще заняться ею весьма подробно, но если их содержат в неволе, то накопление агрессии, которая в естественных условиях разряжалась бы на враждебных соседей, чрезвычайно легко приводит к убийству супруга. Едва ли не каждый владелец аквариума, занимавшийся разведением этих своеобразных рыб, начинал с одной и той же почти неизбежной ошибки: в большой аквариум запускались несколько мальков одного вида, чтобы дать им возможность спариваться естественным образом, без принуждения. Это желание исполнилось — и вот у вас в аквариуме, который и без того стал несколько маловат для такого количества подросших рыб, появилась влюбленная пара, сияющая великолепием расцветки и преисполненная единодушным стремлением изгнать со своего участка всех братьев и сестер. Но тем несчастным некуда деться; они робко стоят с изодранными плавниками по углам у поверхности воды, если только не мечутся, спасаясь, по всему бассейну, когда их оттуда спугнут. Будучи гуманным натуралистом, вы сочувствуете и преследуемым, и супружеской паре, которая тем временем, возможно, уже отнерестилась и теперь терзается заботами о потомстве. Вы срочно отлавливаете лишних рыб, чтобы обеспечить парочке безраздельное владение аквариумом. Теперь, думаете вы, сделано все, что от вас зависит, — и в ближайшие дни, может быть, даже не обращаете особого внимания на этот сосуд с его живым содержимым. Но через несколько дней с изумлением и ужасом обнаруживаете, что самочка, изорванная в клочья, плавает кверху брюхом, а от икры и мальков не осталось и следа.

Этого прискорбного события, которое происходит вышеописанным образом с предсказуемой закономерностью, особенно у ост-индских желтых этроплусов и бразильских перламутровых рыбок, можно избежать очень просто, оставив в аквариуме "мальчика для битья", т. е. рыбу того же вида, или более гуманным способом: взять аквариум, достаточно большой для двух пар, и, разделив его стеклом на две части, поселить в каждую из них по паре. Тогда каждая рыба вымещает свою здоровую злость на соседе своего пола — почти всегда самка нападает на самку, а самец на самца, — и ни одна из них не помышляет разрядить свою ярость на собственном супруге. Это звучит как шутка, но при этом испытанном разделении нашего аквариума для цихлид мы часто замечали, что пограничное стекло зарастает водорослями и становится менее прозрачным, только потому, что самец начинает грубо обращаться с супругой. А стоило лишь протереть дочиста разделительную стенку между "соседними квартирами", как тотчас же начиналась яростная, но по необходимости безвредная ссора с соседями, "разряжавшая атмосферу" на обоих участках.

Аналогичные истории можно наблюдать и у людей. В добрые старые времена, когда на Дунае существовала еще монархия и еще бывали служанки, я наблюдал у моей овдовевшей тетушки следующее регулярное и предсказуемое поведение. Служанки никогда не держались у нее дольше 8—10 месяцев. Каждой вновь появившейся помощницей тетушка непременно восхищалась, расхваливала ее на все лады как некое сокровище и клялась, что вот теперь наконец нашла ту, кого ей надо. В течение следующих месяцев ее восторги остывали. Сначала она находила у бедной девушки мелкие недостатки, потом — заслуживающие порицания; а к концу упомянутого срока обнаруживала у нее пороки, вызывавшие законную ненависть, — и в результате увольняла ее досрочно, как правило с большим скандалом. После этой разрядки старая дама снова готова была видеть в следующей служанке сущего ангела.

Я далек от того, чтобы высокомерно насмехаться над давно уже умершей во всем остальном очень милой тетушкой. Точно такие же явления я мог — точнее, был вынужден — наблюдать у серьезных людей, способных к наивысшему самообладанию, какое только можно себе представить. Это было в лагере для военнопленных. Так называемая "полярная болезнь", или "экспедиционное бешенство", поражает преимущественно небольшие группы людей, когда они в силу обстоятельств, на которые указывают сами эти названия, обречены общаться только друг с другом и тем самым лишены возможности сталкиваться с кем-либо посторонним, не входящим в их товарищество. Из сказанного уже ясно, что накопление агрессии тем опаснее, чем лучше члены данной группы знают друг друга, чем больше они друг друга понимают и любят. В такой ситуации, как я могу утверждать по собственному опыту, все стимулы, вызывающие агрессию и внутривидовую борьбу, претерпевают резкое снижение пороговых значений. Субъективно это выражается в том, что человек на мельчайшие жесты своего лучшего друга — стоит тому кашлянуть или высморкаться — отвечает реакцией, которая была бы адекватна, если бы ему дал пощечину пьяный хулиган. Понимание физиологических закономерностей этого, разумеется, чрезвычайно мучительного явления хотя и предотвращает убийство друга, но никоим образом не облегчает мучений. Выход, который в конце концов находит понимающий, состоит в том, что он тихонько выходит из барака (палатки, иглу*) и разбивает что-нибудь — не слишком дорогое, но чтобы разлетелось на куски с как можно бо́льшим шумом. Это немного помогает. На языке физиологии поведения это называется, по Тинбергену, перенаправленным или смещенным действием (redirected activity). Мы еще увидим, что этот выход часто используется в природе, чтобы предотвратить вредные последствия агрессии. А непонимающий убивает-таки своего друга — что нередко случалось!

Глава 5

ПРИВЫЧКА, ЦЕРЕМОНИЯ И ВОЛШЕБСТВО

> Что ж, ты не знал людей, не знал их слов?
>
> *Гёте*

Смещение и переориентация нападения — это, пожалуй, гениальнейшее средство, изобретенное эволюцией, чтобы направить агрессию в безопасное русло. Однако это вовсе не единственное средство такого рода; Великие Конструкторы эволюции — Изменчивость и Отбор — редко ограничиваются *единственным* способом. Сама сущность их экспериментальной "игры в кости" часто позволяет им натолкнуться на *несколько* возможных способов и применить их вместе, удваивая и утраивая надежность решения одной и той же проблемы. В наибольшей мере это справедливо в отношении различных механизмов поведения, призванных предотвращать увечье или убийство собрата по виду. Чтобы объяснить эти механизмы, мне придется начать издалека. И прежде всего я должен попытаться описать один все еще очень загадочный эволюционный процесс, создающий поистине нерушимые законы, которым подчиняется социальное поведение очень многих высших животных, подобно тому как поступки цивилизованного человека подчиняются самым священным нравственным нормам и обычаям.

Когда мой учитель и друг сэр Джулиан Хаксли незадолго до первой мировой войны предпринял свое в подлинном смысле слова пионерское исследование поведения чомги*, он обнаружил чрезвычайно занимательный факт: определенные формы движения в процессе филогенеза утрачивают свою собственную, первоначальную функцию и превращаются в чисто символические церемонии. Этот процесс он назвал *ритуализацией*. Этот термин он употреблял без всяких кавычек; иными словами, он без колебаний отождествлял культурно-исторические процессы, ведущие к возникновению человеческих ритуалов, с эволюционными процессами, породившими столь удивительные церемонии у животных. С чисто функциональной точки зрения такое отождествление вполне оправданно, как бы мы ни стремились сохранить сознание различия между историческими и эволюционными процессами. Мне надлежит теперь выявить поразительные аналогии между ритуалами, возникшими филогенетическим и культурно-историческим путем, и показать, каким образом они находят свое объяснение именно в тождественности функций.

Прекрасный пример того, как ритуал возникает филогенетически, как он приобретает свой смысл и как изменяется в ходе дальнейшего развития, доставляет нам изучение одной церемонии у самок утиных, так называемого *натравливания*. Как и у многих других птиц с такой же организацией семейной жизни, у уток самки хотя и меньше размером, но не менее агрессивны, чем самцы. Поэтому при столкновении двух пар часто случается, что распаленная яростью утка продвигается к враждебной паре слишком далеко, затем "пугается собственной храбрости" и торопится назад, под защиту сильного супруга. Возле него она испытывает новый прилив храбрости и снова начинает угрожать враждеб-

101

ным соседям, но теперь уже не покидая безопасной близости своего селезня.

В своем первоначальном виде эта последовательность действий совершенно произвольна по форме, в зависимости от игры противоположных побуждений, действующих на утку. Временна́я последовательность, в которой поочередно преобладают боевой задор, страх, поиск защиты и возобновившееся стремление к нападению, легко и ясно читается по выразительным движениям утки, и прежде всего по ее положению в пространстве. Например, у нашей европейской пеганки весь этот процесс не содержит никаких закрепленных ритуализацией элементов, кроме определенного движения головы, связанного с особым звуком. Как всякая птица ее вида, утка бежит при нападении в сторону против-

ников, опустив и вытянув вперед шею, и тотчас же, подняв голову, возвращается обратно к супругу. Очень часто утка, убегая, заходит за селезня и огибает его по полукругу, так что в конце концов, когда ее угрозы возобновляются, она останавливается рядом с супругом, с головой, обращенной прямо в сторону вражеской пары. Но часто, если при бегстве она была не слишком испугана, она довольствуется тем, что подбегает к своему селезню и останавливается грудью к нему, так, что для угрозы в сторону неприятеля ей приходится повернуть голову и вытянуть шею назад через плечо. Если же, как это часто случается, она останавливается перпендикулярно селезню, впереди или позади него, то вытягивает шею под прямым углом к продольной оси тела, — короче говоря, угол между продольной осью тела и вытянутой шеей зависит исключительно от того, где находятся она сама, ее селезень и враг, которому она угрожает. Ни одно положение в пространстве и ни одна форма движения не являются для нее предпочтительными (см. рисунок).

У близкородственного огаря, обитающего в Восточной Европе и в Азии, это натравливание уже несколько более ритуализовано. Хотя у этого вида самка "еще" угрожает прямо вперед, стоя рядом с супругом, или, обегая вокруг него, может образовывать всевозможные углы между продольной осью тела и направлением угрозы, но в подавляющем большинстве случаев она становится при натравливании грудью к селезню, угрожая через плечо назад. И когда я увидел однажды, как утка изолированной пары этого вида производила движения натравливания "вхолостую", т. е. в отсутствие какого-либо стимулирующего объекта, — она тоже угрожала через плечо назад, как будто видела несуществующего врага именно в этом направлении.

У настоящих уток — к которым принадлежит и наша кряква, предок домашней утки, — натравливание назад через плечо превратилось в единственно возможную, обязательную форму движения, и самка, прежде чем начать натравливание, всегда становится грудью к селезню, как можно ближе к нему; соответственно, когда он движется, она бежит или плывет. Интересно, что движение головы через плечо назад до сих пор включает в себя первоначальные ориентировочные реакции, которые у видов Tadorna породили фенотипически сходную, т. е. сходную по внешней картине явлений, но изменчивую форму движения. Лучше всего это заметно, когда утка начинает натравливание в состоянии очень слабого возбуждения и лишь постепенно "приводит себя в ярость". Тогда может случиться, что вначале, если враг стоит прямо перед ней,

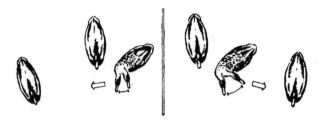

она станет угрожать прямо вперед; но по мере того как возрастает ее возбуждение, кажется, что неодолимая сила оттягивает ее шею через плечо назад. Что при этом всегда существует и другая реакция ориентации, которая стремится обратить угрозу в сторону врага, можно у нее буквально "прочесть по глазам": хотя новая, твердо закрепленная координация движения тянет ее голову в другую сторону, взгляд ее неизменно прикован к предмету ее ярости! Если бы утка могла говорить, она наверняка сказала бы: "Я хочу пригрозить вон тому ненавистному чужому селезню, но *что-то* оттягивает мне голову в другом направлении". Наличие двух соперничающих друг с другом тенденций движения можно доказать объективно и количественно. Именно, если чужая птица, к которой обращена угроза, стоит перед уткой, то отклонение головы в сторону поворота назад является наименьшим. Оно увеличивается в точности настолько, насколько увеличивается угол между продольной осью тела утки и направлением на врага. Если он стоит прямо за нею, т. е. этот последний угол составляет 180°, то утка при натравливании почти касается клювом собственного хвоста.

Это конфликтное поведение самок настоящих уток при натравливании допускает лишь одно истолкование, которое должно быть верно, каким бы странным оно ни казалось на первый взгляд. К легко различимым факторам, из которых первоначально возникли описанные движения, в ходе эволюционного развития вида присоединяется *еще один, новый*. Как уже сказано, у пеганки "еще" вполне достаточно бегства к супругу и нападения на врага, чтобы полностью объяснить поведение утки. Совершенно очевидно, что у кряквы тоже действуют такие побуждения, но на обусловленные ими движения накладывается некоторое новое, от них независимое. Путаница, столь затрудняющая анализ всей последовательности движений, объясняется тем, что вновь возникшее в результате ритуализации инстинктивное движение является наследственно закрепленной *копией* той формы движения, которая первоначально вызывалась другими побуждениями. Разумеется, эта форма движения от случая к случаю получается очень различной, смотря по изменению силы вызывающих ее независимых друг от друга побуждений, и вновь возникшая жесткая координация движений представляет собой лишь *одно* ее часто встречающееся среднее. Этот вариант затем "схематизируется" способом, весьма напоминающим возникновение символов в истории человеческой культуры. У кряквы первоначальное разнообразие направлений, в которых могли находиться супруг и противник, схематически сузилось таким образом, что первый должен стоять перед уткой, а второй за нею; из агрессивного "туда" к противнику и из мотивированного бегством "сюда" к супругу получается слитое в жесткую церемонию и весьма упорядоченное "туда-сюда", и эта упорядоченность уже сама по себе усиливает выразительность движений. Вновь возникшее инстинктивное движение становится господствующим не сразу; вначале оно всегда существует *вместе* со своим неритуализованным прообразом, на который оно в первое время лишь слабо накладывается. Например, у огаря (с. 102) зачатки координации движений, заставляющей голову утки двигаться при натравливании назад через плечо, можно заметить лишь в том случае, если церемония выполняется "вхолостую", т. е. при отсутствии врага; в противном случае угрожающее движение принудительно направляется на него вследствие преобладания первоначальных направляющих механизмов.

Процесс, только что описанный на примере натравливания кряквы, типичен для любой филогенетической ритуализации. Она всегда состоит в том, что *возникает новое инстинктивное движение, форма которого копирует форму некоторого изменчивого способа поведения, вызванного несколькими побуждениями*.

Для интересующихся теорией наследственности и происхождением видов здесь следует добавить, что описанный процесс является прямой противоположностью так называемой фенокопии (Phänokopie). О фенокопии говорят тогда, когда внешние влияния, действующие на отдельную особь, порождают картину явлений ("фенотип"), аналогичную той, которая в других случаях определяется наследственными факторами, т. е. "копируют" ее. При ритуализации вновь возникающий наследственный механизм непостижимым образом копирует формы поведения, которые прежде были фенотипически обусловлены совместным воздействием весьма различных влияний внешнего мира. Тут хорошо подошел бы термин "генокопия"; на нашем юмористически окрашенном институтском жаргоне, для которого и специальные термины не святыня, часто говорят "фопокения" ("Phopokänie").

На примере натравливания можно еще, кроме того, наглядно показать своеобразие возникновения ритуала. У нырков натравливание ритуализовано несколько иначе и более сложно. Например, у красноносого нырка не только движение угрозы в сторону врага, но и поворот к своему супругу в поиске защиты ритуален, т. е. закреплен инстинктивным движением, возникшим ad hoc[1]*. Утка этого вида ритмически перемежает выбрасывание головы назад через плечо с подчеркнутым поворотом ее к супругу, причем она каждый раз поднимает и вновь опускает голову с поднятым клювом, что соответствует мимически утрированному движению бегства. У белоглазого нырка натравливающая самка проплывает значительное расстояние в сторону противника, угрожая ему, а затем возвращается к селезню, многократно поднимая клюв движением, которое в этом случае неотличимо или почти неотличимо от движения при взлете.

Наконец, у гоголя натравливание стало почти полностью независимым от присутствия собрата по виду, представляющего "врага". Утка плывет за своим селезнем и в правильном ритме производит размашистые движения шеей и головой, попеременно направо назад и налево назад; не зная промежуточных ступеней эволюции, вряд ли можно было бы узнать в этом движение угрозы.

Насколько далеко отходит в процессе прогрессирующей ритуализации форма этих движений от формы ее неритуализованного прообраза, настолько же меняется и их значение. У пеганки натравливание "еще" вполне аналогично обычной для этого вида угрозе, и его воздействие на селезня также лишь незначительно отличается от того, какое наблюдается у ненатравливающих видов уток и гусей, когда дружественный индивид нападает на чужого: селезень заражается яростью хорошего знакомого и также побуждается к нападению на чужого. У несколько более сильных и более драчливых огарей и особенно у египетских гусей это первоначально слабое действие натравливания уже во много раз сильнее. У этих птиц натравливание действительно заслуживает своего названия, потому что самцы у них реагируют, как свирепые псы, ожидающие лишь хозяйского слова, чтобы по этому вожделенному знаку дать волю своей ярости. У названных видов функция натравливания тесно связана с функцией защиты участка. Гейнрот обнаружил, что огари-самцы хорошо уживаются в общем загоне, если удалить оттуда всех самок.

У настоящих уток и у нырков смысловое значение натравливания развивалось в прямо противоположном направлении. У первых крайне редко случается, чтобы селезень под действием натравливания своей утки действительно напал на указанного ею "врага", который здесь на самом деле нуждается в кавычках. Например, у самки кряквы, не имеющей партнера, натравливание означает попросту брачное предложение, причем это вовсе *не* приглашение к спариванию, для чего есть так называемая "работа насосом" ("Pumpen"), которая выглядит совсем иначе. Натравливание — это предложение длительного сожительства. Если селезень расположен принять это предложение, то он поднимает клюв и, слегка отвернув голову от утки, очень быстро произносит "рэбрэб, рэбрэб!" или же, особенно на воде, отвечает совершенно определенной, столь же ритуализованной церемонией "прихлебывания и прихорашивания". То и другое означает, что селезень кряквы сказал сватающейся к нему утке свое "Да"; "рэбрэб" еще содержит какой-то след

---

[1]*Специально для этого *(лат.).* — *Примеч. пер.*

агрессивности, а отвод головы в сторону при поднятом клюве — это типичный жест умиротворения. При сильном возбуждении селезня может случиться, что он и в самом деле слегка изобразит нападение на другого селезня, случайно оказавшегося поблизости. При второй церемонии, "прихлебывании и прихорашивании", этого не происходит никогда. Натравливание, с одной стороны, и прихлебывание и прихорашивание — с другой, взаимно стимулируют друг друга; поэтому пара может продолжать их очень долго. Если даже ритуал "прихлебывания и прихорашивания" возник из жеста смущения, в формировании которого первоначально принимала участие агрессия, то в ритуализованном движении, какое мы видим у настоящих уток, ее уже нет. У них церемония выполняет роль чисто умиротворяющего жеста. У красноносого нырка и у других нырков я вообще никогда не видел, чтобы натравливание утки побудило селезня к серьезному нападению.

Таким образом, если у огарей и египетских гусей натравливание словесно звучало бы: "Гони этого типа! Уничтожь его! Ату его!", то у нырков оно означает, в сущности, всего лишь: "Я тебя люблю". У многих видов, стоящих где-то посредине между этими двумя крайностями, как, например, у свиязи или у кряквы, мы находим в качестве переходной ступени значение: "Ты мой герой, тебе я доверяюсь!" Разумеется, коммуникативная функция этого символа меняется в зависимости от ситуации даже внутри одного и того же вида, но постепенное изменение смысла символа, несомненно, происходило в указанном направлении.

Можно привести еще много, очень много примеров аналогичных процессов; скажем, у цихлид некоторое обычное плавательное движение превратилось в жест, подзывающий мальков, а в одном особом случае даже в обращенный к ним предупредительный сигнал; у кур кудахтанье при кормежке стало призывом, обращенным к петуху, превратившись в звуковой сигнал недвусмысленного сексуального содержания, и т. д. и т. п.

Мне хотелось бы подробнее рассмотреть лишь один ряд последовательной дифференциации ритуализованных форм поведения, взятый из жизни насекомых, — не только потому, что он, пожалуй, еще лучше, чем рассмотренные выше примеры, иллюстрирует параллели между филогенетическим возникновением церемоний такого рода и культурно-историческим процессом символизации, но еще и потому, что в этом единственном в своем роде случае "символ" состоит не только в формах поведения, но принимает телесную форму, буквально превращаясь в фетиш.

У многих видов так называемых толкунчиков*, стоящих близко к хищным мухам* и мухам-убийцам*, развился столь же красивый, сколь и целесообразный ритуал, состоящий в том, что самец непосредственно перед спариванием вручает своей избраннице пойманное им насекомое подходящего размера. Пока она занята тем, что вкушает этот дар, он может ее оплодотворить без риска, что она съест его самого, — а такая опасность у мухоядных мух несомненна, тем более что самки у них крупнее самцов. Без сомнения, именно эта опасность произвела селекционное давление, выработавшее это примечательное поведение. Но эта церемония сохранилась также и у одного вида — северного толкунчика, у которого самки, кроме этого свадебного пира, никогда больше мух не едят. У одного из североамериканских видов самец ткет красивый белый шарик, привлекающий самок оптически и содержащий несколько мелких насекомых, которых она поедает во время спаривания. Подобным же образом обстоит дело у мавританского толкунчика, у которого самцы ткут маленькие развевающиеся вуали, иногда — но не всегда — вплетая в них что-нибудь съедобное. У веселой альпийской мухи-портного, больше всех своих родственников заслуживающей названия "танцующей мухи", самцы вообще никаких насекомых больше не ловят, а ткут маленькую, изумительно красивую вуаль, которую растягивают в полете между средними и задними лапками, и самки реагируют на вид этих вуалей. "Когда сотни этих крошечных вуаленосцев носятся в воздухе искрящимся хороводом, их маленькие, примерно в 2 мм, вуали, опалово блестящие на солнце, являют собой изумительное зрелище" — так описывает Хеймонс коллективную брачную церемонию этих мух в новом издании Брема.

Говоря о натравливании у самок утиных, я пытался показать, каким образом возникновение новой наследственной координации принимает весьма существенное участие в образовании нового ритуала и как на этом пути возникает автономная и весьма жестко закрепленная по форме последовательность движений, т. е. не что иное, как новое инстинктивное движение. Пример толкунчиков, танцевальные движения которых пока еще ждут более детального анализа, может быть, подходит для того, чтобы показать нам другую, столь же важную сторону ритуализации — вновь возникающую реакцию, которой животное отвечает на адресованное ему символическое сообщение собрата по виду. У тех видов толкунчиков, у которых самки получают лишь чисто символические вуали или шарики без съедобного содержимого, они очевидным образом реагируют на этот фетиш ничуть не хуже или даже лучше, чем их прародительницы реагировали на вполне материальные дары в виде съедобной добычи. Таким образом возникает не только не существовавшее прежде инстинктивное движение с определенной функцией сообщения у одного из собратьев по виду — у "действующего", но и врожденное понимание этого сообщения у другого — "реагирующего". То, что кажется нам при поверхностном наблюдении единой "церемонией", зачастую состоит из целого ряда элементов поведения, взаимно запускающих друг друга.

Вновь возникшая моторика ритуализованной формы поведения носит характер вполне самостоятельного инстинктивного движения; точно так же и стимулирующая ситуация, которая в таких случаях в значительной степени определяется ответным поведением собрата по виду, приобретает все свойства удовлетворяющей инстинкт конечной ситуации, к которой стремятся ради нее самой. Иными словами, последовательность действий, первоначально служившая другим объективным и субъективным целям, *становится самоцелью, как только превращается в автономный ритуал.*

Было бы совершенно неверно считать ритуализованную форму движения натравливания у кряквы (с. 103) или даже у нырка (с. 104—105) "выражением" любви или привязанности самки к своему супругу. Обособившееся инстинктивное движение — это *не побочный продукт,* не

107

"эпифеномен" союза, соединяющего обоих животных; оно само *и есть* этот союз. Постоянное повторение таких связывающих пару церемоний значительно увеличивает силу автономного инстинкта, приводящего их в действие. Если птица теряет супруга, она тем самым теряет и единственный объект, на который может разряжать этот инстинкт; и способ, которым она *ищет* потерянного партнера, носит все признаки так называемого *аппетентного* поведения, т. е. неодолимого стремления обрести ту стимулирующую внешнюю ситуацию, в которой может разрядиться накопившийся инстинкт.

Здесь нужно подчеркнуть тот чрезвычайно важный факт, что в процессе эволюционной ритуализации в таких случаях *возникает новый и совершенно автономный инстинкт,* который в принципе так же самостоятелен, как и любой из так называемых "великих" инстинктов — питания, размножения, бегства или агрессии. Как и любое из названных, вновь возникшее побуждение имеет место и голос в Великом Парламенте Инстинктов. И это опять-таки важно для нашей темы, потому что именно инстинктам, возникшим посредством ритуализации, очень часто выпадает роль *выступать в этом парламенте против агрессии,* направлять ее в безопасное русло и тормозить ее воздействия, вредные для сохранения вида. В главе о личной связи мы увидим, как выполняют эту важнейшую задачу в особенности те ритуалы, которые возникли из переориентированных движений нападения.

Другие ритуалы — те, которые возникают в ходе истории человеческой культуры, — не коренятся в наследственности, а передаются традицией, так что каждый индивид должен усвоить их заново путем обучения. Но, несмотря на это различие, параллели заходят так далеко, что можно с полным правом опускать все кавычки, как это и делал Хаксли. В то же время именно эти функциональные аналогии показывают, с помощью каких совершенно различных причинных механизмов Великие Конструкторы достигают почти одинаковых результатов.

У животных нет символов, передаваемых традицией из поколения в поколение. Если вообще желательно дать определение, которое отделяло бы "животное" от человека, то именно здесь и следует провести границу. Впрочем, и у животных случается, что индивидуально приобретенный опыт передается от старших к младшим посредством обучения. Такая подлинная традиция существует лишь у тех форм животных, у которых высокая способность к обучению сочетается с высоким развитием общественной жизни. Наличие явлений такого рода доказано, например, у галок, серых гусей и крыс. Однако передаваемые таким образом знания ограничиваются самыми простыми вещами, такими, как путевые дрессировки, знание определенных видов пищи или опасных врагов, а у крыс также и знание опасности ядов.

Необходимым общим элементом, который присутствует как в этих простых традициях у животных, так и в высочайших культурных традициях у человека, является *привычка.* Жестко придерживаясь уже достигнутого, она играет такую же роль в становлении традиций, как наследственность в эволюционном возникновении ритуалов.

До какой степени эта фундаментальная функция привычки, наблюдаемая в простых путевых дрессировках птицы, может быть сходна с ее участием в образовании сложных культурных ритуалов человека, я уяснил себе однажды благодаря переживанию, которое никогда не забуду. В то время основным моим занятием было изучение молодой серой гусыни, которую я воспитывал, начиная с яйца, так что ей пришлось перенести на мою персону все поведение, какое в нормальных условиях относилось бы к ее родителям, посредством того замечательного процесса, который мы называем запечатлением; об этом процессе и о самой гусыне Мартине рассказано в другой моей книге. Мартина в самом раннем детстве приобрела одну твердую привычку: когда примерно в недельном возрасте она была уже вполне в состоянии взбираться по лестнице, я попробовал не нести ее к себе в спальню, как это бывало до того каждый вечер, а заманить, чтобы она шла сама. Серые гуси не любят, чтобы к ним прикасались, всякое прикосновение их пугает, и лучше их по возможности от этого оберегать. В холле нашего альтенбергского дома справа от входной двери начинается лестница, ведущая на верхний этаж. Напротив двери — очень большое окно. И вот, когда Мартина, послушно следуя за мной по пятам, вошла в это помещение, она испугалась непривычной обстановки и устремилась к свету, как это всегда делают испуганные птицы; иными словами, она прямо от двери побежала к окну, мимо меня, а я уже стоял на первой ступеньке лестницы. У окна она задержалась на пару секунд, пока не успокоилась, а затем снова послушно пошла ко мне на лестницу и за мной наверх. То же повторилось и на следующий вечер, но на этот раз ее путь к окну оказался немного короче, и время, за которое она успокоилась, заметно сократилось. В последующие дни этот процесс продолжался; задержка у окна полностью исчезла, так же как и впечатление, что гусыня вообще чего-то пугается: обходной путь к окну все больше приобретал характер привычки, и выглядело прямо-таки комично, когда Мартина решительным шагом подбегала к окну, там без задержки разворачивалась, так же решительно бежала назад к лестнице и брела по ней наверх. Привычный проход к окну становился все короче, и через год от всего этого привычного пути остался лишь один почти прямой угол: вместо того чтобы прямо от двери подняться на нижнюю ступеньку лестницы с правой стороны, Мартина проходила вдоль ступеньки до ее левого края и там, резко повернув вправо, начинала подниматься.

В это время случилось так, что однажды вечером я забыл вовремя впустить Мартину в дом и проводить ее в свою комнату; а когда я наконец вспомнил о ней, наступили уже глубокие сумерки. Я поспешил к двери и едва приоткрыл ее, как гусыня в страхе торопливо протиснулась в щель, пробежала у меня между ногами и, против своего обыкновения, бросилась к лестнице впереди меня. А затем она сделала нечто, что совсем шло вразрез с ее привычкой: она отклонилась от привычного пути и выбрала *кратчайший* — сократила обычный прямой угол и начала подниматься наверх, вступив на нижнюю ступеньку с ближайшей, правой стороны и срезав закругление лестницы. Но тут произошло нечто поистине потрясающее: дойдя до пятой ступеньки, она вдруг остановилась, вытянула шею, как это бывает при сильном испуге, и расправила крылья для полета, приготовившись к бегству. При этом она издала *предупреждающий крик* и едва не взлетела. Затем, чуть помедлив, повернула назад, торопливо спустилась обратно на пять ступеней вниз и быстрым шагом, словно выполняя чрезвычайно важную обязанность, пробежала первоначальный дальний путь к окну и обратно, снова поднялась на лестницу, на этот раз по всем правилам — с дальней, левой стороны, — и начала взбираться наверх. Снова дойдя до пятой ступеньки, она остановилась, оглянулась кругом, встряхнулась и произвела движение приветствия — оба эти действия регулярно наблюдаются у серых гусей. Я едва верил своим глазам! У меня не было никаких сомнений, как истолковать описанное происшествие: привычка превратилась в обычай, который гусыня не могла нарушить без страха.

Описанный случай и его толкование, данное выше, многим могут показаться попросту комичными; но я смею заверить, что знатоку высших животных подобные явления хорошо известны. Маргарет Альтман, которая, изучая в естественных условиях оленей-вапити и лосей, много месяцев шла по следам своих объектов со своей старой лошадью и еще более старым мулом, сделала чрезвычайно интересные наблюдения над своими непарнокопытными сотрудниками. Стоило ей лишь несколько раз разбить лагерь на одном и том же месте — и оказывалось совершенно невозможно провести через это место ее животных, не разыграв, хотя бы "символически", короткую остановку со снятием и обратной нагрузкой вьюков, разбивку и свертывание лагеря. Есть старая трагикомическая история о проповеднике из маленького городка на американском Западе, купившем, не зная того, лошадь, на которой много лет ездил пьяница. Этот Росинант заставлял своего преподобного хозяина останавливаться перед каждым кабаком и заходить туда хотя бы на минуту. В результате он приобрел в своем приходе дурную славу и в конце концов на самом деле спился от отчаяния. Эта история всегда рассказывается лишь в шутку, но она может быть буквально правдива, по крайней мере в том, что касается поведения лошади!

Воспитателю, этнологу, психологу и психиатру такое поведение высших животных покажется удивительно знакомым. Каждый, кто имеет собственных детей или хотя бы сколько-нибудь полезен в качестве дядюшки, знает по собственному опыту, с какой настойчивостью маленькие дети цепляются за каждую деталь привычного: например, как они впадают в настоящее отчаяние, если, рассказывая им сказку, хоть немного уклониться от однажды установленного текста. А кто способен к самонаблюдению, тот должен будет признаться себе, что и у взрослого культурного человека привычка, если она закрепилась, обладает большей властью, чем мы обычно себе сознаемся. Однажды я внезапно осознал, что, разъезжая по Вене в автомобиле, как правило, использую разные пути к некоторой цели и обратно от нее; а было это еще в то время, когда не было улиц с односторонним движением, вынуждающих ездить именно так. И вот, возмутившись сидящим во мне рабом привычки, я попробовал проехать "туда" по обычной обратной дороге и наоборот. Поразительным результатом этого эксперимента стало несомненное чувство боязливого беспокойства, настолько неприятное, что назад я поехал уже по привычной дороге.

Этнолог, услышав мой рассказ, сразу вспомнит о так называемом "магическом мышлении" многих первобытных народов, которое еще вполне живо и у цивилизованного человека. Оно заставляет большинство из нас прибегать к унизительному мелкому колдовству: стучать по дереву, "чтобы не накликать беду", или придерживаться старого обычая бросать через левое плечо три крупинки из просыпанной солонки и тому подобного.

Наконец, психиатру и психоаналитику описанное поведение животных напомнит навязчивую потребность повторения, которая обнаруживается при определенных формах невроза, так и называемых "неврозами навязчивых состояний", и в различных мягких формах наблюдается у очень многих детей. Я отчетливо помню, как в детстве внушил себе, что произойдет что-то ужасное, если я наступлю не на каменную плиту, а на промежуток между плитами широкой мостовой перед венской ратушей. Как раз такую детскую фантазию неподражаемо изобразил А. А. Милн в одном из своих стихотворений.

Все эти явления близкородственны друг другу, потому что имеют общий корень в одном и том же механизме поведения, целесообразность которого для сохранения вида непосредственно очевидна: для существа, лишенного понимания причинных взаимосвязей, должно быть в высшей степени полезно придерживаться того поведения, которое однажды оказалось или повторно оказывалось безопасным и ведущим к цели. Если неизвестно, какие детали существенны для успеха и безопасности, то лучше всего с рабской точностью придерживаться *всех*. Принцип "как бы чего не вышло" совершенно ясно выражается в уже упомянутых суевериях: люди испытывают недвусмысленный страх, если не выполнят колдовское действие.

Даже когда человек знает о чисто случайном возникновении какой-либо излюбленной привычки и прекрасно понимает, что ее нарушение не навлечет на него абсолютно никакой опасности — как в примере с моими автомобильными маршрутами, — возбуждение, бесспорно связанное со страхом, вынуждает все-таки придерживаться ее, и мало-помалу отшлифованное таким образом поведение превращается в "любимую" привычку. До сих пор, как мы видим, у животного и у человека все обстоит совершенно одинаково. Но когда человек уже не сам приобретает привычку, а получает ее от своих родителей, от своей культуры, — здесь начинает звучать новая и важная нота. Во-первых, теперь он уже не знает, какие причины привели к появлению данных правил поведения; благочестивый еврей или мусульманин испытывает отвращение к свинине, не имея понятия, что его законодатель ввел на нее строгий запрет из-за опасности трихинеллеза. А во-вторых, удаленность во времени и обаяние мифа придают фигуре Отца-Законодателя такое величие, что все его предписания кажутся божественными, а их нарушение — грехом.

В культуре североамериканских индейцев возникла прекрасная церемония умиротворения, которая увлекала мою фантазию, когда я сам еще играл в индейцев: курение калюмета, трубки мира. Впоследствии, когда я больше узнал об эволюционном возникновении врожденных ритуалов, об их значении для торможения агрессии и, главное, о поразительных аналогиях между филогенетическим и культурным возникновением символов, у меня однажды с ясной как день убедительностью вдруг возникла перед глазами сцена, которая *должна была* произойти, когда впервые два индейца стали из врагов друзьями из-за того, что вместе раскурили трубку.

Пятнистый Волк и Крапчатый Орел, боевые вожди двух соседних племен сиу, оба старые и опытные воины, несколько уставшие убивать, решили предпринять необычную до этого попытку: они хотят попробовать договориться о праве охоты на одном острове посреди маленькой Бобровой речки, разделяющей охотничьи угодья их племен, вместо того чтобы сразу браться за томагавки. Это предприятие с самого начала несколько тягостно, поскольку можно опасаться, что готовность к переговорам будет расценена как трусость. Поэтому, когда они наконец встречаются, оставив позади свою свиту и оружие, оба они чрезвычайно *смущены,* но ни один из них не смеет признаться в этом даже себе, а уж тем более другому. И вот они идут друг другу навстречу с подчеркнуто гордой, даже вызывающей осанкой, пристально смотрят друг на друга, затем усаживаются со всем возможным достоинством. А потом, в течение долгого времени, ничего не происходит, ровно ничего. Кто когда-нибудь вел переговоры с австрийским или баварским крестьянином о покупке или обмене земли или о другом подобном деле, тот знает: кто первым заговорил о предмете, ради которого происходит встреча, тот уже наполовину проиграл. У индейцев должно быть так же; и кто знает, как долго те двое просидели так друг против друга.

Но если сидишь и не смеешь даже шевельнуть лицевым мускулом, чтобы не выдать внутреннего возбуждения; если охотно сделал бы что-нибудь, даже много сделал бы, но веские причины этому препятствуют — короче говоря, в конфликтной ситуации, — часто большим облегчением бывает сделать что-то третье, нейтральное, не имеющее ничего общего ни с одним из конфликтующих мотивов, а кроме того, позволяющее показать свое равнодушие к ним. На языке ученых это называется смещенным движением (Übersprungbewegung), а на обиходном языке — жестом смущения. Все курильщики, каких я знаю, в случае внутреннего конфликта делают одно и то же: лезут в карман и закуривают сигарету. Могло ли быть иначе у того народа, который первым открыл табак, у которого мы научились курить?

Вот так Пятнистый Волк — или, быть может, то был Крапчатый Орел — раскурил свою трубку, которая тогда еще не была трубкой мира, и другой индеец сделал то же самое. Кому он не знаком, этот божественный, расслабляющий катарсис курения? Оба вождя стали спокойнее, увереннее в себе, и разрядка привела к полному успеху переговоров. Быть может, уже при следующей встрече этих индейцев один из них *тотчас же* закурил свою трубку; быть может, когда-то позже один из них оказался без трубки, и другой — уже более расположенный к нему — одолжил ему свою и раскурил ее вместе с ним. А может быть, понадобились бесчисленные повторения, чтобы до общего сознания постепенно дошло, что курящий индеец с гораздо большей вероятностью готов к соглашению, чем не курящий. Возможно, прошли сотни лет, прежде чем символика совместного курения стала однозначно и надежно обозначать мир. Несомненно одно: то, что вначале было лишь жестом смущения, на протяжении поколений закрепилось в качестве ритуала, который связывал каждого индейца как закон, и после совместно выкуренной трубки нападение становилось для него совершенно невозможным — в сущности, из-за того же непреодолимого внутреннего торможения, которое заставляло лошадей Маргарет Альтман останавливаться на привычном месте бивака, а Мартину — бежать к окну.

Однако, если бы мы выдвинули на первый план вынуждающее или запрещающее действие культурно-исторически возникших ритуалов, мы допустили бы чрезвычайную односторонность и даже проглядели бы существо дела. Хотя ритуал предписывается и освящается сверхиндивидуальным, традиционным и культурным Супер-эго*, он неизменно сохраняет характер "любимой" привычки; более того, его любят гораздо сильнее, в нем ощущают еще бо́льшую потребность, чем в привычке, возникшей в течение лишь одной индивидуальной жизни. Именно в этом состоит глубокий смысл торжественной последовательности движений и внешнего великолепия церемоний каждой культуры. Иконоборцы заблуждаются, считая пышность ритуала не только несущественной, но даже вредной формальностью, отвлекающей от внутреннего углубления в символизируемую сущность. Одна из важнейших, если не самая важная из функций, общих культурно-исторически и эволюционно возникшим ритуалам, состоит в том, что и те и другие действуют как самостоятельные, активные *стимулы* социального поведения. Когда мы откровенно радуемся пестрым атрибутам какого-нибудь старого обычая — например, украшая рождественскую елку и зажигая на ней свечи, — это свидетельствует, что мы *любим* сохраненный традицией обычай. Но от теплоты этого чувства зависит наша верность символу и всему, что он представляет. Именно теплота этого чувства побуждает нас воспринимать созданные нашей культурой блага как ценности. Собственная жизнь этой культуры, создание сверхличной общности, переживающей отдельного человека, — одним словом, все, что составляет подлинную человечность, основывается на этом обособлении ритуала, превращающем его в автономный мотив человеческого поведения.

Образование ритуалов посредством традиций несомненно стояло у истоков человеческой культуры, так же как, на гораздо более низком уровне, филогенетическое образование ритуалов стояло в самом начале социальной жизни высших животных. Аналогии между этими ритуалами, которые следует теперь подчеркнуть, резюмируя содержание этой главы, легко понять из требований, предъявляемых к ритуалам их общей функцией.

В обоих случаях форма поведения, с помощью которой вид, в одном случае, культурное сообщество — в другом, спорит с внешними обстоятельствами, приобретает совершенно новую функцию — функцию сообщения. Первоначальная функция может сохраняться и в дальнейшем, но часто отходит все дальше и дальше на задний план и в конце концов может исчезнуть совсем, так что происходит типичная смена функции. Из сообщения, в свою очередь, могут произойти две одинаково важные функции, каждая из которых в известной степени является и коммуникативной. Первая — это отвод агрессии в безопасное русло; вторая — построение прочного союза, сплачивающего двух или большее число собратьев по виду. В обоих случаях селекционное давление новой функции производит аналогичные изменения формы первоначального, неритуализованного поведения. Сведение множества разнообразных возможностей поведения к одной-единственной, жестко закрепленной процедуре, несомненно, уменьшает опасность неоднозначного толкования. Та же цель может быть достигнута строгой фиксацией частоты и амплитуды определенной последовательности движений. На это указал Десмонд Моррис, назвавший данное явление "типичной интенсивностью" движения, служащего сигналом. Жесты ухаживания и угрозы у животных дают множество примеров этой "типичной интенсивности", так же как и человеческие церемонии культурно-исторического происхождения. Ректор и деканы вступают в актовый зал университета "мерным шагом"; пение католических священников во время мессы точно регламентировано литургическими правилами и по высоте, и по ритму, и по громкости. Сверх того, многократное повторение сообщения усиливает его однозначность. Ритмическое повторение некоторого движения характерно для многих ритуалов, как инстинктивных, так и культурного происхождения. Информативная ценность ритуализованных движений в обоих случаях повышается еще и благодаря утрированию всех тех элементов, которые уже в неритуализованной исходной форме передавали адресату оптический или акустический сигнал, в то время как элементы, которые первоначально производили иное, механическое действие, сокращаются или совсем исключаются.

Это "мимическое преувеличение" может вылиться в церемонию, на самом деле очень родственную символу, которая производит театральный эффект, впервые подмеченный сэром Джулианом Хаксли при наблюдении чомги. Богатство форм и красок, развитое для выполнения этой специальной функции, сопутствует как филогенетическому, так и культурно-историческому возникновению ритуалов. Изумительные формы и краски плавников сиамских бойцовых рыбок, оперение райских птиц, поразительная расцветка мандрилов спереди и сзади — все это возникло для того, чтобы усиливать действие определенных ритуализованных движений. Вряд ли можно сомневаться в том, что все человеческое искусство первоначально развивалось на службе ритуала и что автономия искусства — "искусство для искусства" — была достигнута лишь на втором этапе культурного процесса.

Непосредственная причина всех изменений, благодаря которым возникшие ритуалы филогенетически и культурно-исторически стали такими похожими друг на друга, — это, безусловно, селекционное давление, оказываемое ограничением функций приемника на передатчик стимулов, на сигналы которого приемник должен реагировать избирательно, чтобы система работала. А сконструировать приемник, избирательно реагирующий на тот или иной сигнал, тем проще, чем проще этот сигнал и чем он при этом характернее. Разумеется, передатчик и приемник оказывают друг на друга селекционное давление, влияющее на их развитие, и таким образом, приспосабливаясь друг к другу, оба они могут стать весьма высокоспециализированными. Многие инстинктивные ритуалы, многие культурные церемонии, даже слова всех человеческих языков обязаны своей нынешней формой этому процессу "выработки соглашений" между передатчиком и приемником; тот и другой являются партнерами в исторически развивавшейся коммуникативной системе. В таких случаях часто бывает невозможно проследить возникновение ритуала, обнаружить его неритуализованный прототип, потому что форма его изменилась до неузнаваемости. Но если переходные ступени линии развития можно изучить на других, ныне живущих видах или других, ныне существующих культурах, то такое сравнительное исследование может позволить пройти назад по той тропе, вдоль которой шла в своем развитии нынешняя форма какой-нибудь причудливой и сложной церемонии. Именно это придает сравнительным исследованиям такую привлекательность.

Как при филогенетической, так и при культурной ритуализации вновь развивающийся шаблон поведения приобретает самостоятельность совершенно особого рода. И инстинктивные, и культурные ритуалы становятся автономными мотивациями поведения благодаря тому, что они сами становятся действиями, выполняемыми ради них самих, — иначе говоря, целями, достижение которых становится насущной потребностью организма. Самая сущность ритуала как носителя независимых мотивирующих факторов ведет к тому, что он перерастает свою первоначальную функцию коммуникации и приобретает способность выполнять две новые, столь же важные задачи, а именно сдерживание агрессии и формирование связей между особями одного и того же вида. Мы уже видели на с. 105—106, каким образом церемония может превратиться в прочный союз, соединяющий определенных индивидов; в 11-й главе я подробно покажу, как церемония, сдерживающая агрессию, может развиться в фактор, определяющий все социальное поведение, который в своих внешних проявлениях сравним с человеческой любовью и дружбой.

Два шага развития, ведущие в ходе культурной ритуализации от взаимопонимания к сдерживанию агрессии, а оттуда к образованию личных связей, безусловно аналогичны тем, которые существуют в эволюции инстинктивных ритуалов, как мы покажем в 11-й главе на примере триумфального крика гусей. Тройная функция — запрет борьбы между членами группы, сплачивание их в замкнутом сообществе и отграничение этого сообщества от других подобных групп — настолько явно проявляется и в ритуалах культурного происхождения, что эта аналогия наталкивает на ряд важных соображений.

Существование любой группы людей, превосходящей своей численностью такое сообщество, члены которого могут быть связаны личной любовью и дружбой, основывается на этих трех функциях культурно-ритуализованных форм поведения. Общественное поведение людей пронизано культурной ритуализацией до такой степени, что именно из-за ее вездесущности это почти не доходит до нашего сознания. Чтобы привести пример заведомо неритуализованного поведения человека, придется обратиться к действиям, которые не производят в обществе, — таким, как неприкрытая зевота или потягивание, ковыряние в носу или почесывание в неудобоназываемых местах тела. Все, что называется манерами, разумеется, жестко закреплено культурной ритуализацией. "Хорошие" манеры — это per definitionem[1]* те, которые характеризуют собственную группу; мы постоянно руководствуемся их требованиями, они становятся нашей второй натурой. В повседневной жизни мы не осознаем, что их назначение состоит в торможении агрессии и в создании социального союза. Между тем именно они и создают "групповое сцепление" ("Gruppen-Kohäsion"), как это называется у социологов.

Функция манер как средства постоянного взаимного успокоения членов группы сразу становится ясной, когда мы наблюдаем последствия выпадения этой функции. Я имею в виду не грубое нарушение обычаев, а всего лишь отсутствие тех не очень заметных вежливых взглядов и жестов, которыми человек — например, входя в помещение, — дает знать, что принял к сведению присутствие своего ближнего. Если кто-то считает себя обиженным членами своей группы и входит в комнату, в которой они находятся, не исполнив этого маленького ритуала учтивости, а ведет себя так, словно там никого нет, — такое поведение вызывает раздражение и враждебность точно так же, как открыто агрессивное поведение. Такое умышленное подавление нормальной церемонии умиротворения фактически равнозначно открыто агрессивному поведению.

Поскольку любое отклонение от форм общения, характерных для определенной группы, вызывает агрессию, члены такой группы оказываются вынуждены точно выполнять все нормы социального поведения. С нонконформистом обращаются так же плохо, как с чужаком; в простых группах, примером которых может служить школьный класс или небольшое воинское подразделение, его самым жестоким образом выживают. Каждый университетский преподаватель, имеющий детей и работавший в разных частях страны, мог наблюдать, с какой невероятной быстротой ребенок усваивает местный диалект, чтобы школьные товарищи не отвергли его. Однако дома родной диалект сохраняется. Характерно, что такого ребенка очень трудно побудить заговорить на чужом языке, выученном в школе, в домашнем кругу, разве что попросить прочесть наизусть стихотворение. Я подозреваю, что тайная принадлежность к какой-то другой группе, кроме семьи, ощущается маленькими детьми как предательство.

Развившиеся в культуре социальные нормы и ритуалы так же характерны для малых и больших человеческих групп, как врожденные признаки, приобретенные в процессе филогенеза, характерны для подвидов, видов, родов и более крупных таксономических единиц. Историю их развития можно реконструировать методами сравнительного анализа. Их взаимные различия, возникающие в ходе исторического развития, создают границы между разными культурными сообществами, подобно тому как дивергенция признаков создает границы между видами. Поэтому Эрик Эриксон с полным основанием назвал этот процесс "pseudospeciation", псевдовидообразованием.

Хотя это псевдовидообразование происходит несравненно быстрее, чем филогенетическое видообразование, но и на него требуется время.

---

[1] *По определению *(лат.)*. — *Примеч. пер.*

Начало такого процесса в миниатюре — возникновение в группе какого-то обычая и дискриминацию непосвященных — можно увидеть в любой группе детей; но чтобы придать каким-либо групповым социальным нормам и ритуалам прочность и нерушимость, необходимо, по-видимому, их непрерывное существование в течение по крайней мере нескольких поколений. Поэтому наименьший культурный псевдовид, какой я могу себе представить, — это содружество бывших учеников какой-нибудь школы, имеющей богатые традиции; просто поразительно, как такая группа людей сохраняет свой характер псевдовида в течение долгих и долгих лет. Часто высмеиваемая в наши дни "old school tie"[1]* — это нечто весьма реальное. Когда я встречаю человека с "аристократическим" носовым произношением, которое было принято в бывшей Шотландской гимназии, я невольно чувствую тягу к нему, я склонен ему доверять и веду себя с ним заметно любезнее, чем с посторонним человеком.

Важная функция вежливых манер очень хорошо поддается изучению при социальных контактах между различными группами и подгруппами человеческих культур. Значительная часть привычек, определяемых хорошими манерами, представляет собой ритуализованное в культуре утрирование жестов покорности, большинство из которых, вероятно, восходит к филогенетически ритуализованному поведению, имевшему тот же смысл. Местные традиции хороших манер в различных культурных подгруппах требуют количественно различного подчеркивания этих выразительных движений. Хорошим примером может служить жест "учтивого слушания", который состоит в том, что слушающий вытягивает шею и одновременно поворачивает голову, подчеркнуто "подставляя ухо" говорящему. Это движение выражает готовность внимательно слушать, а может быть и слушаться. В учтивых манерах некоторых азиатских культур этот жест очень сильно утрирован; в Австрии это один из самых распространенных жестов вежливости, особенно у дам из хороших семей, в других же центральноевропейских странах он, по-видимому, менее подчеркнут. В некоторых областях Северной Германии он сведен к минимуму или совсем отсутствует. В этой культуре считается корректным и учтивым, чтобы слушающий держал голову ровно и смотрел говорящему прямо в лицо, как это требуется от солдата, получающего приказ. Когда я приехал из Вены в Кёнигсберг, — а между этими городами разница, о которой идет речь, особенно велика, — прошло довольно много времени, прежде чем я привык к жесту вежливого внимания, принятому у восточнопрусских дам. Я ожидал от дамы, с которой разговаривал, что она хоть слегка отклонит голову, и потому, когда она сидела очень прямо и смотрела мне прямо в лицо, не мог отделаться от мысли, что говорю что-то неподобающее.

Разумеется, значение таких жестов учтивости определяется исключительно соглашением между передатчиком и приемником в одной и той же системе связи. Между культурами, в которых эти соглашения различны, неизбежны недоразумения.

---

[1]*Старая школьная дружба *(англ.);* буквально "старые школьные узы". — *Примеч. пер.*

Если измерять жест японца, "подставляющего ухо", восточно-прусским масштабом, то его можно расценить как проявление жалкого раболепия; на японца же вежливое внимание прусской дамы произведет впечатление непримиримой враждебности.

Даже очень небольшие различия в соглашениях этого рода могут вызывать неправильное истолкование культурно-ритуализованных выразительных движений. Англичане или немцы часто считают южан "ненадежными" только потому, что истолковывают их утрированные жесты любезности в соответствии со своим собственным соглашением и ожидают от них гораздо большего, чем стояло за этими жестами в действительности. Непопулярность северных немцев, особенно из Пруссии, в южных странах часто бывает основана на обратном недоразумении. В хорошем американском обществе я наверняка часто казался грубым просто потому, что мне было трудно улыбаться так часто, как это предписывают американские хорошие манеры.

Несомненно, что эти мелкие недоразумения весьма способствуют вражде между разными культурными группами. Человек, неправильно понявший, как это описано выше, социальные жесты представителей другой культуры, чувствует себя предательски обманутым и оскорбленным. Уже простая неспособность понять выразительные жесты и ритуалы другой культуры возбуждает такое недоверие и страх, что это легко может привести к открытой агрессии.

От незначительных особенностей языка или манеры держаться, объединяющих самые малые сообщества, идет непрерывная гамма переходов к весьма сложным, сознательно выполняемым и воспринимаемым в качестве символов социальным нормам и ритуалам, которые связывают крупнейшие социальные сообщества людей в одной нации, в одной культуре, в одной религии или в одной политической идеологии. Эту систему вполне возможно исследовать сравнительным методом, иными словами, изучить законы псевдовидообразования, хотя такая задача наверняка оказалась бы сложнее, чем исследование возникновения видов, поскольку часто пришлось бы сталкиваться с взаимным наложением разных понятий группы, например национальных и религиозных сообществ.

Я уже подчеркивал, что каждой ритуализованной норме социального поведения дает движущую силу ее эмоциональный фон. Эрик Эриксон недавно показал, что образование привычки различать добро и зло начинается в раннем детстве и продолжается в течение всего времени развития человека. В принципе нет никакой разницы между упорством в соблюдении правил опрятности, внушенных нам в раннем детстве, и верностью национальным или политическим традициям, нормам и ритуалам, в соответствии с которыми нас формировала дальнейшая жизнь. Жесткость традиционного ритуала и настойчивость, с которой мы его придерживаемся, существенны для выполнения его необходимой функции. Но в то же время он, как и сравнимые с ним жестко закрепленные инстинктивные формы социального поведения, требует контроля со стороны нашей разумной, ответственной морали.

Совершенно правильно и закономерно, что мы считаем "хорошими" те обычаи, которым научили нас родители; что мы свято храним социальные ритуалы, переданные нам традицией нашей культуры. Но мы должны употреблять всю силу своего ответственного разума, чтобы не поддаваться нашей естественной склонности относиться к социальным нормам и ритуалам других культур как к неполноценным. Темная сторона псевдовидообразования состоит в том, что оно подвергает нас опасности не считать людьми представителей других псевдовидов; очевидно, именно это происходит у многих первобытных племен, в языках которых название собственного племени синонимично слову "человек". Когда они съедают убитых воинов враждебного племени, то с их точки зрения это вовсе не людоедство. Моральный вывод из естественной истории псевдовидообразования состоит в том, что мы должны научиться терпимости к другим культурам, должны отбросить свою культурную или национальную спесь и уяснить себе, что социальные нормы и ритуалы других культур, которым их представители хранят такую же верность, как мы своим, с таким же правом могут уважаться и считаться священными. Без терпимости, вытекающей из этого осознания, человеку слишком легко увидеть воплощение зла в том, что для его соседа является наивысшей святыней. Именно нерушимость социальных норм и ритуалов, в которой состоит их величайшая ценность, может привести к самой ужасной из войн, к религиозной войне, — и именно она угрожает нам сегодня!

Здесь снова возникает опасность, что меня неверно поймут, как это часто бывает, когда я обсуждаю человеческое поведение с точки зрения естествознания. Я в самом деле сказал, что человеческая верность всем традиционным обычаям обусловлена попросту привычкой и животным страхом ее нарушить. Далее я подчеркнул тот факт, что все человеческие ритуалы возникли естественным путем, в значительной степени аналогичным эволюции социальных инстинктов у животных и у человека. И я даже четко объяснил, что все, что человек по традиции чтит и считает священным, не является абсолютной этической нормой, а освящено лишь в рамках определенной культуры. Но все это никоим образом не означает отрицания ценности и необходимости той твердой верности, с которой порядочный человек хранит унаследованные обычаи своей культуры.

Так не будем же глумиться над сидящим в человеке животным-рутинером, которое возвышало свои привычки до ритуала и держится за него с упорством, достойным, казалось бы, лучшего применения: немного *есть* на свете вещей более достойных! Если бы привычное не закреплялось и не становилось самостоятельным, как описано выше, если бы оно не возвышалось до священной самоцели, не было бы ни достоверного сообщения, ни надежного взаимопонимания, ни верности, ни закона. Клятвы не связывают и договоры ничего не стоят, если у партнеров, заключающих договор, нет общей основы — нерушимых, превратившихся в ритуалы обычаев, нарушение которых вызывает у них тот самый магический смертельный страх, что охватил мою маленькую Мартину на пятой ступеньке лестницы в нашем холле.

Глава 6
ВЕЛИКИЙ ПАРЛАМЕНТ ИНСТИНКТОВ

> Как все в единство сплетено,
> Одно в другом воплощено!
>
> *Гёте*

Как мы видели в предыдущей главе, эволюционный процесс ритуализации всегда, когда это нужно, создает новый, автономный инстинкт, вступающий как независимая сила в общую систему всех остальных инстинктивных побуждений. Его действие, которое, как мы знаем, первоначально всегда состоит в передаче сообщения, в "коммуникации", может препятствовать пагубным последствиям агрессии, способствуя взаимопониманию собратьев по виду. Не только у людей ссоры часто возникают из-за того, что один *ошибочно* полагает, будто другой хочет причинить ему зло. Уже поэтому ритуал чрезвычайно важен для нашей темы. Но кроме того, как мы видели на примере триумфального крика гусей и еще яснее увидим в дальнейшем, в качестве самостоятельного побуждения он может приобрести такую силу, что оказывается в состоянии успешно выступать против агрессии в Великом Парламенте Инстинктов. Чтобы объяснить, как он это осуществляет, сдерживая агрессию, но не ослабляя ее по существу и не мешая ей способствовать сохранению вида, — о чем мы говорили в третьей главе, — необходимо кое-что сказать о системе взаимодействий инстинктов вообще. Эта система напоминает *парламент* тем, что представляет собой более или менее целостную систему взаимодействий многих независимых переменных, а также тем, что ее истинно демократическая процедура произошла из исторического опыта, и хотя она не всегда приводит к настоящей гармонии, но создает, по крайней мере, терпимые компромиссы между различными интересами, благодаря которым можно жить.

Что же такое "отдельный" инстинкт? К названиям, которые часто употребляются и в обыденной речи для обозначения различных инстинктивных побуждений, прилипло вредное наследие "финалистического" мышления. Финалист — в дурном смысле слова — это человек, который путает вопрос "почему?" с вопросом "зачем?" и в результате полагает, будто, указав значение какой-либо функции для сохранения вида, он уже решил также и проблему ее причинного возникновения. Легко и заманчиво постулировать особое побуждение, или "инстинкт", для каждой функции, которой можно дать понятное название и значение которой для сохранения вида очевидно, как, скажем, питание, размножение или бегство. Как привычен для нас оборот "инстинкт размножения"! Нельзя только внушать себе при этом — как, к сожалению, делают многие исследователи инстинктов, — будто такое выражение дает *объяснение* соответствующего явления. Понятия, отвечающие подобным названиям, ничуть не лучше таких, как "флогистон" или horror vacui[1]*, которые лишь называют явления, но "лживо притворяются, будто содержат их

---

[1] *Боязнь пустоты *(лат.).* — *Примеч. пер.*

объяснение", как сурово сказал Джон Дьюи. Поскольку мы в этой книге стремимся найти причинные объяснения *нарушений функции* одного из инстинктов — инстинкта агрессии, — мы не можем ограничиться желанием выяснить, "зачем" он нужен, как мы это делали в третьей главе. Нам необходимо понять нормальные причины, чтобы разобраться в причинах его нарушений и по возможности научиться их устранять.

Целостная функция организма, имеющая название, как, например, питание, размножение или даже "самосохранение", разумеется, никогда не бывает следствием единственной причины или единственного побуждения. Поэтому ценность таких понятий, как "инстинкт размножения" или "инстинкт самосохранения", столь же ничтожна, сколь ничтожна была бы ценность некой особой "автомобильной силы", которую я мог бы с таким же правом ввести для объяснения того факта, что моя старая добрая машина все еще ездит. Но кто знает о ремонтах, благодаря которым она может ездить (и платит за них), тот не поддастся соблазну поверить в такую мистическую силу — все зависит от ремонта! Кто знаком с патологическими нарушениями врожденных механизмов поведения, которые мы называем инстинктами, тот никогда не впадет в безумное заблуждение, будто животными и даже людьми руководят какие-то направляющие факторы, постижимые лишь финально, не нуждающиеся в причинном объяснении и недоступные ему.

Поведение, единое с точки зрения функции, например питание или размножение, всегда осуществляется благодаря очень сложному взаимодействию очень многих физиологических причин, "изобретенному" и основательно испытанному конструкторами эволюции — Изменчивостью и Отбором. Иногда эти многочисленные физиологические причины находятся в отношении уравновешенного взаимодействия, иногда одна из них влияет на другую в большей мере, нежели подвержена обратному влиянию с ее стороны; некоторые из них относительно независимы от общей системы взаимодействий и влияют на нее сильнее, нежели она на них. Хорошим примером таких "относительно независимых элементов" являются части *скелета*.

В области поведения наследственные координации, или инстинктивные движения, являются элементами, явно независимыми от целого. Каждое из них, будучи столь же неизменным по форме, как крепчайшие кости скелета, простирает свою особенную власть на весь организм. Каждое, как мы уже знаем, энергично требует слова, если ему пришлось долго молчать, и вынуждает животное или человека приняться за дело и активно искать такую ситуацию, которая запускает и позволяет произвести именно это инстинктивное действие и никакое другое. Поэтому было бы большой ошибкой полагать, будто всякое инстинктивное действие, видосохраняющая функция которого служит, например, добыванию пищи, непременно должно быть обусловлено голодом. Мы знаем о наших собаках, что они с величайшим азартом вынюхивают, рыщут, бегают, гоняют, хватают и рвут, когда они не голодны; каждому любителю собак известно, что азартного пса-охотника *нельзя,* к сожалению, отучить от его страсти никакой кормежкой. То же справедливо в отношении инстинктивных действий поимки добычи у кошек, в отношении известных "промеров" у скворцов, которые выполняются почти беспрерывно и совершенно независимо от того, голоден ли скворец, — короче, в отношении всех малых служителей сохранения вида, будь то бег, полет, выгрызание, клевание, рытье, умывание и т. п. Каждая наследственная координация обладает своей собственной спонтанностью и вызывает свое собственное аппетентное поведение. Значит ли это, что такие малые частные побуждения совершенно независимы друг от друга и составляют мозаику, функциональная целостность которой возникает лишь в ходе эволюции? В предельных случаях это может быть действительно так; еще недавно такие особые случаи считались общим правилом. В героические времена сравнительной этологии так и считалось, что в каждый момент лишь *одно* побуждение владеет животным полностью и безраздельно. Джулиан Хаксли использовал красивое и меткое сравнение, которое я сам уже много лет цитирую в своих лекциях: он сказал, что человек, как и животное, подобен кораблю, которым командует множество капитанов. У человека все эти командиры одновременно находятся на капитанском мостике и каждый высказывает свое мнение; иногда они приходят к разумному компромиссу, который дает лучшее решение проблемы, чем отдельное мнение умнейшего из них; но иногда им не удается прийти к соглашению, и тогда корабль остается без всякого осмысленного руководства. У животных, напротив, капитаны придерживаются уговора, что в любой момент лишь один из них имеет право быть на мостике, так что каждый должен уходить, как только наверх поднялся другой. Это последнее сравнение подкупающе точно описывает некоторые случаи поведения животных в конфликтных ситуациях, и понятно, почему мы тогда проглядели тот факт, что это лишь достаточно редкие особые случаи. Кроме того, простейшая форма взаимодействия между двумя соперничающими побуждениями состоит, видимо, в том, что одно из них попросту подавляет или выключает другое; так что было вполне законно и правильно рассматривать вначале простейшие явления, легче всего поддающиеся анализу, даже если они не самые распространенные.

В действительности между двумя побуждениями, способными изменяться независимо друг от друга, могут существовать любые мыслимые взаимодействия. Одно из них может односторонне поддерживать и усиливать другое; оба могут взаимно поддерживать друг друга; могут, не вступая в какое-либо взаимодействие, суммироваться, налагаясь друг на друга в одной и той же форме поведения; наконец, они могут взаимно тормозить друг друга. Кроме множества других взаимодействий, одно лишь перечисление которых увело бы нас слишком далеко, существует, наконец, и тот редкий особый случай, когда более сильное в данный момент из двух побуждений включает более слабое, как в триггере, работающем по принципу "все или ничего". Лишь один этот случай соответствует сравнению Хаксли, и лишь об одном-единственном побуждении можно вообще сказать, что оно по большей части подавляет все остальные, — о побуждении к бегству. Но даже и этот инстинкт достаточно часто находит себе хозяина.

Повседневные частые, многократно используемые "дешевые" инстинктивные действия, которые я выше назвал "малыми служителями сохранения вида", часто находятся в распоряжении *многих* "больших" инстинктов. Прежде всего движения перемещения — бег, полет, плавание и т. д., но также и другие, когда животное клюет, грызет, хватает и т. п., могут служить и питанию, и размножению, и бегству, и агрессии, которые мы будем здесь называть "большими" инстинктами. Поскольку они, таким образом, служат как бы инструментами различных систем более высокого порядка и подчиняются им — прежде всего вышеупомянутой "большой четверке" — как источникам мотивации, я назвал их в другой работе *инструментальными* действиями. Однако это вовсе не означает, что такие формы движения лишены собственной спонтанности; как раз наоборот, широко распространенному принципу естественной экономии соответствует, чтобы, скажем, у волка или у собаки спонтанное возникновение элементарных побуждений к вынюхиванию, выслеживанию, бегу, погоне и разрыванию добычи было настроено приблизительно на те требования, какие предъявляет к ним голод (в естественных условиях). Если исключить голод в качестве побуждения с помощью очень простого приема, постоянно наполняя кормушку самой лакомой едой, то сразу выясняется, что животное вынюхивает, выслеживает, бегает и гоняет так же, как если бы вся эта деятельность была необходима для удовлетворения потребности в пище. Но если собака очень голодна, она делает все это *измеримо* активнее! Таким образом, хотя вышеназванные инструментальные инстинкты имеют свою собственную спонтанность, голод *побуждает* их к еще большей активности, чем если бы они были предоставлены самим себе. Именно так: побуждение может быть побуждаемо!

В физиологии подобное стимулирование спонтанных функций воздействием извне — вовсе не редкость и не новость. Инстинктивное действие является реакцией в той мере, в какой оно стимулируется некоторым внешним раздражителем или другим инстинктом. Лишь при отсутствии этих стимулов оно проявляет собственную спонтанность.

Аналогичное явление давно уже известно для возбуждающих центров сердца. Сердечное сокращение в норме вызывается ритмическими автоматическими импульсами, которые вырабатывает так называемый синусно-предсердный узел — орган, состоящий из высокоспециализированной мышечной ткани и расположенный у входа кровотока в предсердие. Чуть дальше по ходу кровотока, у перехода в желудочек, находится второй подобный орган — предсердно-желудочковый узел, к которому от первого ведет пучок мышечных волокон, передающих возбуждение. Оба узла производят импульсы, способные побуждать желудочек к сокращениям. Синусный узел работает быстрее, чем предсердно-желудочковый. Поэтому последний при нормальных обстоятельствах никогда не бывает в состоянии вести себя спонтанно: каждый раз, когда он неторопливо собирается выстрелить свой возбуждающий импульс, он получает толчок от своего "начальника" и стреляет чуть раньше, чем сделал бы это сам по себе. Таким образом "начальник" навязывает "подчиненному" свой собственный ритм работы. Если теперь проделать классический эксперимент Станниуса — прервать связь между узлами, перевязав пучок, проводящий возбуждение, — то предсердно-желудочковый узел освобождается от тирании синусного и делает то, что часто делают в таких случаях подчиненные, — перестает работать; иными словами, сердце на мгновение замирает. Это издавна называют "предавтоматической паузой". Но после короткого отдыха предсердно-желудочковый узел вдруг "замечает", что это, собственно, он сам производит возбуждения, и через некоторое время исправно стреляет. Прежде до этого никогда не доходило, потому что он всегда получал на какую-то долю секунды раньше подбадривающий пинок сзади.

В таком же отношении, как предсердно-желудочковый узел с синусным, находится большинство инстинктивных движений с различными источниками мотиваций высшего ранга. Здесь ситуация осложняется тем, что, во-первых, очень часто, как в случае инструментальных реакций, один слуга может иметь множество хозяев, а во-вторых, эти хозяева могут быть самой разной природы. Это могут быть органы, автоматически и ритмично производящие возбуждение, как синусный узел; могут быть внутренние и внешние рецепторы, принимающие и передающие дальше — в виде возбуждения — внешние и внутренние раздражения, к которым относятся такие потребности тканей, как голод, жажда или недостаток кислорода. Это могут быть, наконец, железы внутренней секреции, гормоны которых стимулируют совершенно определенные нервные процессы. (Слово "гормон" происходит от греческого όρμάω "побуждаю".) Однако такая деятельность по приказу одной из высших инстанций никогда не носит характер "рефлекса", т. е. вся организация инстинктивного движения ведет себя не как машина, которая, когда ее не используют, сколь угодно долго стоит без дела и "ждет", пока кто-нибудь не нажмет на кнопку. Скорее она похожа на лошадь, которой нужны поводья и шпоры, чтобы целесообразно подчиняться хозяину, но ей необходимо ежедневно давать двигаться, чтобы избежать проявлений избыточной энергии, которые при определенных обстоятельствах могут стать поистине опасными, как, например, в случае инстинкта внутривидовой агрессии, интересующем нас прежде всего.

Как уже указывалось, количество того или иного спонтанно возникающего инстинктивного движения всегда приблизительно соразмерно ожидаемой потребности. Иногда было бы целесообразно рассчитывать его экономным образом, как, например, в случае производства импульсов предсердно-желудочковым узлом, так как если он производит больше импульсов, чем "потребляет" синусный узел, то возникает слишком хорошо известная нервным людям экстрасистола, т. е. излишнее сокращение желудочка, бестактно вторгающееся в нормальный ритм работы сердца. В других случаях постоянное перепроизводство может быть безвредно и даже полезно. Если, скажем, собака бегает больше, чем ей необходимо для охоты, или лошадь безо всяких внешних причин встает на дыбы, прыгает и лягается (это движения бегства и защиты от хищников), то это всего лишь здоровая тренировка и в некотором смысле подготовка "к серьезному делу".

"Перепроизводство" инструментальных действий должно щедрее всего отмеряться там, где наименее предсказуемо, сколько их потребуется в каждом отдельном случае для выполнения видосохраняющей функции всей совокупности этих действий. Иногда охотящаяся кошка может быть вынуждена прождать у мышиной норки несколько часов, а в другой раз ей не придется ни ждать, ни подкрадываться, если удастся быстрым прыжком схватить мышь, случайно пробегающую мимо. Но в среднем, как нетрудно себе представить и как можно проверить, наблюдая кошек в естественной обстановке, кошке приходится очень долго и терпеливо ждать и подкрадываться, прежде чем она получит возможность выполнить заключительное действие: убить и съесть свою добычу. При наблюдении такой последовательности действий слишком легко напрашивается неверное сравнение с целенаправленным поведением человека, и мы невольно склоняемся к предположению, что кошка выполняет свои охотничьи действия только "ради насыщения". Можно экспериментально доказать, что это не так. Лейхаузен давал кошке-охотнице одну мышь за другой и наблюдал, в какой последовательности выпадали отдельные действия поимки и поедания добычи. Прежде всего кошка переставала есть, но убила еще несколько мышей и бросила их. Затем угасло стремление убивать. Но кошка продолжала подкрадываться к мышам и ловить их. Еще позже, когда прекратились и движения ловли, подопытная кошка еще не переставала подстерегать мышей и подкрадываться к ним, причем интересно, что она всегда выбирала тех, которые бегали далеко, в противоположном углу комнаты, и не обращала внимания на тех, что ползали у нее под носом.

В этом опыте можно подсчитать, как часто производится каждое из упомянутых частичных действий, пока не исчерпается. Полученные числа находятся в очевидном отношении к среднему нормальному потреблению. Разумеется, кошке приходится очень часто ждать в засаде и подкрадываться, прежде чем она вообще сможет подобраться к своей добыче настолько, что попытка поймать ее будет иметь шансы на успех. Лишь после многих попыток добыча попадает в когти, и ее можно загрызть, но это тоже не всегда удается с первого раза, так что должно быть предусмотрено несколько смертельных укусов на каждую мышь, которую предстоит съесть. Таким образом, производится ли какое-то из частичных действий только по его собственному побуждению или еще по какому-либо дополнительному, и по какому именно, в сложном поведении подобного рода зависит от внешних условий, определяющих "спрос" на каждое отдельное действие. Насколько я знаю, впервые эту мысль четко высказал детский психиатр Рене Спитс; он наблюдал, что у грудных детей, получавших молоко в бутылочках, из которых оно слишком легко высасывалось, после полного насыщения и отказа от бутылочек оставался нерастраченный запас сосательных движений, и им приходилось разряжать его на каком-нибудь замещающем объекте. Очень похоже обстоит дело с действиями еды и добывания пищи у гусей, когда их держат на пруду, где нет такого корма, который можно было бы доставать со дна. Если кормить гусей только на берегу, то рано или поздно можно будет увидеть, что они ныряют "вхолостую". Если же кормить их на берегу каким-нибудь зерном до полного насыщения, пока они не перестанут есть, а затем бросить то же зерно в воду, птицы тотчас же начнут нырять и в самом деле поедать поднятую со дна пищу. Можно сказать, что они "едят, чтобы нырять". Можно также обратить этот эксперимент и долгое время давать гусям корм только на предельно доступной им глубине, чтобы им приходилось доставать его, ныряя, с большим трудом. Если кормить их таким образом до тех пор, пока они не перестанут есть, а затем дать им ту же пищу на берегу, они съедят еще значительное количество и тем самым докажут, что перед тем "ныряли, чтобы есть".

Таким образом, невозможно высказать никакого общего утверждения по поводу того, какая из двух спонтанных инстанций, порождающих мотивации, побуждает другую или доминирует над ней.

До сих пор мы говорили о взаимодействии лишь таких частичных побуждений, которые совместно служат какой-то общей функции, в нашем примере — питанию организма. Несколько иначе складываются отношения между источниками побуждений, которые выполняют разные функции и потому принадлежат к механизмам разных инстинктов. В этом случае правилом является не взаимное стимулирование или поддержка, а как бы соперничество: каждое из побуждений "хочет оказаться правым". Прежде всего, как показал Эрих фон Гольст, уже на уровне мельчайших мышечных сокращений несколько стимулирующих элементов не только могут соперничать друг с другом, но, более того, посредством закономерного взаимного влияния могут достигать разумного компромисса. Это влияние состоит в самых общих чертах в том, что *каждый* из двух таких эндогенных ритмов стремится навязать другому свою собственную частоту и удерживать его в постоянном фазовом сдвиге. То, что все нервные клетки, иннервирующие волокна одной мышцы, всегда разумным образом выстреливают свои импульсы одновременно, — это результат такого взаимного влияния. Если оно нарушается, то начинаются фибриллярные мышечные подергивания, какие часто можно наблюдать при крайнем нервном утомлении. На несколько более высоком уровне интеграции, при движении конечности, — например, рыбьего плавника — те же процессы приводят к осмысленной очередности действий мышц — "антагонистов" и в то же время союзников, — которые попеременно двигают соответствующий член в противоположных направлениях. Каждое ритмическое движение "туда и обратно" плавника, ноги или крыла, какие мы встречаем при любом перемещении животных, есть результат действия "антагонистов" — как мышц, так и вырабатывающих стимулы центров нервной системы. Эти движения всегда являются следствиями "конфликтов" между независимыми и соперничающими источниками импульсов, энергии которых упорядочиваются и направляются ко благу организма как целого закономерностями "относительной координации", как назвал фон Гольст процесс взаимного влияния, о котором идет речь.

Итак, не "война — всему начало", а конфликт между независимыми друг от друга источниками импульсов, который создает внутри целостной системы напряжения, работающие буквально как напряженная арматура, придавая целому прочность и устойчивость. Это относится не только к таким простым функциям, как движение рыбьего плавника, на котором фон Гольст открыл закономерности относительной координации, но и к очень многим другим источникам побуждений, которые под воздействием испытанных парламентских правил вынуждены соединять свои голоса в гармонии, служащей общему благу.

В качестве простого примера нам могут послужить здесь движения лицевой мускулатуры, которые можно наблюдать у собаки в конфликте между побуждениями к нападению и к бегству. Эта мимика, обычно называемая *угрозой,* вообще появляется лишь в том случае, если тенденция к нападению тормозится страхом — хотя бы очень небольшим страхом. Если страха нет совсем, собака кусает безо всякой угрозы, с такой же спокойной физиономией, какая изображена в левом верхнем углу рисунка; она выдает лишь небольшое напряжение, примерно такое же, с каким собака смотрит на только что принесенную миску с едой. Если читатель хорошо знает собак, он может попытаться, прежде чем читать дальше, самостоятельно интерпретировать изображенные на рисунке выражения собачьей морды. Пусть он попробует представить себе

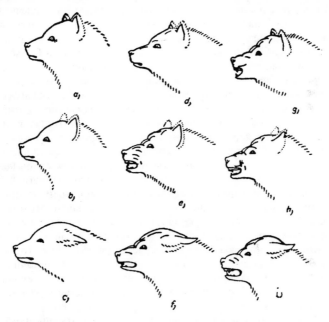

ситуацию, в которой его собака состроит такую мину. А потом, в качестве второго упражнения, пусть попытается предсказать, что́ она станет делать дальше.

Для некоторых картинок я сам теперь приведу решение. Я предположил бы, что пес в середине верхнего ряда противостоит примерно равному сопернику, которого всерьез уважает, но не слишком боится; тот, как и он сам, вряд ли отважится напасть, и я бы предсказал, что оба они с минуту останутся в той же позе, затем медленно разойдутся, "сохраняя лицо", и наконец, на некотором расстоянии друг от друга, одновременно задерут заднюю лапу. Пес вверху справа тоже не боится, но злее; встреча может протекать, как описано выше, но может внезапно, с ужасающим шумом, перейти в серьезную драку, особенно если второй проявит хоть какую-то неуверенность. Вдумчивый читатель — а таков, вероятно, каждый, кто дочитал книгу до этого места, — давно уже заметил, что собачьи портреты размещены в определенном порядке: агрессия возрастает слева направо, а страх — сверху вниз.

Истолковать поведение и предсказать его легче всего в крайних случаях; и конечно же, выражение, изображенное в правом нижнем углу, наиболее однозначно. *Такая* сильная ярость и *такой* сильный страх могут одновременно возникнуть лишь в одном случае, когда собака противостоит на близком расстоянии ненавистному врагу, вызывающему у нее панический страх, но по какой-то причине *не может убежать*. Я могу представить себе только две ситуации, в которых это возможно: либо собака механически прикована к определенному месту — скажем, загнана в угол, попала в западню и т. п., либо это сука, защищающая свой выводок от приближающегося врага. Пожалуй, возможен еще романтический случай, когда особенно верный пес защищает хозяина, который лежит тяжело больной или раненый. Столь же ясно, что произойдет дальше: если враг, как бы он ни был подавляюще силен, приблизится еще хоть на шаг, последует уже знакомое нам (с. 82) отчаянное нападение — *критическая реакция* (Гедигер).

То, что сейчас проделал мой разбирающийся в собаках читатель, — в точности то самое, что исследователи поведения, следуя Н. Тинбергену и Я. ван Йерселю, называют *мотивационным анализом*. Этот процесс состоит в принципе из трех шагов, на которых информация получается из трех источников. Во-первых, стараются по возможности выяснить, какие раздражители могут иметь то или иное значение в данной ситуации. Боится ли мой пес другого, а если да, то как сильно? Ненавидит он его или почитает как старого друга и "вожака стаи"? И так далее, задавая всевозможные вопросы. Во-вторых, стремятся разложить наблюдаемое движение на отдельные составные части. На нашем рисунке с собаками видно, как тенденция к бегству оттягивает назад и книзу уши и углы рта, в то время как при агрессии приподнимается верхняя губа и приоткрывается пасть — оба эти "движения намерения" являются подготовкой к укусу. Такие движения и, соответственно, позы хорошо поддаются количественному анализу. Можно измерить их амплитуду и утверждать буквально, что у той или иной собаки столько-то миллиметров страха и столько-то миллиметров ярости. После этого анализа движений следует третий шаг: подсчитываются те формы поведения, которые *следуют* за только что проанализированными движениями. Если верно наше заключение, выведенное из анализа ситуаций и движений, что, скажем, верхний правый пес почти исключительно разъярен и вряд ли испуган, то за этим выразительным движением почти всегда должно следовать нападение и почти никогда бегство. Если верно, что у собаки в центре (рис. е) ярость и страх смешаны примерно поровну, то за такой мимикой примерно в половине случаев должно следовать нападение и в половине бегство. Тинберген и его сотрудники провели огромное количество таких мотивационных анализов на подходящих объектах, прежде всего на угрожающих движениях чаек, и согласие утверждений, полученных из трех названных выше источников, подтвердило правильность выводов на обширнейшем статистическом материале.

Когда юным студентам, хорошо знающим животных, начинают преподавать технику мотивационного анализа, они часто бывают разочарованы тем, что эта утомительная работа с трудоемкими статистическими оценками в итоге приводит лишь к тому, что и так давно уже знает каждый разумный человек, умеющий видеть и знающий свое животное. Но между ви́дением и умением доказать есть различие — то самое, которое отличает искусство от науки. Ученого, ищущего доказательств, великий ясновидец легко сочтет "несчастнейшим из сынов земли", и наоборот, ученому-аналитику использование непосредственного восприятия в качестве источника познания кажется в высшей степени подозрительным. В исследовании поведения существует даже такая школа — ортодоксальный американский бихевиоризм, — которая всерьез пытается исключить из своей методики непосредственное наблюдение животных. Право же, стоит потрудиться ради того, чтобы доказать этим и другим "незрячим", но разумным людям то, что мы увидели; доказать так, чтобы им пришлось поверить, чтобы *каждый* должен был поверить!

С другой стороны, статистический анализ может обратить наше внимание на несоответствия, до тех пор ускользавшие от нашего образного восприятия. Это восприятие создано для того, чтобы *открывать* закономерности, и потому оно всегда все видит несколько более красивым и правильным, чем есть на самом деле. Решение проблемы, которое оно нам подсказывает, часто носит характер хотя и очень "элегантной", но слишком уж упрощенной рабочей гипотезы. Как раз в случае исследования мотиваций рациональному анализу нередко удается кое в чем придраться к образному восприятию и уличить его в неувязках.

В большей части всех проведенных до сих пор мотивационных анализов исследовались формы поведения, в которых принимают участие лишь два соперничающих друг с другом инстинкта, причем, как правило, два из "большой четверки" (голод, любовь, бегство и агрессия). При нынешнем скромном состоянии наших знаний намеренный выбор для исследования простейших случаев конфликта побуждений вполне оправдан, и точно так же классики этологии были вправе ограничиться теми случаями, когда животное находится под влиянием единственного побуждения. Но мы должны ясно понимать, что поведение, определяемое только двумя инстинктивными компонентами, встречается очень редко — лишь немногим чаще, чем такое, которое вызывается единственным инстинктом, действующим без помех.

Поэтому при поисках подходящего объекта для образцово точного мотивационного анализа разумно выбрать такое поведение, о котором с некоторой достоверностью известно, что в нем принимают участие только два одинаково важных инстинкта. Иногда для достижения этой цели можно использовать технический трюк, как это сделала моя сотрудница Хельга Фишер, проводя мотивационный анализ угрозы у серых гусей. Оказалось, что на "малой родине" наших гусей, озере Эсс-зее, невозможно было изучать "в чистом виде" взаимодействие агрессии и бегства, так как там в выразительных движениях птиц "подавали голоса" слишком многие другие мотивации, прежде всего сексуальные. Но несколько случайных наблюдений показали, что голос сексуальности почти совсем замолкает, если гуси находятся в незнакомом месте. Тогда они ведут себя до некоторой степени так же, как перелетная стая в пути: держатся гораздо теснее, становятся гораздо пугливее и в своих социальных конфликтах позволяют наблюдать проявления обоих исследуемых инстинктов в гораздо более чистом виде. Исходя из этого, исследовательница с помощью дрессировки кормом сумела научить наших гусей "по приказу" выходить в чужую для них местность за оградой нашей институтской территории и пастись там. Затем из гусей, каждый из которых, разумеется, известен по сочетанию разноцветных колец, выбирался какой-то один — как правило, гусак, — и в течение долгого времени регистрировались его агрессивные столкновения с отдельными товарищами по стаду и отмечались все сделанные им при этом выразительные движения угрозы. А поскольку из предыдущих многолетних наблюдений за этим стадом были во всех подробностях известны ранговый порядок и отношения по силе между отдельными птицами — особенно среди старых гусаков высоких рангов, — здесь представлялась особенно благоприятная возможность для точного анализа ситуаций. Анализ движений и регистрация последующего поведения производились следующим образом. Хельга Фишер постоянно имела при себе приведенную на с. 131 "таблицу образцов", которую изготовил художник нашего института Герман Кахер на основании большого числа точно запротоколированных случаев угрозы, так что в каждом конкретном случае ей нужно было только продиктовать: "Макс делает D Гермесу, который пасется, медленно приближаясь к нему; Гермес отвечает E, на что Макс отвечает F". В этой серии рисунков отмечаются настолько тонкие различия угрожающих жестов, что лишь в исключительных случаях приходилось диктовать D—E или K—L, если нужно было описать промежуточную форму выражения.

Даже при этих условиях, совершенно идеальных для "чистой культуры" двух мотиваций, иногда появлялись движения, которые очевидным образом *нельзя* было объяснить одним только взаимодействием этих двух побуждений. Про угрожающие движения A и B, когда шея вытянута наискось вверх, мы знаем, что на них накладывается независимая третья мотивация — охранное наблюдение с поднятой головой. Различие между рядами A—C и D—F, в каждом из которых представлено возрастание слева направо социального страха при примерно равной агрессивности, состоит, по-видимому, лишь в разной интенсивности обоих побуждений. Напротив, в формах движения от M до O несомненно принимает участие еще какая-то мотивация, природа которой пока не выяснена.

Как уже сказано, выбор в качестве объектов мотивационного анализа таких случаев, где, как в предыдущем примере, принимают участие только два источника побуждений, — безусловно, правильная стратегия исследований. Однако даже при таких благоприятных условиях всегда необходимо внимательно высматривать элементы движений, которые *нельзя* объяснить лишь соперничеством этих двух побуждений. Перед началом любого такого анализа нужно ответить на первый фундаментальный вопрос: сколько мотиваций, и каких именно, принимают участие в данной форме движения. Для решения этого вопроса некоторые исследователи, например П. Випкема, в последнее время успешно применяли точные методы факторного анализа.

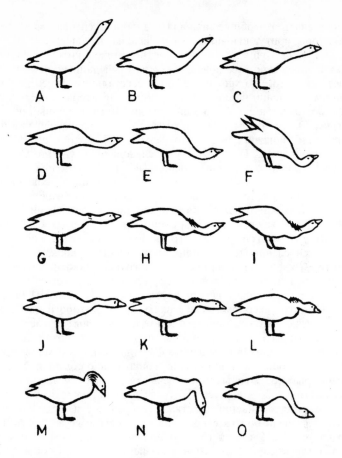

Прекрасный пример мотивационного анализа, в котором с самого начала нужно было принимать в расчет *три* главных компонента, представила в своей докторской диссертации моя ученица Беатриса Элерт. Предметом исследования было поведение некоторых цихлид при встрече двух незнакомых особей. Выбирались такие виды, у которых самцы и самки внешне почти неотличимы, и именно поэтому два незнакомца всегда реагируют друг на друга формами поведения, которые мотивируются одновременно инстинктами бегства, агрессии и сексуальности. У этих рыб движения, вызванные каждым отдельным источником мотивации, различаются особенно легко, потому что даже при самой малой интенсивности их характеризует разная ориентация в пространстве. Все сексуально мотивированные действия — копание ямки под гнездо, очистка места нереста, как и сами движения выметывания икры и осеменения, направлены в сторону дна; все движения бегства, даже малейшие намеки на них, направлены прочь от противника и, большей частью, одновременно к поверхности воды (см. также с. 87 и след.), а все движения агрессии, за исключением некоторых движений угрозы, в какой-то степени "нагруженных бегством", указывают в сторону противника. Если знать эти общие правила и вдобавок специальную мотивацию некоторых ритуализованных выразительных движений, то у этих рыб можно очень точно установить соотношение, в котором названные инстинкты определяют их поведение в каждый данный момент. Здесь помогает еще и то, что многие из них в сексуальном, агрессивном или испуганном состоянии наряжаются в разные характерные цвета.

Этот мотивационный анализ дал неожиданный побочный результат — Беатриса Элерт открыла механизм взаимного распознавания полов, существующий, конечно, не только у этих рыб, но и у очень многих других позвоночных. Поскольку у исследованных ею цихлид самка и самец не только одинаковы внешне, но и их движения, даже при половом акте — выметывании икры и ее осеменении — совпадают до мельчайших деталей, то до сих пор было совершенно загадочно, что же в поведении этих животных препятствует у них возникновению однополых пар. Одно из важнейших требований, предъявляемых к наблюдательности этолога, состоит в том, что он должен заметить, когда та или иная форма поведения, вообще широко распространенная, *не* встречается у некоторого животного или некоторой группы животных. Например, у птиц и у рептилий отсутствует координация широкого открывания пасти с одновремененным глубоким вдохом — то, что мы называем зевотой, — и это таксономически важный факт, которого до Гейнрота никто не замечал. Можно привести и другие подобные примеры.

Поэтому открытие, что разнополые пары у цихлид возникают благодаря отсутствию одних определенных форм движения у самцов, а других у самок, было образцом виртуозно тонкого наблюдения. У самцов и у самок рыб, о которых идет речь, различна *сочетаемость* трех главных инстинктов — агрессии, бегства и сексуальности: у самцов не бывает смешения мотиваций бегства и сексуальности. Если самец хоть в малейшей степени боится своего визави, то его сексуальность полностью выключается. У самок то же отношение существует между сексуальностью и агрессивностью: если дама не настолько "уважает" своего партнера, чтобы ее агрессивность была полностью подавлена, то она попросту не в состоянии проявить по отношению к нему сексуальную реакцию. Она превращается в Брунгильду и нападает на него тем яростнее, чем более готова была бы к сексуальной реакции, т. е. чем ближе она к икрометанию по состоянию овариев и уровню выделения гормонов. У самца, напротив, агрессия прекрасно уживается с сексуальностью: он может грубейшим образом обращаться со своей невестой, гонять ее по всему аквариуму, но при этом демонстрировать и сексуальные движения, а также все мыслимые смешанные формы. Самка, со своей стороны, может очень бояться самца, но ее сексуально мотивированного поведения это не подавляет. Рыба-барышня может самым серьезным образом спасаться бегством от самца, но при каждой передышке, которую дает ей этот грубиян, выполнять сексуально мотивированные брачные движения. Именно такие смешанные формы поведения, промежуточные между бегством и сексуальностью, превратились посредством ритуализации в те широко распространенные церемонии, которые принято называть чопорным поведением и которые имеют совершенно определенное выразительное значение.

Из-за различных соотношений сочетаемости между тремя источниками побуждений у разных полов самец может спариваться только с партнером низшего ранга, которого он может запугать, а самка, наоборот, — лишь с партнером высшего ранга, который может запугать ее; тем самым описанный механизм поведения обеспечивает создание разнополых пар. В различных вариантах, видоизмененный различными процессами ритуализации, этот способ взаимного узнавания полов играет важную роль у очень многих позвоночных, вплоть до человека. В то же время это впечатляющий пример того, какие необходимые для сохранения вида функции может выполнять агрессия в гармоничном взаимодействии с другими мотивациями — функции, о которых мы еще не могли говорить в 3-й главе, поскольку еще недостаточно рассказали о парламентской борьбе инстинктов. Кроме того, мы видим на этом примере, насколько различным может быть соотношение "главных" инстинктов даже у самца и самки одного и того же вида: два мотива, которые у одного пола практически не мешают друг другу и сочетаются в любых соотношениях, у другого выключают друг друга по принципу триггера!

Как уже пояснялось, "большая четверка" отнюдь не всегда доставляет главную мотивацию поведения животного и тем более человека. Еще ошибочнее думать, будто между одним из "главных" и древних побуждений и более специальным, эволюционно более молодым инстинктом всегда существует отношение доминирования в том смысле, что второй выключается первым. Механизмы поведения, несомненно являющиеся довольно "новыми" — например, те специальные побуждения, которые у общественных животных гарантируют длительную совместную жизнь стаи, — у многих видов подчиняют отдельную особь настолько, что при определенных обстоятельствах могут заглушить все остальные ее побуждения. Овцы, прыгающие в пропасть за вожаком-бараном, вошли в пословицу! Серый гусь, отставший от стаи, делает все возможное, чтобы вновь ее обрести, и стадный инстинкт может даже пересилить у него побуждение к бегству; дикие серые гуси неоднократно присоединялись к нашим ручным в непосредственной близости к людскому жилью *и оставались там!* Кто знает, насколько пугливы дикие гуси, тому это даст представление о силе их "стадного инстинкта". То же верно для очень многих общественных животных вплоть до шимпанзе, о которых Йеркс справедливо сказал: "*Один* шимпанзе — вообще не шимпанзе".

Даже те инстинкты, которые в филогенетическом смысле "только что" приобрели самостоятельность посредством ритуализации и, как я постарался показать в предыдущей главе, получили как младшие члены место и голос в Великом Парламенте Инстинктов, — даже они при некоторых обстоятельствах могут заглушать всех своих оппонентов точно так же, как голод и любовь. В триумфальном крике гусей мы увидим церемонию, которая управляет жизнью этих птиц больше, чем любой другой инстинкт. С другой стороны, разумеется, существует сколько угодно ритуализованных форм движения, которые еще едва обособились от своего неритуализованного прототипа; их скромное влияние на общее поведение состоит лишь в том, что "желательная" для них координация движений — как мы видели в случае натравливания у огаря (с. 102) — в какой-то мере предпочитается и выполняется чаще, чем другие, столь же возможные формы движения.

Имеет ли ритуализованная форма движения "сильный" или "слабый" голос в общем концерте инстинктов, она всегда чрезвычайно затрудняет любой мотивационный анализ, потому что может *симулировать* поведение, вытекающее из нескольких независимых побуждений. В предыдущей главе (с. 104) мы говорили, что ритуализованное действие, сплавленное в одно целое из нескольких компонентов, *копирует* форму последовательности движений, которая не закреплена наследственной координацией и часто возникает из конфликта нескольких побуждений, как это было показано на примере натравливания у уток. А поскольку, как уже говорилось там же, копия и оригинал по большей части накладываются друг на друга в одном и том же движении, то невероятно трудно проанализировать, сколько в нем происходит от копии, а сколько от оригинала. Только когда один из первоначально независимых компонентов — как, например, направление на "врага" во время угрозы при натравливании — приходит в противоречие с закрепленной посредством ритуализации координацией движений, становится явным участие новых независимых переменных.

"Танец зигзага" у самцов колюшки, на котором Ян ван Йерсель провел самый первый эксперимент мотивационного анализа, служит прекрасным примером того, как совсем "слабый" ритуал может вкрасться в конфликт между двумя "главными" инстинктами в качестве едва заметной третьей независимой переменной. Ван Йерсель заметил, что замечательный танец зигзага, который половозрелые самцы, имеющие свой участок, исполняют перед каждой проплывающей мимо самкой и который поэтому до тех пор считался просто "ухаживанием", в разных случаях выглядит совершенно по-разному. Иногда сильнее подчеркнут "зиг" в сторону самки, а иногда "заг" прочь от нее. Когда это последнее движение выражено вполне отчетливо, становится ясно, что "заг" направлен в сторону гнезда. В одном предельном случае самец при виде плывущей мимо самки быстро подплывает к ней, тормозит возле нее, поворачивает назад, особенно если самка тотчас выставляет перед ним свое толстое брюшко, и плывет обратно к входу в гнездо, которое затем показывает самке посредством определенной церемонии, ложась плоско на бок. В другом предельном случае, особенно частом, если самка не совсем готова к нересту, за первым "зигом" в сторону самки следует вообще не "заг", а нападение на самку.

Из этих наблюдений ван Йерсель правильно заключил, что "зиг" в сторону самки приводится в действие агрессией, а "заг" в сторону гнезда — половым инстинктом. Ему удалось экспериментально доказать правильность этого заключения. Он изобрел методы, с помощью которых мог точно измерять силу агрессивного и сексуального инстинктов у отдельного самца. Он предлагал самцу макет соперника стандартизованного размера и регистрировал интенсивность и продолжительность боевой реакции. Сексуальный инстинкт он измерял, показывая самцу макет самки и через определенное время внезапно удаляя его. В таком случае самец колюшки "разряжает" внезапно заблокированное сексуальное побуждение действием ухода за потомством — обмахиванием плавниками гнезда, цель которого — вызвать приток свежей воды для икры или мальков. Продолжительность этого "переходного* обмахивания" дает надежную меру сексуальной мотивации. По результатам таких измерений ван Йерсель мог делать правильные предсказания, как будет выглядеть танец зигзага у данного самца, и обратно, по прямому наблюдению формы танца он мог заранее определять относительное участие обоих побуждений и оценивать результаты последующих измерений.

Но кроме этих двух определяющих инстинктивных компонент, которые в общих чертах определяют эту форму движения самца колюшки, здесь участвует еще третья, хотя и более слабая. Знаток ритуализованного поведения заподозрит это сразу же, увидев ритмическую правильность, с которой самец колюшки чередует "зиг" и "заг". Попеременное преобладание одного из двух противоположных побуждений вряд ли когда-либо приводит к столь правильному чередованию, если в нем не замешана новая координация движений, возникшая посредством ритуализации. Без нее наблюдаются короткие рывки в различных направлениях, следующие друг за другом с очень типичным неправильным распределением; как известно, так ведут себя люди в ситуациях крайней нерешительности. Напротив, ритуализованное движение всегда имеет тенденцию к ритмическому повторению в точности одинаковых элементов движения, потому что этим, как мы уже видели (с. 114), достигается лучшее действие сигналов.

Подозрение, что здесь замешана ритуализация, превращается в уверенность, когда мы видим, как танцующий самец колюшки при своих "загах" временами, кажется, совершенно забывает, что они сексуально мотивированы и должны указывать точно на гнездо, и вместо этого описывает вокруг самки удивительно красивый и правильный зубчатый венец, в котором каждый "зиг" направлен точно в сторону самки, а каждый "заг" — точно от нее. Как ни очевидна относительная слабость новой координации движения, стремящейся превратить "зиги" и "заги" в ритмический зигзаг, она тем не менее способна склонить чашу весов в свою сторону и вызвать *правильное* чередование моторных проявлений обеих мотиваций. Вторая важная функция, которую ритуализованная координация может, очевидно, выполнять, даже будучи очень слабой в других отношениях, — это *изменение направления* лежащего в ее основе неритуализованного движения, вызванного другими побуждениями. Примеры этого мы уже видели при обсуждении классического образца ритуала — натравливания селезня уткой (с. 102).

Глава 7
ФОРМЫ ПОВЕДЕНИЯ, АНАЛОГИЧНЫЕ МОРАЛЬНЫМ

> Не убий.
>
> *Пятая заповедь*

В 5-й главе, где речь шла о процессе ритуализации, я пытался показать, как этот процесс, причины которого все еще весьма загадочны, создает совершенно новые инстинкты, диктующие организму свои собственные "ты должен..."* так же категорично, как и любой из, казалось бы, самодержавных "больших" инстинктов голода, страха или любви. В предыдущей 6-й главе я стремился решить еще более трудную задачу: коротко и доступно показать, как происходит взаимодействие между различными автономными инстинктами, каким общим правилам оно подчиняется и какими способами можно, несмотря на все сложности, получить некоторое представление о структуре взаимодействий в таких формах поведения, которые вызываются несколькими соперничающими побуждениями.

Я тешу себя надеждой, быть может обманчивой, что мне удалось решить обе эти задачи, и я могу не только произвести синтез изложенного в двух последних главах, но и применить полученные в них результаты к вопросу, которым мы теперь займемся: каким образом ритуал выполняет поистине невыполнимую задачу — удерживает внутривидовую агрессию от всех проявлений, которые могли бы серьезно повредить сохранению вида, *но при этом не выключает ее функций, необходимых для сохранения вида?* Часть предыдущей фразы, выделенная курсивом, уже отвечает на вопрос — на первый взгляд напрашивающийся, но обличающий полное непонимание сущности агрессии, — почему у тех животных, для которых тесная совместная жизнь является преимуществом, агрессия попросту не запрещена: именно потому, что без ее функций, рассмотренных в 3-й главе, нельзя обойтись!

Решение проблем, возникающих таким образом перед обоими Великими Конструкторами эволюции, достигается всегда одним и тем же способом: полезный и даже необходимый в общем случае инстинкт оставляется без изменения, но для особых случаев, где его проявление было бы вредно, вводится весьма специальный созданный ad hoc механизм торможения. Культурно-историческое развитие народов и в этом отношении происходит аналогичным образом; именно поэтому важнейшие требования Моисеевых и всех прочих скрижалей — не *предписания* (Gebote), а *запреты* (Verbote). Нам еще придется подробнее говорить о том, о чем мы здесь лишь предварительно упомянем: передаваемые традицией и привычно выполняемые табу имеют какое-то отношение к разумной морали в смысле Иммануила Канта разве что у вдохновенного законодателя, но никак не у его верующих последователей. Как инстинктивные торможения и ритуалы, препятствующие асоциальному поведению у животных, так и человеческие табу вызывают поведение, аналогичное истинно моральному лишь функционально; во всем остальном оно так же далеко от морали, как животное от человека! Но даже постигнув сущность этих связей, нельзя не восхищаться снова и снова,

136

наблюдая работу физиологических механизмов, которые побуждают животных к самоотверженному поведению, направленному на благо сообщества, как это предписывают нам, людям, законы морали.

Впечатляющий пример такого поведения, аналогичного человеческой морали, являют так называемые турнирные бои (Kommentkämpfe). Вся их организация направлена на то, чтобы выполнить важнейшую задачу поединка — определить, кто сильнее, — не причинив серьезного вреда более слабому. Поскольку турнир или спортивное состязание имеют ту же цель, то все турнирные бои неизбежно производят даже на знающих людей впечатление "рыцарственности", или "спортивного благородства"*. Среди цихлид есть вид, Cichlasoma biocellatum, который именно из-за этого приобрел свое название, широко распространенное у американских любителей: у них эта рыбка называется "Джек Дэмпси" по имени чемпиона мира по боксу, прославившегося своим безупречным поведением на ринге.

О турнирных боях рыб, и в частности о процессах ритуализации, которые привели к их возникновению из первоначальных подлинных боев, мы знаем довольно много. Почти у всех костистых рыб настоящей схватке предшествуют угрожающие позы, которые, как уже говорилось на с. 127, всегда вытекают из конфликта между стремлениями к нападению и к бегству. Среди этих поз в наибольшей степени развилась в специальный ритуал так называемая демонстрация развернутого бока, которая первоначально наверняка возникла из мотивированного страхом отворачивания от противника и одновременного, также мотивированного стремлением к бегству, развертывания вертикальных плавников. Но поскольку при этих движениях противнику предъявляется контур тела максимально возможных размеров, то из них путем мимического преувеличения при добавочных изменениях морфологии плавников смогла развиться та впечатляющая демонстрация развернутого бока, которую знают все аквариумисты и многие другие по сиамским бойцовым рыбкам и по другим популярным породам рыб.

В тесной связи с угрозой развернутым боком у костистых рыб возник очень широко распространенный запугивающий жест — так называемый удар хвостом. Из позиции развернутого бока рыба, напрягши все тело и далеко отведя хвостовой плавник, производит сильный удар хвостом в сторону противника. Хотя сам удар противника не затрагивает, рецепторы давления на его боковой линии воспринимают волну, сила которой, очевидно, сообщает ему о величине и боеспособности его соперника, так же как размеры контура, видимого при демонстрации развернутого бока.

Другая форма угрозы возникла у многих окуневых и у других костистых рыб из заторможенного страхом фронтального удара. В исходной позиции для броска вперед оба противника изгибают свои тела, словно напряженные S-образные пружины, и медленно плывут друг другу навстречу, по большей части топорща жаберные крышки или раздувая жаберную кожу. Это соответствует развертыванию плавников при угрозе боком, поскольку увеличивает контур тела, видимый противником. При фронтальной угрозе у очень многих рыб иногда случается, что противники одновременно хватают друг друга за пасть, но в соответствии с конфликтной ситуацией, из которой возникает фронтальная угроза, они всегда делают это не резким, решительным таранным толчком, а заторможенно, словно колеблясь. Из этой формы драки зубами у некоторых семейств рыб — как у лабиринтовых рыб, лишь отдаленно примыкающих к большой группе окуневых, так и у цихлид, типичных представителей окуневых, — возникла интереснейшая ритуализованная борьба, при которой оба соперника в самом буквальном смысле слова "меряются силами", не причиняя друг другу вреда. Они хватают друг друга за челюсть — а у всех видов, для которых характерен этот способ турнирного боя, челюсть покрыта толстой, трудноуязвимой кожей — и тянут изо всех сил. Так возникает состязание, очень похожее на старые состязания швейцарских крестьян, когда соперники тянули друг друга за штаны; оно может продолжаться несколько часов, если встречаются равные противники. У двух в точности равных по силе самцов красивого синего вида широколобых окуньков мы запротоколировали однажды такой поединок, длившийся с 8.30 утра до 2.30 пополудни.

За этим так называемым "перетягиванием пасти" ("Maulzerren") — у некоторых видов это скорее "переталкивание" ("Mauldrücken"), потому что рыбы не тянут, а толкают друг друга, — через какое-то время, очень разное для разных видов, следует настоящая схватка, при которой рыбы уже без каких-либо запретов стремятся бить друг друга по незащищенным бокам, чтобы нанести как можно более серьезный урон. Таким образом, препятствующий кровопролитию "турнир" угроз и следующая непосредственно за ним прикидка сил первоначально наверняка были лишь прелюдией к настоящей "мужей истребляющей битве". Однако такой обстоятельный пролог уже выполняет чрезвычайно важную задачу, поскольку дает более слабому сопернику возможность своевременно отказаться от безнадежной борьбы. Именно так выполняется в большинстве случаев важнейшая видосохраняющая функция поединка — выбор сильнейшего, причем ни один из соперников не приносится в жертву и даже не получает повреждений. Лишь в том редком случае, когда бойцы в точности равны по силе, к решению приходится идти кровавым путем.

Сравнение видов, у которых турнирный бой развился в меньшей степени, с теми, у которых он развился сильнее, а также изучение ступеней развития отдельного животного от безудержно драчливого малька до благородного "Джека Дэмпси", дают нам надежные точки опоры для понимания того, как развились турнирные бои в процессе эволюции. Рыцарски благородный турнирный бой возникает из жестокой борьбы без правил прежде всего под действием трех независимых друг от друга процессов; ритуализация, с которой мы познакомились в предыдущей главе, — лишь один из них, хотя и важнейший.

Первый шаг от кровавой борьбы к турнирному бою состоит, как уже упоминалось, в *увеличении промежутка времени,* вдвинувшегося между выполнением отдельных постепенно усиливающихся угрожающих жестов и завершающим их осуществлением угрозы. У видов, сражающихся по-настоящему (например, у многоцветного гаплохромиса), отдельные фазы угроз — распускание плавников, демонстрация развернутого бока, раздувание жаберных крышек, борьба пастью — длятся лишь секунды, а затем тотчас же следуют первые таранные удары по бокам противника, причиняющие тяжелые ранения. При быстрых приливах и отливах возбуждения, которые так характерны для этих злобных рыбок, некоторые из упомянутых ступеней нередко пропускаются. Особенно "вспыльчивый" самец может войти в раж настолько быстро, что сразу начинает враждебные действия с серьезного таранного удара. У близкородственного, тоже африканского вида гемихромисов такое не наблюдается никогда; эти рыбки всегда строго придерживаются последовательности угрожающих жестов, каждый из которых выполняют довольно долго, часто много минут, прежде чем переходят к следующему.

Это четкое разделение во времени допускает два физиологических объяснения. Либо дальше друг от друга располагаются пороги возбуждения, при достижении которых отдельные формы движения включаются по очереди по мере возрастания боевой ярости, так что их последовательность сохраняется и при некотором ослаблении или усилении гнева; либо нарастание возбужденности приглушено, что приводит к более пологой и правильно возрастающей кривой. Есть основания, говорящие в пользу первого из этих предположений, но, обсуждая их здесь, мы уклонились бы слишком далеко.

Рука об руку с увеличением продолжительности отдельных угрожающих действий идет их ритуализация, которая, как было описано на с. 114, приводит к мимическому преувеличению, ритмическому повторению и к появлению структур и красок, оптически подчеркивающих эти действия. Увеличенные плавники с ярким рисунком, который становится виден лишь в развернутом состоянии, броские пятна на жаберных крышках или жаберной коже, которые становятся видны при фронтальной угрозе, и множество других столь же театральных украшений превращают турнирный бой в одно из самых увлекательных зрелищ, какие можно увидеть, изучая поведение высших животных. Пестрота горящих возбуждением красок, размеренная ритмика угрожающих движений, вызывающе демонстрируемая сила соперников — все это едва ли не заставляет забыть, что здесь происходит настоящая борьба, а не спектакль, поставленный ради самого спектакля.

И наконец, третий процесс, весьма способствующий превращению кровавой борьбы в благородное состязание турнирного боя и для нашей темы не менее важный, чем ритуализация: возникают специальные физиологические механизмы поведения, которые *тормозят опасные движения при атаке*. Вот несколько примеров.

Если два "Джека Дэмпси" достаточно долго простоят друг против друга с угрозой развернутым боком и хвостовыми ударами, то вполне может случиться, что один из них соберется перейти к "перетягиванию пасти" на несколько секунд раньше другого. Он выходит из "боковой стойки" и с раскрытыми челюстями бросается на соперника, который еще продолжает угрожать боком и потому подставляет зубам нападающего незащищенный фланг. Но он *никогда* не использует эту слабость позиции и всегда останавливает свой бросок до того, как его зубы коснутся кожи противника.

Мой покойный друг Хорст Зиверт описал и заснял на пленку аналогичное до мельчайших подробностей явление у ланей. У них высокоритуализованному бою, когда верхушки рогов дугообразными движениями ударяются одна о другую, а затем совершенно определенным образом раскачиваются взад и вперед, предшествует угроза развернутым боком, во время которой каждый из самцов проходит мимо соперника молодцеватым "строевым" шагом, покачивая при этом рогами вверх и вниз. Потом оба вдруг, как по команде, останавливаются, поворачиваются друг другу навстречу и опускают головы, так что рога с треском сшибаются у самой земли, сплетаясь между собой. За этим следует безопасная борьба, при которой, в точности как при перетягивании пасти у "Джеков Дэмпси", побеждает тот, кто продержится дольше. У ланей тоже может случиться, что один из бойцов захочет перейти ко второй фазе борьбы раньше другого и при этом нацелит свое оружие на незащищенный фланг соперника, что при могучем размахе тяжелых и острых рогов выглядит чрезвычайно опасно. Но еще раньше, чем окунь, олень тормозит это движение, поднимает голову и видит, что ничего не подозревающий противник марширует дальше и уже отошел от него на несколько метров. Тогда он пускается рысью, догоняет соперника и, успокоившись, снова начинает маршировать рядом с ним, покачивая рогами, до тех пор, пока оба не перейдут к борьбе более согласованным взмахом рогов.

В царстве высших позвоночных существует неисчислимое множество подобных запретов причинять вред собрату по виду. Они часто играют существенную роль и там, где наблюдатель, очеловечивающий поведение животных, вообще не заметил бы наличия агрессии и необходимости специальных механизмов для ее подавления. Если верить во "всемогущество" "безошибочного" инстинкта, то кажется просто парадоксальным, что, например, самке-матери необходимы специальные механизмы торможения, чтобы сдержать ее агрессивность по отношению к собственным детям, особенно новорожденным или только что вылупившимся из яйца.

В действительности эти специальные механизмы сдерживания агрессии очень нужны, потому что животные, заботящиеся о потомстве, как раз ко времени появления малышей должны быть особенно агрессивны по отношению к любым другим существам. Птица, высиживающая яйца, должна для защиты своего потомства нападать на любое приближающееся к гнезду живое существо, с которым она хоть сколько-нибудь соразмерна. Индейка, пока она сидит на гнезде, должна быть постоянно готова с максимальной энергией нападать не только на мышей, крыс, хорьков, ворон, сорок, и т. д. и т. п., но и на собратьев по виду: на индюка с шершавыми ногами, на индюшку, ищущую гнездо, потому что они почти так же опасны для ее выводка, как хищники. И, естественно, она должна быть тем агрессивнее, чем ближе угроза к центру ее мира, к ее гнезду. Только собственному птенцу, который в самый разгар ее агрессивности вылупляется из скорлупы, она не должна причинять никакого вреда! Как обнаружили мои сотрудники Вольфганг и Маргрет Шлейдты, это торможение у индейки включается только акустически. Для изучения некоторых других реакций самцов-индюков на акустические стимулы они лишили слуха нескольких птиц посредством операции на внутреннем ухе. Эту операцию можно проделать лишь на только что вылупившемся цыпленке, а в этот момент различить пол еще трудно; поэтому среди глухих птиц случайно оказалось и несколько самок. Они были использованы — тем более что ни для чего другого они не годились — для изучения функции *ответного* поведения, которое играет столь существенную роль в связях между матерью и ребенком. Мы знаем, например, о серых гусях, что они сразу после появления на свет принимают за свою мать любой объект, который ответит звуком на их "писк одиночества". Шлейдты хотели предложить только что вылупившимся индюшатам выбор между индейкой, которая слышит их писк и правильно на него отвечает, и глухой, от которой ожидалось, что она — не слыша писка птенцов — будет издавать свои призывы случайным образом.

Как это часто случается при исследовании поведения, эксперимент дал результат, которого никто не ожидал, но который оказался гораздо интереснее ожидавшегося. Глухие индейки совершенно нормально высиживали птенцов, как и до того их социальное и половое поведение вполне отвечало норме. Но когда стали появляться на свет их индюшата — оказалось, что материнское поведение подопытных животных нарушено самым драматичным образом: все глухие индейки заклевывали насмерть всех своих детей, едва они вылуплялись из яиц! Если глухой индейке, которая отсидела на искусственных яйцах положенный срок и потому должна быть готова к приему птенцов, показать однодневного индюшонка, она реагирует на него вовсе не материнским поведением: не издает призывных звуков, а когда малыш приближается к ней примерно на метр, готовится к отпору — распускает перья, яростно шипит и, как только индюшонок оказывается в пределах досягаемости ее клюва, клюет его изо всех сил. Если не предполагать, что у индейки повреждено еще что-либо важное, кроме слуха, то такое поведение можно объяснить только одним: у нее нет ни малейшей врожденной информации о том, как должны выглядеть ее малыши. Она клюет все, что движется около ее гнезда и не настолько велико, чтобы реакция бегства пересилила агрессию. Только писк индюшонка, и ничто больше, посредством врожденного механизма включает материнское поведение и сдерживает агрессию.

Последующие эксперименты с нормальными, слышащими индейками подтвердили правильность этой интерпретации. Если к индейке, сидящей на гнезде, подтягивать на нитке, как марионетку, натурально сделанное чучело индюшонка, то она клюет его точно так же, как глухая. Но стоит включить встроенный в чучело маленький динамик, из которого раздается магнитофонная запись "плача" индюшонка, как нападение обрывается вмешательством торможения, явно очень сильного, так же резко, как это описано выше на примере цихлид и ланей; индейка начинает издавать типичные призывные звуки, соответствующие квохтанью домашних кур.

Каждая неопытная индейка, только что впервые высидевшая индюшат, нападает на все предметы, движущиеся возле ее гнезда, размерами примерно от землеройки до большой кошки. У такой птицы нет врожденного "знания", как именно выглядят хищники, которых нужно отгонять. На беззвучно приближающееся чучело ласки или хомяка она нападает не более яростно, чем на чучело индюшонка, но, с другой стороны, готова тотчас по-матерински принять обоих хищников, если они предъявят "удостоверение индюшонка" — магнитофонную запись цыплячьего писка — через встроенный микродинамик. Сильное впечатление — видеть, как такая индейка, только что яростно клевавшая беззвучно приближавшегося птенчика, с материнским призывом расправляет перья, чтобы с готовностью принять под себя пищащее чучело хорька, подменного ребенка в самом отчаянном смысле слова.

Единственный признак, который, по-видимому, врожденным образом усиливает реакцию на врага, — это волосистая, покрытая мехом поверхность. По крайней мере, из наших первых опытов мы вынесли впечатление, что меховые чучела раздражают индеек сильнее, чем гладкие. В таком случае индюшонок, — а он имеет как раз подходящие размеры, движется около гнезда, да еще вдобавок покрыт пухом — просто не может не вызывать у матери постоянного оборонительного поведения, которое должно столь же постоянно подавляться цыплячьим писком, чтобы предотвратить детоубийство. Это относится, во всяком случае, к птицам, выводящим потомство впервые и еще не знающим по опыту, как выглядят их собственные дети. При индивидуальном обучении рассматриваемые формы поведения быстро меняются.

Только что описанный примечательно противоречивый состав "материнского" поведения индейки заставляет нас задуматься. Совершенно очевидно, что не существует ничего такого, что́, как целое, могло бы быть названо "материнским инстинктом" или "инстинктом заботы о потомстве"; более того, нет даже врожденной "схемы" врожденного узнавания собственных детей. Целесообразное, с точки зрения сохранения вида, обращение с потомством является скорее результатом множества эволюционно возникших форм движения, реакций и торможений, организованных Великими Конструкторами таким образом, что все вместе они действуют при нормальных внешних условиях как целостная система, "как будто" данное животное знает, что ему нужно делать в интересах выживания вида и его отдельных особей. Такая система уже *является* тем, что вообще можно было бы назвать "инстинктом", а в случае нашей индейки — инстинктом заботы о потомстве. Но это понятие, даже если рассматривать его указанным образом, вводит в заблуждение, поскольку функции этой системы не ограничиваются теми, которые соответствуют определению данного понятия. Напротив, в ее общую структуру встроены и такие побуждения, которые имеют совершенно другие функции, как в нашем примере агрессия и включающие ее рецепторные механизмы. Кстати, тот факт, что индейка разъяряется при виде пушистых птенцов, бегающих вокруг гнезда, — это отнюдь не нежелательный побочный эффект. Напротив, для защиты потомства в высшей степени полезно, чтобы птенцы, особенно их красивые пушистые шубки, с самого начала приводили мать в состояние раздражения и готовности к атаке. На детей она напасть не может, этому надежно препятствует торможение, вызванное их писком, и тем легче она разряжает свою ярость на другие живые существа, оказавшиеся вблизи.

Единственная специфическая структура, вступающая в действие *только* в этой системе поведения, — это структура избирательного реагирования на писк птенцов торможением клевания.

Итак, если у видов, заботящихся о потомстве, мать не обижает своих малышей — это вовсе не само собой разумеющийся закон природы; в каждом отдельном случае это должно быть обеспечено особым механизмом торможения, об одном из которых мы только что узнали на примере индейки. Каждый, кто работал в зоопарке, кто разводил кроликов или пушных зверей, может рассказать свою историю о том, как мало нужно, чтобы подобные механизмы торможения отказали. Я знаю случай, когда самолет Люфтганзы, сбившись в тумане с курса, низко пролетел над фермой чернобурых лисиц и из-за этого все недавно ощенившиеся самки сожрали своих щенков.

У многих позвоночных, которые не заботятся о потомстве, и у некоторых из тех, которые заботятся о нем лишь ограниченное время, малыши уже в раннем возрасте, часто задолго до достижения окончательных размеров, бывают такими же ловкими, пропорционально такими же сильными и — поскольку эти виды так или иначе не могут научиться слишком многому — почти такими же умными, как взрослые. Поэтому они не особенно нуждаются в защите, и старшие собратья по виду обходятся с ними без всяких церемоний. Совсем иначе обстоит дело у тех высокоорганизованных существ, у которых большую роль играют обучение и индивидуальный опыт и у которых родительская опека должна продолжаться долго уже потому, что "жизненная школа" требует много времени. На тесную связь между способностью к обучению и продолжительностью заботы о потомстве уже указывали многие биологи и социологи.

Молодой пес, волк или ворон уже по достижении окончательных размеров тела — хотя еще не окончательного веса — бывает неловким, неуклюжим, долговязым существом, которое было бы совершенно не способно защитить себя от серьезного нападения взрослого собрата по виду, не говоря уж о том, чтобы спастись от него стремительным бегством. Казалось бы, молодым животным названных видов — и многих подобных — то и другое особенно необходимо: ведь они безоружны не только против внутривидовой агрессии, но и против охотничьих приемов своих собратьев по виду, поскольку речь идет о крупных хищниках. Каннибализм у теплокровных позвоночных, по-видимому, очень редок. У млекопитающих он, вероятно, исключается главным образом тем, что собратья по виду "невкусны", что довелось узнать многим полярным исследователям при попытках скормить мясо умерших или забитых по необходимости собак оставшимся в живых. Лишь истинно хищные птицы, прежде всего ястребы, могут иногда в тесной неволе убить и съесть своего сородича; однако я не знаю ни одного случая, чтобы подобное наблюдалось в охотничьих угодьях. Какие сдерживающие факторы этому препятствуют, пока неизвестно.

Для уже выросших, но еще неуклюжих молодых птиц и млекопитающих, о которых идет речь, агрессивное поведение взрослых, очевидно, гораздо опаснее любых каннибальских наклонностей. Эта опасность устраняется рядом очень четко организованных механизмов торможения, большей частью также еще почти не исследованных. Исключение составляет легко доступный пониманию механизм поведения в бездушном сообществе кваквы, которому мы еще посвятим специальную небольшую главу. Этот механизм позволяет оперившимся молодым птицам оставаться в колонии, хотя в ее тесных границах буквально каждая ветка на дереве является предметом яростного соперничества соседей. Пока молодая кваква, покинув гнездо, еще попрошайничает, это уже само по себе создает ей абсолютную защиту от любого нападения оседлых старых квакв. Прежде чем старшая птица вообще соберется клюнуть молодую, та, квакая и хлопая крыльями, бросается навстречу и старается схватить ее за клюв и ”подоить”, потянув клюв книзу, как это всегда делают птенцы с клювами родителей, когда хотят, чтобы им отрыгнули пищу. Молодая кваква не знает ”в лицо” своих родителей, и я не уверен, что эти последние узнают индивидуально своих детей; наверняка узнают друг друга только молодые птицы из одного гнезда. Точно так же, как старая кваква, у которой нет настроения кормить, боязливо бежит от натиска собственного дитяти, так бежит она и от любого чужого птенца, вовсе не собираясь его трогать. У многих животных мы знаем аналогичные случаи, когда защитой от внутривидовой агрессии служит *инфантильное* поведение.

Еще более простой механизм позволяет молодой квакве, уже выросшей, уже независимой, но еще далеко не равной в борьбе, приобрести собственный небольшой участок в пределах колонии. Молодая кваква, которая почти три года носит детский костюмчик в полоску, возбуждает у взрослых гораздо менее интенсивную агрессию, нежели птица во взрослом оперении. Это приводит к интересному явлению, которое я неоднократно наблюдал в Альтенберге, в колонии свободно гнездившихся квакв. Молодая кваква совершенно безо всякого умысла приземляется где-нибудь в пределах семейного участка насиживающей пары и, к счастью для себя, попадает не в его свирепо охраняемый центр, т. е. не в ближайшую окрестность гнезда. Но это раздражает одного из соседей, и тот, как обычно бывает у квакв, медленно подкрадывается к пришельцу, делая угрожающие движения. Однако при этом движении он неизбежно приближается и к расположенному в том же направлении гнезду соседней высиживающей пары, а поскольку он своим роскошным нарядом и угрожающей позой вызывает гораздо бо́льшую агрессивность, чем тихо и робко сидящая молодая птица, именно его и берут на мушку соседи, поднимаясь в контратаку. Часто эта контратака проходит на волосок от молодой птицы и тем самым невольно защищает ее. Поэтому ”нераскрашенные” кваквы, как правило, поселяются *между* территориями оседлых насиживающих птиц в строго определенных местах, где появление ”раскрашенной” птицы провоцирует нападение хозяина, а появление птицы в юношеском костюме — еще нет.

Труднее разобраться в механизме торможения, который надежно препятствует взрослым собакам всех европейских пород всерьез укусить молодую, в возрасте до 7—8 месяцев. По наблюдениям Тинбергена, у гренландских эскимосских собак этот запрет ограничивается молодежью собственной стаи, запрета кусать чужих щенков у них не существует; быть может, так же обстоит дело и у волков. Каким образом узнается юный возраст собрата по виду, не вполне ясно. Во всяком случае, рост не играет здесь никакой роли: крошечный, но старый и злобный фокстерьер относится к громадному ребенку-сенбернару, порядочно надоевшему ему своими неуклюжими приглашениями поиграть, так же дружелюбно и миролюбиво, как к щенку такого же возраста собственной породы. Вероятно, существенные признаки, вызывающие это торможение, содержатся в поведении молодой собаки, а, возможно, и в запахе. Последнее проявляется в том, каким образом молодая собака прямо-таки напрашивается на проверку запаха: если только приближение взрослого пса кажется молодому в какой-то степени опасным, он бросается на спину и тем самым предъявляет свой еще голенький щенячий животик, и к тому же выпускает несколько капель мочи, которые взрослый тотчас же нюхает.

Пожалуй еще интереснее и загадочнее, чем торможение, охраняющее уже подросшую, но еще беспомощную молодежь, — те тормозящие агрессию механизмы поведения, которые препятствуют "нерыцарскому" поведению по отношению к "слабому полу". У толкунчиков, поведение которых уже описывалось на с. 106—107, у богомолов и у многих других насекомых, как и у многих пауков, самки, как известно, являются сильным полом, и необходимы специальные механизмы поведения, препятствующие тому, чтобы счастливый жених был съеден *раньше времени*. У мантид — богомолов, — как известно, самка зачастую с аппетитом доедает переднюю половину самца, в то время как задняя беспрепятственно выполняет великую миссию оплодотворения.

Однако здесь нас должны занимать не эти капризы природы, а те механизмы торможения, которые у столь многих птиц и млекопитающих, а также и у человека очень затрудняют избиение представительниц слабого пола, если не полностью препятствуют ему. Правда, что касается человека, то максима "You can not hit a woman"[1]* справедлива лишь отчасти. Берлинский юмор, который часто смягчает добросердечием мрачноватые краски, заставляет побитую мужем женщину говорить рыцарски вмешавшемуся прохожему: "Ну а вам-то что за дело, если мой муженек меня колотит?"* Но среди животных есть целый ряд видов, у которых при нормальных, т. е. не патологических, условиях никогда не бывает, чтобы самец всерьез напал на самку.

Это относится, например, к собакам и, без сомнения, также к волкам. Я испытывал бы глубокое недоверие к кобелю, укусившему суку, и посоветовал бы его хозяину проявлять повышенную осторожность, особенно если в доме есть дети, потому что в социальном торможении этого пса явно что-то нарушено. Однажды я пробовал выдать замуж свою суку Штази за огромного сибирского волка; когда я начал с ним играть, она от ревности пришла в ярость и совершенно всерьез набросилась на него. Единственное, что он сделал, — подставил исступленно кусавшейся фурии свое огромное светло-серое плечо, чтобы принять укусы на менее ранимое место. Совершенно такой же абсолютный запрет трогать самку существует у некоторых вьюрковых птиц, скажем у снегиря, и даже у некоторых рептилий, как, например, у изумрудной ящерицы.

---

[1]*"Нельзя бить женщину" *(англ.). — Примеч. пер.*

У самцов этого вида агрессивное поведение вызывается роскошным нарядом соперника, прежде всего великолепным ультрамариново-синим горлом и зеленой окраской остального тела, от которой и пошло название этих ящериц. В то же время торможение, запрещающее кусать самку, явно основано на обонятельных признаках. Это мы с Г. Киц-лером однажды узнали, когда самку самого крупного из наших изумруд-ных ящеров коварно раскрасили под самца с помощью жирных цветных мелков. Когда мы выпустили даму-ящерицу обратно в вольер, то она — разумеется, не подозревая о своей внешности, — кратчайшим путем побежала на территорию своего супруга. Увидев ее, он яростно бросился на предполагаемого самца-пришельца и широко раскрыл пасть для укуса. Но тут он уловил запах загримированной дамы и затормозил так резко, что его занесло, и он перекувырнулся через самку. Затем он обстоятельно обследовал ее языком и после того уже не обращал внимания на зовущую к бою расцветку, что уже само по себе — примеча-тельное достижение для рептилии. Но интереснее всего то, что это происшествие настолько потрясло нашего изумрудного рыцаря, что еще долго после того он и настоящих самцов сначала ощупывал языком, т. е. проверял их запах, и лишь потом переходил к нападению. Так его задело за живое, что он едва не укусил даму!

Можно было бы подумать, что у тех видов, где самцам абсолютно запрещено кусать самок, дамы обходятся со всем мужским полом весьма дерзко и заносчиво. Как это ни загадочно, дело обстоит как раз наоборот. Агрессивные крупные самки изумрудной ящерицы, затева-ющие яростные баталии со своими подругами, в буквальном смысле ползают на брюхе перед самым юным, самым слабым самцом, даже если он весит втрое меньше, а его мужественность едва проявляется синим оттенком на горле, который можно сравнить с первым пушком на подбородке гимназиста. Самки поднимают с земли передние лапки и своеобразно поводят ими, словно собираются играть на фортепиано. Это общий всем ящерицам жест покорности — "переступание" (Treteln), как назвал его Крамер. Так же и суки, особенно тех пород, которые близки к северному волку, относятся к избранному кобелю, хотя он никогда не кусал их и вообще не доказывал свое превосходство ка-ким-либо действием: прямо-таки со смиренным почтением, едва ли не граничащим с тем, какое они испытывают к человеку-хозяину. Однако самое интересное и самое непонятное — это иерархические отношения между самцами и самками у некоторых вьюрковых птиц из широко известного семейства кардуелид, к которому относятся чижи, щеглы, снегири, зеленушки и многие другие, в том числе канарейки.

У зеленушек, например, по наблюдениям Р. Хайнда, непосредствен-но в период размножения самка доминирует над самцом, а в остальное время года — наоборот, самец над самкой. К этому выводу приводит простое наблюдение, кто после кого клюет и кто избегает клевать другого. У снегирей, которых мы знаем особенно хорошо благодаря исследованиям Николаи, на основании таких же наблюдений и умозак-лючений можно было бы прийти к выводу, что у этого вида, у которого пары остаются нерушимыми из года в год, самка всегда иерархически выше самца. У снегирей супруга всегда слегка агрессивна, нередко кусает своего супруга, и даже в церемонии ее приветствия, в так называемом "поцелуе" ("Schnabelflirt"), содержится изрядная толика агрессии, хотя и в строго ритуализованной форме. Снегирь-супруг, напротив, *никогда* не кусает и не клюет свою супругу, и если судить об их ранговых отношениях упрощенно — только на основании того, кто кого клюет, — можно сказать, что она, несомненно, доминирует над ним. Но если присмотреться внимательнее, то приходишь к противоположному мнению. Когда супруга кусает снегиря, то он принимает позу отнюдь не подчинения или хотя бы испуга, а напротив — сексуального импонирования, даже нежности. Таким образом, укусы самки *не* ставят самца в иерархически низшую позицию. Напротив, его пассивное поведение, манера, с какой он принимает наскоки самки, не становясь сам агрессивным и, главное, не утрачивая своего сексуального настроения, явно производит впечатление, и, очевидно, не только на человека-наблюдателя.

Совершенно аналогично ведут себя самцы собаки и волка по отношению к любым нападениям самок. Даже если такие нападения вполне серьезны, как в вышеупомянутом случае с моей Штази, ритуал безоговорочно требует от самца, чтобы он не только не огрызался, но и неуклонно сохранял "приветливое выражение лица" — держал уши вверх и назад и не топорщил шерсть на загривке. Keep smiling![1]* Единственная защита, какую мне приходилось наблюдать в подобных случаях, — интересно, что ее описал и Джек Лондон в повести о собаках "Белый клык", — состоит в резком повороте задней части туловища, который действует в высшей степени "броско", особенно когда массивный кобель, сохраняя свою дружелюбную улыбку, отшвыривает крикливо нападающую на него суку на метр в сторону.

Мы вовсе не приписываем дамам собак или снегирей чрезмерно человеческих качеств, когда утверждаем, что пассивная реакция на их агрессивность производит на них впечатление. Невозмутимость производит глубокое впечатление — это весьма общий принцип, как следует также и из многократных наблюдений Г. Кицлера над борьбой самцов прыткой ящерицы. В поразительно ритуализованных турнирных боях этих ящериц каждый из соперников прежде всего в импонирующей позе демонстрирует другому свою тяжело бронированную голову, затем один из соперников хватает противника, но после короткой борьбы отпускает и ждет, чтобы тот, в свою очередь, схватил его. При равных по силе противниках выполняется много таких "раундов", пока один из них, совершенно невредимый, но обессиленный, не прекратит борьбу. У ящериц, как и у многих других холоднокровных животных, менее крупные экземпляры "заводятся" несколько быстрее, т. е. новый прилив возбуждения большей частью происходит у них быстрее, чем у более крупных и старших собратьев по виду. В турнирных боях у прыткой ящерицы это довольно регулярно приводит к тому, что меньший из двух борцов первым хватает противника за загривок и дергает из стороны в сторону. При значительной разнице в размерах самцов может случиться, что меньший, кусавший первым, отпустив большего, не ждет ответ-

---

[1]*Не переставай улыбаться! *(англ.)* — *Примеч. пер.*

ного укуса, а сразу "переступает", т. е. производит описанный выше жест покорности, и убегает. Значит, и при чисто пассивном сопротивлении противника он заметил, насколько тот превосходит его.

Эта необыкновенно комичная процедура всегда напоминает мне сцену из давно забытого фильма Чарли Чаплина: Чарли подкрадывается сзади к своему громадному сопернику, размахивается тяжелой палкой и изо всех сил бьет его по затылку. Гигант удивленно смотрит вверх и слегка потирает рукой задетое место, явно убежденный, что его укусило какое-то летучее насекомое. Тогда Чарли поворачивается и улепетывает так отчаянно, как умел только он.

У голубей, певчих птиц и попугаев существует весьма примечательный ритуал, каким-то загадочным образом связанный с ранговым порядком супругов, — передача корма супругу. Это кормление — при поверхностном наблюдении его большей частью принимают за нечто вроде поцелуя, — как и множество других внешне "самоотверженных" и "рыцарственных" форм поведения животных и человека, любопытным образом представляет собой не только социальную обязанность, но и *привилегию,* которая причитается индивиду высшего ранга. В сущности, каждый из супругов предпочел бы кормить другого, а не получать от него корм, по принципу "Давать — бóльшая радость, чем брать", или, когда пища отрыгивается из зоба, передавать ее — бóльшая радость, чем получать. Иногда, если повезет, удается увидеть легкую ссору по поводу рангового порядка, в которой супруги выясняют вопрос, кто из них имеет право кормить и кому придется играть менее желательную роль недееспособного ребенка, который разевает клюв и позволяет себя кормить.

Когда Николаи однажды воссоединил после долгой разлуки парочку одного из африканских видов мелких вьюрковых, Serinus leucopygius, супруги тотчас же узнали друг друга, радостно полетели друг другу навстречу, но самка, очевидно, забыла свое прежнее подчиненное положение, потому что сразу вознамерилась отрыгивать из зоба и кормить партнера. А поскольку и он сделал то же, первый момент встречи был слегка омрачен выяснением отношений, в котором самец одержал верх, после чего супруга уже не пыталась кормить, а требовала, чтобы кормили ее. У снегирей, у которых супруги не расстаются круглый год, может случиться, что самец начинает линять раньше, чем самка, и уровень его сексуальных и социальных претензий понижается, в то время как самка еще вполне "в форме" в том и другом отношении. В таких случаях, довольно частых и в естественных условиях, так же как и в более редких, когда самец утрачивает главенствующее положение из-за каких-либо патологических причин, нормальное направление передачи корма меняется на противоположное: самка кормит ослабевшего супруга. Как правило, антропоморфизирующему наблюдателю кажется необычайно трогательным, что супруга так заботится о своем больном муже. Как уже сказано, такое толкование неверно: она и раньше всегда охотно кормила бы его, если бы этому не препятствовало его ранговое превосходство.

Очевидно, таким образом, что социальное первенство самок у снегирей, так же как и у псовых, — это лишь видимость, которая создается "рыцарским" запретом для самцов обижать своих самок. Совершенно такое же с формальной точки зрения поведение мужчины в западной культуре являет замечательную аналогию между обычаем у людей и ритуализацией у животных. Даже в Америке, в стране безграничного почитания женщины, по-настоящему *покорного* мужа нисколько не уважают. Идеал мужчины требует, чтобы супруг, несмотря на подавляющее духовное и физическое превосходство, в соответствии с ритуально регламентированными правилами повиновался малейшим капризам своей жены. Знаменательно, что для презираемого, *по-настоящему* покорного мужа существует определение, взятое из поведения животных. Про такого говорят "hen-pecked"[1]* и это сравнение прекрасно иллюстрирует ненормальность мужской подчиненности, потому что настоящий петух не позволит себя клюнуть ни одной курице, даже своей фаворитке. Впрочем, у петуха нет никаких запретов, которые мешали бы ему клевать кур.

Самое сильное торможение, не позволяющее кусать самку своего вида, мы находим у европейского хомяка. Быть может, у этих грызунов такой запрет особенно важен потому, что у них самец гораздо крупнее самки, а длинные резцы этих животных способны наносить особенно тяжелые раны. Эйбль-Эйбесфельдт установил, что, когда во время короткого брачного периода самец вторгается на территорию самки, проходит немало времени, прежде чем эти закоренелые одиночки настолько привыкнут друг к другу, что самка начинает переносить приближение самца. В течение этого периода, и только тогда, самка хомяка проявляет пугливость и робость перед самцом! В любое другое время это яростная фурия, безудержно бросающаяся на самца с укусами. При разведении этих животных в неволе необходимо своевременно разъединять партнеров после спаривания, иначе дело доходит до мужских трупов.

Три факта, о которых мы только что рассказали при описании поведения хомяков, характерны для всех механизмов торможения, препятствующих убийству или серьезному ранению, и потому о них стоит поговорить более подробно. Во-первых, существует зависимость между действенностью оружия, которым располагает вид, и механизмами, препятствующими применению этого оружия против собратьев по виду. Во-вторых, существуют ритуалы, цель которых состоит в том, чтобы приводить в действие у агрессивных собратьев по виду именно эти механизмы торможения. В-третьих, на эти механизмы нельзя полагаться абсолютно, иногда они могут и отказать.

В другом месте я уже подробно объяснял, что торможение, запрещающее убить или ранить собрата по виду, должно быть наиболее сильным и надежным у тех видов, которые, во-первых, как профессиональные хищники располагают оружием, достаточным для быстрого и верного умерщвления крупной добычи, а во-вторых, живут общественной жизнью. У хищников-одиночек, например у некоторых куниц и кошачьих, бывает достаточно того, что сексуальное возбуждение затормаживает и агрессию, и охотничий инстинкт на время, достаточное для безопасного соединения полов. Но если хищники, охотящиеся на круп-

---

[1] *Клюнутый курицей *(англ.). — Примеч. пер.*

ных животных, постоянно живут вместе, как, например, волки или львы, то надежные и неизменно эффективные механизмы торможения должны всегда быть в действии, являясь совершенно самостоятельными и не завися от меняющихся настроений отдельных животных. Таким образом, возникает своеобразный трогательный парадокс: как раз наиболее кровожадные звери — прежде всего волк, которого Данте называет "bestia senza pace"[1]*, — обладают самыми надежными средствами торможения убийства, какие только есть в этом мире. Когда мои внуки играют со сверстниками, необходим присмотр кого-то из взрослых; но я со спокойной душой оставляю их одних в обществе наших больших собак — помеси чау с овчаркой, — чрезвычайно свирепых на охоте. Социальные запреты, на которые я полагаюсь в подобных случаях, отнюдь не являются чем-то приобретенным в процессе одомашнивания, но, вне всяких сомнений, унаследованы от волка, bestia senza pace!

Очевидно, что у разных животных механизмы социального торможения приводятся в действие очень разными признаками. Например, запрет кусать самку у самцов изумрудной ящерицы несомненно, как мы видели, зависит от химических раздражителей; без сомнения, так же обстоит дело и с запретом для кобеля кусать сук, а его бережное отношение к любым молодым собакам явно вызывается также и их поведением. Поскольку торможение, как будет еще подробнее показано в дальнейшем, есть весьма активный процесс, который противостоит некоторому столь же активному побуждению и подавляет или видоизменяет его, то вполне правильно говорить о *разрядке* процессов торможения, точно так же, как мы говорили о разрядке того или иного инстинктивного движения. Разнообразные передатчики стимулов, которые у всех высших животных включают активное ответное поведение, в принципе не отличаются от тех, которые вводят в действие социальное торможение. В обоих случаях передатчик стимула состоит из бросающихся в глаза структур, ярких красок и ритуализованных движений, а чаще всего — из комбинации всех этих компонентов. Очень красивый пример того, насколько одинаковые принципы лежат в основе конструкций для передачи стимулов, включающих и активное действие, и торможение, дают сигнал, запускающий боевое поведение у журавлей, и сигнал, запускающий запрет клевать птенца, у некоторых пастушковых птиц. В обоих случаях на затылке птицы развилась маленькая тонзура, голое пятно, на котором под кожей находится сильно разветвленная сеть сосудов, так называемое "набухающее тело". В обоих случаях этот орган наполняется кровью и в таком состоянии, как выпуклая рубиново-красная шапочка, демонстрируется собрату по виду поворотом затылка. Но функции этих двух запускающих приспособлений, возникших у этих двух групп птиц совершенно независимо друг от друга, настолько противоположны, насколько это вообще возможно: у журавлей этот сигнал означает агрессивное настроение и соответственно вызывает у противостоящего, в зависимости от соотношения сил, контрагрессию или стремление к бегству. У водяного пастушка и некоторых родственных ему птиц и этот орган, и соответствующая форма движения свойственны только птенцам и служат исключительно для того, чтобы включать

---

[1] *Зверем, не знающим мира *(итал.).* — *Примеч. пер.*

150

у старших собратьев по виду специфический запрет клевать птенцов. Птенцы водяных пастушков "по ошибке" трагикомично предъявляют свои рубиновые шапочки не только агрессорам своего вида. Одна такая птичка, которую я растил у себя, подставляла шапочку утятам; те, естественно, на этот свойственный виду сигнал водяных пастушков не отвечали торможением, а как раз клевали ее в красную головку. И как ни мягок клювик у крошечного утенка, мне пришлось разъединить птенцов.

Ритуализованные движения, обеспечивающие торможение агрессии у собратьев по виду, обычно называют жестами покорности или умиротворения; второй термин, пожалуй, лучше, поскольку он не так склоняет к субъективизации поведения животных. Церемонии такого рода, как и ритуализованные выразительные движения вообще, возникают разными путями. При обсуждении ритуализации (с. 101 и след.) мы уже видели, каким образом из конфликтного поведения, из движений намерения и т. д. могут возникнуть сигналы с функцией сообщения и какую силу приобретают эти ритуалы. Все это было необходимо, чтобы разъяснить сущность и действие тех умиротворяющих движений, о которых пойдет речь теперь.

Интересно, что большое число жестов умиротворения у самых различных животных возникло под селекционным давлением, которое оказывали механизмы поведения, запускающие борьбу. Животное, которое стремится успокоить собрата по виду, делает все возможное, чтобы — выражаясь несколько антропоморфно — *не раздражать* его. Когда рыба возбуждает у сородича агрессию, она показывает свой роскошный наряд, демонстрирует возможно бо́льший контур тела, расправляя плавники или оттопыривая жаберные крышки, двигается сильными рывками; когда она просит пощады — все происходит наоборот, во всех деталях. Она бледнеет, по возможности прижимает плавники, поворачивается к сородичу, которого нужно успокоить, узкой стороной тела, двигается медленно, крадучись, буквально пряча все стимулы, вызывающие агрессию. Петух, серьезно побитый в драке, прячет голову в угол или за какое-нибудь укрытие и таким образом, очевидно, лишает противника стимулов боевого возбуждения, исходящих от его гребня и бородки. О некоторых коралловых рыбах, у которых кричаще-яркий наряд описанным образом запускает в ход внутривидовую агрессию, мы уже знаем (с. 78), что они снимают эту раскраску, когда должны мирно сойтись для спаривания.

Исчезновение сигнала, запускающего борьбу, поначалу препятствует лишь запуску внутривидовой агрессии, но не активному торможению уже начатого нападения. Однако совершенно очевидно, что с точки зрения эволюции от первого до второго всего один шаг, и как раз возникновение умиротворяющих жестов из сигналов борьбы "с обратным знаком" дает прекрасные примеры этого. Естественно, у очень многих животных угроза заключается в том, что многозначительно обращают в сторону противника и "суют ему под нос" оружие, будь то зубы, клюв, когти, сгиб крыла или кулак. Поскольку у таких видов все эти прелестные жесты принадлежат к числу сигналов, "понимание" которых врожденно, то в зависимости от силы адресата они вызывают у него либо ответную угрозу, либо бегство; а способ возникновения жестов, препятствующих борьбе, предначертан здесь однозначно: они должны состоять в том, что ищущее мира животное отворачивает оружие от противника.

Однако оружие почти никогда не служит только для нападения, оно всегда служит и для защиты, для отражения ударов, и потому в этой форме жестов умиротворения есть большое "но": каждое животное, выполняющее такой жест, весьма опасным образом разоружается, а во многих случаях даже подставляет противнику незащищенным самое уязвимое место своего тела. Тем не менее эта форма жеста покорности распространена чрезвычайно широко и была "изобретена" независимо друг от друга самыми различными группами позвоночных. Побежденный волк отворачивает голову и подставляет победителю чрезвычайно ранимую боковую сторону шеи, выгнутую навстречу укусу. Галка подставляет под клюв другой галки, которую нужно умиротворить, незащищенную выпуклость своего затылка — как раз то место, куда такие птицы обычно направляют серьезные удары с целью убийства. Это совпадение настолько бросается в глаза, что я долгое время думал, что предъявление самого уязвимого места существенно для действенности подобных поз покорности. У волка и собаки это действительно выглядит так, как если бы молящий о пощаде подставлял победителю свою яремную вену. И хотя отведение оружия, несомненно, было поначалу единственной действенной составной частью рассматриваемых выразительных движений, в моем прежнем мнении все же есть некоторая доля истины.

Если бы зверь внезапно подставил все еще разъяренному противнику самую ранимую часть тела незащищенной, полагаясь лишь на то, что происходящее при этом выключение стимулов, вызывающих нападение, будет достаточным, чтобы предотвратить атаку, это было бы самоубийственной затеей. Мы слишком хорошо знаем, насколько медленно происходит переход от господства одного инстинкта к господству другого, и можем смело утверждать, что простое изъятие стимула, вызывающего нападение, повело бы лишь к постепенному снижению агрессивности нападающего животного. Таким образом, если *внезапное* принятие позы покорности тотчас же останавливает еще грозящее нападение победителя, то мы имеем право с достаточной уверенностью предположить, что такая поза создает особую стимулирующую ситуацию и тем самым включает некоторое активное торможение.

Это безусловно верно в отношении собак, у которых я много раз видел, что, когда побежденный внезапно принимает позу покорности и подставляет победителю незащищенную шею, тот проделывает движение смертельной встряски "вхолостую", т. е. возле самой шеи морально побежденного противника, но с *закрытой* пастью. То же самое относится среди чаек к трехпалой чайке и среди врановых птиц к галке. Среди чаек, поведение которых известно особенно хорошо благодаря исследованиям Тинбергена и его учеников, трехпалая чайка занимает особое положение: она гнездится по кромкам скальных обрывов, и эта экологическая особенность привязывает ее к гнезду. Птенцы, находящиеся в гнезде, нуждаются в действенной защите от возможного нападения чужих чаек больше, чем птенцы других видов, выводящих потомство на земле: те, если потребуется, могут убежать. Соответственно и жест умиротворения у трехпалых чаек не только более развит, но его действие подкрепляется особым цветным узором у молодых птиц. Отворачивание клюва действует как жест умиротворения у всех чаек. Однако если у серебристой чайки и у клуши, как и у других крупных чаек рода Larus, такое движение не слишком бросается в глаза и уж никак не выглядит особым ритуалом, то у обыкновенной чайки это строго определенная танцеобразная церемония, при которой один из партнеров приближается к другому или, если ни один не замышляет зла, оба идут друг другу навстречу, повернув точно на 180 градусов, т. е. повернувшись к другому затылком. Эта ”head flagging”[1]*, как называют ее английские авторы, оптически подчеркивается тем, что черно-коричневая лицевая маска и темно-красный клюв чайки при таком жесте умиротворения убираются назад, а их место занимает белоснежное оперение затылка. Если у обыкновенной чайки главную роль играет исчезновение включающих агрессию признаков — черной маски и красного клюва, то у молодой трехпалой чайки, напротив, поворот затылка особенно подчеркивается цветным узором: на белом фоне здесь появляется темный рисунок характерной формы, который очевидным образом действует как специальный тормоз агрессивного поведения.

Параллель такому развитию сигнала, тормозящего агрессию у чаек, существует и у врановых птиц. Пожалуй, все крупные черные и серые врановые в качестве жеста умиротворения подчеркнуто отворачивают голову от партнера. У многих, как у серой вороны (Corvus corone cornix) и у африканского белогрудого ворона, затылочная область, которую подставляют при этом жесте, чтобы успокоить партнера, обозначена светлым пятном. У галок, которым ввиду их тесной совместной жизни в колониях, очевидно, необходим особенно действенный жест умиротворения, та же часть оперения заметно отличается от остального черного не только замечательной шелковистой светло-серой окраской; эти перья, кроме того, значительно длиннее и, подобно украшающим перьям некоторых цапель, не имеют крючков на бородках, так что образуют бросающийся в глаза пышный и блестящий венец, когда в максимально распушенном виде подставляются жестом покорности под клюв собрата по виду. Чтобы тот в такой ситуации клюнул, — не бывает никогда, даже если более слабая галка приняла позу покорности в самый момент его атаки. Более того, в большинстве случаев птица, только что яростно нападавшая, реагирует социальным ”умыванием”, дружески перебирая и чистя перья на затылке покорившегося сородича — поистине трогательная форма заключения мира!

Существует целый ряд жестов покорности, которые восходят к инфантильному, детскому поведению, а также и другие, очевидным образом происшедшие от поведения самок при спаривании. Однако в своей нынешней функции эти жесты не имеют ничего общего ни с ребячливостью, ни с сексуальностью самки, а лишь обозначают, антропоморфно выражаясь: ”Не трогай меня, пожалуйста!” Напрашивается пред-

---

[1] *Сигнализация головой *(англ.). — Примеч. пер.*

положение, что у данных групп животных специальные механизмы торможения запрещали нападение на детей или, соответственно, на самок еще до того, как такие выразительные движения приобрели общий социальный смысл; больше того, можно даже предположить, что у таких животных более многочисленная социальная группа развилась из пары и семьи.

Тормозящие агрессию жесты подчинения, которые развились из настойчивых выразительных движений молодых животных, распространены в первую очередь у псовых. При том, что у них так сильно торможение, защищающее детей, это неудивительно. Р. Шенкель показал, что очень многие жесты активного подчинения, т. е. *дружеской* покорности по отношению к "уважаемому", но не вызывающему настоящего страха сородичу высшего ранга, происходят непосредственно из отношений щенка с его матерью. Всем нам знакомые повадки дружелюбных собак — тыканье мордой, тереблением лапой, лизание уголков рта — восходят, по Шенкелю, к движениям сосания и выпрашивания пищи. Точно так же, как учтивые люди могут выражать друг другу взаимную покорность, хотя в действительности между ними существуют вполне определенные ранговые отношения, так и две взаимно дружелюбные собаки выполняют друг перед другом инфантильные жесты покорности, особенно при дружеском приветствии после долгой разлуки. Эта взаимная предупредительность также и у живущих на свободе волков заходит настолько далеко, что Мьюри во время своих замечательно успешных полевых наблюдений в горах Мак-Кинли зачастую не мог определить ранговые отношения двух взрослых самцов по их выразительным движениям приветствия. В национальном парке на острове Айл Ройял на озере Верхнем С. Л. Аллен и Л. Д. Мэч наблюдали неожиданную функцию церемонии приветствия. Стая, состоявшая примерно из 20 волков, живет зимой за счет лосей, причем, как выяснилось, исключительно за счет ослабленных животных. Волки останавливают каждого лося, какой попадается, но вовсе не стараются его разорвать, а тотчас прекращают свое нападение, если тот начинает энергично, с силой защищаться. Если же они находят лося, который ослаблен паразитами, инфекцией или, как часто бывает у старых животных, зубной фистулой, — тогда они сразу замечают, что здесь есть надежда поживиться. В этом случае все члены стаи тут же собираются вместе и устраивают общую церемонию: толкают друг друга мордами, виляют хвостами — короче, ведут себя, как наши собаки, когда мы выпускаем их из конуры, собираясь с ними гулять. Эта всеобщая nose-to-nose conference ("конференция носом к носу"), без сомнения, означает соглашение, что на только что обнаруженную жертву будет вполне серьезная охота. Как здесь не вспомнить танец воинов масаи, которые ритуальной пляской поднимают себе дух перед охотой на льва!

Выразительные движения социальной покорности, которые развились из поведения самки, приглашающей к совокуплению, обнаруживаются у обезьян, особенно у павианов. Ритуальное подставление задней части тела, которая для оптического подчеркивания этой церемонии часто бывает окрашена с совершенно невероятным великолепием, в своей современной форме у павианов едва ли еще имеет что-либо общее с сексуальностью и сексуальной мотивацией. Оно означает лишь то, что обезьяна, выполняющая этот ритуал, признает более высокий ранг той, которой он адресован. Уже совсем юные обезьянки соблюдают этот обычай без какого-либо наставления. Обезьянка Катарины Гейнрот Пия, девочка-павиан, жившая среди людей почти с самого рождения, торжественно выполняла, когда ее выпускали в незнакомую комнату, церемонию "подставления попки" перед каждым стулом; очевидно, стулья внушали ей страх. Самцы павианов обращаются с самками властно и грубо, и хотя — согласно полевым наблюдениям Уошбэрна и Де Вора — на воле это обращение не так жестоко, как можно предположить по их поведению в неволе, оно все же не слишком мягко — в противоположность церемонной учтивости псовых и гусей. Поэтому понятно, что у этих обезьян легко отождествляются значения "Я — твоя самка" и "Я — твой раб". Происхождение символики этого примечательного жеста проявляется не только в самой форме движения, но и в том, каким образом адресат принимает его к сведению. Я видел однажды в Берлинском зоопарке, как два сильных старых самца-гамадрила на мгновение схватились в серьезной драке. В следующий миг один из них бежал, яростно преследуемый победителем, который в конце концов загнал его в угол. У побежденного не осталось другого выхода, кроме жеста смирения, в ответ на который победитель тотчас же отвернулся и в позе импонирования, на вытянутых лапах, пошел прочь. Тогда побежденный, вереща, пустился ему вдогонку и прямо-таки неотступно его преследовал, подставляя зад, пока сильнейший не "принял к сведению" его покорность: с довольно скучающей миной оседлал его и проделал несколько небрежных копулятивных движений. Только после этого побежденный успокоился, убедившись, по-видимому, что его бунт прощен.

Среди различных и происходящих из различных источников церемоний умиротворения нам осталось рассмотреть еще те, которые, по-моему, являются важнейшими для нашей темы, а именно ритуалы умиротворения или приветствия, возникшие из заново ориентированных или переориентированных движений нападения; коротко о них уже говорилось. Они отличаются от всех до сих пор рассмотренных церемоний умиротворения тем, что не затормаживают агрессию, но отводят ее от определенных собратьев по виду и направляют на других. Как уже было сказано, это переориентирование агрессивного поведения является одним из гениальнейших изобретений эволюции; но это еще не все. Везде, где наблюдается заново ориентированный ритуал умиротворения, церемония связана с *индивидуальностью* партнеров, принимающих в ней участие. Агрессия некоторого определенного существа отводится от второго, тоже определенного, в то время как ее разрядка на всех остальных собратьев по виду, остающихся анонимными, не подвергается торможению. Так возникает различие между *другом* и чужими, и в мире впервые появляется *личная связь* между индивидами. Когда мне возражают, что животное — это не личность, я отвечаю, что личность берет начало именно там, где каждое из двух отдельных существ играет в мире другого такую роль, которую не может легко перенять никто из других собратьев по виду. Иными словами, личность начинается там, где впервые возникает личная дружба.

По своему происхождению и по своей первоначальной функции личные связи относятся к тормозящим агрессию, умиротворяющим механизмам поведения, и поэтому их следовало бы отнести к главе о формах поведения, аналогичных морали. Однако они образуют настолько необходимую основу для построения человеческого общества и настолько важны для темы этой книги, что о них нужно говорить особо. Но этому придется предпослать еще три главы, потому что, только зная другие возможные структуры совместной жизни, в которых личная дружба и любовь не играют *никакой* роли, можно в полной мере оценить их значение для организации человеческого общества. Итак, я опишу сначала анонимную стаю, затем бездушное сообщество кваков и, наконец, вызывающую равно и уважение, и отвращение общественную организацию крыс и лишь после этого обращусь к естественной истории той связи, которая прекраснее и прочнее всего на нашей Земле.

Глава 8

АНОНИМНАЯ СТАЯ

> Осилить массу можно только массой.
>
> *Гёте*

Первая из трех форм сообщества, которые мы хотим сравнить, в известной мере в качестве древнего и мрачного фона, с единением, построенным на личной дружбе и любви, — это так называемая анонимная стая. Это самая частая и, несомненно, самая примитивная форма сообщества, которая обнаруживается уже у многих беспозвоночных, например у каракатиц и у насекомых. Однако это вовсе не значит, что она не встречается у высших животных; даже люди при определенных, поистине ужасных обстоятельствах могут впасть в состояние анонимной стаи, "деградировать до нее", как это происходит при панике.

Под "стаей" мы понимаем не любые случайные скопления особей одного и того же вида, которые возникают, скажем, когда много мух или коршунов собирается на падали или когда на каком-нибудь особенно благоприятном участке приливной зоны образуются сплошные скопления улиток или актиний. Понятие стаи определяется тем, что отдельные особи некоторого вида реагируют *друг на друга* сближением, и, значит, их удерживают вместе некоторые формы поведения, *которые одна или несколько особей вызывают у других*. Поэтому для образования стаи характерно, что множество особей, тесно сомкнувшись, *движется* в одном направлении.

Сплоченность анонимной стаи вызывает ряд вопросов, относящихся к физиологии поведения. Они касаются не только функционирования органов чувств и нервной системы, вызывающих движение в одном направлении, "положительный таксис", но прежде всего и высокой избирательности этих реакций. Когда такое стадное животное стремится любой ценой быть в непосредственной близости ко множеству себе подобных и лишь в самом крайнем случае удовлетворяется в качестве замещающих объектов животными другого вида, это требует объяснения. Такое стремление может быть врожденным, как, например, у многих уток, которые избирательно реагируют на цвет крыльев своего вида и летят следом, но оно может зависеть и от индивидуального обучения.

Мы не сможем ответить на многие "почему?", возникающие в связи со сплоченностью анонимной стаи, пока не найдем вполне удовлетворительного ответа на вопрос "зачем?" в том смысле, в каком о нем говорилось выше (с. 71—72). При постановке этого вопроса мы сталкиваемся с парадоксом: так легко оказалось найти вполне убедительный ответ на, казалось бы, бессмысленный вопрос, для чего может быть полезна "вредная" агрессия, о значении которой для сохранения вида мы уже знаем из 3-й главы; но, странным образом, очень трудно сказать, для чего нужно объединение в громадные анонимные стаи, какие бывают у рыб, птиц и многих млекопитающих. Мы слишком привыкли видеть эти сообщества; а поскольку мы сами тоже ведь социальные существа, нам слишком легко представить себе, что одинокая сельдь, одинокий скворец или бизон не могут чувствовать себя хорошо. Поэтому вопрос "зачем?" просто не приходит в голову. Однако правомерность такого вопроса сразу становится ясной, если мы присмотримся к очевидным вредным последствиям объединения в крупные стаи: большому количеству животных трудно найти корм, им невозможно спрятаться (а такую возможность естественный отбор в других случаях оценивает очень высоко), возрастает подверженность паразитам, и т. д. и т. п.

Легко предположить, что *одна* сельдь, плывущая в океане сама по себе, *один* вьюрок, самостоятельно отправляющийся осенью в странствие, *один* лемминг, пытающийся в одиночку найти угодья побогаче при угрозе голода, имели бы лучшие шансы на выживание. Плотные стаи, в которых держатся эти животные, прямо-таки провоцируют их эксплуатацию "соответствующими" охотниками вплоть до Германского акционерного общества рыболовства в Северном море. Мы знаем, что инстинкт, собирающий животных вместе, обладает огромной силой и что притягивающее действие, которое оказывает стая на отдельные особи и их небольшие группы, возрастает с размером стаи, причем, вероятно, в геометрической прогрессии. В результате у многих животных, как, например, у вьюрков, может возникать смертельный circalus vitiosus[1]*. Если из-за случайных внешних обстоятельств — например, особенно обильного урожая буковых орешков в какой-либо местности — зимнее скопление этих птиц значительно превысит обычную величину, то их лавина перерастает экологически допустимые пределы, и птицы массами гибнут от голода. Я имел возможность наблюдать такое гигантское скопление зимой 1951 года близ озера Тунерзее в Швейцарии. Под деревьями, на которых спали птицы, каждый день лежало множество трупиков; несколько выборочных вскрытий однозначно указывали на голодную смерть.

Я полагаю, что не будет порочным кругом, если из того очевидного факта, что жизнь в больших стаях сопряжена с серьезными вредными последствиями, мы сделаем вывод, что в некотором другом отношении

---

[1] *Порочный круг *(лат.)*. — *Примеч. пер.*

такая жизнь должна иметь преимущества, которые не только уравновешивают вредные последствия, но даже перевешивают их до такой степени, что возникает селекционное давление, вырабатывающее сложные механизмы поведения для сплочения стаи.

Если стадные животные хотя бы в малейшей степени *вооружены,* как, скажем, галки, мелкие жвачные или мелкие обезьяны, то легко понять, что для них единство — это сила. Отражение нападения хищника или защита схваченного им члена стаи даже не обязательно должны иметь непосредственный успех, чтобы представлять ценность для сохранения вида. Если социальная защитная реакция галок и не приводит к спасению галки, попавшей в когти ястреба, а лишь докучает ястребу настолько, что он начинает охотиться на галок чуть-чуть менее охотно, чем, скажем, на сорок, — этого уже достаточно, чтобы защита товарища приобрела с точки зрения сохранения вида весьма существенную роль. То же относится к ”запугиванию”, с которым преследует хищников самец косули, и к яростным воплям, с какими следуют за тигром или леопардом многие обезьянки, прыгая по кронам деревьев на безопасной высоте и стараясь подействовать ему на нервы. Из таких же начал путем вполне понятных постепенных переходов развились тяжеловооруженные боевые порядки буйволов, самцов-павианов и подобных им мирных героев, перед оборонной мощью которых пасуют и самые страшные хищники.

Но какие преимущества дает тесная сплоченность стаи совершенно безоружным — сельдям и другим рыбам, плавающим косяками, мелким птичкам, полчищами совершающим свои перелеты, и множеству других? У меня есть только один предположительный ответ, и я высказываю его с сомнением, так как мне самому трудно поверить, что одна-единственная маленькая, хотя и широко распространенная слабость хищников имеет столь далеко идущие последствия в поведении животных, служащих им добычей. Эта слабость состоит в том, что очень многие, а может быть даже и все хищники, охотясь на отдельных животных, неспособны сконцентрироваться на одной цели, если в то же время в их поле зрения мельтешит множество других, равноценных. Попробуйте вытащить одну птицу из клетки, в которой их много. Даже если вам вовсе не нужна какая-то определенная птица, а просто нужно освободить клетку, вы с изумлением обнаружите, что необходимо твердо сосредоточиться на какой-то определенной, чтобы вообще поймать хоть одну. Кроме того, вы поймете, как немыслимо трудно сохранять эту нацеленность на определенный объект и не позволять себе отвлекаться на другие, которые кажутся более доступными. Другую птицу, которая, казалось бы, лезет под руку, почти никогда схватить не удается, потому что вы не следили за ее движениями в предыдущие секунды и поэтому не можете предвидеть, что она сделает в следующий момент. Сверх того, как это ни поразительно, вы часто будете делать хватательные движения в направлении, *промежуточном* между двумя одинаково привлекательными целями.

Очевидно, в точности то же самое происходит с хищниками, когда им одновременно предлагается много целей. На золотых рыбках экспериментально установлено, что они, парадоксальным образом, хватают меньше водяных блох, если их предлагается слишком много сразу. Точно так же ведут себя ракеты с автоматическим радарным наведением на самолет: они летят по равнодействующей между двумя целями, если те расположены близко друг к другу и симметрично относительно траектории. Хищная рыба, подобно ракете, лишена способности проигнорировать одну цель, чтобы сосредоточиться на другой. Так что причина, по которой сельди стягиваются в плотные косяки, вполне вероятно, та же, по которой проносящиеся над нами реактивные истребители летят плотно сомкнутым строем, что отнюдь не безопасно даже при самом высоком уровне мастерства пилотов.

Каким бы натянутым ни показалось это объяснение широко распространенного явления человеку, далекому от этих проблем, в пользу его правильности имеются веские аргументы. Насколько я знаю, нет ни одного вида, живущего в тесном стайном объединении, у которого отдельные животные в стае, будучи взволнованы, то есть заподозрив присутствие хищного врага, не стремились бы *стянуться плотнее*. Как раз у самых маленьких и самых беззащитных животных это заметно наиболее отчетливо; более того, у многих рыб это делают только мальки, а взрослые — уже нет. Некоторые рыбы в случае опасности собираются в такую плотную массу, что она выглядит как *одна* громадная рыба; а поскольку многие довольно глупые хищники, например барракуда, очень боятся подавиться, напав на слишком крупную добычу, это может играть своеобразную защитную роль.

Еще один очень сильный довод в пользу правильности моего объяснения вытекает из того, что, очевидно, ни один крупный профессиональный охотник никогда не нападает на жертву внутри плотного стада. Не только крупные хищные млекопитающие, такие, как лев и тигр, принимают в расчет обороноспособность их добычи, прежде чем прыгнуть на буйвола в стаде; более мелкие охотники на беззащитную дичь тоже почти всегда стараются отбить от стаи кого-то одного, прежде чем соберутся всерьез на него напасть. У сапсана и чеглока есть даже особая форма движения, которая служит исключительно этой цели и никакой другой. У. Биб наблюдал то же самое у рыб в открытом море. Он видел, как крупная макрель следует за косяком маленьких рыб-ежей и терпеливо ждет, пока какая-нибудь рыбка отделится наконец от плотного строя, чтобы самой схватить какую-то мелкую добычу. Такая попытка неизменно заканчивалась гибелью маленькой рыбки в желудке большой.

Перелетные стаи скворцов, очевидно, используют затруднения хищника с выбором цели для того, чтобы специальной отрицательной дрессировкой внушать ему дополнительное отвращение к охоте на скворцов. Когда стая этих птиц замечает в воздухе ястреба-перепелятника или чеглока, то она стягивается настолько плотно, что, кажется, будто птицы уже не в состоянии работать крыльями. Однако таким строем скворцы не улетают от хищника, а спешат ему навстречу и в конце концов окружают его со всех сторон, как амеба обтекает питательную частицу, впуская ее внутрь себя в маленьком пустом объеме, в "вакуоли". Некоторые наблюдатели утверждали, что в результате такого маневра у хищной птицы убирается воздух из-под крыльев, так что она не может больше лететь и тем более нападать. Это, конечно, нелепость, но такое переживание наверняка бывает для хищника достаточно мучительным, чтобы произвести упомянутую отрицательную дрессировку, так что это поведение имеет видосохраняющую ценность.

Многие социологи полагают, что изначальной формой социальной сплоченности является *семья,* а уже из нее в процессе эволюции развились все разнообразные формы сообществ, какие мы встречаем у высших животных. Это, может быть, верно для некоторых общественных насекомых*, а возможно, и для некоторых млекопитающих, включая приматов и человека, но такое утверждение нельзя обобщать. Самая первая форма "сообщества" в самом широком смысле слова — это анонимное скопление, типичный пример которого дают рыбы в Мировом Океане. Внутри такого скопления нет ничего похожего на структуру, никаких вожаков и никаких ведомых, лишь громадная масса одинаковых элементов. Разумеется, они взаимно влияют друг на друга; разумеется, существуют какие-то простейшие формы "взаимопонимания" между особями, составляющими скопление. Когда одна из них замечает опасность и спасается бегством, все остальные, кто может заметить его страх, заражаются этим настроением. Насколько широко распространится такая паника в крупном косяке, окажется ли она в состоянии побудить весь косяк к повороту и бегству — это чисто количественный вопрос; ответ зависит от того, сколько особей испугалось и обратилось в бегство и насколько интенсивной была их реакция. Так же может прореагировать весь косяк и на привлекающий стимул, вызывающий поворот в его сторону, "положительный таксис", даже если его заметила лишь одна особь. Ее решительное движение наверняка увлечет в том же направлении и других рыб, и опять-таки лишь вопрос количества, позволит ли вся стая себя увлечь.

Чисто количественное, в определенном смысле очень демократическое проявление такой "передачи настроений" приводит к тому, что решение дается рыбьей стае тем труднее, чем больше в ней особей и чем сильнее у них стадный инстинкт. Рыба, которая по какой бы то ни было причине поплыла в определенном направлении, вскоре волей-неволей выплывает из стаи и попадает при этом под влияние всех тех стимулов, которые побуждают ее вернуться. Чем больше рыб выплывает в одном и том же направлении, какие бы внешние стимулы ни побуждали каждую из них, тем скорее они увлекут всю стаю; чем больше стая, и вместе с тем ее обратное влияние, тем меньшее расстояние проплывают его предприимчивые члены, прежде чем повернут обратно и вернутся в стаю, словно притянутые магнитом. Поэтому большая стая мелких и плотно сбившихся рыбок являет жалкий образец нерешительности. То и дело предприимчивые особи образуют маленький поток, который вытягивается из стаи, как ложноножка у амебы. Чем длиннее становятся эти псевдоподии, тем они делаются тоньше и тем сильнее, очевидно, становится напряжение вдоль них; по большей части эта вылазка заканчивается стремительным бегством в глубь стаи. Когда видишь это — поневоле начинаешь нервничать, сомневаться в демократии и находить достоинства в политике правых.

Но такие сомнения не очень основательны, как доказывает простой, но очень важный для социологии опыт, который провел однажды на речных гольянах Эрих фон Гольст. Он удалил у одной-единственной рыбы этого вида передний мозг, отвечающий, по крайней мере у этих рыб, за все реакции стайного объединения. Гольян без переднего мозга выглядит, ест и плавает, как нормальный; единственный отличающий его признак в поведении состоит в том, что ему безразлично, если никто из товарищей не следует за ним, когда он выплывает из стаи. Таким образом, у него отсутствует нерешительная "оглядка" нормальной рыбы, которая, даже если очень интенсивно плывет в каком-либо направлении, уже с самых первых движений обращает внимание на товарищей по стае: плывут ли за ней и сколько их, плывущих следом. Гольяну без переднего мозга это было совершенно безразлично; если он видел корм или по какой-то другой причине хотел куда-то, он решительно плыл туда — и, представьте себе, *вся стая плыла следом.* Оперированное животное именно из-за своего дефекта стало несомненным лидером.

Внутривидовая агрессия, разделяющая и отдаляющая друг от друга животных одного вида, по своему действию противоположна стадному инстинкту, так что, само собой разумеется, сильная агрессивность и теснейшая сплоченность стаи несовместимы. Однако менее крайние проявления обоих механизмов поведения отнюдь не исключают друг друга. У многих видов, образующих большие скопления, отдельные особи все же никогда не переступают определенного предела: между каждыми двумя животными всегда сохраняется какое-то постоянное пространство. Хорошим примером тому служат скворцы, которые рассаживаются на телеграфном проводе с правильными промежутками, словно жемчужины в ожерелье. Расстояние между двумя скворцами в точности соответствует их возможности достать друг друга клювом. Непосредственно после приземления скворцы размещаются случайным образом; но те, которые оказались слишком близко друг к другу, тотчас затевают драку, и она продолжается до тех пор, пока повсюду не установится "предписанный" интервал, — *индивидуальная дистанция,* как его удачно назвал Гедигер. Пространство, радиус которого определен индивидуальной дистанцией, можно рассматривать как своего рода маленькую транспортабельную территорию, потому что механизмы поведения, обеспечивающие поддержание этого пространства, в принципе ничем не отличаются от описанных выше механизмов, определяющих разграничение владений. Бывают и настоящие территории, например, у олушей, гнездящихся колониями, которые возникают в точности так же, как распределяются сидячие места у скворцов: крошечное владение пары олушей имеет как раз такие размеры, что две соседние птицы, находясь каждая в центре своего "участка", то есть сидя на гнезде, только-только не достают друг друга кончиками клювов, если обе вытянут шеи насколько могут.

Итак, стайное объединение и внутривидовая агрессия *не полностью* исключают друг друга, но мы упомянули об этом лишь для полноты общей картины. Вообще же для стайных животных типично отсутствие какой бы то ни было агрессивности, а вместе с тем и отсутствие какой-либо индивидуальной дистанции. Сельдевые и карповые стайные рыбы не только при беспокойстве, но и в покое держатся так плотно, что касаются друг друга; и у многих рыб, которые во время нереста становятся территориальными и крайне агрессивными, всякая агрессивность исчезает, как только эти животные по окончании периода размножения снова собираются в стаи, как многие цихлиды, колюшки и другие. В большинстве случаев неагрессивное стайное состояние рыб внешне проявляется в их особой окраске. У очень многих видов птиц тоже господствует обычай на время, не связанное с заботой о потомстве, вновь собираться в большие анонимные стаи, как это бывает у аистов, цапель, ласточек и очень многих других певчих птиц, у которых супруги осенью и зимой не сохраняют никаких связей.

Лишь у немногих видов птиц и в больших перелетных стаях супружеские пары — соответственно родители и дети — держатся вместе, как у лебедей, диких гусей и журавлей. Понятно, что громадное количество птиц и теснота в большинстве крупных птичьих стай затрудняют сохранение связей между отдельными особями, но большинство этих животных и не придает этому никакого значения. Дело именно в том, что форма такого объединения совершенно анонимна; каждому отдельному существу общество каждого собрата по виду так же мило, как и любого другого. Идея личной дружбы, которая так прекрасно выражена в народной песне, — "У меня был друг-товарищ, лучше в мире не сыскать"*, — абсолютно неприложима к такому стадному существу; *каждый* товарищ так же хорош, как и любой другой; хотя ты не найдешь никого лучше, но и никого хуже тоже не найдешь, так что нет никакого смысла цепляться за какого-то определенного члена стаи как за своего друга и товарища.

Связь, соединяющая такую анонимную стаю, имеет совершенно иной характер, нежели личная дружба, придающая прочность и устойчивость нашему собственному сообществу. Однако можно было бы предположить, что личная дружба и любовь вполне могли бы развиться в недрах такого мирного объединения; эта мысль кажется особенно заманчивой, поскольку анонимная стая, безусловно, появилась в процессе эволюции гораздо раньше личной связи. Поэтому, чтобы избежать недоразумений, я хочу сразу сказать о том, что будет главной темой 11-й главы: образование анонимной стаи и личная дружба исключают друг друга, потому что последняя замечательным образом всегда связана с агрессивным поведением. Мы не знаем ни одного живого существа, которое способно к личной дружбе и при этом лишено агрессивности. Особенно впечатляющей является эта связь у тех животных, которые становятся агрессивными лишь в период размножения, а в остальное время лишены агрессивности и образуют анонимные стаи. Если у таких существ вообще возникают личные связи, с угасанием агрессивности они распадаются. Именно поэтому не сохраняются супружеские пары у аистов, зябликов, цихлид и прочих, когда они собираются в громадные анонимные стаи для осенних странствий.

Глава 9

ОБЩЕСТВЕННЫЙ ПОРЯДОК БЕЗ ЛЮБВИ

...и в сердце вечный хлад.

Гёте

Противопоставление анонимной стаи и личной связи, которым мы закончили предыдущую главу, означает лишь то, что эти два механизма социального поведения полностью исключают друг друга; оно не означает, что нет других механизмов этого рода. У животных бывают и такие отношения между определенными особями, которые соединяют их на долгое время и даже на всю жизнь без возникновения личных связей. Как у людей бывают деловые партнеры, которые хорошо сработались, но которым никогда не приходит в голову вместе пойти на прогулку или как-нибудь еще побыть вместе, так и у многих видов животных существуют индивидуальные связи, которые возникают лишь косвенно, через общие интересы партнеров в некотором общем "предприятии" или, лучше сказать, которые в этом предприятии и состоят. По опыту известно, что любителям животных, склонным их очеловечивать, бывает странно и даже неприятно услышать, что у очень многих птиц, в том числе и у живущих в пожизненном "браке", самцы и самки не придают никакого значения совместной жизни и буквально безразличны друг к другу, когда не заняты совместной деятельностью, относящейся к заботе о гнезде и птенцах.

Крайний случай таких отношений — индивидуальных, но не основанных на индивидуальном узнавании и на любви партнеров — представляет то, что Гейнрот назвал "местным супружеством". Например, у изумрудных ящериц самцы и самки занимают участки независимо друг от друга, и каждое животное обороняет свой участок исключительно от представителей своего пола. Самец ничего не предпринимает в ответ на вторжение самки, да он и не может ничего предпринять, поскольку торможение, о котором мы говорили на с. 146, не позволяет ему напасть на самку. В свою очередь, и самка не может напасть на самца, даже если тот молод и значительно уступает ей в размерах и в силе, поскольку ее удерживает глубокое врожденное почтение к регалиям мужественности, как было описано ранее (с. 146). Поэтому самцы и самки устанавливают границы своих владений так же независимо, как это делают животные двух разных видов, которым совершенно не нужны внутривидовые дистанции между ними. Однако самцы и самки изумрудной ящерицы, принадлежа к одному виду, проявляют одинаковые "вкусы", когда им приходится занимать какую-то норку или подыскивать место для ее устройства. Но даже в хорошо оборудованном вольере площадью более 40 квадратных метров, да и в естественных условиях, ящерицы не всегда имеют в своем распоряжении неограниченно много привлекательных возможностей устроиться — пустот между камнями, земляных нор и т. п. Поэтому неизбежно получается так, что самец и самка, которых ничто друг от друга не отталкивает, поселяются в одной и той же квартире. Но, кроме того, два возможных жилища редко оказываются в точности равноценными и одинаково привлекательными, так что мы совсем не удивились, когда в нашем вольере в самой удобной, особенно удачно обращенной к югу норке скоро обосновались самый сильный самец и самая сильная самка из всей нашей колонии ящериц. Животные, которые таким образом оказываются в весьма тесном контакте, естественно, чаще спариваются друг с другом, чем с чужими партнерами, случайно попавшими в границы их владений; но это вовсе не значит, что здесь проявляется их индивидуальное предпочтение к совладельцу жилища. Когда одного из "локальных супругов" в ходе эксперимента удаляли, то вскоре среди ящериц вольера "проходил слух", что заманчивое место для самца или соответственно для самки не занято. Это вело к новым яростным схваткам предендентов, и — что можно было предвидеть, — как правило, уже на другой день следующие по силе самец или самка овладевали этим жилищем, а вместе с ним и половым партнером.

Поразительно, но почти так же, как только что описанные ящерицы, ведут себя наши домашние аисты. Кто не слышал потрясающе красивых историй, которые рассказывают повсюду, где гнездятся белые аисты и где говорят на охотничьем жаргоне? Их снова и снова принимают всерьез, и время от времени то в одной, то в другой газете появляется отчет о том, как аисты перед отлетом в Африку вершили суровый суд, как великое собрание аистов карало отдельных птиц за преступления и как прежде всего все аистихи, повинные в супружеской измене, были приговорены к смерти и безжалостно казнены. В действительности для аиста его супруга значит немного; нет даже никакой уверенности, что он вообще узнал бы ее вдали от их общего гнезда. Пара аистов вовсе не связана той волшебной резиновой лентой, которая у гусей, журавлей, воронов или галок очевидным образом притягивает супругов друг к другу тем сильнее, чем дальше друг от друга они находятся. Аист-самец и его супруга почти никогда не летают на постоянном расстоянии друг от друга, как это делают пары вышеупомянутых и многих других видов, и в большой перелет они отправляются в совсем разное время. Аист-самец всегда прилетает весной на родину гораздо раньше своей самки — лучше сказать, самки из того же гнезда. Эрнст Шютц, будучи руководителем Росситенской орнитологической станции, сделал важное наблюдение на аистах, гнездившихся у него на крыше. Заключалось оно в следующем. В тот год самец вернулся рано, а через несколько дней, когда он стоял на гнезде, появилась чужая самка. Самец приветствовал чужую даму, щелкая клювом, она тотчас опустилась к нему на гнездо и так же приветствовала его. Самец без колебаний впустил ее и обращался с нею точь-в-точь, до мелочей, так, как всегда обращается самец аиста со своей долгожданной супругой при ее возвращении. Как говорил мне профессор Шютц, он был бы готов поклясться, что появившаяся птица и была долгожданной, родной супругой, если бы его не вразумило кольцо — вернее, его отсутствие — на ноге новой самки.

Они вдвоем были уже вовсю заняты ремонтом гнезда, когда вдруг явилась старая самка. Между аистихами началась борьба за гнездо не на жизнь, а на смерть, а самец наблюдал за ними безо всякого интереса и даже не подумал принять сторону старой супруги против новой или наоборот. В конце концов новая самка улетела, побежденная "законной" супругой, а самец после смены жён продолжил свои занятия по устройству гнезда с того самого места, где его прервал поединок соперниц. Он не проявил никаких признаков того, что вообще заметил эту двойную замену одной супруги на другую. Как это не похоже на легенду о суде! Если бы аист застал свою супругу "in flagranti"[1]* с соседом на ближайшей крыше, он, по всей вероятности, просто не смог бы её узнать!

Точно так же, как у аистов, обстоит дело и у квакв, но отнюдь не у всех цапель вообще. Как показал Отто Кёниг, среди них есть довольно много видов, у которых супруги, несомненно, узнают друг друга индивидуально и даже вдали от гнезда держатся до некоторой степени вместе. Квакву я знаю достаточно хорошо. В течение многих лет я наблюдал в моём саду за искусственно устроенной колонией свободных птиц этого вида, так что видел совсем близко и до мельчайших подробностей, как у них образуются пары, как они строят гнёзда, как высиживают яйца и выращивают птенцов. Когда супруги, составляющие пару, встречались на нейтральной территории, т. е. на достаточно большом расстоянии от их маленького общего гнездового участка, например ловили рыбу в пруду или кормились на лугу примерно в 100 метрах от дерева-гнездовья, не было ни малейших признаков того, что птицы знают друг друга. Они так же яростно отгоняли друг друга от хорошего рыбного места, так же яростно дрались из-за разбросанного мною корма, как любые кваквы, между которыми нет никаких отношений. Они никогда не летали вместе. Объединение птиц в более или менее крупную стаю, когда в густых вечерних сумерках кваквы улетали ловить рыбу на Дунай, носило характер типичного анонимного сообщества.

Так же анонимна и организация их колонии, которая коренным образом отличается от строго замкнутого круга друзей в колонии галок. Каждая кваква, пришедшая весной в настроение размножения, устраивает своё гнездо хотя и не слишком близко, но возле гнезда другой. Создаётся впечатление, что птице нужна "здоровая злость" по отношению к враждебному соседу, что без этого она не смогла бы находиться в надлежащем настроении для насиживания яиц. Наименьшие размеры гнездового участка определяются тем, как далеко достают при вытянутых шеях клювы ближайших соседей, т. е. точно так же, как у олушей или у скворцов при размещении на проводе. Таким образом, центры двух гнёзд никогда не могут располагаться ближе, чем на удвоенном расстоянии досягаемости. У цапель шеи длинные, так что дистанция получается вполне приличной.

Знают ли соседи друг друга — этого я с уверенностью сказать не могу. Однако я никогда не замечал, чтобы какая-нибудь кваква привыкла к приближению определённого сородича, которому приходится проходить близко от неё по дороге к собственному гнезду. Казалось бы, после сотни повторений одного и того же события эта глупая тварь должна наконец сообразить, что сосед — робкий, с прижатыми перьями, выражающими что угодно, но уж никак не воинственные намерения, — хочет только "поскорее проскочить". Но кваква никогда не научается понимать, что у соседа есть своё гнездо и потому он совершенно не

---

[1] *На месте преступления *(лат.)*. — *Примеч. пер.*

опасен, и не делает никакого различия между этим соседом и совершенно чужим пришельцем, замыслившим завоевание участка. Даже наблюдатель, не слишком склонный очеловечивать поведение животных, часто не может удержаться от раздражения, слыша беспрерывные резкие вопли и яростный стук клювов, которые то и дело раздаются в колонии кваки в любой час дня и ночи. Казалось бы, можно легко обойтись без этой ненужной траты энергии, поскольку кваквы в принципе способны узнавать друг друга индивидуально. Совсем маленькие птенцы одного выводка еще в гнезде прекрасно знают друг друга и прямо-таки яростно нападают на подсаженного к ним чужого птенца, даже если он в точности того же возраста. Вылетев из гнезда, они тоже довольно долго держатся вместе, ищут друг у друга защиты и в случае нападения обороняются сомкнутой фалангой. Тем более странно, что взрослая птица, сидящая на гнезде, никогда не ведет себя так, "как если бы она знала", что ее соседка — сама хорошо устроенная домовладелица, у которой наверняка нет никаких завоевательных намерений.

Можно спросить, почему же все-таки кваква до сих пор не "додумалась до открытия", лежащего на самой поверхности, и не использовала своей способности узнавать собратьев по виду для избирательного привыкания к соседям, избавив себя тем самым от невероятного количества волнений и траты энергии? Ответить на этот вопрос трудно, да он, вероятно, и поставлен неверно. В природе существует не только целесообразное для сохранения вида, но и все *не настолько* нецелесообразное, чтобы угрожать его существованию.

Чему не научилась кваква, — привыкать к соседу, о котором известно, что он не замышляет нападения, и благодаря этой привычке избегать ненужных проявлений агрессии, — в том значительно преуспела одна рыба из уже известной нам своими рыбьими рекордами группы цихлид. В североафриканском оазисе Гафза живет маленький гаплохромис, о социальном поведении которого мы узнали благодаря основательным наблюдениям в естественных условиях, которые произвела Розль Кирхсгофер. Самцы строят тесную колонию "гнезд", лучше сказать, ямок для икры. Самки лишь выметывают икру в эти гнезда, а затем, как только самцы ее оплодотворят, забирают ее в рот и вынашивают в других местах, на богатом растительностью мелководье возле берега, и там же потом выращивают молодь. Каждому самцу принадлежит лишь совсем маленький участок, почти полностью занятый ямкой для икры, которую он приготовляет, копая дно ртом и выметая хвостовым плавником. К этой ямке каждый самец старается приманить каждую проплывающую мимо самку определенными ритуализованными действиями ухаживания и так называемым указывающим плаванием. За этой деятельностью самцы проводят весьма значительную часть года; не исключено даже, что они все время находятся на нерестилище. Нет также никаких оснований предполагать, что они часто меняют свои участки. Таким образом, каждый располагает достаточным временем, чтобы основательно познакомиться со своими соседями; а уже давно установлено, что цихлиды вполне способны на это. Доктор Кирхсгофер не убоялась огромной работы — выловить всех самцов такой колонии и индивидуально обозначить каждого из них. И оказалось, что каждый самец на самом деле очень хорошо знает хозяев соседних участков и мирно переносит их присутствие совсем рядом с собой, но тотчас же яростно нападает на каждого чужака, стоит лишь тому направиться, даже издали, в сторону его икряной ямки.

Такая готовность к миру у самцов гаплохромисов из Гафзы, основанная на индивидуальном узнавании собратьев по виду, еще не является той дружеской связью, которой мы будем заниматься в 11-й главе. Ведь у этих рыб еще отсутствует пространственное притяжение между отдельными животными, лично знающими друг друга, которое приводит к их постоянному совместному пребыванию, а именно оно является объективным признаком дружбы. Однако в силовом поле, в котором всюду присутствует взаимное отталкивание, всякое ослабление отталкивания между двумя объектами имеет последствия, которые невозможно отличить от последствий притяжения. И еще в одном отношении "пакт о ненападении" соседей у самцов-гаплохромисов похож на настоящую дружбу: как ослабление агрессивного отталкивания, так и притягивающее действие дружелюбия зависят *от степени знакомства* соответствующих особей. Избирательное привыкание ко всем стимулам, исходящим от лично знакомого собрата по виду, является, очевидно, предпосылкой возникновения любой личной связи и, пожалуй, ее предшественником в эволюционном развитии социального поведения.

Простое знакомство с сородичем затормаживает агрессивность и у человека — разумеется, лишь в виде общего правила и ceteris paribus[1]*, что лучше всего наблюдается в железнодорожном вагоне; кстати, это наилучшее место и для изучения отталкивающего действия внутривидовой агрессии и ее функции в разграничении пространства. Все способы поведения, какие служат в этой ситуации отталкиванию территориальных конкурентов и пришельцев — пальто и сумки на соседних свободных местах, вытянутые ноги, симуляция отвратительного храпа и т. д. и т. п., — все это бывает обращено исключительно против совершенно незнакомых людей и мгновенно пропадает, едва вновь появившийся окажется хоть в малейшей степени "знакомым".

Глава 10

КРЫСЫ

> Где дьявол праздник свой справляет,
> Он ярость партий распаляет —
> И ужас потрясает мир.
>
> *Гёте*

Существует тип социальной организации, характеризующийся такой формой агрессии, с которой мы еще не встречались, а именно коллективной борьбой одного сообщества против другого. Я попытаюсь показать, что нарушения именно этой социальной формы внутривидовой агрессии

---

[1]*При прочих равных условиях *(лат.).* — *Примеч. пер.*

167

в самую первую очередь играют роль "Зла" в собственном смысле этого слова. Именно поэтому социальная организация такого рода представляет собой модель, на которой можно наглядно увидеть некоторые опасности, угрожающие нам самим.

В своем поведении по отношению к членам собственного сообщества животные, о которых пойдет речь, являются истинным образцом всех социальных добродетелей. Но они превращаются в настоящих извергов, когда им приходится иметь дело с членом любого другого сообщества, кроме своего. Сообщества этого типа всегда слишком многочисленны для того, чтобы все могли лично знать друг друга; принадлежность к определенной группе узнается по определенному *запаху,* свойственному всем ее членам.

Про общественных насекомых с давних пор известно, что их сообщества, зачастую насчитывающие до нескольких миллионов членов, по сути дела являются семьями, поскольку состоят из потомков одной-единственной самки или одной пары, основавшей колонию. Давно известно и то, что у пчел, термитов и муравьев члены такой гигантской семьи узнают друг друга по характерному запаху улья, термитника или муравейника и что неизбежно смертоубийство, если, скажем, в гнездо по ошибке забредет член чужого сообщества или человек-экспериментатор поставит бесчеловечный опыт, перемешав две колонии.

Насколько я знаю, только с 1950 года стало известно, что у млекопитающих, а именно у грызунов, тоже существуют гигантские семьи, которые ведут себя точно так же. Это важное открытие сделали практически одновременно и независимо друг от друга Ф. Штейнигер и И. Эйбль-Эйбесфельдт, один на серых крысах, а другой на домовых мышах.

Эйбль, который тогда еще работал на биологической станции Вильгельминенберг у Отто Кёнига, следовал здравому принципу жить в возможно более близком контакте с изучаемыми животными до такой степени, что мышей, живших на свободе в его бараке, он не только не преследовал, но регулярно подкармливал и спокойным и осторожным поведением вскоре приручил их настолько, что мог без помех наблюдать за ними в непосредственной близости. Однажды случилось так, что раскрылась большая клетка, в которой Эйбль держал целый выводок крупных темных лабораторных мышей, довольно близких к диким. Как только эти животные отважились выбраться из клетки и забегали по комнате, местные дикие мыши тотчас напали на них с поистине беспримерной яростью, и лишь после тяжелой борьбы им удалось вернуться под надежную защиту прежней тюрьмы. Ее они затем обороняли успешно, хотя дикие домовые мыши пытались ворваться и туда.

Штейнигер помещал серых крыс, пойманных в разных местах, всех вместе в большой вольер, где животным были предоставлены совершенно естественные условия. Сначала отдельные животные, казалось, боялись друг друга. Настроения нападать у них не было. Тем не менее бывали серьезные стычки, когда животные случайно встречались, особенно если двух из них гнали вдоль ограждения навстречу друг другу, так что они сталкивались на достаточно большой скорости. По-настоящему агрессивными они стали только тогда, когда начали привыкать друг к другу и завладевать участками. Одновременно началось и образование пар из незнакомых друг другу крыс, пойманных в разных местах. Если одновременно возникало несколько пар, то следовавшие за этим схватки могли продолжаться очень долго; если же одна пара образовывалась несколько раньше, то тирания объединенных сил обоих супругов настолько подавляла несчастных соседей по вольеру, что дальнейшее образование пар прекращалось. Одинокие крысы очевидным образом понижались в ранге, и отныне пара преследовала их беспрерывно. Даже в загоне площадью 64 квадратных метра такой паре, как правило, было достаточно двух-трех недель, чтобы прикончить всех остальных обитателей, т. е. 10—15 сильных взрослых крыс.

Самец и самка победоносной пары были одинаково жестоки к побежденным собратьям по виду, хотя было очевидно, что он предпочитает терзать самцов, а она — самок. Побежденные крысы почти не защищались, отчаянно пытались убежать и, доведенные до крайности, бросались туда, где крысам очень редко удается найти спасение, — вверх. На месте прежнего обилия крыс Штейнигер неоднократно видел израненных, измученных крыс, которые средь бела дня сидели на открытом месте, высоко на кустах или на деревцах — явно заблудшие, бездомные создания. Раны у них располагались главным образом на задней части спины и на хвосте — как раз там, где преследователь мог достать убегавшего. Они редко умирали легкой смертью в результате внезапного глубокого ранения или сильной потери крови; чаще смерть была результатом сепсиса, особенно от укусов, повреждавших брюшину. Но больше всего животные погибали от общего истощения и нервного перенапряжения, которое приводило к недостаточности функции надпочечников.

Особенно действенный и коварный метод умерщвления собратьев по виду Штейнигер наблюдал у некоторых самок, превратившихся в настоящих профессиональных убийц. ”Они медленно подкрадываются, — пишет он, — затем внезапно прыгают и наносят ничего не подозревающей жертве, которая, например, ест у кормушки, укус в шею сбоку, весьма часто задевающий сонную артерию. По большей части схватка длится считанные секунды. Чаще всего смертельно укушенное животное гибнет от многочисленных внутренних кровоизлияний, которые обнаруживаются под кожей или в полостях тела”.

Наблюдая кровавые трагедии, приводящие в конце концов к тому, что оставшаяся пара крыс завладевает всем вольером, трудно представить себе, как может развиться сообщество, которое скоро, *очень* скоро образуется из потомков победоносных убийц. Миролюбие, даже нежность, которыми отличается у млекопитающих отношение матерей к своим детям, у крыс свойственно не только отцам, но и дедушкам, а также всевозможным дядюшкам, тетушкам, двоюродным бабушкам и дедушкам и т. д. и т. п. — не знаю, до какой степени родства. Матери кладут все свои выводки в одно и то же гнездо, и вряд ли можно предположить, что каждая из них заботится только о собственных детях. Серьезных схваток внутри этой большой семьи не бывает никогда, даже если в ней насчитываются десятки животных. Даже в волчьих стаях, члены которых так учтивы друг с другом, звери высшего ранга едят общую добычу первыми. В крысиной стае рангового порядка *не суще-*

ствует. Стая сплоченно нападает на крупную добычу, и более сильные ее члены вносят больший вклад в победу. Но затем — я цитирую Штейнигера дословно — "меньшие животные ведут себя фамильярно: бо́льшие добровольно подбирают объедки меньших. Так же и при размножении: во всех отношениях более резвые животные, выросшие лишь наполовину или на три четверти, чаще всего опережают взрослых. Молодые имеют все права, и даже сильнейший из старших не оспаривает их".

Внутри стаи не бывает серьезной борьбы, самое большее мелкие трения, которые разрешаются ударами передней лапки или наступанием задней, но укусами — никогда. Внутри стаи не существует индивидуальной дистанции; напротив, крысы — "контактные животные" в смысле Гедигера, они охотно касаются друг друга. Церемония дружелюбной готовности к контакту состоит в так называемом подползании, которое особенно часто наблюдается у молодых животных, в то время как более крупные чаще выражают свою симпатию к меньшим наползанием. Интересно, что чрезмерная назойливость в таких проявлениях дружбы является наиболее частым поводом к безобидным ссорам внутри большой семьи. Если старшему животному, занятому едой, чересчур надоедает младшее своим под- или наползанием, то первое обороняется: бьет передней лапкой или наступает задней. Ревность или жадность в еде почти никогда не бывает причиной подобных действий.

Внутри стаи быстро распространяются сообщения — посредством передачи настроений, а также, что важнее всего, имеет место сохранение однажды приобретенного опыта и передача его потомству. Если крысы находят новую, до тех пор не знакомую им еду, то, по наблюдениям Штейнигера, в большинстве случаев первое животное, нашедшее ее, решает, будет семья есть ее или нет. "Стоит лишь нескольким животным из стаи наткнуться на приманку и не взять ее, и ни один из членов стаи к ней больше не подойдет. Если же первые не берут отравленную приманку, то они метят ее мочой или калом. Хотя выбрасывать кал высоко должно быть крайне неудобно, на высоко расположенной отравленной приманке часто можно обнаружить помет". Но вот что всего поразительнее: знание об опасности той или иной приманки передается из поколения в поколение и надолго переживает те особи, которые имели связанные с ней неприятности. Трудность по-настоящему успешной борьбы с серой крысой — наиболее преуспевшим биологическим противником человека — состоит прежде всего в том, что крыса пользуется средствами, в принципе подобными человеческим: традиционной передачей опыта и его распространением внутри тесно сплоченного сообщества.

Серьезная грызня между крысами, принадлежащими к одной большой семье, происходит лишь в одном-единственном случае, многозначительном и интересном в разных отношениях, а именно когда присутствует чужая крыса, пробудившая внутривидовую, внутрисемейную агрессивность. То, что делают крысы, когда на их участок попадает член чужого крысиного клана — или когда он подсаживается экспериментатором, — это одна из самых впечатляющих, ужасных и отвратительных вещей, какие можно наблюдать у животных. Чужая крыса может бегать несколько минут или больше, не подозревая об ужасной судьбе, которая ее ожидает, и столь же долго местные могут заниматься своими обычными делами, — до тех пор, пока наконец чужая не приблизится к одной из них настолько, что та учует ее запах. Тогда она вздрагивает, как от электрического удара, и в одно мгновение вся колония оказывается поднятой по тревоге посредством передачи настроения, которая у серых крыс осуществляется лишь выразительными движениями, а у черных — еще и резким, сатанински-пронзительным криком, который подхватывают все члены стаи, услышавшие его. От возбуждения у них глаза вылезают из орбит, шерсть встает дыбом, и крысы начинают охоту на крысу. Они приходят в такую ярость, что если две из них натыкаются друг на друга, то сначала, на всякий случай, ожесточенно кусаются. "Они сражаются в течение трех—пяти секунд, — сообщает Штейнигер, — затем основательно обнюхивают друг друга, сильно вытянув шеи, и мирно расходятся. В день травли чужой крысы все члены стаи относятся друг к другу раздраженно и недоверчиво". Очевидно, члены крысиного клана узнают друг друга не лично, как, скажем, галки, гуси или обезьяны, а по общему запаху, точно так же, как пчелы и другие общественные насекомые.

Как и у этих насекомых, можно в эксперименте поставить на члена крысиного клана штамп ненавистного чужака, и наоборот, с помощью специальных мер изменив запах. Когда Эйбль брал животное из крысиной колонии и пересаживал его в приготовленный заранее другой вольер, то уже через несколько дней при возвращении в прежний вольер клан встречал его как чужого. Если же вместе с крысой он брал из вольера почву, хворост и т. д. и помещал все это на пустое и чистое стеклянное основание, так что изолированное животное получало приданое из таких вещей, которые позволяли ему сохранить на себе запах клана, то такую крысу безоговорочно признавали его членом даже после отсутствия в течение недель.

Поистине душераздирающей была участь одной черной крысы, которую Эйбль отсадил первым из описанных способов, а затем вернул в родной вольер в моем присутствии. Этот зверек, очевидно, не забыл запах своего клана, но не знал, что сам он пахнет по-другому. Поэтому, будучи перенесен в прежнее место, он чувствовал себя совершенно уверенно, он был дома, так что свирепые укусы его прежних друзей были для него совершенно неожиданны. Даже после нескольких серьезных ранений он все еще не пугался и не пытался спастись отчаянным бегством, как это делают действительно чужие крысы после первой же встречи с нападающим членом местного клана. Успокою мягкосердечного читателя, а ученому читателю скрепя сердце призна́юсь: в этом случае мы не стали дожидаться печального конца, а посадили подопытного зверька в родном вольере под защиту маленькой проволочной клетки, чтобы он восстановил национальную принадлежность своего запаха.

Без такого сентиментального вмешательства жребий чужой крысы поистине ужасен. Самое лучшее, что с ней может произойти, — ее сразит насмерть шок безмерного ужаса, как это наблюдал в отдельных случаях С. А. Барнетт. Иначе собратья по виду медленно разорвут ее на куски. Редко можно так отчетливо видеть у животного отчаяние, панический страх и в то же время сознание неотвратимости ужасной смерти, как у такой крысы, готовой к тому, что крысы ее казнят: она больше не защищается! Невольно напрашивается сравнение такого поведения с тем, которым она встречает угрозу крупного хищника, загнавшего ее в угол, и у нее не больше шансов спастись от него, чем от крыс чужого клана. Однако подавляюще превосходящему хищному врагу она противопоставляет смертельно-мужественную самозащиту, лучший из всех способов обороны, какие только бывают, — нападение. Кому когда-нибудь бросалась в лицо, с пронзительным боевым кличем своего вида, загнанная в угол серая крыса, тот поймет, что я имею в виду.

Для чего же нужна эта партийная ненависть между стаями крыс? Какая полезная для сохранения вида задача породила такое поведение? Самое ужасное и для нас, людей, в высшей степени тревожное состоит здесь в том, что этот старый добрый дарвинистский ход мыслей применим только там, где существует какая-то внешняя, исходящая из окружающих условий, причина, которая производит такой выбор. Только в этом случае отбор приводит к приспособлению. Однако там, где отбор производится соперничеством собратьев по виду самим по себе, там существует, как мы уже знаем, огромная опасность, что в слепой конкуренции они загонят друг друга в самые нелепые тупики эволюции. Ранее (с. 90—91) мы познакомились с двумя примерами таких ложных путей развития: это были крылья фазана-аргуса и темп работы в западной цивилизации. Таким образом, вполне возможно, что партийная ненависть между кланами, царящая у крыс, — это на самом деле лишь "изобретение дьявола", ни для чего не нужное. С другой стороны, нельзя, конечно, исключить и того, что были и есть какие-то еще неизвестные факторы внешнего мира, осуществляющие отбор. Но *одно* мы можем утверждать с уверенностью: *борьба между кланами не выполняет* тех видосохраняющих функций внутривидовой агрессии, о которых мы уже знаем и о необходимости которых мы говорили в 3-й главе. Эта борьба не служит ни пространственному распределению, ни отбору сильнейших защитников семьи, — ими, как мы видели, редко бывают отцы потомства, — ни какой-либо другой из функций, перечисленных в 3-й главе.

Кроме того, вполне понятно, что постоянное состояние войны, в котором находятся соседние большие семьи крыс, должно оказывать сильнейшее селекционное давление в сторону все возрастающей боеспособности и что клан, который хоть немного в этом отстанет, будет очень быстро истреблен. Вероятно, что естественный отбор назначил премию самой многочисленной семье: поскольку ее члены, безусловно, помогают друг другу в борьбе с чужими, меньший народ заведомо находится в худшем положении, чем бо́льший. Штейнигер обнаружил на маленьком островке Нордероог в Северном море, что несколько крысиных стай поделили землю, оставив между собой полосы ничьей земли, "no rat's land"[1]*, шириной примерно 50 метров, в пределах которых идет постоянная война. Так как фронт обороны для малочисленной популяции относительно более растянут, чем для более крупной, то первая оказыва-

---

[1] *"Земля без крыс" *(англ.),* по аналогии с военным выражением no man's land (земля без людей). — *Примеч. пер.*

172

ется в невыгодном положении. Напрашивается мысль, что на каждом таком островке будет оставаться все меньше и меньше крысиных популяций, а выжившие будут становиться все многочисленнее и кровожаднее, так как премия отбора назначена за усиление партийной ненависти. Про исследователя, который всегда помнит об угрозе гибели человечества, можно сказать в точности то же, что говорит Альтмайер в погребке Ауэрбаха о Зибеле:

> В несчастье тих и кроток он:
> Сравнил себя с распухшей крысой (!)
> И полным сходством поражен.

Глава 11

СОЮЗ

> Мой страх пропал — плечо к плечу с тобой
> Я брошу вызов моему столетью.
>
> *Шиллер*

В трех различных типах социальной организации, которые я описал в предыдущих главах, связи между отдельными существами совершенно безличны. Индивиды почти полностью взаимозаменяемы как элементы надындивидуального сообщества. Первый проблеск личных отношений мы видели у владеющих участками самцов гаплохромисов из Гафзы, которые заключают с соседом пакт о ненападении и бывают агрессивны только с чужими. Однако при этом проявляется лишь пассивная терпимость по отношению к хорошо знакомому соседу. Еще не действует никакая притягательная сила, которая побуждала бы следовать за партнером, если он поплыл куда-то, или ради него оставаться на месте, если он остается, или же активно искать его, если он исчез.

Однако именно такие формы поведения, характеризующие стремлением держаться вместе, которое может быть установлено объективно, составляют ту личную связь, которая является предметом данной главы и которую я буду в дальнейшем называть *союзом* (Band). Охватываемое им сообщество будет называться *группой*. Таким образом, группа определяется тем, что она, как и анонимная стая, объединяется реакциями, которые вызывают друг у друга ее члены, но при этом, в отличие от анонимной стаи, являющейся безличным сообществом, реакции, заставляющие держаться вместе, тесно связаны с *индивидуальностями* членов группы.

Как и пакт о взаимной терпимости у гаплохромисов Гафзы, настоящее группообразование имеет предпосылкой способность отдельных животных избирательно реагировать на индивидуальность данного конкретного другого члена группы. У гаплохромиса, который лишь в единственном месте, на своей гнездовой ямке, по-разному реагирует на соседей и на чужих, в процесс этого специального привыкания входит целый ряд побочных обстоятельств. Неясно, как он стал бы обходиться с привычным соседом, если бы оба вдруг оказались в непривычном месте. Настоящее же группообразование характеризуется как раз своей независимостью от места. Роль, которую каждый член группы играет в жизни каждого другого, остается одной и той же в поразительном множестве самых различных внешних ситуаций; одним словом, предпосылкой всякого группообразования является *личное узнавание* партнеров в любых возможных обстоятельствах. Таким образом, образование группы никогда не основывается только на врожденных реакциях, как это достаточно часто бывает при образовании анонимных стай. Само собой разумеется, что знание партнеров должно быть усвоено индивидуально.

Рассматривая образ жизни животных в восходящем ряду от более простых к более сложным, мы впервые встречаем группообразование в только что определенном смысле у высших костистых рыб, а именно у иглоперых; а среди них в особенности у цихлид и других сравнительно близких к ним окуневых, таких, как рыбы-"ангелы", рыбы-"бабочки" и Pomacentridae. Эти три семейства морских рыб уже знакомы нам по первой главе, причем, что здесь весьма важно, как существа с особенно высоким уровнем внутривидовой агрессии.

Только что (с. 160—162), говоря об образовании анонимной стаи, я категорически утверждал, что эта широчайше распространенная и древнейшая форма сообщества не происходит из семьи, из единства родителей и детей, в отличие от воинственных крысиных кланов и, вероятно, также стай других млекопитающих. В несколько ином смысле эволюционной праформой личного союза и группообразования несомненно является солидарность *пар, сообща заботящихся о потомстве*. Из такой пары, как известно, легко возникает семья; но связь, о которой сейчас будет речь, носит гораздо более специальный характер. Для начала мне хотелось бы наглядно изобразить, как возникают эти связи у цихлид, столь достойных благодарности за преподанные нам уроки.

Когда наблюдатель, знающий животных и хорошо понимающий их выразительные движения, следит за подробно описанными на с. 132 процессами, которые приводят у цихлид к образованию разнополой пары, ему может стать не по себе от того, насколько *злы* по отношению друг к другу будущие супруги. То и дело они едва не набрасываются друг на друга, и каждый раз опасная вспышка агрессивности еле-еле приглушается лишь настолько, чтобы не дошло до смертоубийства. Такое опасение вовсе не основано на неправильном истолковании соответствующих выразительных движений рыб! Каждый практик, разводящий рыб, знает, насколько опасно пускать в один аквариум самца и самку цихлид и как быстро появляется труп, если не следить за парой постоянно.

В естественных условиях привыкание сильно способствует прекращению борьбы между будущими новобрачными. Условия жизни на воле воспроизводятся в аквариуме наилучшим образом, если поместить в бассейн возможно большего объема несколько мальков — вначале вполне уживчивых, — чтобы они росли вместе. Тогда образование пар происходит таким образом, что по достижении половой зрелости какая-то рыба, по большей части самец, захватывает себе участок и прогоняет из него всех остальных. Когда позднее какая-нибудь самка становится готова к спариванию, она осторожно приближается к владельцу участка; он нападает на нее, поначалу вполне серьезно, а самка, поскольку она признает главенство самца, отвечает на это уже описанным на с. 132 способом — так называемым чопорным поведением, состоящим, как мы уже знаем, из элементов, возникающих частью из стремления к спариванию, частью из стремления к бегству. Если самец, несмотря на очевидное тормозящее агрессию действие этих жестов, все-таки пускается в драку, то самка может на короткое время удалиться из его владений. Однако рано или поздно она возвращается. Это повторяется в течение какого-то промежутка времени, разной продолжительности, до тех пор, пока каждый из двух привыкает к присутствию другого настолько, что неизбежно исходящие от партнера стимулы, вызывающие агрессию, в значительной степени теряют свою действенность. Как и во многих подобных случаях специального привыкания, здесь в этот процесс первоначально вовлечены все случайные побочные обстоятельства общей ситуации, к которой животное в конце концов привыкает. Изменение любого из этих обстоятельств неизбежно влечет за собой нарушение общего действия всей привычки. Особенно это относится к началу мирной совместной жизни; первоначально партнер непременно должен появляться привычным путем, с привычной стороны, освещение должно быть таким же, как всегда, и т. д. и т. п.; в противном случае каждая рыба воспринимает другую как вызывающего агрессию пришельца. На этой стадии пересадка в другой аквариум может совершенно разрушить пару. С упрочением знакомства образ партнера становится все более независимым от фона, на котором он предлагается; этот процесс вычленения существенного хорошо известен гештальтпсихологам и исследователям условных рефлексов. В конце концов связь с партнером становится настолько независимой от побочных обстоятельств, что пары можно пересаживать и даже транспортировать на значительное расстояние, и союз при этом не распадается. В крайнем случае при таких обстоятельствах старые пары "регрессируют" к ранней стадии, т. е. у них снова начинаются церемонии ухаживания и примирения, которые у супругов, долго состоящих в браке, давно уже исчезли в повседневной рутине.

Если образование пары происходит без помех, то у самца постепенно все больше и больше выходят на передний план сексуальные формы поведения. Зачатки их могут быть примешаны уже к самым первым, вполне серьезным нападениям на самку; теперь их частота и интенсивность возрастают, но *при этом не исчезают выразительные движения, свидетельствующие об агрессивном настроении.* Что исчезает очень быстро — это первоначальная готовность самки к бегству и ее "покорность". Выразительные движения страха, соответственно готовности к бегству, с укреплением пары исчезают у самки все больше и больше — в очень многих случаях настолько быстро, что при первых своих наблюдениях над цихлидами я их не заметил и целый год ошибочно полагал, что у этих рыб не существует рангового порядка между супругами. Мы уже знаем, какую роль в действительности играет ранговый порядок при взаимном узнавании полов. В латентном состоянии он сохраняется и тогда, когда самка окончательно прекращает выполнение своих жестов

175

покорности перед супругом. Лишь в редких случаях, если старая пара вдруг рассорится, самка все-таки их выполняет!

Вместе со страхом перед самцом у самки, которая поначалу была робкой и покорной, исчезает всякое торможение агрессивного поведения. Ее прежняя застенчивость внезапно пропадает, и она дерзко и заносчиво появляется посреди владений своего супруга — с расправленными плавниками, в самой импонирующей позе, в роскошном наряде, который у этих видов почти не отличается от наряда самца. Как и следовало ожидать, самец приходит в ярость, ибо ситуация, преподнесенная ему красующейся супругой, неизбежно несет в себе, как мы уже знаем из нашего анализа стимулов, ключевой раздражитель, запускающий боевое поведение. Итак, самец бросается на свою даму, тоже принимает позу угрозы развернутым боком, и какую-то долю секунды кажется, что он вот-вот протаранит, — и тут происходит то, что побудило меня написать эту книгу. Самец, угрожая самке, задерживается лишь на долю секунды или не задерживается вовсе: он не может ждать, он слишком возбужден, он в самом деле бросается в яростную атаку — — — — *но не на свою супругу, а мимо, на волосок от нее, на какого-нибудь другого собрата по виду* — в естественных условиях, как правило, против соседа по участку!

Это классический пример явления, которое мы с Тинбергеном называем переориентированным движением (англ. redirected activity). Оно определяется тем, что некоторая форма поведения, запускаемая *одним* объектом, ввиду того, что от этого объекта одновременно исходят и тормозящие стимулы, направляется на *другой* предмет, отличный от того, который запустил эту форму поведения. Так, например, человек, рассердившийся на другого, скорее ударит кулаком по столу, чем по его лицу, — именно потому, что этому препятствуют определенные запреты, а ярость требует выхода, как лава в вулкане. Большинство известных случаев переориентированного движения относится к агрессивному поведению, которое провоцируется каким-нибудь объектом, одновременно вызывающим страх. На этом специальном случае Б. Гржимек, назвавший его "реакцией велосипедиста", впервые распознал и описал принцип переориентирования. "Велосипедист" означает здесь любого, кто выгибает спину кверху и давит ногами книзу. Особенно отчетливо проявляется механизм такого поведения в тех случаях, когда животное нападает на предмет своего гнева с некоторого расстояния, затем, приблизившись, замечает, настолько тот страшен, и тогда, поскольку оно не может затормозить уже заведенный механизм нападения, изливает свою ярость на какое-нибудь безобидное существо, оказавшееся рядом.

Разумеется, существует бесчисленное множество других форм переориентированных движений; они могут возникать в результате самых различных сочетаний соперничающих побуждений. Данный конкретный случай с самцом цихлиды важен для нашей темы потому, что аналогичные явления играют решающую роль в семейной и общественной жизни очень многих высших животных и человека. Очевидно, в царстве позвоночных неоднократно и независимо делалось "изобретение", позволяющее не только подавлять агрессию, вызываемую партнером, но и использовать ее для борьбы с враждебным соседом.

Отвод нежелательной агрессии, вызываемой партнером, и ее канализация в желательном направлении, на соседа по участку, которая наблюдалась и была драматично описана в случае с самцом цихлиды, конечно же, не является таким изобретением данного момента, которое животное может в критический момент сделать или не сделать. Напротив, оно давно ритуализовано и превратилось в неотъемлемый инстинктивный атрибут данного вида. Все, что мы узнали в 5-й главе о процессе ритуализации, служит прежде всего пониманию того факта, что из переориентированного действия может возникнуть жесткий ритуал, а вместе с ним и потребность, самостоятельный мотив поведения.

В далекой древности, приблизительно в конце мелового периода (миллион лет в ту или другую сторону здесь никакой роли не играет!), *однажды* должна была произойти в точности такая же история, как с индейскими вождями и трубкой в 5-й главе, иначе никакой ритуал не мог бы возникнуть. Ведь один из двух Великих Конструкторов эволюции — Отбор, чтобы иметь возможность вмешаться, всегда нуждается в какой-то случайно возникшей точке опоры, и ее предоставляет ему его слепой, но прилежный коллега — Изменчивость.

Подобно тому как обстоит дело со многими телесными признаками и многими инстинктивными движениями, индивидуальное развитие — онтогенез — ритуализованной церемонии следует, в общих чертах, тому же пути, какой оно выбрало в ходе эволюционного становления. Хотя, строго говоря, в онтогенезе повторяется не ряд форм предков, а только ряд *их онтогенезов,* как справедливо отметил уже Карл Эрнст фон Бэр, для наших целей достаточно и упрощенного представления. Итак, ритуал, возникший из переориентации нападения, в своем первом проявлении значительно больше похож на свой нeритуализованный прообраз, чем впоследствии, в своем окончательном виде. Поэтому у самца цихлиды, только вступающего в брачную жизнь, можно вполне отчетливо увидеть, особенно если интенсивность всей реакции не слишком велика, что он, собственно, весьма охотно нанес бы своей юной супруге сильный удар, но в самый последний момент какое-то побуждение иного рода мешает ему, и тогда он предпочитает разрядить свою ярость на соседа. В полностью развитой церемонии ”символ” отходит от символизируемого значительно дальше и ее происхождение маскируется как ”театральностью” всего действия, так и тем обстоятельством, что оно столь очевидным образом выполняется ради него самого. При этом функция и символика церемонии гораздо заметнее, нежели ее происхождение. Необходим тщательный анализ, чтобы установить, сколько в ней еще содержится от побуждений, первоначально вступивших в конфликт между собой. Когда мой друг Альфред Зейц и я четверть века назад впервые познакомились с описанным здесь ритуалом, то функции церемоний ”смены” и ”приветствия” у цихлид очень скоро стали нам совершенно ясны, но еще долго мы не могли распознать их эволюционного происхождения.

Что нам, правда, сразу же бросилось в глаза на первом же, в то время изученном лучше других виде африканских рыбок-самоцветов — это большое сходство жестов угрозы и ”приветствия”. Мы быстро научились различать их и правильно предсказывать, приведет ли данная форма движения к схватке или к образованию пары, но, к своей досаде, долго не могли обнаружить, какие именно признаки служили нам основанием для этого. Только когда мы внимательно проанализировали постепенные переходы, посредством которых самец переходит от серьезных угроз невесте к церемонии умиротворения, нам стало ясно различие: при угрозе самец тормозит рывками, пока совсем не остановится прямо перед той, которой угрожает, особенно если он настолько возбужден, что не только импонирует развернутым боком, но и выполняет боковой удар хвостом. При церемонии умиротворения или смены он, наоборот, не только не останавливается напротив самки, но мимически подчеркнуто плывет мимо нее и при этом, *проплывая мимо,* адресует ей угрозу развернутым боком и удар хвостом. Направление, в котором самец предлагает свою церемонию, тоже подчеркнуто отличается от того, в каком он начал бы движение атаки. Если же перед церемонией он неподвижно стоял в воде неподалеку от супруги, то он всегда начинает решительно плыть вперед *до того,* как импонирует и бьет хвостом. Таким образом очень отчетливо, почти непосредственно "символизируется", что супруга как раз *не* является объектом его нападения, но этот объект надо искать где-то дальше, в том направлении, куда он плывет.

Так называемое *изменение функции* — это средство, которым часто пользуются оба Великих Конструктора, чтобы поставить на службу новым целям устаревшие в ходе эволюции формы строения. Со смелой фантазией они — возьмем лишь несколько примеров — из водопроводящей жаберной щели сделали слуховой проход, заполненный воздухом и проводящий звуковые волны; из двух костей челюстного сустава — слуховые косточки; из теменного глаза — железу внутренней секреции (шишковидную железу); из передней лапы рептилии — крыло птицы, и т. д. и т. п. Однако все эти переделки кажутся нерешительными и скромными в сравнении с гениальным фокусом: из формы поведения, которая не только первоначально мотивировалась, но и в нынешней своей форме по крайней мере отчасти мотивируется внутривидовой агрессией, простым способом ритуально зафиксированного переориентирования сделать умиротворяющее действие. Это не более и не менее чем превращение отталкивающего действия агрессии в свою противоположность: как мы видели в главе о ритуализации, обособившаяся церемония превращается в вожделенную самоцель, в *потребность,* как и любое другое автономное инстинктивное движение. Но именно таким образом она превращается в прочный союз, соединяющий одного партнера с другим. *Церемония умиротворения этого особого рода по самой своей сути такова, что каждый из товарищей по союзу может выполнять ее лишь с другим товарищем, а не с любым индивидуумом своего вида.*

Только представьте себе, какая почти неразрешимая задача решена здесь самым простым, самым изящным и самым совершенным образом! Двух прямо-таки яростно агрессивных животных, которые своей внешностью, расцветкой и поведением неизбежно действуют друг на друга, как красная тряпка на быка (правда, только в поговорке), нужно привести к тому, чтобы они мирно ужились в самом тесном пространстве, в гнезде, т. е. в том месте, которое каждое из них считает центром своих владений и где его внутривидовая агрессивность достигает наивысшего уровня. И эта задача, сама по себе трудная, еще затрудняется тем дополнительным требованием, что внутривидовая агрессивность каждого из супругов не должна уменьшиться: мы уже знаем из 3-й главы, что за малейшее ослабление боеготовности по отношению к соседу собственного вида тотчас же приходится расплачиваться потерей территории, а значит, и источника питания для будущего потомства. При таких обстоятельствах вид "не может себе позволить" ради запрета схваток между супругами обратиться к таким церемониям умиротворения, которые, как жесты покорности или инфантильное поведение, имеют своей предпосылкой снижение агрессивности. Ритуализованное переориентирование не только избавляет от этого нежелательного последствия, но, более того, использует неизбежно исходящие от супруга ключевые раздражения, вызывающие агрессивность, чтобы натравить партнера на соседа. Этот механизм поведения я нахожу поистине гениальным и притом гораздо более благородным, чем аналогичное с обратным знаком поведение человека, который, разозлившись на милого соседа или начальника, вечером разряжает всю свойственную ему нервозность и раздражение на свою бедную жену!

Особенно удачное конструктивное решение обычно обнаруживается на великом Древе Жизни неоднократно, независимо возникая на разных его сучьях и ветвях. Крыло изобрели насекомые, рыбы, птицы и летучие мыши, обтекаемую форму — каракатицы, рыбы, ихтиозавры и киты. Поэтому нас не слишком удивляет, что предотвращающие борьбу механизмы поведения, основанные на ритуализованном переориентировании нападения, сходным образом образуются у очень многих разных животных.

Существует, например, изумительная церемония умиротворения — обычно ее называют "танцем" журавлей, — которая, с тех пор как мы научились понимать символику ее движений, прямо-таки напрашивается на перевод на человеческий язык. Птица высоко и угрожающе вытягивается перед другой и разворачивает мощные крылья, клюв нацелен на партнера, глаза устремлены прямо на него — это картина серьезной угрозы, и в самом деле до этого момента жесты умиротворения совершенно аналогичны подготовке к нападению. Но в следующий момент птица направляет эту угрожающую демонстрацию в сторону от партнера, причем выполняет разворот точно на 180 градусов, и теперь — все еще с распростертыми крыльями — подставляет партнеру свой беззащитный затылок, который, как известно, у серого журавля и у многих других видов украшен изумительно красивой рубиново-красной шапочкой. На секунду "танцующий" журавль подчеркнуто застывает в этой позе и тем самым в понятной символике выражает, что его угроза направлена не против партнера, а совсем наоборот — прочь от него, против враждебного внешнего мира; и в этом уже слышится мотив *защиты* друга. Затем журавль вновь поворачивается к другу и повторяет перед ним демонстрацию своего величия и мощи, потом снова отворачивается и теперь, что еще более знаменательно, делает ложный выпад против какого-нибудь замещающего объекта; лучше всего, если рядом стоит посторонний журавль, но это может быть и безобидный гусь или даже, в крайнем случае, палочка или камешек, которые тогда подхватываются клювом и три-четыре раза подбрасываются в воздух. Все это так же ясно, как человеческие слова: "Я велик и страшен, но я не против тебя, а против вот этого, вот этого, вот этого".

Быть может, менее драматической в своем языке жестов, но еще более многозначительной является церемония умиротворения у уток и гусей, которую Оскар Гейнрот назвал *триумфальным криком*. Важность этого ритуала для нас состоит прежде всего в том, что у разных представителей упомянутой группы птиц он достиг очень разной степени сложности и завершенности, а эта последовательность постепенных переходов дает нам хорошую картину того, как здесь, в ходе эволюции, из отводящих гнев жестов смущения образовался союз, таинственно родственный тому другому союзу, связывающему людей, который представляется нам самым прекрасным и самым прочным на нашей Земле.

В наиболее примитивной форме, какую мы видим, например, в так называемой "рэбрэб-болтовне" у кряквы, угроза очень мало отличается от "приветствия". По крайней мере мне самому незначительная разница в ориентировании рэбрэб-кряканья — при угрозе в одном случае и приветствии в другом — стала ясна лишь после того, как я научился понимать принцип переориентированной церемонии умиротворения в ходе внимательного изучения цихлид и гусей, у которых его легче распознать. Утки стоят друг против друга, с клювами, поднятыми чуть выше горизонтали, и очень быстро и взволнованно произносят двухслоговой эмоциональный звук, который у селезня обычно передают как "рэбрэб"; у утки этот звук несколько более носовой, что-то вроде "квэнг-квэнг". Однако, поскольку у этих уток не только социальное торможение атаки, но также и страх перед партнером может вызвать отклонение угрозы от направления на ее цель, часто случается, что два селезня стоят, всерьез угрожая друг другу, подняв клювы и произнося "рэбрэб", но при этом не направляют клювы прямо друг на друга. Если они все-таки это сделают, то в следующий момент начнут настоящую схватку и вцепятся друг другу в оперение на груди. Однако обычно они целятся чуть-чуть мимо, даже при самой враждебной встрече.

Если же селезень "болтает" со своей уткой и особенно если отвечает этой церемонией на натравливание своей предполагаемой невесты (с. 105), то очень отчетливо видно, как "что-то" тем сильнее отворачивает его клюв от утки, за которой он ухаживает, чем больше он возбужден в своем ухаживании. В особенно резко выраженном случае это может привести к тому, что он, не переставая "болтать", поворачивается к самке затылком. По форме это в точности соответствует церемонии умиротворения у чаек, описанной на с. 153, которая, несомненно, возникла именно так, как там изложено, а не посредством переориентирования — предостережение против опрометчивых выводов по аналогии! Из только что описанного отворачивания головы селезня в ходе дальнейшей ритуализации у очень многих уток развились свойственные им жесты поворота затылка, которые играют большую роль при ухаживании у кряквы, чирка, шилохвостки и других настоящих уток, а также у гаг. У крякв супружеская пара с особым увлечением празднует церемонию "рэбрэб-болтовни" в тех случаях, когда супруги потеряли друг друга и снова нашли после долгой разлуки. В точности то же самое относится и к жестам умиротворения с импонированием развернутым боком и хвостовыми ударами, которые мы уже знаем у супругов-цихлид (с. 177—178). Именно потому, что все это так часто происходит при воссоединении разлученных перед тем партнеров, первые наблюдатели столь часто воспринимали такие действия как "приветствие".

Хотя такое толкование не является неверным для определенных, очень специализированных церемоний этого рода, большая частота и интенсивность жестов умиротворения именно в этой ситуации наверняка имеет первоначально другое объяснение: притупление всех агрессивных реакций, вызванное привыканием к партнеру, частично исчезает уже при кратком перерыве стимулирующей ситуации, породившей привычку. Очень впечатляющие примеры тому получаются, когда приходится изолировать ради какой-либо цели, хотя бы всего на один час, животное из стаи вместе выросших, очень друг к другу привыкших и потому более или менее сносно уживающихся друг с другом молодых петухов, малабарских дроздов, цихлид, бойцовых рыбок или других столь же агрессивных видов. Если после этого попытаться вернуть животное к его прежним товарищам, то агрессия начинает бурлить, как вскипает от малейшего толчка перегретая вода.

Как мы уже знаем (с. 175), действие привычки могут нарушить и другие, даже малейшие изменения общей ситуации. Моя старая пара малабарских дроздов летом 1961 года терпела своего сына из первого выводка, находившегося в клетке в той же комнате, что и их скворечник, гораздо дольше того срока, когда эти птицы обычно выгоняют повзрослевших детей из своих владений. Однако если я переставлял его клетку со стола на книжную полку, то родители начинали нападать на сына столь интенсивно, что даже забывали вылетать на волю, чтобы принести корм маленьким птенцам, появившимся к этому времени. Такое внезапное разрушение обусловленного привычкой торможения агрессии представляет собой очевидную опасность, угрожающую связям между партнерами каждый раз, когда пара разлучается даже на короткий срок. Так же очевидно, что подчеркнутая церемония умиротворения, которая каждый раз наблюдается при воссоединении пары, служит не для чего иного, как для предотвращения этой опасности. С таким предположением согласуется и то, что "приветствие" бывает тем возбужденнее и интенсивнее, чем продолжительнее была разлука.

Наш человеческий *смех,* вероятно, тоже в своей первоначальной форме был церемонией умиротворения или приветствия. Улыбка и смех, несомненно, соответствуют разным степеням интенсивности одной и той же формы поведения, т. е. представляют собой реакции разной степени на качественно одно и то же специфическое возбуждение. У наших ближайших родственников — шимпанзе и гориллы — нет, к сожалению, приветственной мимики, которая по форме и функции соответствовала бы смеху, но она есть у многих макак, которые в качестве жеста умиротворения скалят зубы и вперемежку с этим, чмокая губами, крутят головой из стороны в сторону, сильно прижимая уши. Примечательно, что у некоторых дальневосточных народов при приветственной улыбке делают то же самое точно таким же образом. Но самое интересное — при интенсивной улыбке там держат голову так, что лицо обращено не прямо к тому, кого приветствуют, а слегка в сторону, мимо него. С функциональной точки зрения совершенно безразлично, какая часть формы ритуала заложена в генах, а какая закреплена культурной традицией учтивости.

Во всяком случае, заманчиво считать приветственную улыбку церемонией умиротворения, возникшей, подобно триумфальному крику гусей, путем ритуализации переориентированной угрозы. При взгляде на обращенный мимо собеседника дружелюбный оскал учтивого японца появляется искушение с этим согласиться.

В пользу такого допущения говорит и то, что при аффектированном, пылком приветствии двух друзей их улыбки внезапно переходят в громкий смех, который им самим кажется странно несоответствующим их чувствам, когда при встрече после долгой разлуки он неожиданно прорывается откуда-то из вегетативных глубин. Объективный исследователь поведения просто обязан уподобить поведение таких вновь встретившихся людей гусиному триумфальному крику.

Во многих отношениях аналогичны и запускающие ситуации. Если несколько простодушных людей, например маленьких мальчиков, *вместе* высмеивают кого-то другого или других, не принадлежащих к их группе, то в этой реакции точно так же, как в других переориентированных жестах умиротворения, содержится изрядная доля агрессии, направленной вовне, на не принадлежащих к группе. И смех, возникающий при внезапной разрядке какой-либо конфликтной ситуации, который иначе понять очень трудно, тоже имеет аналоги в жестах умиротворения и приветствия многих животных. Собаки, гуси и, вероятно, многие другие животные разражаются бурными приветствиями, когда внезапно разряжается мучительная ситуация конфликта. Понаблюдав за собой, я могу с уверенностью утверждать, что общий смех не только действует как чрезвычайно сильное средство отвода агрессии, но и доставляет ощутимое чувство социального единения.

Исходной, а во многих случаях даже главной функцией всех только что упомянутых ритуалов может быть простое предотвращение борьбы. Однако даже на сравнительно низкой ступени развития, как показывает, например, "рэбрэб-болтовня" у кряквы, эти ритуалы уже достаточно автономны для того, чтобы превращаться в самоцель. Когда селезень кряквы, непрерывно издавая свой протяжный односложный призыв: "рэээб", ... "рээб", ... "рэээб", ищет свою подругу и когда, найдя ее наконец, впадает в подлинный экстаз "рэбрэб-болтовни", с задиранием клюва и подставлением затылка, то наблюдателю трудно удержаться от субъективизирующего толкования: что он ужасно радуется, обретя ее, и что его напряженные поиски были в значительной мере мотивированы "аппетенцией" к церемонии приветствия. При более высокоритуализованных формах собственно триумфального крика, какие мы находим у пеганок и тем более у настоящих гусей, это впечатление значительно усиливается, так что слово "приветствие" уже не хочется брать в кавычки.

Вероятно, у всех настоящих уток, а также и у пеганки, которая больше всех прочих родственных видов похожа на них в отношении триумфального крика, соответственно "рэбрэб-болтовни", эта церемония имеет и вторую функцию, при которой только самец выполняет церемонию умиротворения, в то время как самка *направливает* его, как описано уже на с. 101—102. Тонкий мотивационный анализ приводит к заключению, что здесь самец, направляющий свои угрожающие жесты в сторону соседнего самца своего вида, в глубине души агрессивен и по отношению к собственной самке, в то время как она действительно испытывает агрессивность по отношению к чужаку, но не к своему супругу. Этот ритуал, скомбинированный из переориентированной угрозы самца и направливания самки, в функциональном смысле совершенно аналогичен триумфальному крику гусей, при котором каждый из партнеров угрожает мимо другого. В особенно красивую церемонию он развился, несомненно независимо, у европейской свиязи и у пеганки. Интересно, что у чилийской свиязи, напротив, возникла столь же высокоспециализированная церемония, подобная триумфальному крику, при которой переориентированную угрозу выполняют оба супруга, как у настоящих гусей и большинства крупных пеганок. Самка чилийской свиязи носит мужской роскошный наряд, с переливчато-зеленой головой и яркой красно-коричневой грудью; это единственный такой случай у настоящих уток.

У огарей, египетских гусей и многих родственных видов самка выполняет аналогичные движения направливания, но самец чаще реагирует на это не ритуализованной угрозой мимо своей супруги, а настоящим нападением на указанного ею враждебного соседа. Только если тот побежден или, по крайней мере, схватка не закончилась сокрушительным поражением пары, начинается несмолкаемый триумфальный крик. У многих видов — оринокского гуся, андского гуся и др. — этот крик не только слагается в очень странную звуковую картину из-за разного звучания голосов самца и самки, но и превращается в забавнейшее представление из-за чрезвычайно утрированных жестов. Мой фильм о паре андских гусей, одержавшей впечатляющую победу над моим любимым другом Нико Тинбергеном, — это настоящий триумф смеха. Начинается он с того, что самка направливает своего супруга на знаменитого этолога коротким ложным выпадом в его сторону; постепенно входя в раж, гусак наконец начинает нападать в самом деле и сразу приходит в такую ярость и так свирепо бьет ороговелым сгибом крыла, что бегство Нико в конце выглядит весьма убедительно — его ноги и предплечья, которыми он отбивался от гусака, были избиты и исклеваны в сплошной синяк. После исчезновения врага-человека начинается нескончаемая триумфальная церемония, изобилующая слишком человеческими выражениями эмоции и потому действительно очень смешная.

Еще больше, чем у других видов пеганок, самка североафриканского египетского гуся направливает своего самца на всех собратьев по виду, до каких только можно добраться, а если их нет, то, увы, и на птиц других видов, к великому огорчению владельцев зоопарков, которым из-за этого приходится лишать этих красавцев возможности летать и попарно изолировать их. Самка египетского гуся следит за всеми схватками своего супруга с интересом профессионального спортивного судьи, но никогда не помогает ему, как иногда делают серые гусыни и всегда — самки цихлид; более того, она всегда готова с развевающимися знаменами перейти к победителю, если ее супруг потерпит поражение.

Такое поведение должно сильно влиять на половой отбор, поскольку премия отбора назначается за максимальную боеспособность и воинственность самца. И это снова наталкивает на мысль, уже занимавшую нас в конце 3-й главы. Может быть и даже вероятно, что эта драчливость египетских гусей, которая кажется наблюдателю прямо-таки сумасшедшей, является следствием внутривидового отбора и вообще не так уж важна для сохранения вида. Такая возможность вызывает у нас известную тревогу потому, что, как мы еще увидим в дальнейшем, подобные соображения касаются и эволюционного развития инстинкта агрессии у человека.

Кстати, египетский гусь принадлежит к тем немногим видам, у которых триумфальный крик в его функции церемонии умиротворения может *не сработать*. Если две пары злятся друг на друга, будучи разделены прозрачной, но непреодолимой сеткой, и все больше приходят в бешенство, то не так уж редко бывает, что вдруг, как по команде, супруги каждой пары обращаются друг к другу и затевают свирепую драку между собой. Почти наверняка того же можно добиться и в том случае, если посадить к паре в вольер "мальчика для битья" того же вида, а затем, когда избиение будет в разгаре, по возможности незаметно убрать его. Тут пара сначала впадает в подлинный экстаз триумфального крика, который становится все более и более буйным, все меньше отличается от неритуализованной угрозы, — а затем любящие супруги совершенно внезапно хватают друг друга за шиворот и молотят по всем правилам, что обычно заканчивается победой самца, поскольку он заметно крупнее и сильнее самки. Но я никогда не слышал, чтобы накопление нерастраченной агрессии из-за долгого отсутствия "злого соседа" привело у них к убийству супруга, как это бывает — и описано выше — у некоторых цихлид.

Тем не менее и у египетских гусей, и у видов рода Tadorna наибольшее значение триумфальный крик имеет в функции громоотвода. Он нужен прежде всего там, где надвигается гроза, т. е. где как внутреннее состояние животных, так и внешняя стимулирующая ситуация пробуждают внутривидовую агрессию. Хотя триумфальный крик, особенно у нашей европейской пеганки, и сопровождается высокодифференцированными, балетно преувеличенными телодвижениями, он здесь не настолько свободен от первоначальных побуждений, лежащих в основе конфликта, как, скажем, уже описанное менее развитое по форме "приветствие" у многих настоящих уток. Совершенно очевидно, что у пеганок триумфальный крик все еще черпает свою энергию по большей части из первоначальных побуждений, конфликт которых некогда дал начало переориентированному действию; он всегда остается связанным как с наличием подлинной агрессивности, готовой проявиться в любой момент, так и с факторами, ей противодействующими. Соответственно, у названных видов эта церемония подвержена сильным сезонным колебаниям: в период размножения она наиболее интенсивна, в спокойные периоды ослабевает и, разумеется, полностью отсутствует у молодых птиц до наступления половой зрелости.

У серых гусей, и, пожалуй, даже у всех настоящих гусей все это совершенно иначе. Прежде всего, у них триумфальный крик уже не является исключительно делом супружеской пары; он стал союзом, объединяющим не только пары, но и всю семью и даже вообще любые группы тесно сдружившихся птиц. Эта церемония стала почти или совсем независимой от половых побуждений; она выполняется на протяжении всего года и свойственна даже совсем крошечным птенцам.

Последовательность движений здесь более длинная и более сложная, чем во всех описанных до сих пор ритуалах умиротворения. В то время как у цихлид, а часто и у пеганок агрессия, которая отводится от партнера церемонией приветствия, ведет к *последующему* нападению на враждебного соседа, — у гусей в ритуализованной последовательности движений такое нападение *предшествует* сердечному приветствию.

Иными словами, типичная схема триумфального крика состоит в том, что один из партнеров — как правило, сильнейший член группы, поэтому в паре это всегда гусак, — нападает на действительного или воображаемого противника, сражается с ним, а затем, после более или менее убедительной победы, с громким приветствием возвращается к своим. От этого типичного случая, схематически изображенного Хельгой Фишер, происходит и само название триумфального крика.

Временна́я последовательность нападения и приветствия достаточно ритуализована для того, чтобы вся церемония в целом могла запускаться при высокой интенсивности возбуждения даже и в том случае, когда для настоящей агрессии нет никакого повода. В этом случае нападение превращается в имитацию атаки в сторону какого-нибудь стоящего поблизости безобидного гусенка или вообще проводится вхолостую, под громкие фанфары так называемого "грохота" (Rollen) — сдавленного, хриплого трубного звука, сопровождающего этот первый акт церемонии триумфального крика. Хотя при благоприятных условиях грохот может вызываться только автономными мотивами ритуала, его запуск значительно облегчается, если гусак оказывается в ситуации, действительно вызывающей его агрессивность. Как показывает детальный мотивационный анализ, грохот возникает чаще всего тогда, когда птица находится в конфликте между нападением, страхом и социальными обязательствами. Союз, связывающий гусака с супругой и детьми, удерживает его на месте и не позволяет бежать, даже если противник вызывает в нем не только агрессивность, но и сильное стремление к бегству. В этом случае он попадает в такое же положение, как загнанная в угол крыса, и та героическая по виду храбрость, с какой отец семейства сам бросается на превосходящего противника, — это мужество отчаяния, критическая реакция, с которой мы уже познакомились на с. 82.

Вторая фаза триумфального крика — поворот к партнеру с тихим гоготанием — по форме движения совершенно аналогична жесту угрозы и отличается от него лишь тем, что направлена чуть в сторону, что обусловлено ритуально закрепленным переориентированием. Однако эта "угроза" мимо друга при нормальных обстоятельствах содержит уже очень мало либо вовсе не содержит агрессивной мотивации, а вызывается только автономным побуждением самого ритуала, особым инстинктом, который мы вправе называть *социальным*.

Свободная от агрессии нежность гогочущего приветствия существенно усиливается *контрастом*. Гусак во время ложной атаки и грохота уже выпустил основательный заряд агрессии, и теперь, когда он внезапно отвернулся от противника и обратился к любимой семье, это сопровождается сменой настроения, которая в соответствии с хорошо известными физиологическими и психологическими закономерностями толкает маятник в сторону, противоположную агрессии. Если собственная мотивация церемонии слаба, то в приветственном гоготании может содержаться несколько бóльшая доля агрессивного побуждения. При вполне определенных условиях, которые мы рассмотрим позже, церемония приветствия может "регрессировать", т. е. возвратиться на более раннюю стадию эволюционного развития, причем в нее может войти и подлинная агрессия.

Поскольку жесты приветствия и угрозы почти одинаковы, очень трудно заметить эту редкую и не совсем нормальную примесь побуждения к нападению в самом движении как таковом. Насколько похожи эти дружелюбные жесты, несмотря на коренное различие мотиваций, на древнюю мимику угрозы, видно из того, что их можно перепутать. Незначительное отклонение направления хорошо видно спереди, т. е. адресату выразительного движения; в профиль это отклонение совершенно незаметно, и не только наблюдателю-человеку, но и другому дикому гусю. Весной, когда семейные связи постепенно слабеют и молодые гусаки начинают искать себе невест, часто случается, что один из братьев еще связан с другим семейным триумфальным криком, но уже стремится делать брачные предложения какой-нибудь чужой юной гусыне, состоящие отнюдь не в приглашении к спариванию, а в том, что он нападает на чужих гусей, а затем спешит с приветствием к своей избраннице. Если его верный брат видит это сбоку, он, как правило, принимает сватовство за желание напасть на чужую молодую гусыню; а поскольку все самцы в группе триумфального крика мужественно стоят друг за друга в борьбе, он яростно бросается на будущую невесту своего брата и колотит ее, не испытывая к ней при этом никаких чувств, с такой интенсивностью, которая вполне соответствовала бы выразительному движению брата, если бы он не приветствовал, а угрожал. Когда самка в испуге убегает, жених оказывается в величайшем смущении. Я отнюдь не приписываю здесь гусям человеческих качеств: объективной физиологической основой любого смущения является конфликт противоречащих друг другу побуждений, а наш молодой гусак, несомненно, находится именно в таком состоянии. У молодого серого гуся чрезвычайно сильно стремление защищать избранную им самку, но столь же силен и запрет напасть на брата, который в это время еще является его сотоварищем по братскому триумфальному крику. Насколько непреодолим этот запрет, мы еще покажем в дальнейшем на впечатляющих примерах.

Если триумфальный крик и содержит сколько-нибудь существенный заряд агрессии по отношению к партнеру, то лишь в первой, "грохочущей" фазе; в гогочущем приветствии она уже заведомо отсутствует. Поэтому — того же мнения придерживается и Хельга Фишер — последнее уже не имеет функции умиротворения. Хотя оно "еще" в точности копирует символическую форму переориентированной угрозы, между партнерами, несомненно, не существует настолько сильной агрессивности, чтобы она нуждалась в отведении.

Лишь на одной, ясно выделяемой и быстро проходящей стадии индивидуального развития первоначальные побуждения, лежащие в основе переориентирования, отчетливо видны и в приветствии. Впрочем, индивидуальное развитие триумфального крика у серых гусей — также детально изученное Хельгой Фишер — вовсе не является репродукцией его эволюционного становления; пределы применимости правила повторения (с. 177) нельзя переоценивать. Новорожденный гусь, который еще не может ни ходить, ни стоять, ни есть, уже способен вытягивать шейку вперед, что сопровождается "гоготанием" на тончайшей фистульной ноте. Сначала это двусложный звук, в точности как "рэбрэб" или соответствующий писк утят. Уже через пару часов он превращается в многосложное "вививи", по ритму в точности соответствующее приветственному гоготанию взрослых гусей. Вытягивание шеи и звуки "ви", несомненно, являются первой ступенью, из которой при взрослении гуся развиваются *как* выразительное движение угрозы, *так и* важная вторая фаза триумфального крика. Из сравнительного исследования эволюции мы знаем, что в ее ходе приветствие, без сомнения, произошло из угрозы посредством переориентирования и ритуализации. Однако в индивидуальном развитии тот же по форме жест *сначала означает приветствие*. Когда гусенок только что совершил тяжелую и небезопасную работу появления на свет и лежит мокрым комочком горя, с бессильно вытянутой шейкой, у него есть одна-единственная реакция, которую можно сразу вызвать. Если наклониться над ним и издать пару звуков, приблизительно подражая голосу гусей, он с трудом поднимает качающуюся головку, вытягивает шейку и приветствует. Крошечный дикий гусь ничего другого еще не может, но уже приветствует свое социальное окружение!

Как по своему смыслу в качестве выразительного движения, так и по своему отношению к стимулирующей ситуации вытягивание шейки и шепот у серых гусят соответствуют именно приветствию, а не угрожающему жесту взрослых. Примечательно, однако, что по своей форме это движение аналогично как раз угрозе, так как характерное отклонение вытянутой шеи в сторону от партнера у совсем маленьких гусят *отсутствует*. Только когда им исполняется несколько недель и среди пуха видны уже настоящие перья, это изменяется. К этому времени птенцы становятся заметно агрессивнее по отношению к гусятам того же возраста из других семей: наступают на них с шипением, вытянув шею, и пытаются щипать. Но поскольку при таких потасовках детских семейных команд жесты угрозы и приветствия еще совершенно одинаковы, то понятно, что часто происходят недоразумения и кто-то из братцев и сестриц щиплет своего. В этой особой ситуации, впервые в онтогенезе, видно ритуализованное переориентирование приветственного движения: гусенок, обиженный кем-то из своих, не щиплется в ответ, а принимается интенсивно шипеть и вытягивает шею, которая совершенно отчетливо направлена мимо обидчика, причем под более тупым углом, чем впоследствии, при полностью освоенной церемонии. Тормозящее агрессию действие этого жеста необычайно отчетливо: только что нападавшие братец или сестрица тотчас же отстают и, в свою очередь, переходят к приветствию, направленному мимо. Фаза развития, за время которой триумфальный крик приобретает столь заметное умиротворяющее действие, длится всего несколько дней. Ритуализованное переориентирование вступает в игру сразу и предотвращает впредь, за редкими исключениями, любые недоразумения. Кроме того, с окончательным усвоением ритуализованной церемонии приветствие подпадает под власть автономного социального инстинкта и уже вовсе не содержит агрессии к партнеру, либо содержит ее так мало, что нет больше нужды в специальном механизме, который затормаживал бы нападение на него. В дальнейшем единственная функция триумфального крика состоит в том, чтобы служить связью, сплачивающей членов семьи.

Примечательно, что группа, объединенная триумфальным криком, является закрытой. Только что вылупившийся птенец приобретает членство в группе по праву рождения и принимается "не глядя", даже если он вовсе не гусь, а подсунутый ради эксперимента подкидыш, например мускусная утка. Уже через несколько дней родители знают своих детей; дети тоже узнают родителей и с этих пор уже не проявляют готовности к триумфальному крику с другими гусями.

Если поставить довольно жестокий эксперимент, перенеся гусенка в чужую семью, то бедный ребенок принимается в новое сообщество триумфального крика тем труднее, чем позже его вырвали из родного семейного союза. Дитя боится чужих, и чем больше оно выказывает страх, тем больше они расположены набрасываться на него.

Трогательна детская доверчивость, с которой совсем неопытный, только что вылупившийся гусенок вышептывает предложение дружбы — свой крошечный триумфальный писк — первому существу, какое приближается к нему, "в предположении", что это должен быть один из его родителей.

Но совершенно чужому серый гусь предлагает триумфальный крик, а вместе с ним вечную любовь и дружбу, в одной-единственной жизненной ситуации: когда темпераментный юноша вдруг влюбляется в чужую девушку — без всяких кавычек! Эти первые предложения совпадают по времени с моментом, когда прошлогодние дети должны уходить от родителей, которые собираются выводить новое потомство. Семейные узы при этом по необходимости ослабляются, но никогда не рвутся совсем.

У гусей триумфальный крик еще более связан с личным знакомством, чем у описанных выше утиных. Утки тоже "болтают" лишь с определенными, знакомыми товарищами; однако у них узы, связывающие участников этой церемонии, не так прочны, и добиться принадлежности к группе у них не так трудно, как у гусей. У тех случается, что гусю, вновь прилетевшему в колонию или купленному, — если речь идет о домашних, — требуются буквально годы, чтобы быть принятым в группу совместного триумфального крика.

Чужаку легче приобрести членство в группе триумфального крика окольным путем, если у него внезапно возникает любовь с кем-то из ее членов и они образуют семью. За исключением этих двух особых случаев — возникновения любви и принадлежности к семье по праву рождения — триумфальный крик тем интенсивнее, а союз, которым он связывает его участников, тем прочнее, *чем дольше животные знают друг друга*. При прочих равных условиях можно утверждать, что сила связи триумфального крика пропорциональна *степени знакомства* партнеров. Несколько утрируя, можно сказать, что связь триумфального крика возникает всегда, когда степень знакомства и доверия между двумя или несколькими гусями становится для этого достаточной.

Когда ранней весной старые гусиные пары начинают думать о высиживании птенцов, а многие молодые гуси, годовалые и двухгодовалые, — о любви, всегда остается значительное число не состоящих в браке гусей самого разного возраста, которые, как "не приглашенные на танец", эротически не заняты, и они всегда объединяются в бо́льшие или меньшие группы. Обычно мы для краткости называем эти группы бездетными (Nichtbrüter). Это выражение неточно, так как многие молодые гуси, уже образовавшие прочные пары, тоже еще не высиживают птенцов. В таких бездетных группах могут возникать по-настоящему прочные союзы триумфального крика, не имеющие ни малейшей связи с сексуальностью. Иногда, если обстоятельства принуждают каждого из двух одиноких гусей к общению с другим, может случайно возникнуть бездетное содружество самца и самки. Именно это произошло в нынешнем году, когда старая овдовевшая гусыня вернулась из нашей дочерней колонии серых гусей на озере Аммерзее и соединилась с вдовцом, жившим в Зеевизене, супруга которого скончалась незадолго перед тем по неизвестной причине. Я думал, что здесь начинается образование новой пары, но Хельга Фишер с самого начала была убеждена, что мы имеем дело всего лишь с типичным бездетным триумфальным криком, который может подчас связать и взрослого самца с такой же самкой. Ведь бывает же, вопреки распространенному мнению, также и подлинная дружба между мужчиной и женщиной, не имеющая ничего общего с влюбленностью. Впрочем, из такой дружбы легко *может* возникнуть любовь, и у гусей тоже. Существует трюк, давно известный тем, кто разводит диких гусей: двух гусей, которых хотят спаровать, вместе помещают в другой зоопарк или в другую компанию водоплавающих птиц. Там их обоих не любят, как "втируш", и им приходится искать общества друг друга. Таким образом можно по меньшей мере добиться возникновения бездетного триумфального крика и надеяться, что из него получится пара. Однако в моей практике было очень много случаев, когда такие вынужденные связи тотчас же разрушались при возвращении птиц в прежнее окружение.

Связи между триумфальным криком и сексуальностью, т. е. собственно инстинктом копуляции, не так легко проследить. Во всяком случае, эти связи слабы, и все непосредственно половое играет в жизни диких гусей весьма подчиненную роль. То, что объединяет пару гусей на всю жизнь, — это триумфальный крик, а не половые отношения супругов. Наличие сильной связи триумфального крика между двумя индивидами "прокладывает путь", т. е. до какой-то степени способствует появлению половой связи. Если два гуся — это могут быть и два гусака — очень долго связаны союзом этой церемонии, то в конце концов они, как правило, пробуют совокупляться. Напротив, половые отношения, часто возникающие уже у годовалых птиц задолго до того, как они становятся способными к размножению, по-видимому, никак не благоприятствуют развитию союза триумфального крика. Если две молодые птицы многократно совокупляются, из этого нельзя делать каких-либо выводов о будущем возникновении пары.

Напротив, достаточно малейшего намека на предложение триумфального крика со стороны молодого гусака, если только он находит ответ у самки, чтобы со значительной вероятностью предсказать, что из этих двоих сложится прочная пара. Такие нежные отношения, в которых сексуальные реакции вообще не играют никакой роли, к концу лета или к началу осени кажутся уже совершенно исчезнувшими; однако, когда второй весной своей жизни молодые гуси начинают серьезное ухаживание, они поразительно часто находят свою прошлогоднюю первую любовь. Слабые и в некотором смысле односторонние отношения, существующие между триумфальным криком и копуляцией у гусей, в значительной степени аналогичны тем, какие бывают и у людей, — отношениям между влюбленностью и грубо-сексуальными реакциями. Чистейшая любовь через нежнейшую нежность ведет к физическому сближению, которое при этом отнюдь не рассматривается как нечто существенное в данной связи, в то время как те стимулирующие ситуации и партнеры, которые возбуждают сильное сексуальное влечение, далеко не всегда вызывают пылкую влюбленность. У серых гусей эти две функциональные сферы могут быть так же оторваны и независимы одна от другой, как и у людей, хотя, несомненно, "в нормальном случае", для выполнения своей задачи по сохранению вида, они должны быть связаны друг с другом и относиться к одному и тому же индивиду.

Понятие "нормального" является одним из самых трудноопределимых во всей биологии; но в то же время, к сожалению, оно столь же необходимо, как и противоположное ему понятие патологического. Мой друг Бернгард Гелльман, когда ему попадалось что-нибудь особенно причудливое или необъяснимое в строении или поведении какого-либо животного, обычно задавал наивный с виду вопрос: "Входило ли это в намерения Конструктора?" И в самом деле, *единственная* возможность охарактеризовать "нормальную" структуру или функцию состоит в том, чтобы установить, что она должна была выработаться *под селекционным давлением ее видосохраняющей функции* именно в этой и ни в какой другой форме. К несчастью, это определение оставляет в стороне все то, что развилось именно так, а не иначе, по чистой случайности, но вовсе не обязательно охватывается понятием ненормального, патологического. Однако мы понимаем под "нормальным" отнюдь не среднее, полученное из всех наблюдавшихся случаев; скорее это выработанный эволюцией *тип,* который по понятным причинам *в чистом виде* осуществляется редко или никогда. Тем не менее эта чисто идеальная конструкция необходима, чтобы сравнивать с ним нарушения и отклонения. В учебнике зоологии поневоле приходится описывать в качестве представителя вида какую-то совершенную, идеальную бабочку, которая именно в этой форме не встречается нигде и никогда, потому что все экземпляры, какие можно найти в коллекциях, отличаются от нее, каждый чем-то своим, или повреждены. Точно так же мы не можем обойтись без "идеальной" конструкции нормального поведения серых гусей или какого-либо другого вида животных, такого поведения, которое осуществлялось бы, если бы не было никаких помех, и которое встречается не чаще, чем безупречный тип бабочки. Люди, одаренные хорошей способностью к восприятию образов, *видят* идеальный тип структуры или поведения совершенно непосредственно, то есть они в состоянии отделить сущность типичного от фона случайных мелких несовершенств. Когда мой учитель Оскар Гейнрот в своей, ставшей классической, работе о семействе утиных (1905) описал пожизненную и безусловную супружескую верность серых гусей в качестве их "нормального" поведения, он совершенно правильно абстрагировал свободный от нарушений идеальный тип, хотя он и не мог в полном объеме наблюдать его в действительности уже потому, что гуси живут иногда более полувека, а их супружеская жизнь всего на два года короче. Тем не менее его высказывание верно, и определенный им тип настолько же необходим для описания и анализа поведения, насколько бесполезна была бы средняя норма, выведенная из множества единичных случаев. Когда я недавно, уже трудясь над этой главой, прорабатывал вместе с Хельгой Фишер все ее гусиные протоколы, то, несмотря на все вышеуказанные соображения, был несколько разочарован тем, что описанный моим учителем нормальный случай абсолютной "верности до гроба" среди великого множества наших гусей оказался сравнительно редким. Возмутившись моим разочарованием, Хельга произнесла бессмертные слова: "Чего ты хочешь? *Ведь гуси, в конце концов, тоже всего лишь люди!"*

У диких гусей, в том числе — это *доказано* — и у живущих на воле, бывают очень существенные отклонения от нормы брачного и социального поведения. Одно из них, очень частое, особенно интересно потому, что у гусей оно поразительным образом способствует, а не вредит сохранению вида, хотя у людей во многих культурах сурово осуждается; я имею в виду связь между двумя самцами. Ни во внешнем облике, ни в поведении полов у гусей нет резких, качественных различий. Единственный ритуал при образовании пары — так называемый изгиб шеи, — который у разных полов существенно различен, выполняется лишь в том случае, когда будущие партнеры не были знакомы раньше и поэтому несколько побаиваются друг друга. Если этот ритуал пропущен, то не исключена возможность, что гусак обратит свое предложение триумфального крика не к самке, а к другому самцу. Это происходит особенно часто, но вовсе не исключительно, в тех случаях, когда все гуси очень близко знают друг друга из-за тесного содержания в неволе. Пока мое отделение Института физиологии поведения имени Макса Планка располагалось в Бульдерне, в Вестфалии, и нам приходилось держать всех наших водоплавающих птиц на одном, сравнительно небольшом пруду, это случалось настолько часто, что мы долгое время ошибочно считали, будто нахождение разнополых партнеров происходит у серых гусей лишь методом проб и ошибок. Лишь много позже мы обнаружили функцию церемонии изгиба шеи, в подробности которой здесь не стоит вдаваться.

Когда такой молодой гусак предлагает свой триумфальный крик другому самцу и тот соглашается, то каждый из них приобретает гораздо лучшего партнера и товарища — насколько это касается этой одной функциональной сферы, — чем мог бы найти в самке. Так как внутривидовая агрессия у гусаков гораздо сильнее, чем у гусынь, то и склонность к триумфальному крику сильнее, и соратники побуждают друг друга к отважным подвигам. Поскольку ни одна разнополая пара не в состоянии им противостоять, такая пара гусаков приобретает очень высокое, если не наивысшее положение в ранговом порядке своей колонии. Они хранят пожизненную верность друг другу, во всяком случае не в меньшей степени, чем разнополые пары. Когда мы разлучили нашу старейшую пару гусаков, Макса и Копфшлица, сослав Макса в нашу дочернюю колонию серых гусей на озере Ампер-Штаузее под Фюрстенфельдбруком, то после года траура оба они образовали пары с гусынями и успешно вырастили птенцов. Но когда мы вернули Макса на Эсс-зее, — без супруги и детей, которых не смогли поймать, — то Копфшлиц моментально бросил свою жену и детей и вернулся к нему. Супруга Копфшлица и его сыновья, по-видимому, — как ни странно, — поняли ситуацию точно и пытались прогнать Макса яростными атаками, но им это не удалось. Сегодня два гусака держатся, как повелось издавна, вместе, а покинутая супруга Копфшлица уныло ковыляет за ними следом, соблюдая определенную дистанцию.

Понятие, которое обычно связывается со словом "гомосексуальность", определено очень широко и очень плохо. "Гомосексуалист" — это и одетый в женское платье, накрашенный юноша в притоне, и герой греческих мифов, хотя первый из них в своем поведении приближается к противоположному полу, а второй во всем, что касается его поступков, — настоящий супермен и отличается от нормального мужчины лишь выбором объектов своей половой активности. В эту последнюю категорию попадают и наши "гомосексуальные" гусаки. Заблуждение им "простительнее", чем Ахиллу и Патроклу, потому что мужской и женский пол у гусей различаются меньше, чем у людей. Кроме того, они ведут себя гораздо менее "по-скотски", чем большинство людей-гомосексуалистов, поскольку никогда не совокупляются и не производят заменяющих действий, либо делают это в крайне редких, исключительных случаях. Правда, весной можно видеть, как они торжественно исполняют церемонию прелюдии к совокуплению — то красивое, грациозное погружение шеи в воду, которое видел у лебедей и прославил в стихах поэт Гёльдерлин. Когда после этого ритуала они намереваются перейти к копуляции, то, естественно, каждый пытается взобраться на другого, и ни один не думает распластаться на воде на манер самки. Дело, таким образом, заходит в тупик, и они бывают несколько рассержены друг на друга, однако затем оставляют свои попытки без особого возмущения или разочарования. Каждый из них в какой-то степени относится к другому как к своей жене, но если она несколько фригидна и не хочет отдаваться, это не наносит сколько-нибудь заметного ущерба их великой любви. В течение весны гусаки постепенно привыкают к тому, что копуляция у них не получается, и больше не пытаются совокупляться; однако интересно, что за зиму они успевают это забыть и следующей весной с новой надеждой стараются взобраться друг на друга.

Часто, хотя далеко не всегда, сексуальные побуждения таких гусаков, связанных друг с другом триумфальным криком, находят выход в другом направлении. Эти гусаки оказываются необыкновенно притягательными для одиноких самок, что объясняется, вероятно, высоким рангом, который они приобретают благодаря объединенной боевой мощи. Во всяком случае, рано или поздно находится гусыня, которая следует на почтительном расстоянии за двумя такими героями, но, как показывают детальные наблюдения и последующий ход событий, влюблена в *одного* из них. Поначалу такая девушка стоит или соответственно плавает рядом, как бедная отверженная, когда гусаки предпринимают свои безуспешные попытки копуляции; но рано или поздно она изобретает хитрость и быстро втискивается между двумя самцами в позе готовности в тот момент, когда ее избранник пытается взобраться на другого. При этом она *всегда* предлагает себя *одному и тому же* гусаку! Как правило, он взбирается на нее, однако тотчас же после этого с такой же регулярностью поворачивается к другу и выполняет для него заключительную церемонию спаривания: "Но думал-то я при этом о тебе!" Часто второй гусак принимает участие в этой заключительной церемонии по всем правилам. В одном из запротоколированных случаев гусыня обычно не следовала повсюду за обоими гусаками, а около полудня, когда у гусей особенно сильно половое возбуждение, ждала своего возлюбленного в определенном углу пруда; он приплывал к ней второпях, а тотчас после копуляции взлетал и летел через пруд назад к своему другу, чтобы исполнить с ним эпилог спаривания, что казалось особенно недружелюбным по отношению к даме. Впрочем, она не выглядела "оскорбленной".

Для гусака такая половая связь может постепенно превратиться в "любимую привычку", а гусыня и без того с самого начала втайне была готова добавить свой голос к его триумфальному крику. С упрочением знакомства дистанция, на которой гусыня следует за парой самцов, уменьшается; и другой, который с ней не совокупляется, тоже все больше привыкает к ней. Затем она очень постепенно, сначала робко, а потом со все возрастающей уверенностью начинает принимать участие в триумфальном крике обоих друзей, и они все больше и больше привыкают к ее постоянному присутствию. Таким обходным путем, через долгое-долгое знакомство, самка из более или менее нежеланного "приживальщика" одного из гусаков превращается в почти полноправного члена группы триумфального крика, а через очень долгое время даже в совершенно полноправного.

Этот длительный процесс может быть иногда сокращен благодаря одному чрезвычайному событию: если гусыне, вначале не получавшей ни от кого помощи в защите гнездового участка, удается одной отвоевать место для гнезда и сесть на яйца. Тогда может случиться, что оба гусака находят ее либо во время насиживания, либо уже после появления птенцов и "принимают в семью". Строго говоря, они усыновляют выводок гусят и мирятся с тем, что у них есть мать, присоединяющая свой голос, когда они триумфально кричат со своими приемными детьми, которые в действительности являются отпрысками одного из них. Стоять на страже у гнезда и водить за собой детей — это, как писал еще Гейнрот, поистине вершины жизни гусака, очевидным образом больше нагруженные эмоциями и аффектами, нежели прелюдия к копуляции и она сама; потому здесь создается лучший мост для установления более тесного знакомства участвующих индивидов и для возникновения общего триумфального крика. И каким бы путем это ни происходило, в конце концов, т. е. через несколько лет, они всегда приходят к настоящему браку втроем, — также и в том отношении, что рано или поздно второй гусак начинает тоже совокупляться с гусыней, и все три птицы вместе исполняют церемонию спаривания. Самое замечательное в этих тройственных браках — а мы имели возможность наблюдать целый ряд таких случаев — состоит в их биологическом успехе: они постоянно держатся на самой вершине рангового порядка в своей колонии, никогда не изгоняются из своего гнездового участка и из года в год выращивают достаточно многочисленное потомство. Таким образом, "гомосексуальный" союз триумфального крика между двумя гусаками никак нельзя считать чем-то патологическим, тем более что он встречается и у гусей, живущих на свободе: Питер Скотт наблюдал у диких короткоклювых гусей в Исландии значительный процент семей, состоявших из двух самцов и одной самки. Биологическое преимущество, вытекающее из удвоения оборонной мощи отцов, было там еще более явным, чем у наших гусей, в значительной степени защищенных от хищников.

Я достаточно подробно описал, как новый член может быть принят в закрытый круг группы триумфального крика в силу долгого знакомства. Мне осталось еще изобразить событие, при котором союз триумфального крика возникает внезапно, словно взрыв, и мгновенно связывает двух индивидов навсегда. Мы говорим в этом случае, без всяких кавычек, что они влюбились друг в друга. Английское "falling in love"[1]* и ненавистное мне из-за его вульгарности немецкое выражение "sich verknallen"[2]* оба наглядно передают внезапность этого события.

---

[1]*Буквально: "падение в любовь" *(англ.). — Примеч. пер.*
[2]*От *knallen* — "трещать, хлопать" *(нем.);* приблизительно соответствует русскому "втрескаться". — *Примеч. пер.*

194

У самок и у очень молодых самцов изменение поведения бывает из-за некоторой "стыдливой" сдержанности не столь явным, как у взрослых гусаков, но отнюдь не менее глубоким и роковым — скорее наоборот. Зрелый же самец оповещает о своей молодой любви фанфарами и литаврами; просто невероятно, насколько может внешне измениться животное, не располагающее ни ярким брачным нарядом, как костистые рыбы, у которых он начинает сверкать при таком состоянии, ни специальной структурой оперения, как павлины и многие другие птицы, демонстрирующие его при сватовстве. Со мной случалось, что я буквально не узнавал хорошо знакомого гусака, если он "впал в любовь" вчера или сегодня. Мышечный тонус повышен, в результате возникает энергичная, напряженная осанка, изменяющая общие очертания птицы; каждое движение производится с преувеличенной затратой сил; взлет, на который в другом состоянии трудно решиться, влюбленному удается так, словно он колибри; крошечные расстояния, которые каждый разумный гусь прошел бы пешком, он пролетает, чтобы шумно, с триумфальным криком обрушиться возле своей обожаемой. Ему нравится разгонять и тормозить, как подростку на мотоцикле, и в поисках ссор, как мы уже видели, он тоже ведет себя очень похоже.

Влюбленная юная самка никогда не навязывается своему возлюбленному, никогда не бегает за ним; самое большее — она "как бы случайно" находится в тех местах, где он часто бывает. Благосклонна ли она к его сватовству, гусак узнает только по игре ее глаз: она смотрит на его импонирующие жесты *не прямо,* а "будто бы" куда-то в сторону. На самом деле она смотрит на него, но не поворачивает головы, чтобы не выдать направление своего взгляда, а следит за ним краем глаза, точь-в-точь как это делают дочери человеческие.

Как это, к сожалению, бывает и у людей, иногда волшебная стрела Амура попадает только *в одного.* Судя по нашим протоколам, это чаще случается с юношей, чем с девушкой, хотя здесь возможна ошибка из-за того, что тонкие внешние проявления женской влюбленности и у гусей труднее заметить, чем более явные проявления мужской. У самца сватовство часто бывает успешным и тогда, когда предмет его любви не отвечает ему таким же чувством, потому что ему дозволено самым настойчивым образом преследовать свою возлюбленную, отгонять с дракой всех других претендентов и безмерным упорством своего постоянного, преисполненного надежд присутствия постепенно добиться, что предмет его ухаживания привыкает к нему настолько, что вносит свой голос в его триумфальный крик. Несчастная и долго безуспешная влюбленность бывает главным образом тогда, когда ее объект уже прочно связан с кем-то другим. Гусак во всех наблюдавшихся случаях такого рода очень скоро отказывался от своих притязаний. Но об одной очень ручной гусыне, которую я сам вырастил, в протоколе значится, что она более четырех лет в неизменной любви ходила следом за счастливым в браке гусаком. Она всегда "как бы случайно" скромно присутствовала на расстоянии нескольких метров от его семьи. И она ежегодно доказывала также и свою брачную верность возлюбленному неоплодотворенной кладкой!

Верность в отношении триумфального крика и сексуальная верность своеобразно коррелируются, причем по-разному у самок и у самцов. В идеальном нормальном случае, когда все ладится и не возникает никаких помех, т. е. когда пара здоровых, темпераментных серых гусей прочно влюбляется друг в друга первой своей весной, и ни один из них не теряется в пути, не попадает в зубы к лисе, не погибает от глистов, не сбивается ветром на телеграфные провода и т. д., то оба гуся скорее всего будут всю жизнь верны друг другу как в триумфальном крике, так и в половой связи. Если же судьба разрушает первый союз любви, то и гусак, и гусыня могут вступить в новый союз триумфального крика тем легче, чем раньше произошло нарушение, но примечательно, что при этом нарушается моногамность копуляции, причем у гусака сильнее, чем у гусыни. Такой самец вполне нормально празднует триумфы со своей супругой, честно стоит на страже у гнезда, защищает свою семью так же отважно, как и любой другой; короче говоря, он во всех отношениях образцовый отец семейства — только при случае совокупляется с другими гусынями. В особенности он расположен к этим отклонениям тогда, когда его самки нет поблизости, например если он находится вдали от гнезда, а она сидит на яйцах. Но если чужая самка приближается к выводку или к центру их гнездового участка, гусак очень часто нападает на нее и гонит прочь. Наблюдатели, склонные очеловечивать поведение животных, в таких случаях обвиняют гусака в стремлении сохранить свои "связи" в тайне от супруги, что, разумеется, означает чрезвычайное преувеличение его умственных способностей. В действительности возле семьи или гнезда он реагирует на чужую гусыню так же, как на любого гуся, не принадлежащего к группе, т. е. прогоняет, в то время как на нейтральной территории отсутствует реакция защиты семейства, мешающая ему видеть в ней самку. Чужая самка является лишь партнершей в половом акте; гусак не проявляет никакой склонности задерживаться возле нее, ходить с ней вместе и уж тем более защищать ее или ее гнездо. Если появляется потомство, то выращивать своих внебрачных детей ей приходится в одиночку.

Чужая самка, со своей стороны, старается осторожно и "как бы случайно" быть поближе к своему другу. Он ее не любит, но она любит его, т. е. с готовностью приняла бы предложение триумфального крика, если бы он его сделал. У самок серых гусей готовность к половому акту гораздо сильнее связана с влюбленностью, чем у самцов; иными словами, известная диссоциация между союзом любви и сексуальным влечением и у гусей легче и чаще проявляется среди мужчин, чем среди женщин. И войти в новую связь, если порвалась прежняя, гусыне тоже гораздо труднее, чем гусаку. Прежде всего это относится к ее первому вдовству. Чем чаще она становится вдовой или партнер ее покидает, тем легче ей становится найти нового, но и тем слабее бывает, как правило, новый союз. Поведение многократно вдовевшей или "разводившейся" гусыни очень сильно отклоняется от типичного. Сексуально более активная, менее заторможенная чопорностью, чем молодая самка, одинаково готовая вступить и в новый союз триумфального крика, и в новую половую связь, такая гусыня становится прототипом "femme fatale"[1]*. Она прямо-таки провоцирует серьезное сватовство молодого гусака, который был бы готов к пожизненному союзу, но после недолгого брака делает своего избранника несчастным, бросая его ради нового возлюбленного. История жизни и браков самой старой нашей серой гусыни Ады — великолепный пример только что описанного; ее история закончилась поздней "grande passion"[2]* и счастливым браком, но это довольно редкий случай. Протокол Ады читается, как захватывающий роман, но его место в другой книге.

Чем дольше прожила пара в счастливом супружестве и чем ближе подходило их бракосочетание к очерченному выше идеальному случаю, тем труднее бывает, как правило, овдовевшему супругу вступить в новый союз триумфального крика, а самке, как мы уже говорили, еще труднее, чем самцу. Гейнрот описывает случаи, когда овдовевшие гусыни до конца жизни оставались одинокими и не проявляли сексуальной активности. У гусаков мы ничего подобного не наблюдали: поздно овдовевшие сохраняли траур не больше года, а затем начинали время от времени вступать в половые связи, а это в конце концов окольным путем приводит, как мы уже видели на с. 193—194, к новому правильному союзу триумфального крика. Исключений из только что описанных правил имеется множество. Например, мы видели, как одна гусыня, долго прожившая в безукоризненном браке, тотчас же после потери супруга вступила в новый, во всех отношениях полноценный брак, и наше объяснение, что в прежнем супружестве что-то все же было, вероятно, не в порядке, слишком похоже на petitio principii[3]*.

Подобные исключения чрезвычайно редки, так что мне, пожалуй, лучше было бы вообще о них промолчать, чтобы не нарушать правильного впечатления о прочности и постоянстве, характеризующих союз триумфального крика, причем *не* в идеализированном нормальном случае, а в статистическом среднем из всех наблюдавшихся случаев. Если воспользоваться каламбуром, триумфальный крик — это лейтмотив всех мотиваций, определяющих повседневную жизнь диких гусей. Он постоянно звучит едва заметной нотой в обычном голосовом контакте, — в том гоготании, которое Сельма Лагерлёф так удивительно верно перевела словами: "Я здесь, а где ты?" — несколько усиливаясь при недружелюбной встрече двух семей и полностью исчезая лишь при мирной кормежке на пастбище и в особенности при тревоге, при общем бегстве или при перелетах крупных стай на большие расстояния. Однако едва лишь проходит такое возбуждение, временно подавляющее триумфальный крик, как у гусей тотчас же вырывается, в определенной степени как явление контраста, быстрое приветственное гоготание, которое мы уже знаем как самую слабую по интенсивности степень триумфального крика. Члены группы, объединенной этим союзом, целый день и при

---

[1]*"Роковой женщины" *(фр.). — Примеч. пер.*
[2]*"Великой страстью" *(фр.). — Примеч. пер.*
[3]*Предвосхищение основания *(лат.)* (логическая ошибка, состоящая в том, что некоторое утверждение доказывается с помощью другого утверждения, которое само еще не доказано). — *Примеч. пер.*

каждом удобном случае, так сказать, уверяют друг друга: "Мы едины, мы вместе против всех чужих!"

По другим инстинктивным действиям мы уже знаем о той замечательной спонтанности, о том исходящем изнутри производстве стимула, специфического для определенной формы поведения, которое в точности соразмерно "потреблению" соответствующего движения, т. е. этого стимула производится тем больше, чем чаще животному приходится выполнять это движение. Мыши должны грызть, куры клевать, а белки прыгать. При нормальных жизненных условиях это им необходимо, чтобы прокормиться. Но когда в условиях лабораторного плена такой нужды *нет,* это им так же необходимо — потому что все инстинктивные действия порождаются внутренним производством стимулов, а внешние раздражители лишь направляют запуск этих действий в конкретных условиях места и времени. Точно так же серому гусю необходимо триумфально кричать, и если отнять у него возможность удовлетворять эту потребность, то он превращается в патологическую карикатуру на самого себя. Он не может разрядить накопившееся возбуждение на какой-нибудь замещающий объект, как это делает мышь, грызущая любые предметы, или белка, стереотипно кувыркающаяся в тесной клетке, чтобы избавиться от потребности в движении. Серый гусь, не имеющий партнера, с которым можно триумфально кричать, сидит или бродит печальный и подавленный. Если Йеркс однажды так метко сказал о шимпанзе, что *один* шимпанзе — это вообще не шимпанзе, то к диким гусям это относится еще в гораздо большей степени, даже тогда — и особенно тогда, — когда одинокий гусь находится в густонаселенной колонии, где у него нет партнера по триумфальному крику. Если такая печальная ситуация преднамеренно создается в опыте, в котором одного-единственного гусенка выращивают, как Каспара Гаузера*, изолированно от собратьев по виду, то у этого несчастного создания наблюдается ряд характерных нарушений поведения. Они относятся и к неодушевленному, и — в еще большей степени — к одушевленному окружению и весьма многозначительно напоминают нарушения, установленные Рене Спитсом у госпитализированных детей, которые лишены достаточных социальных контактов. Такое существо не только лишено способности реагировать должным образом на стимулы, исходящие из внешней среды; оно старается по возможности уклониться от любых внешних раздражений. Поза лежа лицом к стене является при таких состояниях "патогномонической", т. е. ее одной уже достаточно для диагноза. Так же и гуси, которых психически искалечили подобным образом, садятся, уткнувшись клювом в угол комнаты, а если поместить в одну комнату двух, как мы сделали однажды, то в два угла, расположенные по диагонали. Рене Спитс, которому мы показали этот эксперимент, был просто потрясен такой аналогией между поведением наших подопытных животных и тех детей, которых он изучал в сиротском приюте. В отличие от детей, искалеченный таким образом гусь поддается лечению, но полностью ли, мы еще не знаем, поскольку на восстановление требуются годы. Едва ли не более драматично, чем такая экспериментальная помеха образованию триумфального крика, действует насильственный разрыв этого союза, что в естественных условиях случается слишком часто. Первая реакция серого гуся на исчезновение партнера состоит в том, что он изо всех сил старается того отыскать. Он беспрерывно, буквально день и ночь, издает трехсложный дальний зов, торопливо и взволнованно обегает привычные места, в которых обычно бывал вместе с пропавшим, и все больше расширяет радиус своих поисков, облетая большие пространства с непрерывным призывным криком. С утратой партнера тотчас же пропадает всякая готовность к борьбе, осиротевший гусь вообще перестает защищаться от нападений собратьев по виду, убегает от более молодых и слабых; а поскольку о его состоянии быстро "начинаются толки" в колонии, он сразу оказывается на самой низшей ступени рангового порядка. Порог всех раздражений, вызывающих бегство, значительно понижается, птица проявляет крайнюю трусость не только по отношению к собратьям по виду, она пугается всех раздражений, исходящих от внешнего мира, гораздо больше, чем прежде. Гусь, бывший до этого ручным, может начать бояться людей, как неприрученный.

Иногда, правда, у гусей, выращенных человеком, может случиться обратное: осиротевшая птица снова привязывается к своему опекуну, на которого уже не обращала никакого внимания, пока была счастливо связана с другими гусями. Так было, например, с гусаком Копфшлицем, когда мы, как было рассказано на с. 192, отправили в ссылку его друга Макса. Дикие гуси, нормальным образом выращенные их собственными родителями, сделавшись одинокими, могут вернуться к родителям или к братьям и сестрам, с которыми они перед тем уже не поддерживали каких-либо заметных отношений, но, как показывают именно эти наблюдения, сохраняли латентную привязанность к ним. Несомненно, к этому же кругу явлений относится и тот факт, что гуси, которых мы уже взрослыми переселяли в дочерние колонии нашего гусиного поселения — на озеро Аммерзее или на пруд Амперштаувайер в Фюрстенфельдбруке, — возвращались в старую колонию на Эсс-зее, если теряли супругов или партнеров по триумфальному крику.

Все описанные выше симптомы, относящиеся к вегетативной нервной системе и к поведению, весьма сходным образом проявляются у тоскующих людей. Джон Баулби в своем исследовании грусти у маленьких детей дал столь же наглядную, сколь трогательную картину этих явлений; и просто невероятно, до каких деталей простирается здесь аналогия между человеком и птицей! В точности как человеческое лицо, особенно вблизи глаз, при длительном сохранении описанного депрессивного состояния покрывается "знаками судьбы", то же самое происходит и с лицом серого гуся. В обоих случаях ввиду длительного снижения симпатического тонуса особенно сильные изменения происходят под глазами, что придает лицу "опечаленное" выражение. Мою любимую старую серую гусыню Аду я узнаю издали среди сотен других гусей по этому скорбному выражению глаз, и я получил однажды впечатляющее подтверждение, что это не плод моей фантазии. Один очень опытный знаток животных и особенно птиц, ничего не знавший о предыстории Ады, вдруг показал на нее и сказал: "Эта гусыня, должно быть, хлебнула горя!"

Из принципиальных гносеологических соображений мы считаем научно незаконными любые высказывания о субъективных переживаниях животных, за исключением одного: субъективные переживания у животных есть. Нервная система животного отличается от нашей, так же как и происходящие в ней физиологические процессы; и можно считать несомненным, что переживания, идущие параллельно с этими процессами, также качественно отличаются от наших. Но эта гносеологически чистая установка по поводу субъективных переживаний у животных, естественно, никоим образом не означает, что отрицается их существование. Мой учитель Гейнрот на упрек, будто он видит в животном бездушную машину, обычно отвечал с улыбкой: "Совсем наоборот, я считаю животных *эмоциональными людьми* с очень слабым интеллектом!" Мы не знаем и не можем знать, что субъективно происходит в гусе, который проявляет все объективные симптомы человеческого горя. Но мы не можем удержаться от *чувства*, что его страдание очень сродни нашему!

Чисто объективно все поведение, какое можно наблюдать у дикого гуся, лишенного союза триумфального крика, обнаруживает столь близкое сходство, какое можно себе представить, с поведением животных, сильно *привязанных к месту обитания,* когда их вырывают из привычного окружения и пересаживают в чужую обстановку. Здесь начинаются те же отчаянные поиски и так же пропадает всякая боеготовность до тех пор, пока животное не найдет свои родные места. Для сведущего человека характеристика связи серого гуся с партнером по триумфальному крику будет наглядной и меткой, если сказать, что гусь относится к нему во всех отношениях так же, как относится к центру своей территории чрезвычайно привязанное к своему участку животное, у которого эта привязанность тем сильнее, чем больше его "степень знакомства" с нею. В непосредственной близости к этому центру не только внутривидовая агрессия, но и многие другие автономные жизненные проявления соответствующего вида достигают наивысшей интенсивности. Моника Майер-Гольцапфель определила партнера по личной дружбе как "животное с притягательной силой дома" ("das Tier mit der Heimvalenz") и тем самым ввела термин, который свободен от антропоморфной субъективизации поведения животных, но при этом во всей полноте охватывает значение чувств, вызываемых настоящим другом.

Поэты и психоаналитики давно уже знают, как близко соседствуют любовь и ненависть; знают, что и у нас, людей, объект любви почти всегда "амбивалентным" образом бывает и объектом агрессии. Триумфальный крик у гусей — никакое подчеркивание этого не может быть слишком сильным — это лишь аналог, в лучшем случае лишь грубо упрощенная модель человеческой дружбы и любви; однако эта модель знаменательным образом показывает, как может возникнуть такая амбивалентность. Если даже у серых гусей также и во втором акте церемонии, при дружески приветственном повороте друг другу, при нормальных условиях уже почти нет примеси агрессии, то в целом, особенно в первой части, сопровождаемой "грохотанием", ритуал содержит полную меру автохтонной агрессии, которая направлена, хотя и лишь латентно, против возлюбленного друга и партнера. Что это именно так, мы знаем не только из эволюционных соображений, приведенных в предыдущей главе, но и из наблюдения исключительных случаев, которые бросают яркий свет на взаимодействие первичной агрессии и ставших автономными мотиваций триумфального крика.

Наш самый старый белый гусь, Паульхен, на втором году жизни образовал пару с белой гусыней такого же возраста, но в то же время сохранял узы триумфального крика с другим белым гусаком, Шнееротом, который хотя и не был ему братом, но стал им в братской совместной жизни. У белых гусаков есть обыкновение, широко распространенное у настоящих и нырковых уток, но очень редкое у гусей: насиловать чужих самок, особенно тогда, когда они находятся на гнезде, насиживая яйца. И когда на следующий год супруга Паульхена построила гнездо, отложила яйца и стала их насиживать, возникла ситуация, столь же интересная, сколь ужасная: Шнеерот постоянно насиловал самку грубейшим образом, а Паульхен ничего не мог против этого предпринять! Когда Шнеерот подходил к гнезду и хватал гусыню, Паульхен с величайшей яростью бросался на развратника, но затем, добежав до него, обходил его резким зигзагом и в конце концов нападал на какой-нибудь безобидный замещающий объект, например на нашего фотографа, снимавшего эту сцену на пленку. Никогда прежде я не видел столь отчетливо эту власть переориентирования, закрепленного ритуализацией: Паульхен *хотел* напасть на Шнеерота, — тот, вне всяких сомнений, возбуждал его гнев, — но *не мог,* потому что накатанная дорога ритуализованной формы движения проносила его мимо предмета ярости так же жестко и надежно, как стрелка, установленная соответствующим образом, посылает локомотив на соседний путь.

Поведение этого белого гуся показывает совершенно определенно, что даже стимулы, однозначно запускающие агрессию, если они исходят от партнера, запускают только триумфальный крик, а не нападение. У белых гусей церемония не разделяется на два акта так отчетливо, как у серых, у которых первый акт содержит больше агрессии и направляется наружу, а второй состоит почти исключительно в социально мотивированном обращении к партнеру. Белые гуси вообще, и в особенности их триумфальный крик, вероятно, сильнее заряжены агрессивностью, чем наши дружелюбные серые. В отношении этого признака триумфальный крик белых гусей примитивнее, чем у их серых родственников. Таким образом, в описанном анормальном случае смогло возникнуть поведение, которое в механике своих побуждений полностью соответствовало исходному переориентированному нападению, нацеленному мимо партнера, какое мы уже видели на с. 176 у цихлид. Здесь хорошо применимо Фрейдово понятие *регрессии.*

Несколько иной процесс регрессии может внести определенные изменения и в триумфальный крик серого гуся, а именно в его вторую наименее агрессивную фазу, и в этих изменениях отчетливо проявляется изначальное участие инстинкта агрессии. Это в высшей степени драматичное событие случается лишь тогда, когда два сильных гусака вступили в союз триумфального крика, как описано на с. 192. Мы уже говорили, что даже самая боеспособная гусыня уступает в борьбе самому слабому гусаку, так что ни одна нормальная пара гусей не может выстоять против двух таких друзей, и потому они обычно стоят в ранговом порядке гусиной колонии очень высоко. С возрастом и с долгим пребыванием в высоком ранге у них растет "самоуверенность", т. е. уверенность в победе, а вместе с тем и агрессивность. Одновременно, как мы видели на с. 189, интенсивность триумфального крика растет и вместе со степенью знакомства партнеров, т. е. с продолжительностью их союза. При этих обстоятельствах вполне понятно, что церемония единства такой пары гусаков приобретает столь высокую степень интенсивности, какая у разнополой пары не достигается никогда. Уже неоднократно упоминавшихся Макса и Копфшлица, которые "женаты" теперь уже девять лет, я узнаю издали по сумасшедшей восторженности их триумфального крика.

И вот, иногда бывает, что триумфальный крик таких гусаков выходит из всяких рамок, доходит до экстаза, и тут происходит нечто весьма примечательное и жуткое. Звуки становятся все громче, сдавленнее и быстрее, шеи вытягиваются все более и более горизонтально, теряя тем самым характерное для церемонии поднятое положение, *а угол, на который отклоняется переориентированное движение от направления на партнера, становится все меньше.* Иными словами, ритуализованная церемония при чрезмерном нарастании ее интенсивности все более и более *утрачивает* те двигательные признаки, которые отличают ее от неритуализованного прототипа. Таким образом, происходит настоящая регрессия в смысле Фрейда: церемония возвращается к эволюционно более раннему, первоначальному состоянию. Впервые такую "деритуализацию" ("Entritualisierung") обнаружил Николаи на снегирях. Церемония приветствия у самок этих птиц, как и триумфальный крик у гусей, возникла посредством ритуализации из исходных угрожающих жестов. Если усилить сексуальные побуждения самки снегиря долгим одиночеством, а затем поместить ее вместе с самцом, то она преследует его жестами приветствия, которые принимают агрессивный характер тем отчетливее, чем сильнее напряжение полового инстинкта.

У пары гусаков возбуждение такой экстатической любви-ненависти может на любом уровне остановиться и вновь затихнуть; затем развивается триумфальный крик, хотя все еще крайне возбужденный, однако нормально завершающийся тихим и нежным гоготанием, даже если их жесты только что угрожающе приближались к проявлениям яростной агрессивности. Даже если видишь такое впервые, ничего не зная о только что описанных процессах, испытываешь при виде подобных проявлений чрезмерно пылкой любви какое-то неприятное чувство. Невольно приходят на ум выражения вроде "Так тебя люблю, что съел бы", и вспоминается старая мудрость, которую так часто подчеркивал Фрейд, что именно обиходная речь обладает надежным и верным чутьем к глубочайшим психологическим взаимосвязям.

Однако в единичных случаях — за десять лет наблюдений над гусями у нас в протоколах таких всего три — деритуализация, дошедшая до наивысшего экстаза, *не* отступает; и тогда происходит непоправимое событие, влекущее чрезвычайно тяжелые последствия для дальнейшей жизни участников: угрожающие и боевые позы обоих гусаков приобретают все более чистые формы, возбуждение доходит до точки кипения,

— и прежние друзья внезапно хватают друг друга за шиворот и ороговелыми сгибами крыльев обрушивают друг на друга град ударов, звуки которых разносятся далеко. Такую смертельно серьезную схватку *слышно* буквально за километр. В то время как обычная драка двух гусаков, которая разгорается из-за соперничества за самку или за место для гнезда, редко длится больше нескольких секунд, а больше минуты — никогда, в одном из трех боев между бывшими партнерами по триумфальному крику мы запротоколировали продолжительность боя в *целых* четверть часа *после того,* как мы бросились к ним издалека, встревоженные шумом сражения. Ужасающая, ожесточенная ярость таких схваток, видимо, лишь в малой степени объясняется тем обстоятельством, что противники слишком хорошо знакомы и потому испытывают друг перед другом меньше страха, чем перед чужими. Чрезвычайная ожесточенность супружеских ссор тоже черпается не только из этого источника. Я думаю, что, скорее, в каждой настоящей любви спрятан такой заряд латентной, замаскированной связью агрессии, что при разрыве этой связи возникает тот отвратительный феномен, который мы называем ненавистью. Нет любви без агрессии, но нет и ненависти без любви!

Победитель никогда не преследует побежденного, и мы ни разу не видели, чтобы между ними возникла вторая схватка. Наоборот, в дальнейшем эти гусаки намеренно избегают друг друга; когда гуси большим стадом пасутся на болотистом лугу за оградой, они всегда находятся в диаметрально противоположных точках. Если они случайно, не заметив друг друга вовремя, или благодаря нашему вмешательству, предпринятому ради эксперимента, оказываются рядом, то демонстрируют, пожалуй, самое достопримечательное поведение, какое мне приходилось видеть у животных; трудно решиться описать его, ибо это навлекает подозрение в беспредельном очеловечении: гусаки *смущаются*! Они не могут видеть друг друга, не могут друг на друга смотреть. Их взгляды беспокойно блуждают вокруг, колдовски притягиваясь к объекту любви и ненависти, и отскакивают, как отдергивается палец от раскаленного металла; вдобавок они все время производят замещающие движения: оправляют оперение, трясут клювом нечто несуществующее и т. п. Просто уйти они тоже не в состоянии, ибо все, что может выглядеть бегством, запрещено древним заветом — любой ценой "сохранять лицо". Поневоле становится жалко их обоих; чувствуется, что ситуация чрезвычайно болезненная. Исследователь, занимающийся проблемами внутривидовой агрессии, много бы дал за возможность посредством точного количественного анализа мотиваций установить пропорциональные соотношения, в которых первичная агрессия и автономное, обособившееся побуждение к триумфальному крику взаимодействуют друг с другом в различных частных случаях такой церемонии. По-видимому, мы постепенно приближаемся к решению этой задачи, но рассмотрение соответствующих исследований завело бы нас здесь слишком далеко.

Вместо этого мы хотели бы еще раз окинуть взглядом все, что узнали в этой главе об агрессии и о тех особых механизмах торможения, которые не только исключают какую бы то ни было борьбу между вполне определенными индивидами, постоянно связанными друг с другом, но и создают между ними союз того типа, с которым мы подробно познакомились на примере триумфального крика гусей. Затем мы хотим исследовать отношения между таким союзом и теми другими механизмами социальной совместной жизни, которые я описал в предыдущих главах. Когда я сейчас перечитываю ради этого соответствующие главы, меня охватывает удручающее чувство бессилия: я сознаю, как мало мне удалось воздать должное величию и значению эволюционных явлений, о которых, как я полагаю, я в самом деле знаю, как они происходили, и которые я решился описать. Можно было бы думать, что сколько-нибудь наделенный даром слова ученый, который всю свою жизнь занимался некоторым предметом, должен быть в состоянии изложить свои добытые тяжким трудом результаты таким образом, чтобы передать слушателю или читателю не только то, что он *знает,* но и то, что он при этом *чувствует.* Мне остается лишь надеяться, что чувством, которое я не сумел выразить в словах, повеет на читателя из лапидарного изложения фактов, если я воспользуюсь здесь подобающим мне средством краткого научного обзора.

Как мы знаем из 8-й главы, существуют животные, которые полностью лишены внутривидовой агрессии и всю жизнь держатся в прочно связанных стаях. Можно было бы думать, что этим созданиям предначертано развитие постоянной дружбы и братской сплоченности отдельных особей; но как раз у таких мирных стадных животных ничего подобного никогда не бывает, их сплоченность всегда совершенно анонимна. Личный союз, личную дружбу мы находим *только* у животных с высокоразвитой внутривидовой агрессией, причем этот союз тем прочнее, чем агрессивнее соответствующий вид. Едва ли есть рыбы агрессивнее цихлид и птицы агрессивнее гусей. Самое агрессивное из всех млекопитающих — вошедший в поговорку волк, "bestia senza pace" у Данте, — самый верный из всех друзей. Если животное в зависимости от времени года попеременно становится то территориальным и агрессивным, то неагрессивным и стадным, то любая возможная для него личная связь ограничена периодом агрессивности.

Личный союз возник в ходе великого становления, несомненно, в тот момент, когда у *агрессивных* животных появилась необходимость в совместной деятельности двух или более особей ради некоторой цели, служащей для сохранения вида, — вероятно, большей частью ради заботы о потомстве. Несомненно, что личный союз — любовь — во многих случаях возникал *из* внутривидовой агрессии; в большинстве известных случаев это происходило путем ритуализации переориентированного нападения или угрозы. Поскольку возникшие таким образом ритуалы связаны *лично с партнером* и поскольку в дальнейшем, превратившись в самостоятельные инстинктивные действия, они становятся *потребностью,* они превращают в насущную потребность и постоянное присутствие партнера, а его самого в "животное с притягательной силой дома".

Внутривидовая агрессия на миллионы лет *старше* личной дружбы и любви. В течение долгих эпох истории Земли несомненно появлялись чрезвычайно свирепые и агрессивные животные. Почти все рептилии, каких мы знаем сегодня, именно таковы, и трудно предположить, что в давние времена это было иначе. Однако личный союз мы знаем только у костистых рыб, у птиц и у млекопитающих, то есть у групп, ни одна из которых не известна до позднего мезозоя. Так что внутривидовой агрессии без ее противника (Gegenspieler) — любви бывает сколько угодно, но *любви без агрессии не бывает.*

Механизмом поведения, который необходимо четко, как особое понятие, отделять от внутривидовой агрессии, является *ненависть* — уродливая младшая сестра большой любви. В отличие от обычной агрессии она направлена *на индивида,* в точности как и любовь, и, по-видимому, любовь является предпосылкой ее наличия: по-настоящему ненавидеть можно, наверное, лишь то, что когда-то любил и все еще любишь, хоть и отрицаешь это.

Пожалуй, излишне указывать на аналогии между описанным выше социальным поведением некоторых животных, прежде всего диких гусей, и человека. Все прописные истины наших пословиц кажутся в той же мере подходящими и для этих птиц. Как опытные эволюционисты и добрые дарвинисты, мы можем и должны извлечь из этого важные выводы. Прежде всего мы знаем, что самыми последними общими предками птиц и млекопитающих были примитивные рептилии верхнего девона и нижнего каменноугольного периода, которые наверняка не обладали высокоразвитой общественной жизнью и вряд ли были умнее лягушек. Отсюда следует, что сходные черты социального поведения серых гусей и человека не унаследованы от общих предков; они не "гомологичны", а возникли, несомненно, посредством так называемого конвергентного приспособления. И так же несомненно, что их существование не случайно; невероятность случайного совпадения хотя и можно было бы вычислить, но только с помощью астрономических чисел.

Если в высшей степени сложные нормы поведения — как, например, влюбленность, дружба, ранговые притязания, ревность, скорбь и т. д. и т. п. — у серых гусей и у человека не только похожи, но и просто-таки совершенно одинаковы до забавных мелочей, это говорит нам *с достоверностью,* что каждый такой инстинкт выполняет некоторую вполне определенную роль в сохранении вида, и притом такую, которая у серых гусей и у людей почти или совершенно одинакова. Совпадения в поведении могли возникнуть только так.

Как добрые естествоиспытатели, не верящие в "безошибочные инстинкты" и прочие чудеса, мы считаем самоочевидным, что каждая такая форма поведения является функцией некоторой специальной телесной структуры, состоящей из нервной системы, органов чувств и т. д., иными словами — структуры, выработанной организмом под давлением отбора. Если мы попытаемся представить себе — например, с помощью электронной или иной мысленной модели, — какую наименьшую *сложность* должен иметь физиологический аппарат такого рода, чтобы произвести такую форму социального поведения, как, например, триумфальный крик, то мы с изумлением обнаружим, что такие достойные восхищения органы, как глаз или ухо, кажутся чем-то простым в сравнении с этим аппаратом. Чем сложнее и дифференцированнее два органа, аналогично устроенных и выполняющих одну и ту же функцию, тем больше у нас оснований объединить их общим, функционально определенным понятием и обозначить одним и тем же названием, хотя бы их эволюционное происхождение было совершенно различно. Если, скажем, каракатицы или головоногие, с одной стороны, и позвоночные, с другой, независимо друг от друга изобрели глаза, которые построены по одному и тому же принципу линзовой камеры и в обоих случаях состоят из одних и тех же конструктивных элементов — хрусталика, радужной оболочки, стекловидного тела и сетчатки, то нет никаких разумных доводов против того, чтобы оба органа, у каракатиц и у позвоночных, называть глазами, *без всяких кавычек*. С таким же правом мы можем это себе позволить, говоря о формах социального поведения высших животных, которое по меньшей мере по такому же числу признаков аналогично поведению человека.

Духовно высокомерным людям сказанное в этой главе должно послужить серьезным предупреждением. У животного, даже не принадлежащего к привилегированному классу млекопитающих, исследование обнаруживает механизм поведения, который соединяет определенных индивидов на всю жизнь и превращается в сильнейший мотив, господствующий над всем поведением, пересиливающий все "животные" инстинкты — голод, сексуальность, агрессию и страх — и создающий общественный порядок в формах, характерных для данного вида. Такой союз во всем аналогичен тем достижениям, которые у нас, людей, связаны с чувствами любви и дружбы в их самой чистой и благородной форме.

Глава 12
ПРОПОВЕДЬ СМИРЕНИЯ

> А в дереве твоем сучок,
> Рубанок застревает в нем:
> То гордость, твой порок.
> Всегда ведет она тебя
> На поводу своем.
>
> *Кристиан Моргенштерн*

Все, что содержится в предыдущих одиннадцати главах, — это научное естествознание. Приведенные факты более или менее проверены, насколько это вообще можно утверждать в отношении результатов такой молодой науки, как сравнительная этология. Однако теперь мы оставим изложение того, что выявилось в наблюдениях и в экспериментах с агрессивным поведением животных, и обратимся к вопросу, можно ли из всего этого извлечь что-нибудь применимое к человеку и полезное для предотвращения тех опасностей, которые вырастают из его агрессивного инстинкта.

Есть люди, которые уже в самом этом вопросе усматривают оскорбление человеческого достоинства. Человеку слишком хочется видеть себя центром мироздания, чем-то таким, что не принадлежит к остальной природе, а противостоит ей как нечто по сути своей иное и высшее. Упорствовать в этом заблуждении — для многих людей потребность, и они остаются глухи к мудрейшему из наставлений, какое когда-либо давал им мудрец, знаменитому Γνῶθι σαυτόν, "познай самого себя" (изречение Хилона, которое, однако, большей частью приписывают Сократу). Что же мешает людям к нему прислушаться? Для этого есть три препятствия, сильнейшим образом зависящие от эмоций. Первое из них легко устранимо у каждого разумного человека; второе, при всей его вредности, все же заслуживает уважения; третье понятно в свете духовной эволюции — и потому его можно простить, но справиться с ним, пожалуй, труднее всего на свете. И все они неразрывно связаны и переплетены с тем человеческим пороком, о котором древняя мудрость гласит, что он предшествует падению, — с *гордыней*. Я хочу прежде всего рассмотреть эти препятствия, одно за другим, и показать, каким образом они причиняют вред. А затем постараюсь по мере сил способствовать их устранению.

Первое препятствие — самое простое. Оно мешает самопознанию человека тем, что запрещает ему увидеть историю собственного исторического становления. Эмоциональная окраска и упрямая сила этого запрета парадоксальным образом возникают из-за того, что мы очень похожи на наших ближайших родственников. Людей было бы легче убедить в их происхождении, если бы они не были знакомы с шимпанзе. Неумолимые законы восприятия образов не позволяют нам видеть в обезьяне, особенно в шимпанзе, просто животное, подобное всем другим, а заставляют нас усматривать в ее лице человеческий облик. С такой точки зрения, измеренный человеческой меркой, шимпанзе, само собой, кажется чем-то ужасным, прямо-таки дьявольской карикатурой на нас самих. Уже с гориллой, отстоящей от нас несколько дальше в смысле родства, и тем более с орангутангом мы испытываем меньшие трудности. Головы их старых самцов, в которых мы видим причудливые дьявольские маски, мы воспринимаем вполне серьезно и даже находим в них какую-то красоту. С шимпанзе это совершенно невозможно. Он выглядит неотразимо смешно, но при этом настолько вульгарно, настолько отвратительно и отталкивающе, как может выглядеть лишь совершенно опустившийся человек. Это субъективное впечатление не так уж ошибочно: есть основания предполагать, что общие предки человека и шимпанзе по уровню развития были гораздо выше нынешних шимпанзе. Как ни смешна сама по себе эта оборонительная реакция человека по отношению к шимпанзе, ее тяжелая эмоциональная нагрузка склонила очень многих ученых к построению совершенно безосновательных теорий о возникновении человека. Хотя его происхождение от животных не отрицается, но близкое родство с шимпанзе либо избегается с помощью нескольких логических кульбитов, либо обходится софистическими окольными путями.

Второе препятствие для самопознания — это эмоциональная антипатия к признанию того, что наши поступки подчиняются законам естественной причинности. Бернгард Гассенштейн назвал это "антикаузальным ценностным суждением". Смутное, похожее на клаустрофобию чувство скованности, охватывающее многих людей при размышлении о всеобщей причинной предопределенности природных явлений, несомненно, связано с их оправданной потребностью в свободе собственной воли и со столь же оправданным желанием, чтобы их действия определялись не случайными причинами, а высокими целями.

Третье великое препятствие к человеческому самопознанию — по крайней мере в нашей западной культуре — это наследие идеалистической философии. Она делит мир на две части: внешний мир вещей, который идеалистическое мышление считает в принципе безразличным к ценностям, и постижимый разумом мир внутренней закономерности человека, за которым лишь за одним признается ценность. Такое деление легко мирится с эгоцентризмом человека, оно идет, как он того хочет, навстречу его антипатии к собственной зависимости от законов природы, и потому нет ничего удивительного, что оно так глубоко вросло в общественное сознание. Насколько глубоко, можно судить по тому, как изменились в нашем немецком языке значения слов "идеалист" и "реалист", которые первоначально означали лишь философские установки, а сегодня содержат моральные оценки. Необходимо уяснить себе, насколько привычным стало в нашем западном мышлении отождествлять понятия "доступного научному исследованию" и в принципе безразличного к ценностям. Я должен здесь защититься от напрашивающегося упрека в том, что я настойчиво выступаю против трех препятствий, чинимых высокомерием человеческому самопознанию, лишь потому, что они противоречат моим собственным научным и философским воззрениям. Я выступаю не как закоренелый дарвинист против отвращения к эволюционному учению, и не как профессиональный исследователь причин против антикаузального восприятия ценности, и не как убежденный гипотетический реалист* против идеализма. У меня другие основания. Сейчас естествоиспытателей часто упрекают в том, будто они накликали на человечество ужасные напасти, дав ему слишком большую власть над природой. Этот упрек был бы оправдан лишь в том случае, если бы ученым можно было поставить в вину, что они в то же время не сделали предметом своего изучения и самого человека. Потому что опасность для современного человечества проистекает не столько от его способности властвовать над физическими процессами, сколько из неспособности разумно направлять социальные процессы. Однако в основе этой неспособности лежит именно непонимание причин, которое является, как я намерен показать, непосредственным следствием трех происходящих от высокомерия препятствий к самопознанию.

Они препятствуют исследованию как раз тех и только тех явлений человеческой жизни, которые представляются людям высокими ценностями — иными словами, тех, которыми они *гордятся:* если нам сегодня основательно известны функции нашего пищеварительного тракта и на основе этих знаний медицина, особенно полостная хирургия, ежегодно спасает жизнь тысячам людей, то мы обязаны этим исключительно тому счастливому обстоятельству, что работа этих органов ни в ком не вызывает особого почтения и благоговения. Если, с другой стороны, человечество в бессилии останавливается перед патологическим разложением своих социальных структур, если оно, с атомным оружием в руках, в социальном аспекте не умеет себя вести разумнее, чем какой-либо вид животных, то это в значительной степени обусловлено высокомерной переоценкой собственного поведения и вытекающим из нее исключением этого поведения из числа природных явлений, рассматриваемых как доступные исследованию.

Естествоиспытатели поистине не виновны в том, что люди отказываются от самопознания. Они сожгли Джордано Бруно, когда он сказал им, что они вместе с их планетой — всего лишь пылинка среди бесчисленных облаков других пылинок. Когда Чарлз Дарвин открыл, что они одного племени с животными, они с удовольствием убили бы и его; во всяком случае, попыток заткнуть ему рот было более чем достаточно. Когда Зигмунд Фрейд попытался проанализировать мотивы социального поведения человека и объяснить его причины, — хотя и с субъективно-психологической точки зрения, но вполне научно в отношении методики и постановки проблем, — его обвинили в недостатке благоговения, в слепом материализме и даже в порнографических наклонностях. Человечество защищает свою самооценку всеми средствами; и поистине уместно проповедовать ему смирение и всерьез попытаться взорвать эти созданные высокомерием препятствия на пути самопознания.

Сегодня мне уже не приходится иметь дело с тем сопротивлением, которое противостояло постижениям Джордано Бруно, — я рассматриваю это как ободряющий признак постепенного распространения естественно-научных знаний, — и потому я начну с того, что противостоит открытиям Чарлза Дарвина. Я думаю, что есть простое средство примирить людей с тем фактом, что они сами — часть природы и возникли в естественном становлении, без нарушения ее законов: нужно лишь показать им, насколько Вселенная велика и прекрасна, насколько достойны благоговения царящие в ней законы. Прежде всего, я более чем уверен, что человек, достаточно знающий об эволюционном становлении органического мира, не может внутренне сопротивляться осознанию того, что и сам он обязан своим существованием этому величественнейшему из всех природных явлений. Я не хочу обсуждать здесь вероятность или, лучше сказать, надежность учения о происхождении видов, многократно превышающую надежность всего нашего исторического знания. Все, что нам сегодня известно, беспрепятственно вписывается в это учение, ничто ему не противоречит, и ему присущи все достоинства, какими может обладать учение о творении: объяснительная сила, поэтическая красота и впечатляющее величие.

Кто усвоил это во всей полноте, тот не может испытывать отвращения ни к открытию Дарвина, что мы с животными одного племени, ни к идее Фрейда, что нами все еще руководят такие же инстинкты, какие управляли нашими дочеловеческими предками. Напротив, сведущий человек почувствует лишь новое благоговение перед достижениями разума и ответственной морали, которые впервые вошли в этот мир лишь с появлением человека и вполне могли бы дать ему силу укротить животное наследие в самом себе, если бы он в своей гордыне не отрицал само существование такого наследия.

Еще одно основание для широко распространенного неприятия эволюционного учения состоит в глубоком почтении, которое мы, люди, испытываем к своим предкам. "Происходить" — по-латыни "descendere", буквально — "спускаться вниз", "нисходить", и уже в римском праве было принято помещать прародителей *вверху* родословной и рисовать генеалогическое древо, разветвлявшееся сверху вниз. То, что человек имеет хотя и всего двух родителей, но 256 пра-пра-пра-пра-пра-прадедов и бабок, не отражается в таких родословных даже в тех случаях, когда они простираются на соответствующее число поколений. Этого избегают потому, что в этом числе не набирается достаточно много предков, которыми можно было бы похвалиться. По мнению некоторых авторов, выражение "нисходить", возможно, связано также с тем, что в древности любили выводить свое происхождение от богов. Что древо жизни растет не сверху вниз, а снизу вверх — это до Дарвина ускользало от внимания людей. Так что слово "нисхождение" означает, в сущности, противоположное тому, что оно должно было означать: его можно, если толковать его буквально, отнести к тому, что наши предки в свое время спустились с деревьев. И они действительно это сделали, хотя, как мы теперь знаем, задолго *до того,* как стали людьми.

Немногим лучше обстоит дело и со словами "развитие"("Entwicklung"*) и "эволюция". Они тоже возникли в то время, когда мы не имели понятия о творческом ходе истории видов, а знали только о возникновении отдельного существа из яйца или из семени. Цыпленок из яйца или подсолнух из семечка развивается в самом буквальном смысле, т. е. из зародыша не возникает ничего, что не было в нем спрятано с самого начала.

Великое Древо Жизни растет совершенно иначе. Хотя древние формы являются необходимой предпосылкой для возникновения их более развитых потомков, этих потомков никоим образом нельзя вывести из исходных форм или предсказать по свойствам этих форм. То, что из динозавров получились птицы или из обезьян люди, — это в каждом случае *исторически единственное* достижение эволюционного процесса, который хотя и направлен в целом к высшему — согласно законам, управляющим всей жизнью, — но во всех своих деталях определяется так называемой случайностью, т. е. бесчисленным множеством побочных причин, которые в принципе невозможно охватить во всей полноте. В этом смысле "случайно", что в Австралии из примитивных предков возникли эвкалипты и кенгуру, а в Европе и Азии — дубы и люди.

Новое приобретение, которое нельзя вывести из предыдущей ступени, откуда оно берет начало, в подавляющем большинстве случаев представляет собой нечто *высшее* в сравнении с тем, что было. Наивная оценка, выраженная в заглавии "Низшие животные", вытисненном золотыми буквами на обложке первого тома старой доброй "Жизни животных" Брема, для каждого непредубежденного человека является неизбежной закономерностью мысли и чувства. Кто хочет любой ценой остаться "объективным" натуралистом и любой ценой избежать принуждения со стороны "всего лишь" субъективного, тот может попробовать — разумеется, лишь в мысленном, воображаемом эксперименте — лишить жизни по очереди кустик салата, муху, лягушку, морскую свинку, кошку, собаку и, наконец, шимпанзе. Он поймет, как по-разному трудно дались бы ему эти убийства на разных уровнях жизни! Запреты, которые противостояли бы каждому из них, — хорошее мерило той весьма различной ценности, какую представляют для нас эти различные уровни жизни, хотим мы этого или нет.

Лозунг свободы естествознания от ценностей не должен приводить к ошибочному мнению, будто эволюция — эта великолепнейшая из всех цепей естественно объяснимых явлений — не в состоянии создавать новые ценности. То, что возникновение некоторой высшей формы жизни из более простой предшествующей означает для нас *приращение* ценности, — это столь же несомненная действительность, как наше собственное существование.

Ни в одном из наших западных языков нет непереходного глагола, который мог бы обозначить филогенетический процесс, сопровождаемый приращением ценности. Если нечто новое и высшее возникает из предыдущей ступени, на которой нет и из которой не выводится именно то, что составляет самую сущность этого нового и высшего, то такой процесс никак нельзя назвать развитием. В принципе это относится к каждому значительному шагу, сделанному генезисом органического мира, в том числе и к первому — возникновению жизни, и к последнему на сегодняшний день — превращению антропоида в человека.

Несмотря на все поистине эпохальные, глубоко волнующие достижения биохимии и вирусологии, возникновение жизни остается — *пока!* — самым загадочным из всех событий. Различие между органическими и неорганическими процессами удается выразить лишь с помощью инъюнктивного определения, т. е. такого, которое заключает в себе *несколько* конститутивных признаков живого, создающих жизнь только в их общем сочетании. Каждый из них в отдельности, как, например, обмен веществ, рост, ассимиляция и т. д., встречается и в неорганическом мире. Когда мы утверждаем, что жизненные процессы суть процессы физические и химические, это, безусловно, верно. Нет никаких сомнений, что в качестве таковых они в принципе объяснимы естественным путем. Для объяснения их особенностей нет надобности обращаться к какому-либо чуду, так как сложность молекулярных и прочих структур, в которых эти процессы протекают, вполне достаточна для этого.

Зато неверно другое утверждение, которое часто приходится слышать: что жизненные процессы — это *в сущности всего лишь* химические и физические процессы. Потому что в нем содержится не сразу заметное ошибочное ценностное суждение, вытекающее из неоднократно обсуждавшегося неверного воззрения. Как раз "в сущности", т. е. с точки зрения того, что свойственно только этим процессам и конститутивно для них, они представляют собой нечто совершенно иное, нежели то, что обычно понимается под химико-физическими процессами. И презрительное высказывание, что они "всего лишь" таковы, тоже неверно. Это процессы, которые в силу особенностей структуры той материи, в которой они происходят, выполняют совершенно особые функции самосохранения, саморегулирования, сбора информации и, самое главное, воспроизведения необходимых для всего этого структур. Хотя эти процессы в принципе и допускают причинное объяснение, однако они не могут протекать в материи, структурированной иначе или менее сложно.

В принципе так же, как соотносятся процессы и структуры живого с процессами и структурами неживого, соотносится внутри мира организмов любая высшая форма жизни с низшей, от которой она произошла. Как неверно, что орлиное крыло, ставшее для нас символом всякого стремления ввысь, — это "в сущности всего лишь" передняя лапа рептилии, так же неверно и то, что человек — "в сущности всего лишь" обезьяна.

Один сентиментальный мизантроп изрек часто пережевываемый с тех пор афоризм: "Узнав людей, я полюбил зверей". Я утверждаю обратное: кто по-настоящему знает животных, в том числе высших и наиболее родственных нам, и имеет некоторое представление об истории развития животного мира, только тот может по достоинству оценить уникальность человека. Мы — самое высшее достижение Великих Конструкторов эволюции на Земле, какого им удалось добиться до сих пор; мы их "последний крик", но, разумеется, не последнее слово. Для естествоиспытателя запретны любые абсолютные допущения, даже в области теории познания. Они — грех против Святого Духа Πάντα ρεῖ[1]*, великого прозрения Гераклита, что ничто не "есть", но все течет в вечном становлении. Возводить в абсолют и объявлять венцом творения, который никогда не может быть превзойден, сегодняшнего человека на нынешнем этапе его марша сквозь время, который, хочется надеяться, будет пройден очень быстро, — это в глазах естествоиспытателя самая кичливая и самая опасная из всех необоснованных догм. Считая человека *окончательным* подобием Бога, я ошибусь в Боге. Но если я не забываю о том, что совсем недавно (с точки зрения эволюции) наши предки были самыми обыкновенными обезьянами из числа ближайших родственников шимпанзе, то я могу увидеть некоторый проблеск надежды. Не будет слишком большим оптимизмом предположить, что из нас, людей, может еще возникнуть нечто лучшее и высшее. Будучи далек от того, чтобы видеть в человеке окончательное подобие Божие, я утверждаю более скромно и, как я думаю, с бóльшим благоговением перед Творением и его неисчерпаемыми возможностями: то связующее звено между животным и подлинно человечным человеком, которого так долго ищут, — *это мы!*

Первое серьезное препятствие к человеческому самопознанию — нежелание верить в наше происхождение от животных — основано, как я имею смелость считать теперь доказанным, на незнании или на неверном понимании сущности органического творения. Поэтому просвещение может его устранить, по крайней мере в принципе. То же относится и ко второму препятствию, о котором сейчас будет речь, — к антипатии против причинной обусловленности мировых процессов. Но в этом случае устранить недоразумение гораздо труднее.

Его корень — принципиальное заблуждение, будто процесс, который причинно определен, не может быть в то же время направлен к некоторой цели. Конечно, во Вселенной существует бесчисленное множество явлений, вовсе не целенаправленных, в отношении которых вопрос "зачем?" должен остаться без ответа, если только нам не захочется найти его любой ценой, и мы в неумеренной переоценке собственной значимости истолкуем, например, восход Луны как включение ночного освеще-

---

[1] *Все течет *(греч.).* — *Примеч. пер.*

ния для нашего удобства. Но нет такого явления, к которому был бы неприложим вопрос о его причине.

Как уже говорилось в 3-й главе, вопрос "зачем?" имеет смысл только там, где работали Великие Конструкторы — или сконструированный ими живой конструктор. Лишь там, где части общей системы специализировались при разделении труда на выполнении различных, дополняющих друг друга функций, осмыслен вопрос "зачем?". Это относится и к жизненным процессам, и к тем неживым структурам и функциям, которые жизнь ставит на службу своим целям, например, к машинам, созданным людьми. В этих случаях вопрос "зачем?" не только разумен, но и необходим. Невозможно догадаться, по какой *причине* у кошки острые когти, не поняв сначала, что ловля мышей — это специальная функция, *для* которой они созданы.

Но ответ на вопрос "зачем?" отнюдь не делает излишним вопрос о причинах, как уже говорилось в начале 6-й главы — о Великом Парламенте Инстинктов. Я покажу на примитивном сравнении, что эти вопросы вовсе не исключают друг друга. Я еду на своей старой машине через страну, чтобы сделать доклад в одном отдаленном городе, что является целью моего путешествия. По дороге я размышляю о целесообразности, о "финальности" машины и ее конструкции, и радуюсь, как хорошо она служит цели моей поездки. Но тут мотор пару раз чихает и глохнет. В этот момент я с огорчением понимаю, что мою машину движет не цель. На ее несомненной финальности далеко не уедешь; и лучшее, что я смогу сделать, — это полностью сосредоточиться на естественных причинах ее движения и разобраться, в каком месте нарушилось их взаимодействие.

Насколько ошибочно мнение, будто причинные и целевые взаимосвязи исключают друг друга, можно еще нагляднее показать на примере "царицы всех прикладных наук" — медицины. Никакой "смысл жизни", никакой "всесоздающий фактор", ни одна самая важная неисполненная жизненная задача не помогут несчастному больному, у которого возникло воспаление в аппендиксе, но ему может помочь младший ординатор хирургической клиники, если только правильно продиагностирует причину расстройства. Таким образом, целевое и причинное рассмотрение жизненных процессов не только не исключают друг друга, но вообще имеют смысл лишь в совокупности. Если бы человек не стремился к целям, то не имел бы смысла его вопрос о причинах; если он не имеет понятия о причинных взаимосвязях, он бессилен направить события к цели, как бы хорошо он ее ни представлял.

Такая связь между целевым и причинным рассмотрением явлений жизни представляется мне совершенно очевидной, однако заблуждение об их несовместимости оказывается для многих, по-видимому, совершенно непреодолимым. Классический пример того, насколько подвержены этому заблуждению даже большие умы, можно найти в работах У. Мак-Дугалла, основателя "Purposive Psychology", психологии цели. В своей книге "Outline of Psychology"[1]* он отвергает все причинно-физиологические объяснения поведения животных за одним-единст-

---

[1] *"Очерк психологии" *(англ.). — Примеч. пер.*

венным исключением: то нарушение функции ориентации по направленнию света, которое заставляет насекомых в темноте лететь на пламя, он объясняет с помощью так называемых тропизмов, т. е. на основе причинного анализа механизмов ориентации.

Вероятно, люди потому так сильно боятся причинного исследования, что их мучит безрассудный страх: они боятся, что полное проникновение в причины явлений может разоблачить как иллюзию свободу человеческой воли. Конечно, тот факт, что это я чего-то хочу, так же мало подлежит сомнению, как и само мое существование. Более глубокое проникновение в цепочки физиологических причин собственного поведения ни в малейшей степени не может изменить тот факт, что человек *хочет*, но может внести изменения в то, *чего* он хочет.

Только при очень поверхностном рассмотрении свобода воли кажется состоящей в том, что человек, совершенно не связанный никакими законами, "может хотеть, чего хочет". Такое может померещиться только тому, кто клаустрофобически бежит от причинности. Вспоминается, как алчно была подхвачена "неопределенность" событий в физическом микромире, "беспричинные" квантовые скачки, и как на этой почве строились теории, которые должны были посредничать между физическим детерминизмом и верой в свободу воли, хотя ей оставляли лишь жалкую свободу игральной кости, выпадающей чисто случайно. Однако нельзя всерьез думать, будто свободная воля означает, что произволу индивида, как некоему совершенно безответственному тирану, дана абсолютная власть над его поступками. Наша самая свободная воля подчинена строгим законам морали, и наше стремление к свободе существует, между прочим, и для того, чтобы препятствовать нам подчиняться не этим, а другим законам. Примечательно, что боязливое чувство несвободы *никогда* не вызывается сознанием, что наши поступки так же жестко связаны законами морали, как физиологические процессы законами физики. Мы все согласны в том, что наивысшая и прекраснейшая свобода человека тождественна моральному закону в нем. Большее значение естественных причин собственного поведения может только приумножить *возможности* человека и дать ему силу претворить его свободную волю в поступки. Но это знание ни в коем случае не может ослабить его стремления. И если в утопическом случае окончательного успеха причинного анализа, который по принципиальным основаниям невозможен, человеку удалось бы полностью раскрыть причинные связи всех явлений, в том числе и происходящих в его собственном организме, то и тогда он не перестал бы хотеть, но хотел бы того же самого, "хочет" свободная от противоречий закономерность Вселенной, "Мировой Разум" Логоса. Эта идея чужда лишь нашему современному западному мышлению; древнеиндийской философии и мистикам средневековья она была очень знакома.

Я подошел к третьему великому препятствию на пути самопознания человека: к глубоко укоренившемуся в нашей западной культуре убеждению, будто естественно объяснимое лишено какой бы то ни было ценности. Это мнение происходит из утрирования кантианской философии ценностей, которая, в свою очередь, является следствием идеалистического разделения мира на две части. Как уже указывалось, страх перед причинностью, о котором мы только что говорили, является одним из эмоционально мотивирующих оснований для высокой оценки непознаваемого; однако здесь замешаны и другие неосознанные факторы. Непредсказуемо поведение властителя, отеческой фигуры, к существенным чертам которой принадлежит известная доля произвола и несправедливости. Непостижима воля Божья. Если нечто можно естественным образом объяснить, им можно и овладеть; и вместе с его непредсказуемостью часто пропадает почти весь ужас. Из перуна, который Зевс метал по своему непостижимому произволу, Бенджамен Франклин сделал электрическую искру, и громоотвод защищает от нее наши дома. Необоснованное опасение, что причинное постижение природы может лишить ее божественности, составляет второй главный мотив страха перед причинностью. Так возникает еще одна помеха исследованию, которая тем сильнее, чем выше в человеке благоговение перед красотой и величием Вселенной, чем более прекрасным и более достойным почитания представляется ему исследуемое явление природы.

Помеха для исследования, проистекающая из этой трагической причины, тем опаснее, что она никогда не переступает порог сознания. Те, к кому это относится, если их спросить, с чистой совестью отрекомендуются друзьями естественных наук. Они могут даже быть крупными исследователями некоторой ограниченной области; но подсознательно они полны решимости не переступать в попытках естественного объяснения границ того, что представляется им достойным почитания. Возникающая таким образом ошибка состоит не в том, что ошибочно допускается существование непознаваемого. Никто не знает лучше естествоиспытателя, что человеческому познанию поставлены границы; но он всегда сознает, что *мы не знаем, где эта граница проходит*. "В глубь природы, — писал Кант, — проникают наблюдение и анализ ее явлений. Неизвестно, как далеко это может увести в будущем". Возникающее таким образом препятствие к исследованию — это совершенно произвольно проводимая граница между познаваемым и уже не познаваемым. Многие очень тонкие наблюдатели природы испытывают такое благоговение перед *жизнью* и ее особенностями, что проводят границу у ее возникновения. Они предполагают особую жизненную силу, по-французски force vitale, некий направляющий интегрирующий фактор, который считается не нуждающимся в научном объяснении и не поддающимся ему. Другие проводят границу там, где, по их ощущению, человеческое достоинство требует прекратить все попытки естественного объяснения.

Как относится или как должен относиться к действительным границам человеческого познания настоящий естествоиспытатель, я понял в ранней молодости из высказывания одного крупного биолога, несомненно не обдуманного заранее. Я никогда не забуду, как Альфред Кюн делал однажды доклад в Австрийской академии наук и закончил его словами Гёте: "Высшее счастье мыслящего человека — постичь постижимое и спокойно чтить непостижимое". Сказав это, он на мгновение задумался, потом протестующе поднял руку и звонко, перекрывая уже начавшиеся аплодисменты, воскликнул: "Нет, господа! *Не* спокойно, *спокойно* — нет!" Настоящего естествоиспытателя можно определить именно по его способности уважать то постижимое, которое ему удалось постичь, ничуть не меньше, чем прежде, ибо именно отсюда вырастает для него возможность *хотеть,* чтобы было постигнуто и почти непостижимое; он не боится лишить природу божественности проникновением в причины ее явлений. Впрочем, природа после научного объяснения какого-либо из ее удивительных явлений никогда не оставалась в положении разоблаченного ярмарочного шарлатана, потерявшего репутацию волшебника; естественно-причинные взаимосвязи всегда оказывались более великолепными и заслуживающими большего благоговения, чем самые красивые мифические толкования. Кто понимает природу, тот не нуждается в непознаваемом, сверхъестественном, чтобы быть в состоянии испытывать благоговение; для него существует лишь *одно* чудо, и состоит оно в том, что решительно все в мире, включая наивысший расцвет жизни, возникло без чудес в обычном смысле этого слова. Вселенная стала бы для него *менее* величественной, если бы ему пришлось узнать, что какое-то явление — скажем, поведение благородного человека, направляемое разумом и моралью, — может происходить лишь при *нарушении* вездесущих и всемогущих законов *единого* Целого.

Чувство, которое испытывает естествоиспытатель по отношению к великому единству законов природы, нельзя выразить лучше, чем словами: "Две вещи наполняют душу все новым и растущим изумлением: звездное небо надо мною и нравственный закон во мне". Изумление и благоговение не помешали Иммануилу Канту найти естественное объяснение закономерностям звездного неба, и притом именно такое, которое исходит из его становления. Можно ли предполагать, что он, еще не знавший о великом становлении мира организмов, оскорбился бы тем, что мы и нравственный закон внутри нас рассматриваем не как нечто данное a priori, а как нечто возникшее в естественном становлении, — точно так же, как он рассматривал законы неба?

Глава 13

ECCE HOMO[1]*

> И на это я ответил,
> Черный мой сапог снимая:
> Это, Демон, страшный символ
> Человека; вот нога из
> Грубой кожи: не природа,
> Но еще не стало духом;
> Промежуточная форма
> Между лапой и Гермеса
> Окрыленною стопою.
>
> *Кристиан Моргенштерн*

Предположим, что некий беспристрастный этолог сидит на какой-то другой планете, скажем, на Марсе, и наблюдает социальное поведение людей с помощью зрительной трубы, увеличение которой слишком

---

[1] *Се человек *(лат.).* — Примеч. пер.*

мало, чтобы можно было узнавать отдельных людей и прослеживать их индивидуальное поведение, но вполне достаточно, чтобы наблюдать такие крупные события, как переселения народов, битвы и т. п. Ему никогда не пришло бы в голову, что человеческое поведение направляется разумом или тем более ответственной моралью.

Если предположить, что наш внеземной наблюдатель — это чисто интеллектуальное существо, которое само лишено каких-либо инстинктов и ничего не знает о том, как функционируют инстинкты вообще и агрессия в частности и каким образом их функции могут нарушаться, ему было бы очень нелегко понять историю человечества. Постоянно повторяющиеся события этой истории нельзя объяснить, исходя из человеческого рассудка и человеческого разума. Сказать, что они обусловлены тем, что обычно называют "человеческой натурой", значит высказать общее место. Разумная, но нелогичная человеческая натура заставляет две нации состязаться и бороться друг с другом, даже когда их не вынуждает к этому никакая экономическая причина; она подталкивает к ожесточенной борьбе две политические партии или религии, несмотря на поразительное сходство их программ спасения; она побуждает какого-нибудь Александра или Наполеона жертвовать миллионами своих подданных ради попытки объединить под своим скипетром весь мир. Примечательно, что в школе мы учимся относиться к людям, совершавшим эти и им подобные нелепости, с уважением и даже почитать их как великих мужей. Мы приучены покоряться так называемой политической мудрости государственных руководителей и настолько привыкли ко всем таким явлениям, что большинство из нас не может понять, как чудовищно глупо и вредно для человечества историческое поведение народов.

Но если осознать это, невозможно уйти от вопроса: как же получается, что предположительно разумные существа могут вести себя столь неразумно? Совершенно очевидно, что здесь должны действовать какие-то подавляюще сильные факторы, способные полностью вырывать управление у индивидуального человеческого разума и, кроме того, совершенно не способные учиться на опыте. Как сказал Гегель, опыт истории учит нас, что народы и правительства ничему не учатся у истории и не извлекают из нее никаких уроков.

Все эти поразительные противоречия получают простое объяснение и находят свое естественное место, если заставить себя осознать, что социальное поведение людей диктуется отнюдь не только разумом и культурной традицией, но все еще подчиняется также и тем закономерностям, которые присущи любому филогенетически возникшему поведению; а эти закономерности мы достаточно хорошо узнали, изучая поведение животных.

Предположим теперь, что наш внеземной наблюдатель — опытный этолог, досконально знающий все, что кратко изложено в предыдущих главах. Тогда он должен был бы сделать неизбежный вывод, что с человеческим обществом дело обстоит почти так же, как с обществом крыс, которые также социальны и миролюбивы внутри замкнутого клана, но сущие дьяволы по отношению к любому собрату по виду, не принадлежащему к их собственной партии. Если бы наш наблюдатель на Марсе узнал еще и о демографическом взрыве, о том, что оружие становится все ужаснее, а человечество разделилось на несколько политических лагерей, — он оценил бы наше будущее не более оптимистично, чем будущее нескольких враждебных крысиных стай на корабле, где съедена почти вся пища. Притом этот прогноз был бы еще слишком хорош, так как о крысах можно предсказать, что после Великого Истребления их останется достаточно, чтобы сохранить вид; в отношении людей, если будет использована водородная бомба, вовсе нет такой уверенности.

В символе плодов от древа познания заключена глубокая истина. Знание, выросшее из понятийного мышления, изгнало человека из рая, в котором он мог, бездумно следуя своим инстинктам, делать все, чего ему хотелось. Исходящее из этого мышления диалогически вопрошающее экспериментирование с окружающим миром подарило человеку его первые орудия: ручное рубило и огонь. И он сразу же использовал их для того, чтобы убивать и жарить своих собратьев. Это доказывают находки на стоянках синантропа: возле самых первых следов использования огня лежат раздробленные и, несомненно, поджаренные человеческие кости. Понятийное мышление дало человеку господство над всем вневидовым окружением и тем самым спустило с цепи внутривидовой отбор, о вредных последствиях которого уже говорилось (с. 89); в его "обвинительный акт" следует, видимо, занести и ту гипертрофированную агрессивность, от которой мы страдаем еще и сегодня. Дав человеку словесный язык, понятийное мышление одарило его возможностью передачи сверхиндивидуального знания и культурного развития; но это повлекло за собой настолько резкие изменения в условиях его жизни, что способность его инстинктов к ним приспосабливаться потерпела крах.

Можно было бы подумать, что каждый дар, достающийся человеку от его мышления, в принципе должен быть оплачен какой-то опасной бедой, которая неизбежно идет следом. На наше счастье, это не так, потому что из понятийного мышления вырастает и та разумная *ответственность* человека, на которой только и основана надежда справиться с постоянно растущими опасностями.

Чтобы придать моему изображению современного биологического состояния человечества некоторую обозримость, я хочу рассмотреть отдельные угрожающие ему опасности в той же последовательности, в какой они перечислены выше, а затем перейти к обсуждению ответственной морали, ее функций и пределов ее действенности.

В главе о поведении, аналогичном моральному, мы уже узнали о тех тормозящих механизмах, которые у различных общественных животных сдерживают агрессию и предотвращают ранение или смерть собрата по виду. Как было там сказано, эти механизмы, естественно, наиболее важны и потому наиболее развиты у тех животных, которые в состоянии легко убить живое существо примерно таких же размеров, как они сами. Ворон может выбить другому ворону глаз одним ударом клюва, волк может одним-единственным укусом вспороть другому волку яремную вену. Если бы этого не предотвращали надежные запреты, давно не стало бы ни воронов, ни волков. Голубь, заяц и даже шимпанзе не в состоянии убить себе подобного одним-единственным ударом или укусом. К этому добавляется способность к бегству, развитая у таких не слишком вооруженных существ настолько, что позволяет им уходить даже от "профессиональных" хищников, которые в преследовании, поимке и убийстве более сильны, чем любой, даже самый быстрый и сильный собрат по виду. Поэтому при жизни на свободе обычно не существует возможности для того, чтобы такое животное причинило серьезный вред себе подобному. Поэтому нет и селекционного давления, которое вырабатывало бы запреты убийства. Если тот, кто держит животных, не принимает всерьез внутривидовую борьбу совершенно "безобидных" тварей, то он к своей беде и к беде своих питомцев убеждается, что таких запретов действительно не существует. В неестественных условиях неволи, когда побежденный не может спастись бегством, постоянно происходит одно и то же: победитель старательно добивает его, медленно и жестоко. В моей книге "Кольцо царя Соломона" в главе "Мораль и оружие" описано, как горлица — символ всего мирного, — лишенная этих запретов, может замучить до смерти своего собрата.

Легко себе представить, что произошло бы, если бы игра природы вдруг одарила какого-нибудь голубя клювом ворона. Положение такого выродка, наверное, было бы совершенно аналогично положению человека, который только что обнаружил возможность использовать острый камень в качестве оружия. Поневоле содрогнешься при мысли о том, как существо, столь же возбудимое, как шимпанзе, с такими же внезапными вспышками ярости, размахивает каменным рубилом.

Общераспространенное мнение, которого придерживаются даже многие специалисты в области гуманитарных наук, сводится к тому, что все человеческое поведение, служащее благу не индивида, а общества, диктуется осознанной ответственностью. Такое мнение, несомненно, ошибочно, что мы и покажем на конкретных примерах уже в этой главе. Наш общий с шимпанзе предок заведомо был не менее предан своему другу, чем дикий гусь или галка, не говоря уж о павиане или волке; несомненно, что он с таким же презрением к смерти готов был отдать жизнь ради защиты своего сообщества, так же нежно и бережно относился к молодым сородичам и обладал такими же запретами убийства, как все эти животные. На наше счастье, мы тоже в полной мере унаследовали соответствующие "животные" инстинкты.

Антропологи, которые занимались образом жизни австралопитека, африканского предшественника человека, заявляют, что эти предки, поскольку они жили охотой на крупную дичь, передали человечеству опасное наследство "натуры хищника" (carnivorous mentality). В этом утверждении заключено опасное смешение двух понятий — хищного животного и каннибала: эти понятия почти полностью исключают друг друга, каннибализм представляет у хищников редкое исключение. В действительности можно лишь пожалеть о том, что человек как раз *не имеет* "натуры хищника". Бо́льшая часть опасностей, которые ему угрожают, проистекает из того, что от природы он сравнительно безобидное всеядное существо; у него нет естественного оружия, принадлежащего его телу, которым он мог бы убивать крупных животных. Именно потому у него нет и тех механизмов безопасности, возникших в процессе эволюции, которые удерживают всех "профессиональных" хищников от применения оружия против собратьев по виду. Правда, львы и волки иногда убивают собратьев по виду — чужаков, вторгшихся на территорию их группы; вероятно, может даже случиться, что во внезапном приступе ярости такое животное неосторожным укусом или ударом лапы убьет члена собственной группы, как это иногда происходит, по крайней мере, в неволе. Однако подобные исключения не должны заслонять тот важный факт, что, как уже сказано в главе о поведении, аналогичном моральному, все тяжеловооруженные хищники должны обладать высокоразвитыми механизмами торможения, которые препятствуют самоуничтожению вида.

В предыстории человека никакие особенно высокоразвитые механизмы для предотвращения внезапного убийства не были нужны: такое убийство было и без того невозможно. Нападающий, убивая свою жертву, мог только царапать, кусать или душить, причем жертва имела более чем достаточную возможность апеллировать к тормозам агрессивности нападающего жестами покорности и испуганным криком. Понятно, что на слабо вооруженных животных не действовало селекционное давление, которое могло бы вызвать к жизни те сильные и надежные запреты применять оружие, какие совершенно необходимы для выживания видов, обладающих опасным оружием. Когда же изобретение искусственного оружия внезапно открыло новые возможности убийства, то прежнее равновесие между сравнительно слабыми запретами агрессии и такими же слабыми возможностями убийства оказалось в корне нарушено.

Человечество действительно уничтожило бы себя с помощью своих первых великих открытий, если бы возможность делать открытия и великий дар ответственности не были замечательным образом в равной степени плодами одной и той же специфически человеческой способности — способности задавать вопросы. Если человек, по крайней мере до сих пор, не погиб в результате своих собственных открытий, то только благодаря тому, что он способен поставить перед собой вопрос о последствиях своих поступков и ответить на него. Но этот уникальный дар не принес человечеству гарантии против самоуничтожения. Хотя со времени изобретения ручного рубила значительно возросла моральная ответственность и соответственно усилились вытекающие из нее запреты убийства, но, к сожалению, в равной мере возросла и легкость убийства, а главное — утонченная техника убийства привела к тому, что последствия деяния уже не тревожат того, кто его совершил. Расстояние, на котором действует всякое огнестрельное оружие, спасает убийцу от раздражающей ситуации, которая в противном случае оказалась бы в чувствительной близости от него во всей ужасной отвратительности последствий. Эмоциональные глубины нашей души попросту не принимают к сведению, что сгибание указательного пальца при выстреле разворачивает внутренности другого человека. Ни один психически нормальный человек не пошел бы даже охотиться на зайцев, если бы ему приходилось убивать дичь зубами и ногтями. Лишь благодаря отгораживанию наших чувств от всех очевидных последствий наших действий становится возможным, чтобы человек, который едва ли решился бы дать заслуженную оплеуху невоспитанному ребенку, был вполне способен нажать пусковую кнопку ракетного оружия или открыть бомбовые люки, обрекая сотни милых детей на ужасную смерть в огне. Бомбовые ковры расстилали добрые, честные, порядочные отцы семейств — ужасающий, сегодня уже почти невероятный факт! Демагоги обладают, очевидно, превосходным, хотя и только практическим знанием инстинктивного поведения людей — они целенаправленно, как важное орудие, используют отгораживание подстрекаемой ими партии от раздражающих ситуаций, тормозящих агрессивность.

С изобретением оружия опосредованно связано господство внутривидового отбора и все его жуткие проявления. В третьей главе, где речь шла о видосохраняющей функции агрессии, и в десятой, посвященной организации сообщества крыс, я достаточно подробно разъяснил, как конкуренция сородичей, если она понуждает к отбору без связи с вневидовым окружением, может повести к самым странным и нецелесообразным новообразованиям. Мой учитель Гейнрот для иллюстрации этого вредного воздействия приводил в пример крылья фазана-аргуса и темп работы в западной цивилизации. Как уже упоминалось, я считаю, что гипертрофия человеческого агрессивного инстинкта — следствие той же причины.

В 1955 году я писал в небольшой статье "Об убийстве собратьев по виду": "Я думаю — и специалистам по человеческой психологии, особенно глубинной, и психоаналитикам следовало бы это проверить, — что нынешний цивилизованный человек вообще страдает от недостаточной разрядки инстинктивных агрессивных побуждений. Более чем вероятно, что пагубные проявления человеческого агрессивного инстинкта, для объяснения которых Зигмунд Фрейд предположил особый инстинкт смерти, основаны просто на том, что внутривидовой отбор в далекой древности снабдил человека определенной мерой агрессивности, для которой он не находит адекватного выхода при современной организации общества". Если в этих словах чувствуется легкий упрек, сейчас я должен решительно взять его назад. В то время, когда я это писал, уже были психоаналитики, вовсе не верившие в инстинкт смерти и совершенно правильно объяснявшие самоуничтожительные проявления агрессии как нарушения действия некоторого инстинкта, который в принципе должен поддерживать жизнь. Я даже познакомился с одним психоаналитиком, который уже в то время, в полном соответствии с только что указанной постановкой вопроса, изучал проблему гипертрофированной агрессивности, обусловленной внутривидовым отбором.

Сидней Марголин, психиатр и психоаналитик из Денвера, штат Колорадо, провел очень точное психоаналитическое и социально-психологическое исследование на индейцах прерий, в основном из племени юта, и показал, что эти люди тяжко страдают от избытка агрессивных побуждений, которые у них нет возможности разряжать в условиях урегулированной жизни нынешней индейской резервации в Северной Америке. По мнению Марголина, в течение сравнительно немногих столетий, когда индейцы прерий вели дикую жизнь, состоявшую почти исключительно из войн и грабежей, чрезвычайно сильное селекционное давление должно было усилить их агрессивность. Вполне возможно, что значительные изменения наследственной картины были достигнуты за короткий срок; при жестком отборе породы домашних животных меняются так же быстро. Кроме того, в пользу предположения Марголина говорит то, что и те индейцы юта, которые выросли уже при совершенно иной системе воспитания, страдают точно так же, как их старшие соплеменники, и то, что патологические проявления, о которых идет речь, известны *только* у индейцев прерий, чьи племена были подвержены упомянутому процессу отбора.

Индейцы юта страдают неврозами чаще, чем это можно обнаружить у каких-либо других групп людей, и Марголин находит, что общей причиной этого является никогда не находящая выхода агрессивность. Многие индейцы чувствуют себя больными и говорят, что они больны, но на вопрос, в чем же состоит их болезнь, не могут дать никакого ответа, кроме одного: "Но ведь я — юта!" Насилие и убийство по отношению к чужим в порядке вещей; по отношению к соплеменникам, напротив, оно крайне редко, поскольку ему препятствует табу, безжалостную суровость которого так же легко понять из предыдущей истории юта: племя, находившееся в состоянии беспрерывной войны с белыми и с соседними индейцами, должно было любой ценой пресекать ссоры между своими членами. Убивший соплеменника обязан был, согласно традиции, покончить с собой. Эта заповедь оказалась в силе даже для юта-полицейского, который, пытаясь арестовать соплеменника, застрелил его при вынужденной обороне. Тот, напившись, ударил своего отца ножом и попал в бедренную артерию, что вызвало смерть от потери крови. Когда полицейский получил приказ арестовать убийцу, — хотя о предумышленном убийстве не было и речи, — он обратился к своему белому начальнику с рапортом. Аргументация его была такова: преступник *хочет* умереть, он обязан совершить самоубийство и теперь наверняка совершит его таким образом, что станет сопротивляться аресту и вынудит его, полицейского, его застрелить. Но тогда и самому полицейскому придется покончить с собой. Поскольку более чем недальновидный сержант настаивал на своем распоряжении, трагедия развивалась так, как было предсказано. Этот и другие протоколы Марголина читаются, как греческие трагедии, в которых неотвратимый рок вынуждает людей становиться виновными и добровольно искупать невольно совершенные грехи.

Объективно убедительным и даже доказательным доводом в пользу того истолкования, которое дает Марголин такому поведению индейцев юта, может служить их предрасположенность к несчастным случаям. Доказано, что "accident-proneness"[1]* является следствием не находящей выхода агрессивности, и у индейцев юта относительное число автомобильных аварий чудовищно превышает этот показатель для любой другой группы людей, пользующихся автомобилем. Кому приходилось когда-нибудь вести скоростную машину, будучи в состоянии ярости, тот знает — если только он был еще в этом состоянии способен к самонаблюдению, — насколько сильно проявляется в такой ситуации склонность к самоуничтожающим формам поведения. К таким особым случаям применимо, пожалуй, даже выражение "инстинкт смерти".

Разумеется, внутривидовой отбор и сегодня все еще действует в нежелательном направлении, но обсуждение всех этих явлений увело бы нас слишком далеко от темы агрессии. Отбор так же интенсивно поощ-

---

[1] *"Склонность к несчастным случаям" *(англ.). — Примеч. пер.*

ряет инстинктивные основы накопительства, тщеславия и пр., как подавляет простую порядочность. Нынешняя коммерческая конкуренция грозит вызвать по меньшей мере такую же ужасную гипертрофию упомянутых побуждений, какую вызвало в случае внутривидовой агрессии военное состязание людей каменного века. Счастье лишь в том, что выигрыш в богатстве и власти не ведет к многочисленности потомства, иначе положение человечества было бы еще хуже.

Кроме воздействия оружия и внутривидового отбора головокружительно растущий *темп развития* — третий источник бед, который человечество должно принимать в расчет, пользуясь высоким даром своего понятийного мышления. Из абстрактного мышления и всех его результатов, прежде всего из символики словесной речи, у людей вырастает способность, которой не дано ни одному другому живому существу. Когда биолог говорит о наследовании приобретенных свойств, он имеет в виду лишь приобретенные изменения наследственной массы, генома. Он нисколько не задумывается о том, что "наследование" имело уже за много веков до Грегора Менделя юридическое значение и что это слово поначалу применялось к биологическим явлениям по чистой аналогии. Сегодня это второе значение стало для нас настолько привычным, что меня, вероятно, не поняли бы, если бы я просто написал: Только человек обладает способностью передавать по наследству то, что он приобрел, — имея в виду следующее: если некий человек, скажем, изобрел лук и стрелы или украл их у более развитого соседа, то в дальнейшем не только его потомство, но и все его сообщество *имеет в распоряжении* это оружие так же постоянно, как если бы оно было телесным органом, возникшим в результате мутации и отбора. Использование этого оружия забудется не легче, чем станет рудиментарным какой-нибудь столь же жизненно важный орган.

Даже если один-единственный индивид приобретает какую-то важную для сохранения вида особенность или способность, она тотчас же становится общим достоянием всей популяции; именно это и обусловливает упомянутое ускорение исторического становления во много тысяч раз, вошедшее в мир вместе с понятийным мышлением. Процессы приспособления, требовавшие прежде целых геологических эпох, теперь могут происходить в течение нескольких поколений. На эволюцию, на филогенез, протекающий медленно, почти незаметно в сравнении с новыми процессами, отныне накладывается история; над филогенетически возникшим сокровищем наследственной массы возвышается громадное здание исторически приобретенной и традиционно передаваемой культуры.

Так же, как использование оружия и орудий труда и выросшее из него мировое господство человека, третий, самый прекрасный дар понятийного мышления влечет за собой свои опасности. Все культурные достижения человека имеют одну большую "загвоздку": они касаются только тех его качеств и действий, которые подвержены влиянию индивидуальной модификации, влиянию обучения. Очень многие из врожденных форм поведения, свойственных нашему виду, *не таковы:* скорость их изменения в процессе изменения вида осталась такой же, с какой изменяются телесные признаки, с какой шел весь процесс становления до того, как вышло на сцену понятийное мышление.

Что могло произойти, когда человек впервые взял в руку рубило? Вполне вероятно, нечто подобное тому, что можно наблюдать у детей в возрасте двух-трех лет, а иногда и старше: никакой инстинктивный или моральный запрет не удерживает их от того, чтобы изо всей силы бить друг друга по голове тяжелыми предметами, которые они едва могут поднять. Вероятно, изобретатель первого рубила так же мало колебался, ударить ли товарища, который его только что разозлил. Ведь чувства ничего не говорили ему об ужасном действии его изобретения; врожденный запрет убийства тогда, как и теперь, был настроен у человека на его естественное вооружение. Смутился ли он, когда его собрат по племени упал перед ним мертвым? Мы можем предположить это с уверенностью. Общественные высшие животные часто реагируют на внезапную смерть собрата по виду весьма драматическим образом. Серые гуси стоят над мертвым другом с шипением, в состоянии наивысшей готовности к обороне. Это описывает Гейнрот, застреливший однажды гуся в присутствии его семьи. Я видел то же самое, когда египетский гусь ударил в голову молодого серого; тот, шатаясь, добежал до родителей и тотчас умер от мозгового кровоизлияния. Родители не могли видеть удара и потому реагировали на падение и смерть своего ребенка точно так же. Мюнхенский слон Вастль, который без какого-либо агрессивного намерения, играя, тяжело ранил своего попечителя, пришел в величайшее волнение и встал над раненым, защищая его, чем, к сожалению, помешал оказать ему своевременную медицинскую помощь. Бернгард Гржимек рассказывал мне, что самец шимпанзе, который укусил и серьезно ранил его, пытался стянуть пальцами края раны, как только у него прошла вспышка ярости.

Вполне вероятно, что первый Каин тотчас же осознал весь ужас своего поступка. Довольно скоро должны были пойти разговоры, что, если убивать слишком много членов своего племени, это поведет к нежелательному ослаблению его боевого потенциала. Какой бы ни была отучающая кара, предотвращавшая безудержное применение нового оружия, во всяком случае, возникла какая-то, пусть примитивная, форма ответственности, которая уже тогда защищала человечество от самоуничтожения.

Таким образом, первая функция, которую выполняла ответственная мораль в истории человечества, состояла в том, чтобы восстановить утраченное равновесие между вооруженностью и врожденным запретом убийства. Во всех прочих отношениях требования разумной ответственности могли быть у первых людей еще совсем простыми и легко выполнимыми.

Не будет слишком рискованным допущением, если мы предположим, что первые настоящие люди, каких мы знаем из доисторических эпох — скажем, кроманьонцы, — обладали почти в точности такими же инстинктами, такими же естественными наклонностями, что и мы; что в организации своих сообществ и при столкновениях между ними они вели себя примерно так же, как некоторые еще и сегодня живущие племена, например папуасы центральной Новой Гвинеи. У них каждое из крошечных селений находится в постоянном состоянии войны с соседями и в отношениях умеренной взаимной охоты за головами. "Умеренность", как ее определяет Маргарет Мид, состоит в том, что не предпринимаются организованные разбойничьи походы с целью добычи вожделенных человеческих голов, а лишь иногда, случайно встретив на границе своей территории старуху или нескольких детей, "захватывают с собой" их головы.

Ну а теперь, исходя из этих допущений, представьте себе, что вы живете в таком сообществе вместе с десятью—пятнадцатью лучшими друзьями, с их женами и детьми. Эти несколько мужчин неизбежно должны стать побратимами, они *друзья* в самом подлинном смысле слова, каждый не раз спасал другому жизнь, и хотя между ними возможно, как бывает, скажем, у мальчишек в школе, какое-то соперничество из-за рангового порядка, из-за девушек и т. д., оно неизбежно отходит далеко на задний план перед постоянной необходимостью вместе защищаться от враждебных соседей. А сражаться с ними за существование своего сообщества приходилось бы так часто, что все побуждения внутривидовой агрессии находили бы более чем достаточный выход наружу. Я думаю, что при таких обстоятельствах в таком содружестве пятнадцати мужчин любой из нас уже *по естественной склонности* соблюдал бы десять заповедей Моисея по отношению к своему товарищу и не стал бы ни убивать его, ни клеветать на него, ни красть жену его или что бы там ни было, ему принадлежащее. Без сомнения, каждый по естественной склонности стал бы чтить не только отца своего и мать свою, но и вообще всех старых и мудрых, что и происходит, согласно Фрезеру Дарлингу, уже у оленей, и тем более у приматов, как явствует из наблюдений Уошбэрна, де Вора и Кортландта.

Иными словами, естественные наклонности человека не так уж дурны. От рождения* человек не так уж зол, он только *недостаточно хорош* для требований современной общественной жизни.

Уже возрастание числа индивидов, принадлежащих к одному и тому же сообществу, должно иметь два последствия, нарушающих равновесие между важнейшими инстинктами взаимного притяжения и отталкивания, т. е. между личным союзом и внутривидовой агрессией. Во-первых, для личных уз вредно, когда их становится слишком много. Старая, ставшая пословицей мудрость гласит, что по-настоящему хороших друзей у человека может быть лишь немного. Большой выбор "знакомых", который неизбежно появляется в каждом более крупном сообществе, уменьшает прочность каждой отдельной связи. Во-вторых, скученность множества индивидов на малом пространстве приводит к притуплению* всех социальных реакций. Каждому жителю современного большого города, перекормленному всевозможными социальными связями и обязанностями, знакомо тревожащее открытие, что уже не радуешься так, как ожидал, посещению друга, даже если действительно любишь его и давно его не видел. Замечаешь в себе явную наклонность к ворчливому недовольству, когда после ужина еще звонит телефон. Возрастающая готовность к агрессивному поведению является, как давно уже знают социологи-экспериментаторы, характерным следствием скученности (по-английски crowding).

К этим нежелательным последствиям увеличения размеров нашего сообщества добавляется невозможность разрядить весь "предусмотренный" для вида объем агрессивных побуждений. Мир — первейшая обязанность гражданина, а враждебная соседняя деревня, которая когда-то доставляла объект для высвобождения внутривидовой агрессии, ушла в идеальную даль.

Чем больше развивается цивилизация, тем менее благоприятны все предпосылки для надлежащего проявления наших естественных склонностей к социальному поведению, в то время как требования к нему постоянно возрастают. Мы должны обращаться с нашим "ближним" как с лучшим другом, хотя, быть может, никогда его не видели; более того, с помощью своего разума мы вполне можем сознавать, что обязаны любить даже наших врагов, до чего наши естественные наклонности никогда бы нас не довели. Все проповеди аскезы, предостерегающие от того, чтобы давать волю инстинктивным побуждениям, учение о первородном грехе, утверждающее, что человек зол от рождения*, — все это имеет общее рациональное зерно: понимание того, что человек не вправе слепо следовать своим врожденным наклонностям, а должен учиться властвовать над ними и, предвидя последствия, ответственно контролировать их проявления.

Можно ожидать, что цивилизация будет развиваться все более ускоренным темпом; хотелось бы надеяться, что культура не будет от нее отставать. В той же мере будет возрастать бремя, возлагаемое на ответственную мораль. Расхождение между тем, что человек готов сделать для общества из естественной склонности, и тем, чего общество от него требует, будет расти; и ответственности будет все труднее преодолевать это расхождение. Эта мысль очень тревожит, потому что при всем желании нельзя увидеть никаких селективных преимуществ, которые хоть один человек мог бы извлечь сегодня из обостренного чувства ответственности или из добрых естественных наклонностей. Скорее следует серьезно опасаться, что нынешняя коммерческая организация общества под поистине дьявольским влиянием соперничества между людьми направляет отбор в прямо противоположную сторону. Так что задача ответственности постоянно становится труднее и с этой стороны.

Мы не облегчим ответственной морали решение всех этих проблем, переоценивая ее силу. Гораздо полезнее скромно осознать, что она — "всего лишь" *компенсационный механизм,* который приспосабливает наше инстинктивное наследие к требованиям культурной жизни и *образует с ним функционально единую систему.* Такая точка зрения разъясняет многое из того, что непонятно при ином подходе.

Мы все *страдаем* от необходимости подавлять свои побуждения, одни больше, другие меньше, поскольку наши социальные инстинкты и склонности весьма различны. По доброму, старому психиатрическому определению *психопат* — это человек, который либо страдает от требований, предъявляемых ему обществом, либо заставляет страдать общество. Так что в известном смысле *все* мы психопаты, поскольку навязанное общим благом отречение от собственных побуждений заставляет страдать каждого из нас. Но это определение в особенности относится к тем людям, которые под бременем этих требований ломаются и становятся либо невротиками, т. е. больными, либо преступниками. В соответствии с этим точным определением, "нормальный" человек отличается от психопата и добрый гражданин от преступника вовсе не так резко, как в других случаях здоровое отличается от больного! Это различие скорее аналогично тому, какое существует между человеком с компенсированной сердечной недостаточностью и больным, страдающим "декомпенсированным пороком", чье сердце при возрастающей мышечной нагрузке уже не в состоянии справиться с недостаточным закрытием клапана или с его сужением. Это сравнение оправдывается и тем, что компенсация *требует затрат энергии*.

Такая точка зрения на ответственную мораль может разрешить противоречие в кантовской концепции морали, которое поразило уже Фридриха Шиллера. Он, называвший Гердера "умнейшим из всех кантианцев", восставал против обесценения всех естественных склонностей в этическом учении Канта и высмеял это в великолепной ксении: "Я с радостью служу другу, но, к несчастью, делаю это по склонности, и поэтому меня часто гложет мысль, что я не добродетелен!"

Однако мы не только *служим* своему другу по склонности, мы еще и *оцениваем* его дружеские поступки с точки зрения того, в самом ли деле теплая естественная склонность побудила его к такому поведению! Если бы мы были последовательными до конца кантианцами, мы должны были бы поступать наоборот и выше всего ценить такого человека, который по своей натуре нас совершенно не переносит, но которого "ответственный вопрос к себе" *вопреки* его сердечной склонности заставляет вести себя по отношению к нам прилично. Однако в действительности мы относимся к таким благодетелям в лучшем случае с весьма прохладным вниманием, а *любим* только того, кто относится к нам по-дружески потому, что это доставляет ему радость, и если делает что-то для нас, то не считает, что совершил нечто достойное благодарности.

Когда мой незабвенный учитель Фердинанд Гохштеттер в возрасте 71 года читал свою прощальную лекцию, тогдашний ректор Венского университета сердечно благодарил его за долгую и плодотворную работу. На эту благодарность Гохштеттер дал ответ, в котором сконцентрирован весь парадокс ценности естественных наклонностей или ее отсутствия. Вот что он сказал: "Вы благодарите меня за то, за что я не заслуживаю ни малейшей благодарности! Благодарите моих родителей, моих предков, которые дали мне в наследство такие, а не другие наклонности. Но если вы спросите меня, чем я занимался всю жизнь в науке и в преподавании, то я должен честно ответить: я, собственно, всегда делал именно то, что доставляло мне наибольшее удовольствие!"

Какое поразительное противоречие! Этот великий естествоиспытатель, который — я это знаю совершенно точно — никогда не читал Канта, принимает здесь именно его точку зрения по поводу ценностной индифферентности естественных наклонностей и в то же время высокой ценностью своей жизни и труда приводит к нелепости учение Канта о ценностях еще основательнее, чем Шиллер в своей ксении! Но из этой апории есть выход, и кажущаяся проблема получает очень простое решение, как только мы признаем ответственную мораль компенсационным механизмом и перестанем отрицать ценность естественных наклонностей.

Если нам приходится оценивать *поступки* некоторого человека, в том числе и собственные, то они, само собой, оцениваются тем выше, чем меньше соответствуют простой и естественной склонности. Однако если нужно оценить самого *человека* — например, решая, можно ли с ним дружить, то также само собой предпочтение отдается тому, чье дружественное поведение определяется вовсе не разумными соображениями — как бы высокоморальны они ни были, — а исключительно чувством теплой естественной склонности. Когда мы подобным образом используем для оценки человеческих поступков и самих людей разные критерии, это не только не парадокс, но проявление простого здравого смысла.

Кто ведет себя социально уже по естественной склонности, тому в обычных обстоятельствах почти не нужны механизмы компенсации, а в случае нужды он обладает мощными моральными резервами. Кто уже в повседневных условиях вынужден тратить все сдерживающие силы своей моральной ответственности, чтобы держаться на уровне требований культурного общества, — тот, естественно, гораздо раньше ломается при возрастании напряжения. Энергетическая сторона нашего сравнения с пороком сердца и сюда подходит очень точно, поскольку возрастание напряжения, при котором социальное поведение людей становится "декомпенсированным", может быть самой различной природы, если только оно "истощает силы". Мораль легче всего отказывает не под действием одиночного, резкого и чрезмерного испытания, а вследствие истощающего, долговременного нервного перенапряжения, какого бы рода оно ни было. Заботы, нужда, голод, страх, переутомление, безнадежность и т. д. — все это действует одинаково. Кому случалось наблюдать множество людей в условиях такого рода — на войне или в заключении, — тот знает, насколько непредвиденно и внезапно наступает моральная декомпенсация. Люди, на которых, казалось, можно положиться как на каменную гору, неожиданно ломаются, а в других, не вызывавших особого доверия, открываются прямо-таки неисчерпаемые источники сил, и они одним лишь своим примером помогают бесчисленному множеству остальных сохранить моральную стойкость. Однако пережившие нечто подобное знают и то, что сила доброй воли и ее устойчивость — две независимые переменные. Осознав это, по-настоящему учишься не чувствовать себя выше того, кто сломался раньше, чем ты сам. Наилучший и благороднейший в конце концов доходит до такой точки, что больше не может: "Элой, Элой, ламма савахфани?"*

Согласно этическому учению Канта, внутренняя закономерность человеческого разума одна и сама по себе порождает категорический императив, как ответ на "ответственный вопрос к себе". Кантовские понятия "разум" (Vernunft) и "рассудок" (Verstand) отнюдь не идентичны. Для него само собой разумеется, что разумное существо просто не может хотеть причинить вред другому, подобному себе. В самом слове "Vernunft" этимологически заключена способность "входить в соглашение" ("ins Benehmen zu setzen*"), иными словами — существование эмоционально высоко ценимых социальных связей между всеми разумными существами. Таким образом, для Канта совершенно ясно и самоочевидно то, что для этолога нуждается в объяснении: тот факт, *что* человек не хочет вредить другому. То, что великий философ считает здесь очевидным нечто, требующее объяснения, вносит, конечно, некоторую непоследовательность в величественный ход его мыслей; но эта непоследовательность делает *его учение более приемлемым для человека, мыслящего биологически.* Тут появляется небольшая лазейка, через которую в достойное восхищения здание его умозаключений, в остальных случаях чисто рациональных, может пробраться чувство, иными словами — инстинктивные мотивации. Кант тоже не верил, что человек удерживается от какого-либо действия, к которому его побуждают естественные склонности, чисто рассудочным осознанием логического противоречия в принципе его поведения. Совершенно очевидно, что необходим некоторый эмоциональный фактор, чтобы преобразовать чисто рассудочное осознание в императив или в запрет. Если мы мысленно уберем из нашего жизненного опыта эмоциональное восприятие ценностей — скажем, сравнительной ценности различных ступеней эволюции, — если для нас не будут представлять ценности человек, человеческая жизнь и человечество, то самый безукоризненный аппарат нашего интеллекта останется мертвой машиной без мотора. Сам по себе он в состоянии лишь дать нам средство к достижению каким-то образом указанных целей, но не может ни ставить такие цели, ни отдавать нам приказы. Если бы мы были нигилистами типа Мефистофеля и считали бы, что "лучше б ничего не стало", то с точки зрения рассудка в принципе нашего поведения не было бы никакого противоречия, если бы мы нажали пусковую кнопку водородной бомбы.

Только ощущение ценности, только чувство присваивает знак "плюс" или "минус" ответу на наш категорический вопрос к себе и превращает его в императив или в запрет. Но и то и другое возникает не из разума, а из стремлений, исходящих из тьмы, в глубину которой наше сознание не проникает. В этих слоях, лишь косвенно доступных человеческому разуму, инстинктивное и усвоенное путем обучения образуют в высшей степени сложную структуру, которая не только близко родственна такой же структуре высших животных, но в значительной своей части попросту ей тождественна. Эти структуры существенно различны лишь там, где у человека в усвоенное путем обучения входит культурная традиция. Из последовательности этих взаимодействий, протекающих почти исключительно в подсознании, возникают побуждения ко всем нашим поступкам, в том числе и к тем, которые сильнейшим образом подчинены управлению нашего самовопрошающего разума. Отсюда возникают любовь и дружба, вся теплота чувства, понятие красоты, стремление к художественному творчеству и к научному познанию. Человек, избавленный от всего так называемого "животного", лишенный стремлений, исходящих из тьмы, человек как чисто разумное существо *был бы отнюдь не ангелом, скорее его полной противоположностью!*

Между тем нетрудно понять, каким образом могло утвердиться мнение, будто все хорошее, и только хорошее, полезное для человеческого сообщества, обязано своим существованием морали, а все "эгоистичные" мотивы человеческого поведения, несовместимые с требованиями общества, возникают из "животных" инстинктов. Если человек задаст себе категорический вопрос Канта: "Могу ли я возвысить принцип моего поведения до уровня естественного закона, или при этом возникло бы нечто противоречащее разуму?" — то все формы поведения, в том числе и чисто инстинктивные, окажутся вполне разумными при условии, что они выполняют функции сохранения вида, ради которых были созданы Великими Конструкторами эволюции. *Противоречащее разуму появляется лишь в случае нарушения функции какого-либо инстинкта.* Отыскать это нарушение — задача категорического вопроса, а компенсировать — категорического императива. Если инстинкты действуют правильно, "по замыслу конструкторов", то вопрос к себе не сможет отличить их от разумного. В этом случае вопрос: "Могу ли я возвысить принцип моего поведения до уровня естественного закона?" получает безусловно положительный ответ, ибо этот принцип сам по себе уже является таким законом!

Ребенок падает в воду, мужчина прыгает за ним, вытаскивает его, исследует принцип своего поведения и находит, что он, будучи возвышен до естественного закона, звучал бы примерно так: Когда взрослый самец Homo sapiens L. видит, что жизни детеныша его вида угрожает опасность, от которой он может его спасти, — он это делает. Находится ли такая абстракция в противоречии с разумом? Конечно нет! Спаситель может мысленно похлопать себя по плечу и гордиться тем, как разумно и морально он себя вел. Если бы он на самом деле занимался такими рассуждениями, ребенок давно бы уже утонул, прежде чем он прыгнул бы в воду. Однако человеку, принадлежащему нашей западной культуре, очень не нравится слышать, что действовал он чисто инстинктивно и что каждый павиан в аналогичной ситуации сделал бы то же самое.

Древняя китайская мудрость гласит, что, хотя все животное есть в человеке, не все человеческое есть в животном; но отсюда вовсе не следует, что это "животное в человеке" есть нечто изначально злое, достойное презрения и по возможности подлежащее искоренению. Существует человеческая реакция, лучше всего показывающая, насколько необходимо может быть безусловно "животное" поведение, унаследованное от антропоидных предков, причем именно для поступков, которые не только считаются сугубо человеческими и высокоморальными, но и на самом деле являются таковыми. Эта реакция — так называемое *воодушевление*. Уже само название, которое создал для нее немецкий язык (Begeisterung), выражает мысль, что человеком овладевает нечто очень высокое, сугубо человеческое, а именно дух (Geist). Греческое слово "энтузиазм" означает даже, что им овладевает бог. Однако в действительности воодушевленным человеком овладевает наш старый друг и новый враг — внутривидовая агрессия, и притом в форме древнейшей и никак не сублимированной реакции социальной защиты.

В соответствии с этим воодушевление запускается прямо-таки с предсказуемостью рефлекса такими внешними ситуациями, которые требуют вступления в борьбу за нечто общественно важное, особенно если это освящено культурной традицией. Это может быть нечто конкретное — семья, нация, Alma Mater или спортивное общество, — а могут быть такие абстрактные понятия, как былое великолепие студенческих корпораций, неподкупность художественного творчества или профессиональный этос индуктивного исследования. Я единым духом называю вещи, которые представляются ценными мне самому, и вещи, которые непонятно почему воспринимаются как таковые другими людьми, с намерением показать недостаток избирательности, благодаря которому воодушевление становится иногда столь опасным.

К раздражающим ситуациям, вернейшим образом вызывающим воодушевление и целенаправленно создаваемым демагогами, принадлежит прежде всего угроза вышеупомянутым ценностям. Враг или его чучело может быть выбран почти произвольно и, подобно находящимся под угрозой ценностям, может быть конкретным или абстрактным.

"Эти" евреи, боши, гунны, эксплуататоры, тираны и т. д. годятся точно так же, как мировой капитализм, большевизм, фашизм, империализм и многие другие "измы". Во-вторых, к раздражающим ситуациям такого рода относится возможно сильнее увлекающая за собой фигура вождя, без которой, как известно, не могут обойтись даже наиболее антифашистски настроенные демагоги (вообще сходство методов, используемых самыми разными политическими течениями, свидетельствует об инстинктивной природе человеческой реакции воодушевления, которую можно использовать в демагогических целях). В-третьих — и это едва ли не самый важный момент, — к сильнейшим факторам, запускающим воодушевление, принадлежит также возможно большее число совместно увлеченных. Закономерности воодушевления в этом отношении вполне тождественны описанным в 8-й главе закономерностям образования анонимных стай, когда увлекающее действие с возрастанием числа индивидов растет, по-видимому, в геометрической прогрессии.

Каждый человек со сколько-нибудь сильными чувствами знает, какие субъективные ощущения сопровождают эту реакцию. Прежде всего она характеризуется качеством самого чувства, известного под именем воодушевления. По спине и, как выясняется при более внимательном наблюдении, также по внешней стороне рук пробегает "священный трепет". Человек чувствует себя освободившимся от всех связей повседневного мира и поднявшимся над ними, он готов все бросить, чтобы повиноваться зову Священного Долга. Все препятствия, стоящие на пути к выполнению этого долга, теряют значение и важность; инстинктивные запреты калечить и убивать собратьев по виду утрачивают, увы, значительную часть своей силы. Разумные соображения, любая критика или встречные доводы против действий, диктуемых воодушевлением, заглушаются тем, что удивительная переоценка всех ценностей заставляет воспринимать их не только как безосновательные, но даже как низменные и позорные. Короче, как это прекрасно выражено в украинской пословице: "Коли прапор в'ється, про голову нейдется!"*

С этими переживаниями коррелируется следующее объективно наблюдаемое поведение: повышается тонус всех поперечно-полосатых мышц, осанка становится более напряженной, руки несколько приподнимаются в стороны и слегка поворачиваются внутрь, так что локти немного выдвигаются наружу. Голова гордо поднимается, подбородок вытягивается вперед, а лицевая мускулатура создает совершенно определенную мимику, известную всем нам из кинофильмов как "героическое лицо". На спине и вдоль внешней стороны рук топорщатся волоски — именно это составляет объективную сторону пресловутого "священного трепета".

В священности этого трепета и в одухотворенности воодушевления усомнится тот, кто видел соответствующие формы поведения самца шимпанзе, который с беспримерным мужеством становится на защиту своего стада или семьи. Он тоже вытягивает вперед подбородок, напрягает все тело и поднимает локти в стороны; у него тоже шерсть встает дыбом, что приводит к резкому и несомненно устрашающему увеличению контура его тела при взгляде спереди. Поворот рук внутрь совершенно очевидным образом предназначен для того, чтобы обратить наружу наиболее заросшую сторону и тем усилить упомянутый эффект. Общая комбинация осанки и вздыбленной шерсти служит тому же "блефу", что у выгибающей спину кошки: она выполняет задачу изобразить животное более крупным и опасным, чем оно есть на самом деле. Но и наш "священный трепет" — не что иное, как взъерошивание шерсти, от которой у нас остались лишь следы.

Что переживает обезьяна при своей социальной защитной реакции — этого мы не знаем, но она, видимо, так же самоотверженно и героически ставит на карту свою жизнь, как воодушевленный человек. Нет сомнений в подлинной эволюционной гомологии реакции защиты стада у шимпанзе и воодушевлениия у человека; более того, можно достаточно хорошо представить себе, как одно произошло из другого. Ведь и у нас те ценности, на защиту которых мы поднимаемся с воодушевлением, имеют прежде всего общественную значимость. Если мы припомним сказанное в главе "Привычка, церемония и волшебство", нам покажется почти неизбежным то, что реакция, которая первоначально служила защите индивидуально знакомых, конкретных членов сообщества, все больше и больше берет под свою защиту сверхиндивидуальные, передаваемые традицией культурные ценности, имеющие более долгую жизнь, чем группы отдельных людей.

Тот факт, что мужественное выступление за то, что нам кажется высочайшей ценностью, протекает по таким же нервным путям, как социальные защитные реакции наших антропоидных предков, я воспринимаю не как отрезвляющее напоминание, а как весьма серьезный призыв к самопознанию. Человек, у которого такой реакции нет, — калека в отношении инстинктов, и я не хотел бы иметь его своим другом. Но тот, кто дает увлечь себя слепой рефлекторности этой реакции, представляет угрозу для человечества, ибо он — легкая добыча для тех демагогов, которые умеют провоцировать раздражающие ситуации, вызывающие человеческую агрессивность, так же хорошо, как мы, специалисты по физиологии поведения, умеем проделывать это на наших подопытных животных. Когда при звуках старой песни или даже какого-нибудь марша по мне хочет пробежать священный трепет, я обороняюсь от искушения, говоря себе, что шимпанзе тоже производят ритмичный шум, готовясь к совместному нападению. Подпевать — значить протягивать палец дьяволу.

Воодушевление — это настоящий, автономный инстинкт человека, как, скажем, инстинкт триумфального крика у серых гусей. Оно обладает своим собственным аппетентным поведением, своими собственными механизмами запуска и доставляет, как знает каждый по собственному опыту, столь сильное удовлетворение, что противиться его заманчивому действию почти невозможно. Подобно тому как триумфальный крик существенно влияет на социальную структуру серых гусей и даже господствует над ней, побуждение к воодушевленному вступлению в бой в значительной степени определяет общественную и политическую структуру человечества. Человечество не потому воинственно и агрессивно, что разделено на враждебно противостоящие друг другу партии; оно структурировано именно таким образом *потому, что это создает раздражающую ситуацию, необходимую для разрядки социальной агрессии.* "Если бы какое-то спасительное вероучение вдруг охватило весь мир,

— пишет Эрих фон Гольст, — оно тотчас же раскололось бы по меньшей мере на два резко враждебных толкования (свое — истинное, другое — еретическое), и вражда и борьба пылали бы, как и раньше; ибо человечество, к сожалению, таково, каково оно есть".

Таков Двуликий Янус — человек. Единственное существо, способное с воодушевлением посвящать себя высшим целям, нуждается для этого в организации физиологии поведения, звериные особенности которой несут в себе опасность, что это существо будет убивать своих братьев в убеждении, будто так надо для достижения именно этих высших целей.

Ecce homo!

Глава 14

ИСПОВЕДАНИЕ НАДЕЖДЫ

> Я не мню, что могу людей исправить
> Или на лучший путь их наставить.
>
> *Гёте*

В отличие от Фауста, я полагаю, что мог бы преподать нечто такое, что исправит людей и наставит их на лучший путь. Это мнение не кажется мне высокомерным, и во всяком случае оно менее высокомерно, чем противоположное, если оно возникает не из убеждения в собственной неспособности учить, а из предположения, что "эти люди" не способны понять новое учение. Такое бывает лишь в чрезвычайных случаях, когда какой-нибудь гигант духа опережает свое время на века. Он остается непонятым и навлекает на себя мученическую смерть или по меньшей мере мертвое молчание. Если же современники кого-то слушают и даже читают его книги, можно с уверенностью утверждать, что это *не* гигант духа. В лучшем случае он может тешить себя мыслью, что ему есть что сказать как раз "вовремя". Все, что может быть сказано, наилучшим образом действует тогда, когда говорящий своими новыми идеями лишь слегка опережает слушателей. Тогда они реагируют мыслью: "А ведь это правда! Как я сам не догадался!"

Поэтому я очень далек от высокомерия, если я искренне убежден, что в ближайшем будущем очень многие и, может быть, даже большинство людей будут считать все сказанное в этой книге о внутривидовой агрессии и об опасностях, вытекающих для человечества из ее нарушений, самоочевидными и даже банальными истинами.

Когда я вывожу здесь следствия из содержания этой книги и, подобно древнегреческим мудрецам, свожу их в практические правила поведения, мне, несомненно, следует больше опасаться упреков в банальности, нежели обоснованных возражений. После того, что сказано в предыдущей главе о современном положении человечества, предлагаемые меры защиты от грозящих опасностей покажутся жалкими. Однако это отнюдь не говорит против правильности сказанного. Исследование редко приводит к драматическим переменам в мировых событиях; такие перемены возможны разве что в смысле разрушения, поскольку силой легко злоупотребить. Напротив, чтобы применить результаты исследований творчески и благотворно, требуется, как правило, не меньше остроумия и трудной кропотливой работы, чем для того, чтобы их получить.

Первое и самое очевидное правило высказано уже в ”Γνῶθι σαυτόν”[1]* — это требование углубить наше понимание причинных цепей нашего собственного поведения. Направления, в которых, по-видимому, будет развиваться прикладная этология, уже начинают определяться. Одно из них — это объективное физиологическое исследование возможностей разрядки агрессии в ее первоначальной форме на замещающие объекты; и мы уже сейчас знаем, что пустой бидон из-под карбида — не самый лучший вариант. Второе направление — исследование так называемой сублимации методами психоанализа. Можно ожидать, что и эта специфически человеческая форма катарсиса существенно поможет ослабить напряженные агрессивные побуждения.

Даже на сегодняшнем скромном уровне наши знания о природе агрессии не лишены практической ценности. Если мы можем с уверенностью сказать, что́ не получится, это уже представляет практическую ценность. После всего, что мы узнали об инстинктах вообще и об агрессии в частности, два напрашивающихся способа борьбы с агрессией представляются совершенно безнадежными. Во-первых, ее заведомо нельзя выключить посредством избавления людей от раздражающих ситуаций; во-вторых, с ней нельзя справиться, навесив на нее морально мотивированный запрет. Обе эти стратегии так же хороши, как затяжка предохранительного клапана на постоянно подогреваемом котле в качестве средства борьбы с избыточным давлением пара.

Еще одна мера, которую я считаю теоретически возможной, но крайне нежелательной, состояла бы в попытке избавиться от агрессивного инстинкта с помощью направленной евгеники. Мы знаем из предыдущей главы, что внутривидовая агрессия участвует в человеческой реакции воодушевления, которое хотя и опасно, однако необходимо для достижения наивысших целей человечества. Мы знаем из главы о союзе, что агрессия у очень многих животных и, вероятно, также у человека является необходимой составной частью личной дружбы. И наконец, в главе о Великом Парламенте Инстинктов очень подробно показано, насколько сложно взаимодействие различных побуждений. Если бы одно из них — причем одно из сильнейших — полностью исчезло, последствия были бы непредсказуемы. Мы не знаем, сколько есть форм поведения человека, в которых агрессия участвует как мотивирующий фактор, и насколько они важны. Я подозреваю, что их очень много. ”Aggredi”* в самом первоначальном и самом широком смысле, энергичный приступ (Anpacken) к решению задачи или проблемы, самоуважение, без которого прекратилось бы едва ли не все, что человек делает с утра до вечера, от ежедневного бритья до утонченнейшего художественного и научного творчества; все движимое честолюбием, стремлением к положению и очень многое другое, столь же необходимое, — все это, вероятно, исчезло бы с исключением агрессивных побуждений из жизни людей. Исчезла

---

[1]*Познай самого себя *(греч.).* — *Примеч. пер.*

бы, наверное, также очень важная и специфически человеческая способность — смеяться!

Перечислению того, что заведомо не получится, я, к сожалению, могу противопоставить лишь предложения, касающиеся таких мер, успех которых представляется мне вероятным.

С наибольшей уверенностью можно ожидать успеха того катарсиса, который создается разрядкой агрессивности на замещающий объект. Ведь этим путем, как было рассказано в главе "Союз", шли также и Великие Конструкторы, когда нужно было воспрепятствовать борьбе между определенными индивидами. Кроме того, здесь есть основания для оптимизма и потому, что каждый человек, сколько-нибудь способный к самонаблюдению, в состоянии по своей воле переориентировать переполняющую его агрессию на подходящий замещающий объект. Когда я, как было рассказано в главе о спонтанности агрессии, будучи в лагере для военнопленных, несмотря на тяжелейшую полярную болезнь, не ударил своего друга, а расплющил пустую жестянку из-под карбида, это произошло, несомненно, благодаря тому, что я знал симптомы накопления инстинктивных напряжений. А когда моя тетушка, выведенная в 7-й главе, была так непоколебимо убеждена в глубочайшей испорченности своих бедных служанок, она упорствовала в своем заблуждении лишь потому, что ничего не знала о физиологических процессах, о которых идет речь. Понимание причинных цепей нашего собственного поведения может предоставить нашему разуму и морали действительную возможность властно проникнуть туда, где категорический императив, предоставленный самому себе, терпит полное крушение.

Переориентирование агрессии — это самый простой и самый многообещающий способ обезвредить ее. Она довольствуется замещающими объектами легче, чем большинство других инстинктов, и находит в них полное удовлетворение. Уже древние греки знали понятие катарсиса, очищающей разрядки, а психоаналитики прекрасно знают, сколько похвальнейших поступков получают стимулы из "сублимированной" агрессии и, уменьшая ее, приносят добавочную пользу. Разумеется, сублимация — это вовсе не только простое переориентирование. Есть существенная разница между человеком, который бьет кулаком по столу вместо физиономии собеседника, и другим, который переплавляет неизжитую ярость против своего начальника во вдохновенные полемические сочинения, призывающие к благороднейшим целям.

Особой ритуализованной формой борьбы, развившейся в культурной жизни людей, является *спорт*. Как и филогенетически возникшие турнирные бои, он предотвращает вредные для общества воздействия агрессии и одновременно поддерживает в состоянии готовности ее функции, необходимые для сохранения вида. Но, кроме того, эта культурно-ритуализованная форма борьбы выполняет задачу ни с чем не сравнимой важности: она учит людей сознательно и ответственно властвовать над своими инстинктивными боевыми реакциями. "Fairness", рыцарственность спорта, которая сохраняется даже при сильных раздражениях, запускающих агрессию, является важным культурным достижением человечества. Кроме того, спорт производит благотворное действие, создавая возможности поистине воодушевленного соперничества между сверхиндивидуальными сообществами. Он не только открывает превосходный клапан для накопившейся агрессии в ее более грубых, более индивидуальных и эгоистических проявлениях, но и позволяет полностью разыграться и изжить себя в ее особой, более дифференцированной коллективной форме. Состязание за ранговое положение внутри группы, совместная трудная борьба за вдохновляющую цель, мужественное преодоление серьезных опасностей, взаимопомощь с риском для жизни и т. д. и т. п. — это формы поведения, которые в предыстории человечества имели высокую селективную ценность. Под уже описанным воздействием внутривидового отбора (с. 89—90) их ценность постоянно возрастала, и до самого последнего времени это опасным образом вело к тому, что многие мужественные, но простодушные люди вовсе не рассматривали войну как нечто заслуживающее отвращения. Поэтому великое счастье, что все эти склонности находят полное удовлетворение в самых трудных видах спорта, таких, как альпинизм, подводный спорт и т. п. Стремление к более широкому, по возможности международному и возможно более опасному соперничеству является, по мнению Эриха фон Гольста, главным мотивом *космических полетов,* которые именно поэтому привлекают такой огромный общественный интерес. Пусть бы так было и впредь!

Такое соперничество между нациями благотворно не только потому, что дает возможность разрядки национального воодушевления; оно имеет еще два следствия, уменьшающие опасность войны: во-первых, оно создает *личное знакомство* между людьми разных наций и партий, и во-вторых, прокладывает дорогу объединяющему воздействию воодушевления, поскольку люди, в остальном имеющие мало общего, воодушевляются *одним и тем же идеалом.* Это две мощные силы, противостоящие агрессии, и нужно кратко обсудить, как они осуществляют свое благотворное влияние и какими дальнейшими средствами их можно ввести в действие.

Из главы ”Союз” мы уже знаем, что личное знакомство — это не только предпосылка сложных механизмов, тормозящих агрессию; оно уже само по себе способствует притуплению агрессивных побуждений. Анонимность значительно облегчает запуск агрессивного поведения. Наивный человек испытывает чрезвычайно пылкие чувства ярости и злобы к ”этим” пруссакам, ”этим” швабам[1]*, ”этим” евреям — или какие там еще бывают ”ласковые”, часто с добавлением ”свиньи”, имена для соседних народов. Он может бушевать против них в кругу завсегдатаев пивной, но ему и в голову не придет даже простая невежливость, если он оказывается лицом к лицу с отдельным представителем ненавистной национальности. Разумеется, демагог прекрасно знает о тормозящем агрессивность действии личного знакомства и поэтому, естественно, стремится предотвратить любые личные контакты между отдельными людьми из тех сообществ, между которыми хочет иметь ”надежную” вражду. И стратеги знают, насколько опасно любое ”братание” между окопами для боевого духа солдат.

Я уже говорил, как высоко я оцениваю практические знания демагогов в отношении инстинктивного поведения людей. И не могу пред-

---

[1] *В подлиннике непереводимые прозвища. — *Примеч. пер.*

ложить ничего лучшего, чем перенять испытанные ими методы и использовать их для достижения нашей цели — умиротворения. Если дружба между индивидами враждебных наций так пагубна для национальной вражды, как полагают демагоги, — очевидно, не без веских оснований, — значит, мы должны делать все, чтобы содействовать индивидуальной межнациональной дружбе. Ни один человек не может ненавидеть народ, среди которого у него есть друзья. Нескольких "выборочных проб" такого рода достаточно, чтобы возбудить справедливое недоверие к тем абстракциям, которые обычно сочиняют о якобы типичных — и, разумеется, заслуживающих ненависти — национальных особенностях "этих" немцев, русских или англичан. Насколько я знаю, мой друг Вальтер Роберт Корти был первым, кто предпринял серьезную попытку затормозить межнациональную агрессию с помощью интернациональной личной дружбы. Он собрал в своей знаменитой детской деревне в Трогене, в Швейцарии, молодых людей всех национальностей, каких только смог, и объединил их совместной жизнью. Пожелаем ему последователей в самом широком масштабе!

Третья мера, за которую можно и должно браться сразу же, чтобы предотвратить пагубные проявления одного из благороднейших человеческих инстинктов, — это разумное и критическое овладение реакцией *воодушевления,* о которой мы говорили в предыдущей главе. Здесь нам тоже незачем стесняться использовать опыт традиционной демагогии и обратить на дело добра и мира то, что служило ей для разжигания войны. Как мы уже знаем, в раздражающей ситуации, вызывающей воодушевление, присутствуют три независимых друг от друга переменных фактора. Первый — нечто, в чем видят ценность и что надо защищать; второй — враг, который этой ценности угрожает; третий — социальная среда "товарищей", с которыми человек чувствует себя заодно, поднимаясь на защиту находящейся под угрозой ценности. К этому может добавиться какой-нибудь вождь, призывающий к "священной" борьбе, но это не столь необходимый фактор.

Мы говорили уже и о том, что эти роли в драме могут разыгрываться самыми различными фигурами, конкретными и абстрактными, одушевленными и неодушевленными. Возбуждение воодушевления, как и многих других инстинктивных реакций, подчиняется так называемому правилу суммирования раздражений. Оно гласит, что воздействия различных запускающих раздражений суммируются таким образом, что слабость или даже отсутствие одного может быть компенсировано усиленной действенностью другого. Из этого следует, что можно возбудить подлинное воодушевление *ради* чего-то ценного, не пробуждая при этом враждебности *против* действительного или выдуманного противника; в этом нет необходимости.

Функция воодушевления во многих отношениях сходна с функцией триумфального крика у серых гусей и аналогично возникших реакций, которые состоят из проявлений сильных социальных связей с товарищами по союзу и агрессии по отношению к врагу. Я говорил в 11-й главе, что при слабой дифференцированности этого инстинктивного поведения — как, например, у цихлид, у пеганок — фигура врага еще необходима, но на более высокой ступени развития, как у серых гусей, она уже не нужна для того, чтобы сохранять сплоченность и взаимодействие друзей. Я хотел бы думать и надеяться, что реакция воодушевления у людей уже достигла такой же степени независимости от первоначальной агрессии или по крайней мере готова ее достигнуть.

Тем не менее сегодня пугало врага все еще является в руках демагогов весьма действенным средством для создания единства и воодушевляющего чувства сплоченности; в самом деле, воинствующие религии всегда имели наибольший политический успех. Потому будет отнюдь не легкой задачей возбудить столь же сильное воодушевление многих людей ради мирного идеала *без* использования пугала врага, как это удается поджигателям *с помощью* пугала.

Напрашивающаяся идея использовать в качестве пугала дьявола и попросту натравить людей на "Зло" оказалась бы рискованной даже для духовно высокоразвитых людей. Ведь зло есть per definitienem[1]* то, что несет угрозу добру, т. е. тому, что ощущается как ценность. Но поскольку для ученого наивысшую ценность представляет познание, он видит наихудшее из всех зол во всем, что препятствует расширению знания. Поэтому меня самого злое нашептывание моего агрессивного инстинкта склоняло бы к тому, чтобы видеть воплощение враждебного начала в ученых-гуманитариях, пренебрежительно относящихся к естественно-научным исследованиям, и особенно в противниках эволюционного учения. И если бы я ничего не знал о физиологии реакции воодушевления, о принудительности ее наступления, подобной рефлексу, то могла бы возникнуть опасность, что я втянусь в религиозную войну с этими идейными противниками. Поэтому лучше воздержаться от всякой персонификации зла. Однако и без нее воодушевление, объединяющее отдельные группы, может привести к вражде между ними — в том случае, если каждая из них выступает за определенный, четко очерченный идеал и *только* с ним себя идентифицирует (я употребляю здесь это слово в его обычном, а не психоаналитическом смысле). Холло справедливо указывал, что в наше время национальные идентификации очень опасны именно потому, что имеют столь четкие границы. Можно чувствовать себя "настоящим американцем" в противоположность "русскому" и vice versa[2]*. Если человеку знакомо *много* ценностей и, воодушевляясь ими, он чувствует себя единым со всеми людьми, которых так же, как и его, воодушевляет музыка, поэзия, красота природы, наука и многое другое, то он может реагировать незаторможенной боевой реакцией только на тех, кто не принимает участия *ни в одной* из этих групп. Следовательно, нужно увеличивать число таких идентификаций, а для этого есть только один путь — улучшение общего образования молодежи. Исполненное любви отношение к человеческим ценностям невозможно без обучения и воспитания в школе и в родительском доме. Только они делают человека человеком, и не без оснований определенный вид образования называется гуманитарным (humanistisch): спасение могут принести ценности, которые кажутся далекими от борьбы за жизнь и от политики, как небо от земли. При этом не необходимо, а может быть, даже нежелательно, чтобы люди разных обществ, наций

---

[1] *По определению *(лат.).* — *Примеч. пер.*
[2] *Наоборот *(лат.).* — *Примеч. пер.*

и партий воспитывались в стремлении к одним и тем же идеалам. Даже незначительное совпадение взглядов на то, что представляют собой вдохновляющие ценности, заслуживающие защиты, может уменьшить национальную вражду и составить благо.

Эти ценности в отдельных случаях могут быть весьма специфическими. Я уверен, например, что те люди по обе стороны великого занавеса, которые посвятили свою жизнь великому и опасному делу покорения космоса, испытывают друг к другу лишь глубокое уважение. Здесь каждая из сторон, несомненно, согласится, что и другая борется за подлинные ценности. В этом отношении космические полеты приносят большую пользу.

Существуют, однако, еще два дела, более значительных и являющихся в подлинном смысле слова коллективными предприятиями человечества, которые призваны объединять в гораздо более широких пределах прежде разобщенные или даже враждебные партии или народы общим воодушевлением ради одних и тех же ценностей. Это — искусство и наука. Ценность их неоспорима; и даже самым отчаянным демагогам до сих пор не приходило в голову объявлять никчемным или "выродившимся" все искусство тех партий или культур, против которых они натравливали своих адептов. Кроме того, музыка и изобразительное искусство не знают языковых барьеров и уже поэтому призваны говорить людям с одной стороны занавеса, что служители добра и красоты живут и по другую его сторону. Именно для выполнения этой задачи *искусство должно оставаться вне политики*. Вполне оправданно безграничное отвращение, которое вызывает у нас искусство, направляемое политическими тенденциями.

Наука, как и искусство, представляет собой неоспоримую и самостоятельную ценность, независимую от партийной принадлежности людей, которые ею занимаются. В отличие от искусства, она не является непосредственно общепонятной и поэтому может поначалу связывать общим воодушевлением лишь немногих, но зато очень прочно. Об относительной ценности произведений искусства можно иметь разные мнения, хотя и здесь истинное можно отличить от ложного. В естественных науках эти слова имеют более узкий смысл: здесь истинность или ложность высказывания определяется не мнением людей, а результатами дальнейших исследований.

На первый взгляд кажется безнадежным воодушевить широкие массы современных людей абстрактной ценностью научной истины. Кажется, что это понятие слишком далеко от жизни, слишком бескровно, чтобы успешно конкурировать с теми пугалами, вроде воображаемой угрозы собственному сообществу и воображаемого врага, которые всегда были в руках изощренных демагогов удобным средством, позволяющим выпускать на свободу массовое воодушевление. Однако при ближайшем рассмотрении можно усомниться в справедливости этого пессимистического мнения. Истина, в противоположность упомянутым пугалам, — не фикция. Наука есть не что иное, как применение здравого человеческого разума, и она вовсе не далека от жизни. Гораздо легче сказать правду, чем соткать паутину лжи, которая не разоблачила бы себя внутренними противоречиями. "Ведь правда, разум, здравый смысл видны без всяких ухищрений".

239

Научная истина в большей степени, чем любая другая культурная ценность, является *коллективной* собственностью *всего* человечества. Она является таковой потому, что не создана человеческим мозгом, как искусство или философия (хотя философия — это тоже "поэзия", в высочайшем и благороднейшем смысле греческого слова ποιεῖν — "создавать, творить"). Научная истина — это нечто такое, что человеческий мозг не сотворил, но отвоевал у окружающей внесубъективной действительности. Поскольку эта действительность для всех людей одна и та же, в научных исследованиях со всех сторон всех политических занавесов всегда с надежным согласием обнаруживается одно и то же. Если исследователь хоть немного сфальсифицирует результаты в духе своих политических убеждений — это может быть сделано бессознательно и вполне bona fide[1]*, — то действительность попросту скажет на это "нет": попытка практического применения таких результатов будет безуспешна. На Востоке, например, одно время существовала школа, которая развивала учение о наследственности, утверждавшее наследование приобретенных признаков. Это делалось явно из политических соображений — можно только надеяться, что неосознанных. Все, кто верил в единство научной истины, были этим глубоко встревожены. Теперь об этом утверждении больше не вспоминают, мнения генетиков всего мира снова совпали. Это, разумеется, всего лишь маленькая частичная победа, но это победа истины и тем самым основание для высокого воодушевления.

Многие жалуются на рассудочность нашего времени и глубокий скепсис нашей молодежи. Но то и другое возникает, как я твердо убежден и надеюсь, из здоровой в своей основе самозащиты от искусственных идеалов, от воодушевляющей бутафории, в сети которой так прочно попадали люди, особенно молодые, в недавнем прошлом. Я полагаю, что как раз эту рассудочность и следует использовать для проповеди таких истин, которые, столкнувшись с упорным недоверием, могут быть доказаны числом; перед ним вынужден капитулировать любой скепсис. Наука — не мистерия и не черная магия, методика ее усвоения проста. Я полагаю, что именно рассудочных скептиков можно воодушевить доказуемой истиной и всем тем, что она с собой несет.

Без сомнения, человек может воодушевиться абстрактной истиной, но все же она остается несколько суховатым идеалом, и хорошо, что для ее защиты можно привлечь другую форму поведения человека — противоположный всему сухому *смех*. Он во многом подобен воодушевлению — и в своих особенностях, свойственных инстинктивному поведению, и в своем эволюционном происхождении от агрессии, но главное — в своей социальной функции. Как воодушевление одной и той же ценностью, так и смех по одному и тому же поводу создает чувство братской общности. Способность смеяться вместе — это не только предпосылка настоящей дружбы, но уже почти первый шаг к ее возникновению. Как мы знаем из главы "Привычка, церемония и волшебство", смех, вероятно, возник путем ритуализации из переориентированного угрожающего уважения — в точности так же, как триумфальный крик гусей. Так же как триумфальный крик и воодушевление, смех не только

---

[1] *Добросовестно *(лат.)*. — Примеч. пер.*

создает общность его участников, но и направляет их агрессивность против посторонних. Кто не может смеяться вместе с остальными, тот чувствует себя исключенным, даже если смех вовсе не направлен против него самого или вообще против чего бы то ни было. Если же кого-то высмеивают, то еще более отчетливо выступают как агрессивная составляющая смеха, так и его аналогия с определенной формой триумфального крика.

Но смех — специфически человеческий акт в более высоком смысле, чем воодушевление. И формально и функционально он выше поднялся в своем развитии над угрожающей мимикой, которая еще содержится в обеих этих формах поведения. В противоположность воодушевлению, даже при наивысшей интенсивности смеха не возникает опасность, что первоначальная агрессия прорвется и приведет к действительному нападению. Собаки, которые лают, иногда все-таки кусаются, но люди, которые смеются, *никогда* не стреляют! И хотя моторика смеха более спонтанна и инстинктивна, чем моторика воодушевления, но, с другой стороны, запускающие его механизмы более избирательны и лучше контролируются человеческим разумом. Смех никогда не лишает человека критических способностей.

Несмотря на все эти качества, смех — опасное оружие, которое может причинить серьезный ущерб, если незаслуженно направляется против беззащитного; высмеивать ребенка — преступление. И все же надежный контроль разума позволяет использовать насмешку так, как крайне опасно было бы использовать воодушевление ввиду его некритичности и звериной серьезности: ее можно сознательно и целенаправленно обратить против врага. Этот враг — вполне определенная форма лжи. Мало есть в этом мире такого, что может считаться заслуживающим уничтожения злом столь же безусловно, как фикция какого-нибудь "дела", искусственно созданного, чтобы вызывать поклонение и воодушевление, и мало такого, что становится настолько же уморительно смешным при внезапном разоблачении. Когда искусственный пафос вдруг сваливается с котурнов, когда пузырь чванства с треском лопается от укола юмора, — мы вправе безраздельно отдаться освобождающему хохоту, который так чудесно вызывается этим особым видом внезапной разрядки. Это одно из немногих инстинктивных действий человека, безоговорочно одобряемых категорическим вопросом к себе.

Католический философ и писатель Г. К. Честертон высказал поразительную мысль, что религия будущего будет в значительной степени основана на высокоразвитом, тонком юморе. Это, может быть, некоторое преувеличение, но я полагаю — позволю и себе высказать парадокс, — что сегодня мы еще относимся к юмору недостаточно серьезно. Я полагаю, что он является благотворной силой, оказывающей мощную товарищескую поддержку ответственной морали, к которой в наше время предъявляются чрезмерные требования, и что эта сила находится в процессе не только культурного развития, но и эволюционного роста.

От изложения того, что я знаю, я постепенно перешел к описанию того, что считаю весьма вероятным, и, наконец, на последних страницах, к исповеданию того, во что я верю. Верить дозволено и естествоиспытателю.

Коротко говоря, я верю в победу Истины. Я верю, что знание природы и ее законов будет все больше и больше служить общему благу людей; более того, я убежден, что уже сегодня оно находится на правильном пути к этому. Я верю, что возрастающее знание даст человеку подлинные идеалы, а равным образом возрастающая сила юмора поможет ему высмеять ложные. Я верю, что совместного действия обоих этих факторов уже достаточно, чтобы направить отбор в желательном направлении. Многие человеческие качества, которые от палеолитической эпохи до самого недавнего прошлого считались высочайшими добродетелями, многие лозунги вроде "right or wrong, my country"[1]*, которые совсем недавно действовали в высшей степени воодушевляюще, сегодня уже кажутся каждому мыслящему человеку опасными и каждому наделенному чувством юмора комичными. Это *должно* действовать благотворно! Если у юта, этого несчастнейшего из всех народов, отбор в течение немногих столетий привел к пагубной гипертрофии агрессивного инстинкта, то можно, не впадая в чрезмерный оптимизм, надеяться, что у культурных людей под влиянием нового вида отбора этот инстинкт будет ослаблен до приемлемой степени.

Я вовсе не думаю, что Великие Конструкторы эволюции решат проблему человечества путем *полной* ликвидации его внутривидовой агрессии. Это ни в коей мере не соответствовало бы их испытанным методам. Если некоторый инстинкт начинает в определенных вновь возникших условиях причинять вред, он никогда не устраняется целиком; это означало бы отказ от всех его необходимых функций. Вместо этого всегда создается особый тормозящий механизм, который, будучи приспособлен к новой ситуации, предотвращает вредные воздействия этого инстинкта. Поскольку в процессе эволюции многих существ агрессия должна была быть заторможена, чтобы сделать возможным мирное взаимодействие двух или нескольких индивидов, возникли связи личной любви и дружбы, на которых построены и наши, человеческие общественные отношения. Вновь возникшие в наше время условия жизни человечества делают безусловно необходимым такой тормозящий механизм, который предотвращал бы действительное нападение не только на наших личных друзей, но и на всех людей. Из этого вытекает само собой разумеющееся, словно подслушанное у самой природы требование: любить всех братьев-людей, невзирая на их личность. Это требование не ново, разумом мы понимаем его необходимость, чувством мы воспринимаем его возвышенную красоту, но при всем том не можем его выполнить — так мы устроены. Истинные, теплые чувства любви и дружбы мы в состоянии испытывать лишь к отдельным людям; и в этом самые лучшие и самые сильные наши намерения ничего не могут изменить! Но Великие Конструкторы могут. Я верю, что они это сделают, ибо верю в силу человеческого разума, верю в силу отбора и верю, что разум осуществляет разумный отбор. Я верю, что наши потомки не в таком уж далеком будущем приобретут способность выполнять это величайшее и прекраснейшее требование подлинной сущности человека.

---

[1] *"Права или не права — это моя страна" *(англ.).* — *Примеч. пер.*

ОБОРОТНАЯ СТОРОНА ЗЕРКАЛА

Опыт естественной истории человеческого познания

*Посвящается воспоминаниям о Кёнигсберге,
а также моим кёнигсбергским друзьям,
прежде всего Отто Кёлеру
и Эдуарду Баумгартену.*

ГНОСЕОЛОГИЧЕСКИЕ ПРОЛЕГОМЕНЫ*

War nicht das Auge sonnenhaft,
die Sonne könnt es nie erblicken[1]*.

Гёте

1. ПОСТАНОВКА ВОПРОСА

"Краеугольным камнем научного метода является постулат объективности природы" ("La pierre angulaire de la méthode scientifique est le postulat de l'objectivité de la nature") — так говорит Жак Моно в своей знаменитой книге "Случай и необходимость". Далее он пишет, что к достоянию философской мысли, выработанному уже ко временам Декарта и Галилея, "должна была прибавиться строгая цензура, налагаемая постулатом объективности" ("il fallait encore l'austère censure posée par le postulat d'objectivité").

Надо уяснить себе, что в этих фразах заключено *два* постулата, один из которых относится к предмету исследования, другой же касается исследователя. Во-первых, чтобы исследование вообще имело какой-нибудь смысл, нужно, конечно, предположить, что предмет его реально существует. Но есть и другое требование, предъявляемое к исследователю, и сформулировать его отнюдь не легко. В противном случае мне незачем было бы писать эту книгу.

Постановка этого требования основывается на гносеологической предпосылке, хотя и самоочевидной для биологически мыслящего ученого, но приемлемой далеко не для всех мыслителей гуманитарного направления. Предпосылка эта состоит в том, что все человеческое познание возникает из процесса *взаимодействия,* в котором человек, как вполне *реальная* и *активная* живая система и как познающий *субъект,* сталкивается с фактами столь же реального внешнего мира, составляющими *объект* его познания.

Примечательно — и в некоторой степени вводит в заблуждение — самое происхождение обоих слов: "субъект" и "объект"; о неясности их свидетельствует уже то обстоятельство, что значения их со времен схоластики поменялись местами. В английском языке слово "subject" еще и теперь нередко употребляется в смысле немецкого "Object", т. е. в качестве обозначения подопытного животного или подопытного человека. В нашем языке, согласно философскому словарю Эйслера (Eisler. Handwörterbuch der Philosophie), слово "Subject" означает "переживающее, воображающее, мыслящее и желающее существо, в противоположность объектам переживания, познания, действия". В буквальном пере-

---

[1] *Если бы глаз не был подобен солнцу,
Он никогда бы не смог его увидеть. — Примеч. пер.*

воде "subjectum" означает "под-брошенное"*, в смысле первичной основы, на которой строится весь наш мир. Лейбниц отождествляет даже субъект с "самой душой", "l'âme même".

Все, что мы вообще можем узнать, а значит, и все, что мы знаем об окружающей нас внесубъективной действительности, строится на переживаниях этого субъекта, как и все наши мысли и желания. Рефлектирующее познание собственного бытия, выраженное Декартом в изречении "Cogito, ergo sum" ("Я мыслю, следовательно, я существую"), и по сей день менее всего ставится под сомнение, несмотря на выведенные из него ложные, субъективно-идеалистические следствия, опровержению которых посвящена значительная часть этой книги.

Познание, мышление, желание и уже предшествующее им восприятие суть виды *деятельности*. Поразительно, что наш немецкий язык, столь чувствительный ко всем глубоким психологическим связям, не смог найти лучшего обозначения для самого активного и прямого, что только есть на свете, чем "субъект" — participium perfecti, причастие прошедшего времени, да к тому же еще страдательное и среднего рода!*

Каким образом получилось, что именно от этого слова "субъект", означающего основу всякого переживания, постижения и знания, произошло прилагательное "субъективный" [subjektiv], объясняемое в Большом словаре Брокгауза как "предубежденный, предрассудочный, зависящий от случайных оценок"? И откуда взялось дополнительное слово "объективный", явно противостоящее этой низкой оценке субъективного, слово, имеющее столь одобрительный смысл в нашем повседневном языке и означающее "дельный"?*

Вторжение этих оценок в повседневный язык свидетельствует о широком распространении некоторого мнения об отношении между познающим субъектом и объектом его познания; мнение это, обычно необдуманное, поддается, однако, четкому определению. Каждый может легко убедиться, что наряду с функциями познания внешних данных в нас совершаются и другие процессы, что в нашем Я сменяются самые различные налегающие друг на друга переживания, исходящие изнутри или извне. Каждый из нас в какой-то мере умеет учитывать и компенсировать влияние внутренних состояний на познание внешних данных. Предположим, я вхожу зимой в комнату после длительного пребывания на холоде и прикладываю руку к щеке моего внука. Сначала она кажется мне горячей, но я вовсе не думаю, что ребенок заболел, потому что знаю, каким образом восприятие теплоты зависит от собственной температуры пробующей руки.

Этот повседневный опыт хорошо иллюстрирует нашу способность, имеющую фундаментальное значение для познания внесубъективной действительности. Эта способность приближает наше познание к тому, что существует само по себе, *учитывая внутренние процессы и состояния переживающего субъекта*. И каждый раз, когда нам удается свести некоторую часть переживания к внутренним, "субъективным" процессам или состояниям, исключив ее тем самым из рассмотрения внесубъективной действительности, мы на какой-то шаг приближаемся к тому, что существует независимо от нашего познания.

Вся наша картина "объективной" действительности складывается из таких шагов. Переживаемый нами предметный мир, расчлененный на объекты, возникает лишь путем абстракции от "субъективного" и случайного. То, что заставляет нас верить в действительность предметов, — это в конечном счете *постоянство,* с которым определенные внешние воздействия повторяются в нашем переживании всегда одновременно и всегда в одних и тех же закономерных отношениях друг к другу, вопреки всем изменениям условий восприятия и внутренних состояний нашего Я. Именно их независимость от "субъективного" и случайного побуждает нас считать такие группы явлений воздействиями некоторой реальности, существующей независимо от всякого познания, и как раз *по* этим свойственным ей способам воздействия, по ее "свойствам" мы узнаем эту реальность как один и тот же объект. Поэтому я называю такую абстрагирующую деятельность *объективированием,* а вытекающий из нее когнитивный* акт — "объективацией".

Среди философов, чуждых биологическому мышлению, широко распространено заблуждение, будто простая "воля к объективности" позволяет нам освободиться от всего личного, субъективного, от односторонних позиций, предубеждений, аффектов и т. д. и возвыситься до уровня общезначимых суждений и оценок. Для этого необходимо, однако, *естественнонаучное понимание когнитивных процессов, происходящих внутри познающего субъекта.* Процесс познания и свойства объекта познания могут быть изучены лишь совместно. Как говорит П. У. Бриджмен в своей статье, посвященной гносеологической позиции Нильса Бора, "the object of knowledge and instrument of knowledge cannot be legitimately separated, but must be taken together as one whole"[1]*. Требование объективности, столь выразительно подчеркнутое Моно, никогда не может быть удовлетворено *вполне,* но лишь в той мере, в какой исследователю природы удается понять взаимодействие между познающим субъектом и познаваемым объектом.

Наука, стремящаяся понять с естественнонаучных позиций человека и его способность к познанию, должна руководствоваться требованием, которое столь отчетливо сформулировал Бриджмен. Я попытаюсь показать в моей книге, как далеко мы можем продвинуться по этому пути при нынешнем скромном состоянии наших знаний. Познавательная способность человека подлежит такому же изучению, как и другие его способности, возникшие в ходе эволюции и служащие сохранению вида: она должна изучаться как функция некоторой реальной системы, возникшей естественным путем и взаимодействующей со столь же реальным внешним миром.

Принятое здесь за основу предположение, что познающий субъект и познаваемый объект в одном и том же смысле реальны, неявно содержит в себе другую, столь же важную предпосылку. Мы убеждены, что все отражающееся в нашем субъективном переживании теснейшим

---

[1] *"Неправомерно отделять друг от друга объект познания и орудие познания, их следует рассматривать вместе, как одно целое" *(англ.). — Примеч. пер.*

образом сплетено с физиологическими процессами, поддающимися объективному исследованию, и основывается на них, более того — таинственным образом тождественно с ними. Такая позиция по отношению к так называемой психофизической проблеме кажется нам естественной, хотя многие философы ее не разделяют. В самом деле, даже наивный человек, говоря, что его друг X только что вошел в комнату, имеет в виду не только его переживающий субъект и не только его объективно наблюдаемую телесность, но безусловно единую совокупность того и другого. Мне кажется поэтому само собою разумеющимся параллельное исследование тех физиологических процессов, которые с объективной точки зрения вводят в живую систему человека информацию о внешнем мире и накапливают ее в ней, и наряду с этими процессами тех субъективных явлений, которые мы внутренне переживаем как познание и знание. Наша убежденность в единстве живущего и переживающего субъекта дает нам право рассматривать физиологию и феноменологию* как равноправные источники знания.

Исследование, исходящее из этих предпосылок, неизбежно должно преследовать сразу две цели. Оно должно формулировать некоторую теорию познания, основанную на биологическом и эволюционном знании человека, и вместе с тем составить образ человека, соответствующий этой теории познания. Это не что иное, как попытка сделать человеческий дух предметом естественно научного изучения — предприятие, которое покажется многим гуманитарным ученым едва ли не кощунством или по меньшей мере ”биологизмом”, выходящим за пределы компетенции естествознания. На это можно возразить, что понимание механизма физиологических функций, достигнутое методами естествознания, никоим образом не умаляет ценности достижений, основанных на этих функциях. Как я надеюсь, мне удается показать также и антропологу философского склада, не расположенному к биологии и эволюции, сколь беспримерными представляются специфически человеческие свойства и способности человека *именно* с точки зрения естествоиспытателя, рассматривающего их как результат естественного творческого процесса. С этой целью и написана моя книга.

Требование естественно-научного рассмотрения познающего субъекта мотивируется не только аргументами, вытекающими из постулата познания. Оно, безусловно, должно быть принято также из практических, и прежде всего из *этических* соображений.

Сущность того, что называется человеческим *духом,* составляет сверхличное единство опыта, умения и желания, возникающее из способности человека умножать знание путем традиции. Но и это высочайшее единство является и остается *живой системой,* основанной и построенной на явлениях жизни. И как бы ни возвышалась эта система над всеми другими, какие мы знаем, она разделяет с ними их неизбежную судьбу: как и все живые системы, человеческий дух и вместе с ним человеческая культура подвержены *расстройствам.* Они могут *заболеть.* Поэтому естественнонаучный образ человека нужен не только ученому, но еще более настоятельно необходим врачу.

Освальд Шпенглер первый осознал, что культуры всегда приходят в упадок и гибнут, когда достигают стадии высокой культуры. Как историк, он верил, что в разложении каждой высокой культуры, и нашей в том числе, повинны некая неизбежная "логика времени" и неудержимый процесс старения. Но если посмотреть на упадок нашей собственной культуры, гораздо более заметный в наши дни, с точки зрения этолога и врача, то даже при невысоком уровне наших нынешних знаний можно заметить ряд расстройств, имеющих явно *патологический* характер.

Изучение болезненных явлений нашей культуры нужно не только потому, что есть по крайней мере надежда найти для нее лечебные средства, но и потому, что этого требует методика исследования любых причинных связей. Дело в том, что патологическое расстройство отнюдь не является препятствием для изучения пораженной им системы, а, напротив, очень часто доставляет ключ к пониманию ее работы. История медицины содержит много таких примеров, а в физиологии намеренное провоцирование расстройств есть один из общепринятых и плодотворных методов исследования.

В первоначальном наброске этой книги лишь одна, последняя глава была посвящена явлениям упадка в нашей культуре — "болезням человеческого духа". Можно счесть симптомом стремительного изменения, происходящего с нынешним человечеством, что и мне пришлось через несколько лет пересмотреть мою оценку важности этих болезненных явлений. Вследствие этого одна глава превратилась в целый том*. Между тем я включил в юбилейный сборник, посвященный моему другу Эдуарду Баумгартену, небольшую работу под названием "Восемь смертных грехов цивилизованного человечества"; неожиданно широкий отклик, вызванный ею, также способствовал расширению моего первоначального замысла.

2. ГНОСЕОЛОГИЧЕСКАЯ ПОЗИЦИЯ ЕСТЕСТВОИСПЫТАТЕЛЯ, ИЛИ "ГИПОТЕТИЧЕСКИЙ РЕАЛИЗМ"

Для естествоиспытателя человек — живое существо, получившее свои свойства и способности, в том числе высокую способность к познанию, от эволюции, от длившегося эонами* процесса становления, в течение которого все организмы сталкивались с условиями действительности и — как мы обычно говорим — *приспосабливались* к ним. Эта эволюция есть процесс *познания,* потому что любое "приспособление" к определенным условиям внешнего мира означает, что органическая система получает некоторое количество "информации об" этих условиях.

Уже в развитии строения тела, в морфогенезе возникают *образы* внешнего мира: плавники рыбы и ее способ движения отражают гидродинамические свойства воды, которыми вода обладает независимо от того, загребают ли ее плавники. Как правильно усмотрел Гёте, глаз является отображением солнца и физических свойств света, не зависящих от того, видят ли этот свет какие-нибудь глаза. Точно так же *поведение* животного и человека является образом окружающего мира, поскольку приспособлено к нему. Устройство органов чувств и центральной нервной системы позволяет живым существам получать сведения об определенных существенных для них условиях внешнего мира и реагировать на них таким образом, чтобы сохранить жизнь. Это видно уже у инфузории туфельки, Paramaecium, в ее реакции избегания: столкнувшись с препятствием, она немного отплывает назад, а затем снова плывет вперед, но в другом, случайном направлении, так что ее *"знание"* о внешнем мире можно считать буквально "объективным". В самом деле, *objicere* значит "бросать навстречу": объект — это то, что бросается навстречу нашему движению вперед, то непроходимое, на что мы наталкиваемся. Парамеция "знает" об этом объекте лишь одно — что он не допускает дальнейшего движения в прежнем направлении. Это "познание" выдерживает критику, которую мы можем предъявить с точки зрения нашей гораздо более сложной и подробной картины мира. Мы могли бы, вероятно, указать инфузории более выгодные направления, чем выбранное ею наугад, но то, *что* она "знает", безусловно верно: прямо пройти в самом деле нельзя!

Мы, люди, обязаны всем, что знаем о реальном мире, где мы живем, эволюционно возникшему аппарату получения информации, сообщающему нам существенные для нас сведения; и хотя этот аппарат гораздо сложнее того, который вызывает реакцию избегания у туфельки, в основе его лежат те же принципы. Ничто могущее быть предметом естествознания не познается иным путем.

Отсюда видно, что мы рассматриваем человеческую способность к познанию действительности иначе, чем это делалось в теории познания до сих пор. В том, что касается надежды понять конечные ценности этого мира, мы очень скромны. Но мы несокрушимо убеждены в том, что все сообщаемое нашим аппаратом познания соответствует *истинным* данным внесубъективного мира.

Такая гносеологическая позиция происходит от знания того, что и сам наш познавательный аппарат есть предмет реальной действительности, получивший свою нынешнюю форму в "столкновении со" столь же реальными предметами и в "приспособлении к" ним. На этом знании и основана наша убежденность, что всем сообщениям нашего познавательного аппарата о внешней действительности соответствует нечто реальное. "Очки", через которые мы смотрим на мир, — такие формы нашего мышления и созерцания, как причинность, вещественность, пространство и время, — суть *функции* нашей нейросенсорной организации, возникшей для сохранения вида. То, что мы видим через эти очки, вовсе не является, как полагают трансцендентальные идеалисты, непредсказуемым искажением Сущего-в-себе, не связанным с действительностью даже случайной аналогией, даже "отношением изображения". Напротив, это подлинный образ действительности, который, впрочем, грубо утилитарным образом упрощен: у нас развились "органы" лишь для тех сторон Сущего-в-себе, какие важно было принимать в расчет для сохранения вида, т. е. в тех случаях, когда селекционное давление было достаточно для создания этого специального аппарата познания. В этом смысле сообщения нашего познавательного аппарата напоминают то, что знает о природе своей добычи грубый и примитивный охотник на тюленей или китобой, — только то, что представляет для него практический интерес. Но то немногое, что позволяет нам знать устройство наших органов чувств и нашей нервной системы, выдержало испытание в течение эонов. И этому знанию мы можем доверять — насколько его хватает! Разумеется, мы должны допустить, что Сущее-в-себе имеет и множество *других* сторон, но *для нас,* варварских охотников за тюленями, какими мы, собственно, и являемся, эти стороны не имеют жизненного значения. У нас "нет для них органа", поскольку эволюция нашего вида не была вынуждена приспосабливаться к ним. Ко всем этим "длинам волн", на которые *не* рассчитан наш "приемник", мы, конечно, глухи — и как много их, не знаем, не можем знать. Мы "ограничены" и в прямом, и в переносном смысле этого слова.

Я естествоиспытатель и врач. Очень рано я уяснил себе, что исследователь природы должен знать, в интересах объективности, физиологические и психологические механизмы, доставляющие человеку его знание. Он должен знать их по тем же причинам, по которым биолог должен точно знать свой микроскоп с его оптическими данными: чтобы не принимать за свойства наблюдаемого объекта посторонние ему явления, которые производит ограниченный в своих функциях инструмент. Например, при виде красивых, похожих на радугу цветных колец, какими не вполне ахроматический объектив окружает любой попавший в его поле зрения предмет, не следует считать их украшениями наблюдаемого живого существа. Как известно, Гёте впал в подобное заблуждение, рассматривая качества цветов не как продукт нашего воспринимающего аппарата, но как физические свойства самого света. Мы подробнее займемся этим вопросом в разделе, посвященном постоянству цветов.

Изложенные здесь вкратце взгляды на отношения между познающим субъектом и познаваемой действительностью сложились у меня, как я уже сказал, в ранней молодости, примерно в тридцатые годы; под влиянием моего учителя Карла Бюлера я склонен был считать их чем-то само собою разумеющимся, более того, общим достоянием всех научно мыслящих людей. В первом я убежден и по сей день, как убеждены в этом и некоторые другие. Примечательно, как мало подчеркивает, например, Карл Поппер в своей книге "Логика научного открытия" следующее утверждение: "The *thing in itself* is unknowable: we can only know its appearances which are to be understood (as pointed out by Kant) as resulting from the thing in itself, and from our perceiving apparatus. Thus the appearances result from a kind of interaction between the things in themselves and ourselves". ("*Вещь в себе* непознаваема: все, что мы можем узнать, это лишь явления, которые (как показал Кант) можно понять как происходящие от вещи в себе и нашего собственного аппарата восприятия. Тем самым явления суть результаты некоторого взаимодействия между вещами в себе и нами самими")*. Дональд Кэмпбелл убедительно показал в своей работе "Эволюционная эпистемология"*, насколько необходимо для понимания воспринимающего аппарата (или, как я его часто называю, аппарата отображения мира) знание его эволюционного происхождения. Кэмпбеллу принадлежит также название "гипотетический реализм", данное им этой теории познания. Эту позицию решительно одобрил не кто иной, как сам Планк; как он написал мне, ему доставил большое удовлетворение тот факт, что оказалось возможным прийти к столь близкому совпадению взглядов на отношение феноменального к реальному, отправляясь в индукции от столь разных оснований, как это сделали он и я.

3. ГИПОТЕТИЧЕСКИЙ РЕАЛИЗМ
И ТРАНСЦЕНДЕНТАЛЬНЫЙ ИДЕАЛИЗМ

Почти до того времени, когда волею судьбы Эдуард Баумгартен и я были призваны в Кёнигсберг в качестве последних преемников на кафедру Иммануила Канта, я придерживался мнения, к которому могут привести и цитированные выше высказывания Карла Поппера. Я думал тогда, что можно просто отождествить то, что я называл "аппаратом отображения мира", а Поппер — "perceiving apparatus"[1]*, с "априорным" в том смысле, как его понимал Кант.

К сожалению, это мнение неверно. Для трансцендентального идеализма* Канта нет никакого *соответствия* между вещью в себе* — упоминаемой большею частью в единственном числе — и формой, в которой ее представляют нашему опыту наши априорные формы созерцания и категории мышления. Переживание для него *не образ* действительности, даже сколь угодно искаженный и грубый. Кант ясно понимает, что формы любого доступного нам опыта определяются структурами переживающего субъекта, а не переживаемого объекта; но он не допускает, что строение "perceiving apparatus" может иметь что-нибудь общее с действительностью. В § 11 "Пролегоменов" к критике чистого разума* он пишет: "Если бы возникло малейшее сомнение в том, что та и другая [формы созерцания — пространство и время] суть определения, касающиеся не вещей самих по себе, а только их отношений к чувственности, то я спросил бы: каким образом возможно знать, как должно быть устроено созерцание этих вещей, как мы это знаем в случае пространства и времени, — знаем a priori и до всякого знакомства с вещами, прежде чем они вообще нам даны".

Кант был, очевидно, убежден, что естественнонаучный ответ на этот вопрос принципиально невозможен. Придя к выводу, что формы созерцания и категории мышления не строятся индивидуальным опытом (как думали эмпиристы, например Юм), Кант должен был увидеть в этом убедительное доказательство того, что они "логически необходимы" и потому вообще не "возникают" в собственном смысле слова, а просто даны нам априори.

Великому мыслителю был недоступен ответ на поставленный выше вопрос; но для биолога, знакомого с фактами эволюции, он самоочевиден. Ответ состоит в следующем. Организация органов чувств и нервов, дающая возможность живому существу ориентироваться в окружающем мире, возникла эволюционным путем, в столкновении и приспособлении к действительности — той самой действительности, которую эта организация заставляет нас переживать в нашем созерцании как феноменальное пространство*. Для индивида эта организация, конечно, "априорна", поскольку она предшествует всякому опыту и должна ему пред-

---

[1] *Воспринимающий аппарат *(англ.).* — *Примеч. пер.*

шествовать, чтобы опыт был вообще возможен. Но функция ее обусловлена исторически, а вовсе не является "логической необходимостью", так что возможны и другие решения: например, парамеция обходится чем-то вроде одномерного "пространства созерцания". Мы не можем знать, сколько измерений имеет "пространство в себе".

Физиологическое исследование выяснило, какие поддающиеся естественно-научному изучению механизмы имеют решающее значение для зрительного восприятия трехмерного "Евклидова" пространства. Эрих фон Гольст точнейшим образом изучил функции органов чувств и нервной системы, использующих данные, поступающие с сетчатки, а также сообщения о направлении и установке на резкость обоих глаз для вычисления величины и расстояния видимых предметов, и тем самым осуществляющих восприятие *глубины* зрительного пространства. Подобным же образом доставляют нам наглядную картину пространства органы другого чувства, осязательные тельца и так называемое "ощущение глубины", информирующие нас о положении в пространстве нашего тела и его членов в любой момент. Лабиринт в нашем внутреннем ухе, с его utriculus[1]* и его расположенными в трех перпендикулярных плоскостях полукружными каналами, сообщает нам направление вверх и направления испытываемых нами вращательных ускорений. Мне кажется абсурдным предположение, будто все эти органы и их функции, столь очевидным образом возникшие для сохранения вида и в приспособлении к реальным условиям, не имеют ничего общего с нашей априорной формой созерцания пространства. Более того, мне кажется самоочевидным, что они лежат в основе формы созерцания трехмерного "Евклидова" пространства; я сказал бы даже, что они *и есть,* в известном смысле, эта форма созерцания. Математика учит нас, что логически возможны другие, многомерные виды пространства, а из теории относительности и физики мы знаем, что пространство по крайней мере четырехмерно. Но наглядно мы способны переживать лишь его упрощенный вариант, который "вводит в наш опыт" свойственная нашему виду организация органов чувств и нервной системы.

Сказанное здесь об отношениях между физиологическим аппаратом пространственного восприятия и феноменальным пространством человека переносится, mutatis mutandis[2]*, на отношения между всеми врожденными нам формами возможного опыта и условиями внесубъективной действительности, которые мы в этих формах переживаем. Например, для формы созерцания времени дело обстоит аналогично форме созерцания пространства: физиология знает и в этом случае механизмы, определяющие, в качестве "внутренних часов", феноменально переживаемое нами время.

Для стремящегося к объективности исследователя особый интерес представляют функции нашего восприятия, вызывающие у нас переживание тех качеств, которые постоянно присущи некоторым данным внешнего мира. Когда мы рассматриваем некоторый предмет, например

---

[1] *Utriculus *(лат.)* — эллиптический мешочек, маточка (вестибулярного аппарата). — *Примеч. пер.*
[2] *С необходимыми изменениями *(лат.).* — *Примеч. пер.*

лист бумаги, в самых разных условиях освещения, так что длина волны падающего света меняется в широких пределах, и видим этот предмет всегда "белым", то наблюдаемый при этом эффект основан на действии очень сложного физиологического аппарата, вычисляющего по цвету падающего и отраженного света некоторое постоянно присущее объекту свойство, которое мы попросту называем цветом *предмета*.

Другие нервные механизмы позволяют нам, рассматривая предмет с разных сторон, воспринимать его пространственную форму как одну и ту же, хотя его изображения на сетчатке нашего глаза имеют самые различные формы. Далее, есть механизмы, дающие нам возможность воспринимать величину объекта на разных расстояниях как одну и ту же, хотя величина изображения на сетчатке в каждом случае иная, и т. д. и т. п. Все физиологические функции, на которых основаны такие явления — так называемые *явления постоянства*, — представляют большой интерес для гносеологии, *поскольку они строго аналогичны уже рассмотренной функции сознательного, разумного объективирования*. Так же как человек в моем примере принимает в расчет температуру пробующей руки, сводя таким образом "субъективное" восприятие "горячего" к некоторой "объективированной оценке", наше восприятие цвета предметов "ищет постоянство", отвлекаясь от случайного освещения, чтобы установить *присущие самому объекту* отражательные свойства. Эти совершенно недоступные самонаблюдению процессы, происходящие в нашем восприятии, еще и в том отношении подобны сознательной абстракции и объективации, что они точно так же дают нам возможность снова узнавать определенные данные окружающего мира как "предметы" или объекты. Приспособленность к этой одной и той же функции множества физиологических механизмов еще больше укрепляет наше убеждение в реальности внешнего мира. Я не понимаю, как можно сомневаться, что за явлениями, о которых нам в полном согласии сообщают, как надежные свидетели, столь многие независимо работающие аппараты, действительно стоят одни и те же внесубъективные реальности! Как говаривал фрейбургский философ Силаши в своей несколько лапидарной манере, происходившей от слабого знания немецкого языка, "если *нет* вещи в себе, то есть *много* вещей в себе"*.

Со сравнением множества разнообразных физиологических аппаратов, позволяющих нам, людям, переживать мир вокруг нас, можно сопоставить сравнение аппаратов, позволяющих разным видам животных "вводить в свой опыт" отдельные существенные для них данные внешнего мира. Понятно, что у разных форм животных эти "аппараты отображения мира" очень различны. В зависимости от уровня развития разных видов они в разной степени дифференцированы и отображают больше или меньше подробностей окружающего мира; но сверх того различные формы животных "заинтересованы" в самых разных сторонах внесубъективной действительности. Для пчелы важно постоянство цветов, потому что она должна узнавать определенный вид цветов по присущему этому виду "предметному" цвету; для кошки, охотящейся в сумерках, цвет вполне безразличен: ей нужно хорошо видеть движение; сова должна точно локализовать акустически шорох мыши и т. д.

Именно это громадное разнообразие аппаратов отображения мира придает глубочайшее значение следующему факту: когда их сообщения относятся к одному и тому же данному окружающего мира, они *никогда не противоречат друг другу.* Как мы видели, уже упомянутая выше реакция избегания у туфельки отображает некоторое "объективное" данное внешнего мира, таким же образом представленное в нашей несравненно более дифференцированной картине мира.

Можно привести другой пример, в котором более простая, примитивная норма реакции животных очевидным образом сталкивается с той же внесубъективной действительностью, что и более дифференцированный аппарат отображения мира у человека. Это способность к образованию условных реакций, очевидно, возникшая довольно рано в ходе эволюции животных, и специфически человеческая форма мышления — *причинность.* В обоих случаях можно видеть приспособление к тому факту, что во всех процессах преобразования силы* соблюдается определенная *временная* последовательность событий, позволяющая организму расценивать предыдущие события как надежные предвестники ожидаемых последующих. В дальнейшем мне придется еще вернуться в другой связи к этой аналогии между условной реакцией и причинностью (с. 330 и далее).

Совпадение представлений внешнего мира, доставляемых разнообразными аппаратами отображения мира различных живых существ, нуждается в объяснении. Мне кажется абсурдным искать иное объяснение, чем то, что все эти столь многообразные формы возможного опыта *относятся к одной и той же внесубъективной действительности.* Я сказал однажды после заседания Кантовского общества, когда мы засиделись до поздней ночи в кёнигсбергском Парк-отеле: "Если участники нашей дискуссии согласны в том, что здесь и сейчас стоит на столе пять бокалов, то я не понимаю, как можно объяснить такое согласие, если не признать пятикратное наличие некоторого явления, именуемого "бокалом", — что бы за ним ни скрывалось".

Последовательный неокантианец возразил бы на это, что знание физических фактов, вместе с признанием их реальности, образует предпосылку, без которой мы не можем составить себе определенного представления об аппарате отображения мира, который также предполагается физическим и реальным. То и другое принадлежат "физической картине мира", которая, по мнению трансцендентального идеализма, никоим образом не является картиной мира, и наша попытка доказать одно с помощью другого напоминает образ действий Мюнхгаузена, вытаскивающего себя из болота за собственную косу.

Этот довод не выдерживает критики. Упрощенное дидактическое изложение может вызвать впечатление, будто первый шаг естественно-научного исследования заключается в предположении существования физической реальности. Когда, например, хотят объяснить функции цветового зрения, то начинают, как правило, с физической природы света и с концепции длин волн и лишь после этого переходят к физиологическим процессам, превращающим его в дискретный набор отдельных качеств. Но ход мыслей, по которому ведут человека при таком способе обучения, вовсе не соответствует пути естественно-научного познания.

Это познание исходит, как всегда, из субъективного переживания, наивного восприятия цветов, а затем уже приходит к открытию, что солнечный свет, который можно разложить с помощью призмы, содержит все цвета радуги. Без физиологического механизма, разделяющего количественный континуум[1]* различных длин волн на полосы различно переживаемых качеств, физики никогда не заметили бы, что существует связь между длиной волны и углом преломления света в призме. Когда физик, исследователь внесубъективного мира, понял это соотношение, наступила снова очередь того, кто исследует познающий субъект: специалист по физиологии восприятия Вильгельм Оствальд открыл вычислительный аппарат постоянства цвета и понял его значение для сохранения вида. Он разоблачил таким образом противоречие между учениями о цвете Ньютона и Гёте как мнимую проблему.

Такой ход познания, при котором наши знания о свете и о нашем восприятии света, продвигаясь шаг за шагом, стимулируют друг друга, представляет хороший пример того, как должен поступать объективирующий естествоиспытатель, стремящийся выполнить требование Бриджмена (с. 246). Я утверждаю, что этот процесс напоминает вовсе не образ действий легендарного лжеца (вытаскивание за собственную косу понимается как символ порочного круга), а поведение солидного пешехода, осмотрительно делающего один шаг за другим. Между шагами левой и правой ноги существует отношение поочередной поддержки, именуемое в естествознании "принципом взаимного прояснения" (principle of mutual elucidation). Когда мы попеременно бросаем взгляд на наш аппарат отображения мира и на вещи, которые он так или иначе отображает, и когда в обоих случаях, несмотря на различные направления зрения, мы приходим к результатам, *бросающим свет друг на друга,* то этот факт может быть объяснен лишь на основе предположения гипотетического реализма — предположения, что всякое познание опирается на взаимодействие познающего субъекта и познаваемого объекта, которые оба одинаково реальны. Этот факт, по крайней мере, позволяет нам принять такое предположение в виде гипотезы, оправдываемой, как всякая гипотеза, дальнейшими исследованиями — если они делают ее более вероятной. И если оказывается, что каждое приращение знания о нашем аппарате отображения мира приводит к новому, хотя бы небольшому, исправлению нашей картины мира, если, обратно, каждое продвижение в нашем знании Сущего-в-себе позволяет нам подвергнуть новой критике наш "perceiving apparatus", то у нас становится все больше оснований считать правильной нашу теорию познания, естественность которой не следует принимать за наивность.

4. ИДЕАЛИЗМ КАК ПРЕПЯТСТВИЕ ДЛЯ ИССЛЕДОВАНИЯ

Идеализм в смысле обычного определения есть гносеологическое воззрение, принимающее, что внешний мир существует лишь как предмет возможного опыта, но не независимо от всякого познания. В это понятие *не* входит критический, или трансцендентальный, идеализм

---

[1] *Continuum (*лат.)* — непрерывное. — *Примеч. пер.*

Иммануила Канта. В самом деле, он принимает, как известно, реальность, которая существует сама по себе, по ту сторону любого возможного опыта. Все, что я имею сказать по поводу тормозящего познание воздействия идеализма, не относится к Канту. Его тезис об абсолютной непознаваемости вещи в себе никому еще не помешал размышлять об отношении между феноменальным и реальным миром; я решился бы даже высказать еретическое подозрение, что сам Кант, не столь последовательный, но гораздо более рассудительный, чем неокантианцы, в глубочайшей глубине своего великого сердца был не так уж безусловно убежден в том, что оба этих мира не находятся ни в каком отношении друг к другу. Иначе как бы могло звездное небо над ним — принадлежащее, согласно этому предположению, безразличной к ценностям "физической картине мира" — вызывать в нем то же вечно новое изумление, что и нравственный закон в нем самом?

Человеку без философских предубеждений кажется совершенно безумной мысль, что повседневно окружающие нас предметы внешнего мира получают свою реальность лишь от нашего переживания. Каждый здоровый человек уверен, что мебель по-прежнему стоит в его спальне и в том случае, если сам он выходит за дверь. Естествоиспытатель, знающий об эволюции, твердо убежден в реальности внешнего мира: конечно же наше солнце сияло в течение эонов, прежде чем явились глаза, способные его увидеть. То, что стоит за нашей формой созерцания пространства, или законы сохранения, постижимые для нас в форме нашей категории причинности, существуют, может быть, вечно, чем бы ни была эта вечность. Представление, что все это великое, быть может, бесконечное, получает реальность лишь оттого, что человек, однодневный мотылек, кое-что из этого замечает, кажется каждому связанному с природой не только нелепостью, но прямо кощунством — кто бы ни был этот "связанный с природой", крестьянин или биолог.

При таком положении вещей крайне удивительно, что в течение столетий самые умные из людей, и прежде всего подлинно великие философы во главе с Платоном, были убежденные идеалисты в точном, определенном выше смысле этого слова.

Всем нам, и особенно нам, немцам, эта платоновско-идеалистическая установка столь основательно внушается с детства каждым словом наших учителей и наших великих поэтов, что кажется нам самоочевидной. Но если мы способны однажды этому удивиться, то возникает вопрос, почему же столь многие люди, искренне стремящиеся к познанию, видели навыворот отношение между феноменальным и реальным миром.

Я позволю себе предложить объяснение, как возник этот парадокс. Открытие собственного Я — начало рефлексии — должно было быть потрясающим событием в истории человеческого мышления. Недаром человека определяли как существо, познающее самого себя*. Постижение того, что сам человек является зеркалом, в котором и которым отображается действительность, должно было, разумеется, оказать глубокое обратное действие на все другие познавательные функции человека: все они вместе поднялись на более высокий уровень интеграции.

Лишь это постижение сделало возможным объективирование, которое является предпосылкой любой науки (о чем была уже речь на с. 246).

Это было величайшее из открытий, совершенных человеком за всю историю его духа; и вслед за ним явилось величайшее, чреватое самыми тяжелыми последствиями заблуждение: сомнение в реальности внешнего мира. Может быть, именно величие открытия, вызванное им потрясение побудило наших праотцев усомниться в самом очевидном. Cogito, ergo sum — я мыслю, следовательно, я существую, — это достоверность (1)[1]*. Но кто может знать, кто докажет, что красочный мир, который мы переживаем, также реален? Сновидения могут быть столь же красочны, столь же богаты подробностями, убеждающими спящего в реальности сна. Может быть, мир — всего лишь сон?

Такие размышления должны были с неодолимой силой обрушиться на человека, едва пробудившегося от бездумного, "животного" реализма. Понятно, что человек, одолеваемый такими сомнениями, отворачивается от внешнего мира и сосредоточивает свое внимание исключительно на вновь открытом внутреннем мире. Большинство древнегреческих философов пошло по этому пути, и естествознание того времени, давшее многообещающие ростки, было обречено на увядание. Если можно было сразу же узреть глубочайшие истины, заглянув внутрь самого себя, в то время как взгляд наружу мог в лучшем случае обнаружить закономерности химерического сновидения, то кому хотелось бы заняться долгим и утомительным изучением внешнего мира — да еще такого мира, многие стороны которого выглядели малопривлекательными?

Так возникла наука, почти исключительно занятая человеческим субъектом, закономерностями его созерцания, мышления и чувствования. Первенство, отдававшееся этим процессам, к которым относились, конечно, также и функции человеческого аппарата отображения мира, имело то парадоксальное следствие, что образ и действительность поменялись местами: действительностью стали считать образы вещей, нарисованные нашим "perceiving apparatus"[2]*, подлинные же вещи стали толковать как несовершенные и преходящие тени совершенных и непреходящих идей. Idealia sunt realia ante rem — общее есть действительность, *предшествующая* конкретному предмету. "Идея собаки", столь образно высмеянная Кристианом Моргенштерном*, для идеалиста есть нечто существующее само по себе, обладающее более высокой реальностью, чем любая живая собака или даже совокупность всех живых собак.

Думаю, что объяснение этого парадокса надо искать в антропоморфном истолковании творческого процесса: если, например, столяр делает стол, то и в самом деле идея стола имеется прежде, чем она воплощается в реальный стол, и она совершеннее этого стола, потому что в ней нет, например, дыр от сучьев, столь же не "предусмотренных" ремесленником, как и случайные срывы рубанка. Идея также не столь преходяща, как реальная мебель: когда эту мебель источат древесные черви или поломают дети, идея может найти новое воплощение в починке старого или в изготовлении нового стола.

---

[1]*Цифры в скобках означают ссылки на Приложение в конце книги.
[2]*Воспринимающий аппарат *(англ.).* — *Примеч. пер.*

Но собака, как и подавляющее большинство предметов нашей вселенной, вовсе не создана по человеческому плану. Идея собаки, которую мы носим в голове, есть абстракция, извлеченная с помощью наших органов чувств и нашей нервной системы из опыта, где было очень много реальных собак. Вряд ли мы отдаем себе отчет, какой это невероятный парадокс — считать реальный предмет образом того, что в действительности есть его образ. И мы, немцы, глубже всех народов на свете проникнуты платоновским идеализмом: наш величайший поэт мог сказать: "Alles Vergängliche ist nur ein Gleichnis"¹*, и никто ему не возразил (2).

Препятствие для всякого человеческого стремления к познанию, возникшее из доверия к внутреннему опыту и недоверия к внешнему, никоим образом не преодолено и по сей день. Вплоть до последнего времени все выдающиеся философы были идеалистами. Современное естествознание возникло вместе с Галилеем, без всякой существенной помощи со стороны философии; оно развилось независимо из новых ростков, а отнюдь не из возрождения умершего естествознания древних. Оно не заботилось о том, чем занимались в то время гуманитарные науки, а те, в свою очередь, по обыкновению игнорировали новое естествознание. Так получилось разделение "факультетов". "Если однажды в культуре произошло разделение, — говорит Ч. П. Сноу в своей книге "Две культуры", — то все общественные силы действуют таким образом, чтобы сделать его не менее, а еще более резким". ("Once a cultural divide gets established, all the social forces operate to make is not less rigid, but more so".)

Одна из этих общественных сил — взаимное презрение. Так, например, мой кёнигсбергский коллега, неокантианец Курт Лейдер, категорически объявлял все естествознание "вершиной догматической ограниченности", между тем как мой учитель Оскар Гейнрот определял всю философию как "патологический холостой ход способностей, дарованных человеку для познания природы".

Но и те философы и естествоиспытатели, которые не так плохо думали друг о друге и даже, может быть, уважали друг друга, не ожидали от другого факультета никакого нового знания, применимого в их собственной работе. Поэтому они не считали себя обязанными хотя бы бегло знакомиться с тем, что происходит на другом факультете.

Так выросла разделяющая стена, тормозившая развитие человеческого познания как раз в том направлении, где оно было бы всего более необходимо, — в направлении требуемого Бриджменом объективирующего исследования *взаимодействия* между познающим субъектом и подлежащим познанию объектом. Естественные отношения между человеком и миром, в котором он живет, никого не интересовали и долго не изучались.

Первые попытки пробить зловредную стену, разделяющую естественные и гуманитарные науки, исходили от психологии и составляют славную страницу в ее истории. Раньше всех попытались это сделать в конце прошлого века и в начале нынешнего представители гештальт-

¹ *"Все преходящее есть лишь подобие" (из финала "Фауста"). — *Примеч. пер.*

психологии*, хотя, к сожалению, с недостаточными средствами, так как им не хватало знаний в теории эволюции. Со стороны строгого естествознания Макс Планк был одиним из первых, кто решился пробить дорогу от фундаментальнейшей из естественных наук, физики, к фундаментальнейшей из всех философских дисциплин, теории познания. Он был основательно знаком с ходом мыслей Канта, когда совершил свой революционный подвиг: вопреки воззрению трансцендентального идеализма, считавшего категорию причинности априорной и логически необходимой, он подошел к ней как к гипотезе, сделанной человеком. Там, где эта гипотеза уже не способна была упорядочить экспериментальные факты, он попросту отодвинул ее в сторону, заменив ее теорией вероятностей. Этот переворот, произведенный Планком не только в физике, но и в теории познания, по всей вероятности, был бы невозможен, если бы он не был так глубоко знаком с Кантом. Гносеологические выводы, к которым пришел Планк, по его собственным словам, вполне соответствуют излагаемой здесь точке зрения гипотетического реализма, которую разделяет также ряд других выдающихся физиков, в том числе Бриджмен.

Лишь в последнее время, по-видимому, некоторым мыслителям удалось пробиться через великую стену в обратном направлении — от философии к естествознанию. Теперь есть уже и "настоящие" философы, понимающие под объективированием в точности то же самое, что естествоиспытатели, и с той же точки зрения рассматривающие человека. Назову здесь Карла Поппера с его работами "Логика научного открытия" и "Объективное знание", далее, Дональда Кэмпбелла с его книгой "Эволюционная эпистемология" и Вальтера Роберта Корти с его "Генетической философией".

Сам я лишь в последние годы моей жизни осознал, что человеческая культура и человеческий дух могут — и должны — исследоваться методами естествознания, с присущими ему постановками вопросов. Исключение из моих профессиональных интересов всего относящегося к культуре я должен расценивать как дань уважения к традиционному разделению факультетов, так как в других сторонах духовной жизни я был заинтересован уже с юности. Например, очень рано я понял необходимость "теории познания как знания аппаратуры", о чем уже была речь; в самом деле, в исследовании поведения еще важнее, чем в других отраслях биологии, знать ограничения собственного воспринимающего аппарата.

Но хотя я уже рано пришел к продуманной гносеологической установке и хотя мне ясно было, что человек также имеет врожденные нормы поведения, доступные постановкам вопросов и методам естествознания, мое стремление к познанию всегда останавливалось перед теми специфически человеческими свойствами и функциями, которые строятся на уровне культуры.

В конце концов против этого ограничения возмутился во мне *врач* (3). Прогрессирующий упадок нашей культуры имеет столь явно *патологическую* природу, в нем столь очевидны признаки *заболевания* человеческого духа, что отсюда вытекает категорическое требование — исследовать культуру и дух, применяя постановки вопросов, принятые в медицине. Любая попытка восстановить функции этой расстроившейся системы предполагает понимание того, *как действует она в целом.* Очень мала надежда привести в порядок эту систему *без* причинного понимания ее нормальных функций и их нарушений. Но, с другой стороны, как уже было сказано, нередко именно нарушение функции открывает путь к причинному пониманию ее нормального, здорового действия.

Бо́льшая часть духовных болезней и расстройств, ставящих под вопрос дальнейшее существование нашей культуры, касается этического и морального поведения человека. Чтобы принять против них надлежащие меры, нам нужно естественно-научное понимание причин этих патологических явлений; а для этого надо пробить стену между естественными и гуманитарными науками в том месте, где ее защищают с обеих сторон: естествоиспытатели, как известно, воздерживаются обычно от любых ценностных суждений, тогда как, с другой стороны, гуманитарные ученые во всех ценностных вопросах философии находятся под сильным влиянием идеалистического мнения, будто бы все объяснимое естественно-научным путем ipso facto[1]* должно быть безразлично к ценностям. Таким образом, зловредная стена укрепляется с обеих сторон как раз в том месте, где особенно необходимо ее разрушить. С философской стороны считается кощунством уже та банальная истина, что человек, как и все живые существа, имеет выработанные эволюцией и закрепленные наследственностью формы поведения. С другой стороны, у многих естествоиспытателей можно встретить непонимание и едва скрытое презрение, когда, как этого требует изучение поведения, исследование начинается с наблюдения и описания, не ограничиваясь операционным определением понятий и экспериментальной методикой, что по нынешней моде считается единственно "точным" и "научным". Никому из этих мыслителей не приходит в голову, что Иоганн Кеплер и Исаак Ньютон открыли законы, управляющие звездным небом над нами, вовсе не производя экспериментов, а лишь с помощью наблюдения и описания; еще менее способны они подумать, что, быть может, те же скромные методы смогут раскрыть и другой закон, доступный эксперименту еще меньше, чем гравитация, — закон, властвующий внутри нас, в нашем этическом и моральном поведении. Таким образом, путь к самопознанию человека все еще прегражден глухой стеной. Мало, слишком мало тех, кто трудится, чтобы устранить это препятствие. Но число их все время растет, и вместе с убеждением, что судьбы человечества зависят от их успеха, растет их рвение в труде. Нет сомнения, что истина в конечном счете победит; остается мучительный вопрос, победит ли она, *пока еще не поздно.*

Еще и в наши дни реалист смотрит лишь на внешний мир, не сознавая, что сам он — его зеркало. Еще и в наши дни идеалист смотрит лишь *в* зеркало, отворачиваясь от реального внешнего мира. Направление зрения мешает *обоим* увидеть, что у зеркала есть не отражающая оборотная сторона — сторона, ставящая его в один ряд с реальными вещами, которые оно отражает: физиологический аппарат, функция которого состоит в познании внешнего мира, не менее реален, чем этот мир. Оборотной стороне зеркала и посвящена эта книга.

---

[1]*Тем самым *(лат.).* — *Примеч. пер.*

Глава 1

ЖИЗНЬ КАК ПРОЦЕСС ПОЗНАНИЯ

1. ПОЛОЖИТЕЛЬНАЯ ОБРАТНАЯ СВЯЗЬ ПРИ ПОЛУЧЕНИИ ЭНЕРГИИ

Самое удивительное свойство живого — и в то же время больше всего нуждающееся в объяснении — состоит в том, что оно развивается как будто вопреки законам вероятности, в направлении от более вероятного к более невероятному, от более простого к более сложному, от систем с более низкой гармонией к системам с более высокой гармонией. Между тем при этом нисколько не нарушаются вездесущие законы физики, и, в частности, второй закон термодинамики сохраняет силу и для живых систем. Все жизненные процессы поддерживаются перепадом* рассеивающейся в мире или, как говорят физики, *диссипирующей* энергии. По образному выражению одного из моих венских друзей, жизнь "пожирает отрицательную энтропию".

Все живые системы устроены таким образом, что способны захватывать и накапливать энергию. Отто Рёсслеру принадлежит прекрасное сравнение жизни, действующей в потоке диссипирующей мировой энергии, с песчаной отмелью в реке, отложившейся поперек течения и способной задержать тем больше песка, чем больше она уже успела его набрать. Очевидно, что живые системы могут поглощать тем больше энергии, чем больше они уже поглотили ее: в благоприятных условиях живое существо растет и размножается. Много больших животных пожирает, разумеется, больше, чем небольшое число малых. Таким образом, организмы — это системы, получающие энергию в цепи с так называемой *положительной обратной связью*.

Так же ведут себя и некоторые системы в неорганическом мире. В английском языке положительная обратная связь описывается вошедшим в повседневный язык выражением "Snowballing", что в прямом смысле означает нарастание лавины. Точно так же пожар распространяется тем быстрее, чем больше он уже разгорелся, и у многих поэтов пламя было подобием и символом жизни:

> Ja! Ich weiß, woher ich komme!
> Ungesättigt gleich der Flamme
> Glühe und verzehr ich mich.
> Licht wird alles, was ich fasse,
> Kohle alles, was ich lasse:
> Flamme bin ich sicherlich![1]*

2. ПРИСПОСОБЛЕНИЕ КАК ПРИОБРЕТЕНИЕ ЗНАНИЯ

Органические системы отличаются от упомянутых неорганических в одном важном отношении: они обязаны своей способностью приобретать энергию определенным, часто очень сложным *структурам* своего

---

[1]*Да! Я знаю, откуда я происхожу! Ненасытный, как пламя, Я пылаю и пожираю сам себя. Все, к чему я прикасаюсь, становится светом, Все, что покидаю, обращается в пепел: Несомненно я — пламя! (стихи Ф. Ницше). — *Примеч. пер.*

тела. Эти структуры образовались у живых существ в ходе эволюционной истории их вида, а именно с помощью некоторого процесса, выработавшего у них особую способность к получению и накоплению энергии.

Благодаря старым открытиям Чарлза Дарвина и новым достижениям биохимии мы можем теперь составить определенные и, вероятно, правильные представления о процессах, следствием которых является целесообразность органических структур. План строения каждого вида живых существ записан в цепной молекуле нуклеиновой кислоты, имеющей форму двойной спирали; он "закодирован" последовательностью нуклеотидов*. При каждом делении клетки этот код воспроизводится в двух экземплярах: именно, двойная нить молекулы нуклеиновой кислоты распадается на две половины, каждая из которых тотчас же начинает дополняться до двойной нити, "отыскивая" свободные нуклеотиды и присоединяя их к себе в последовательности, соответствующей второй отщепившейся полунити. Так возникает пара новых двойных нитей, каждая из которых состоит из старой нити и из новой дополнительной нити. Таким образом, непрерывность наследственности опирается на материальную непрерывность, но, как говорит Вейдель, "таким образом, что то, что передается от поколения к поколению, есть определенная связанная с материей *структура*". При такой передаче, то есть при редупликации* нити нуклеиновой кислоты, иногда происходят "мелкие ошибки", вследствие которых код вновь образовавшихся двойных спиралей может в небольших деталях отличаться от кода исходной. Это явление называется *мутацией* гена.

У всех живых существ, обладающих настоящим клеточным ядром, — так называемых эукариотов, к которым относятся все высшие животные и растения, — гены собраны в большие конструкции — хромосомы. Они образуют *пары,* имеющиеся в каждом клеточном ядре, в каждой клетке организма. В хромосомах, входящих в каждую такую пару, содержатся одинаковые или соответствующие друг другу гены приблизительно в одинаковой последовательности. Перед половым размножением хромосомы каждой пары расходятся в процессе так называемого редукционного деления, так что каждая из готовых к оплодотворению половых клеток содержит лишь половинный набор хромосом, что называется гаплоидным состоянием. При оплодотворении хромосомы снова соединяются в пары, причем один из партнеров каждой пары происходит от материнской, а другой от отцовской клетки. Таким образом, а также посредством происходящих с хромосомами особых процессов могут возникнуть новые комбинации наследственных задатков. Вследствие этих процессов мутации и рекомбинации наследственных задатков, описанных здесь в крайне сокращенном и упрощенном виде, внешний образ высших организмов — так называемый фенотип — никогда не остается совершенно неизменным.

Частота и величина этих изменений находятся в таких пределах, что рождение нежизнеспособных уродов не угрожает существованию вида, но они далеко не всегда выгодны затронутому ими индивиду. Напротив, поскольку эти малые и мельчайшие изменения, вызванные мутацией и рекомбинацией наследственных задатков, носят *совершенно ненаправленный* характер, они, как правило, уменьшают шансы соответствующего индивида на получение энергии и выживание. Лишь в редких, исключительных случаях — но как раз они нас здесь интересуют — мутация или рекомбинация наследственных задатков позволяет организму использовать окружающий мир *лучше,* чем его предки. Это происходит в тех случаях, когда новое существо может "лучше справляться" с каким-нибудь обстоятельством внешнего мира, что увеличивает его шансы на получение энергии или уменьшает вероятность ее потери. В той же мере возрастают шансы на выживание и размножение такого удачливого организма и убывают шансы его собратьев, не наделенных таким новым преимуществом, которые не выдерживают конкуренции и обречены на вымирание. Этот процесс называется *естественным отбором,* а вызванное им изменение живых организмов называется *приспособлением.*

Понимание сущности этих процессов вынуждает биолога образовать два понятия, чуждых физику и химику. Первое из них — это понятие *целесообразности для сохранения вида,* или *телеономии.* Поскольку отбор "выводит" структуры, особенно хорошо выполняющие некоторую полезную для сохранения вида функцию, то в конечном счете эти структуры производят впечатление, как будто они созданы именно с этой целью неким мудро предусмотрительным, разумно планирующим умом. (Впечатление это, заметим в скобках, не совсем лишено смысла: планирующий человеческий ум также обязан своими способностями некоторым процессам, которые, как будет показано уже в этой главе, по существу родственны происходящим в геноме.)

Все без исключения сложные структуры всех организмов возникли под селекционным давлением определенных функций, служащих сохранению вида. Когда биолог сталкивается со структурой, функция которой ему неизвестна, он считает своей самоочевидной обязанностью поставить вопрос, в чем состоит назначение этой структуры. Когда мы, например, спрашиваем: "Зачем у кошки острые, кривые когти?" — и отвечаем на это: "Чтобы ловить мышей", то вопрос и ответ представляют собой краткое изложение постановки и решения некоторой проблемы. Колин Питтендрай назвал вопрос о значении некоторой структуры для сохранения вида *телеономическим,* надеясь отделить этим новым словом телеономию от телеологии столь же отчетливо, как астрономия отделилась от астрологии.

Второе понятие, к введению которого нас вынуждает изучение процессов приспособления, — это понятие *знания.* Уже в самом слове "приспосабливаться" (anpassen) неявно заключена предпосылка, что этот процесс устанавливает некоторое соответствие между тем, что́ приспосабливается, и тем, к чему оно приспосабливается. То, что́ живая система узнает таким образом о внешней действительности, что́ в ней "отпечатывается" или "запечатлевается", — это *информация* о соответствующих данных внешнего мира. Информация буквально и означает "запечатление"!

Когда я применяю это слово в смысле повседневного языка, это может привести к недоразумению, поскольку в теории информации ему придается другой, гораздо более общий смысл. Там намеренно отвлекаются от семантического уровня, т. е. от содержательного смысла информации, и тем более от ее значения для сохранения вида. Поэтому в терминах теории информации нельзя говорить об "информации о чем-то", как это делается в повседневном языке. В дальнейшем, говоря об информации, лежащей в основе любого приспособления, я всегда буду иметь в виду понятие, применяемое в повседневном языке, т. е. информацию, имеющую смысл и назначение для того, кто ее получает или ею обладает. Приобретение и обладание такой информацией обозначается в немецком языке также двумя прекрасными словами: *Erkennen — познание* и Wissen — *знание*. В дальнейшем я не буду применять эти выражения к таким когнитивным процессам, как, например, приобретение информации геномом ниже уровня сознания; в подобных случаях я буду говорить об информации или ставить слово "знание" в кавычки.

Для читателя, заинтересованного в теории информации, можно заметить, что, как показал Б. Гассенштейн, применяемое здесь понятие информации можно было бы определить также и в терминах теории информации. Для этого надо было бы, например, сказать, что приспособление — это возрастание взаимной информации (Transinformation) между организмом и окружающим миром. Такое возрастание происходит благодаря процессам, протекающим внутри организма, без заметного изменения при этом окружающего мира. Это явление можно было бы рассматривать как специальный случай возникновения соответствия (Korrespondenz) в смысле Мейер-Эпплера[1]*, которое, впрочем, пришлось бы представлять себе асимметричным или односторонним, поскольку оно вызывается исключительно изменениями в одной из находящихся в соответствии систем. Отсюда видно, что принятая в теории информации терминология мало пригодна для описания процессов жизни.

Как было уже сказано в "Гносеологических пролегоменах" (с. 248), поскольку геном приобретает знание посредством испытания и сохранения наиболее подходящего, *в живой системе возникает отображение* реального внешнего мира. Для этого рода "знания" Дональд Маккей предложил термин "отображающая информация". Возникающая таким образом картина окружающей среды есть в некотором смысле *негатив* действительности, наподобие гипсового слепка монеты. Как говорит Якоб фон Юкскюль на своем прекрасном образном языке, организм находится в "контрапунктном" отношении к окружающему миру. Как уже было сказано, такое отношение отображения между организмом и действительностью существует уже на уровне строения тела, "морфогенеза"; достаточно вспомнить о "солнечности" глаза или о волнообразных движениях рыбьих плавников (с. 248). Структуры этого рода, обязанные своей поразительной целесообразностью содержащейся в них приспособительной информации, наилучшим образом служат энергетическому хозяйству соответствующего организма и дают ему возможность использовать также труднодоступные источники энергии.

---

[1]*Цитируется по Норберту Бишофу.

Метод, применяемый геномом, непрерывно ставящим свои экс-перименты (с. 263), сравнивающим их результаты с действительностью и сохраняющим подходящее, отличается от метода, применяемого человеком в его стремлении к научному знанию, лишь в одном — но часто очень важном — отношении: геном учится лишь на своих ошибках. Но и человек, стремящийся к знанию, поступает так же: он сопоставляет с внешним миром свое внутреннее предположение, сло-жившуюся в его мышлении гипотезу, и "смотрит, подходит она или нет".

Дональд Т. Кэмпбелл в своей работе "Сравнение признаков как существенная сторона дистального познания" ("Pattern Matching as Essential in Distal Knowing")* убедительно показал, каким образом именно из этого процесса возникает бо́льшая часть любого познания, начиная с простого узнавания предмета до подтверждения научных гипотез. Выражение "pattern matching" — твердый орешек для переводчика. В психологии и этологии сложилось обыкновение переводить "pattern" словом "образец" (Muster) — говорят об образцах движения и поведения, что противоречит моему чувству языка, поскольку содержание, связываемое с английским и немецким словами, отнюдь не одно и то же. Наряду с "образцом" "pattern" может означать также расположение, конфигурацию, но никогда не "образец" в смысле примера (Beispiel), как, например, в выражении "коллекция образцов" (Musterkollektion). "Образец" в этом смысле по-английски называется "sample". Так же трудно перевести глагол "matching". Он означает сравнительное, даже измерительное сопостав-ление с тем отчетливым добавочным смыслом, что это сравнение устанавливает и поддерживает различия, как это происходит при всяком состязании, или "матче", двух футбольных команд или двух боксеров. Выражение "pattern matching", вполне безыскусственное и заимствованное из повседневной жизни, превосходно описывает рассматриваемый здесь процесс познания, но, к сожалению, не поддается переводу.

Рассматриваемый процесс "pattern matching" применим лишь к не-которому упорядочению, "конфигурации", состоящей из множества чувственных данных и существующих между ними взаимных отноше-ний. Отдельное, точечное сообщение наших органов чувств для этого не годится, потому что оно всегда многозначно. Отдельную звезду, видимую в просвете между облаками, невозможно назвать; лишь если раскрывается больший кусок ясного неба, где можно увидеть много звезд в их взаимном расположении, мы можем отождествить эту конфигурацию с определенной частью известной нам звездной карты. После этого можно назвать и замеченную вначале звезду, если только это неподвижная звезда. Если же это планета, то для ее отождествле-ния по заданной "констелляции" требуется много других знаний о "звездной конфигурации" более высокого порядка, включающей время.

Дональд Т. Кэмпбелл говорит в своей работе "Эссе об эволюцион-ной эпистемологии": "...пример приращения знания, осуществляемого естественным отбором, может быть обобщен на другие виды познавательной деятельности, такие, как обучение, мышление и наука" ("...the natural selection paradigm of such knowledge increments can be generalized to other epistemic activities, such as learning, thought and science"). Разделяя эту точку зрения, я считаю, более того, одной из главных задач этой книги провести предложенное Кэмпбеллом обобщающее сравнение различных механизмов, с помощью которых различные живые существа приобретают и накапливают существенную для них информацию. Подавляющая часть того, что естествознание открыло во внешнем мире, получено, по справедливому утверждению Кэмпбелла, посредством "pattern matching". И поскольку все когнитивные процессы, от самого высокого уровня до самого простого и древнейшего, какой можно себе представить, основаны на одном и том же принципе, то можно было бы подумать, что другого способа приобретения знаний вообще нет.

В этом — как мы увидим, ошибочном — мнении нас могло бы укрепить еще и то обстоятельство, что древнейший и простейший аппарат приобретения знаний имеет еще и другое важное функциональное свойство, общее с новейшим и сложнейшим: как аппарат, с помощью которого получает знание геном, так и исследовательский аппарат человека, выполняющий ту же работу, *изменяются* каждый раз, когда приобретают новое знание. Вобрав в себя новую информацию, ни тот ни другой не остается прежним. В обоих случаях каждое вновь приобретенное знание повышает шансы приобретения энергии и тем самым вероятность дальнейшего получения знаний.

3. ПРИОБРЕТЕНИЕ ТЕКУЩЕЙ НЕ НАКАПЛИВАЕМОЙ ИНФОРМАЦИИ

Есть также и другие виды получения знания. Точно так же, как приспособление создало телесные структуры, служащие для приобретения и использования энергии, оно выработало и такие структуры, функция которых состоит в получении и оценке информации, знания, а именно знания обстоятельств, существующих в окружающем мире *в данный момент* (augenblicklich), которые организм должен *немедленно* принять во внимание. Поведение, основанное на функции этого аппарата, характеризуется тем, что определенная ситуация внешнего мира вызывает осмысленный ответ, даже если эта ситуация в ее специальной наличной форме никогда не встречалась ни виду в его эволюционной истории, ни отдельному организму в его индивидуальной жизни. Важно заметить, что это определение применимо и к так называемому *понимающему* поведению*. Это определение относится и к простейшим таксисам, или реакциям ориентации, и к тем высокодифференцированным функциям органов чувств и нервной системы, на которых у нас, людей, основаны "априорные" формы созерцания и мышления. Субъективное явление понимания (Einsicht), названное Карлом Бюлером "переживанием "ага!", происходит равным образом и в случае, когда нам удается усмотреть сложнейшие связи, и в случае простейших связей, когда состояние неориентированности превращается в состояние ориентированности, например когда статолитовый аппарат внутреннего уха доводит до нашего сведения простое сообщение, что направление "вверх" уже не таково, как мы до этого считали. Насколько интенсивно может переживаться такое понимание, я узнал, когда однажды ночью один из моих друзей столкнул меня во время глубокого сна с борта моторной лодки и я оказался в мутной воде Дуная, где уже на небольшой глубине не видно ни малейшего света, чтобы определить, где верх и где низ. Могу заверить, что, когда после нескольких страшных мгновений неориентированности статолиты выполнили свою работу, это было поистине спасительное переживание подлинного понимания, с самым интенсивным "переживанием "ага!".

Процессы получения текущей информации, о которых сейчас идет речь, — это *не процессы приспособления в смысле, определенном на с. 263;* более того, это функции телесных, нервных и сенсорных структур, *имеющихся уже в готовом, приспособленном виде.* Они столь же мало или еще меньше подвержены изменению посредством индивидуальной модификации, чем структуры, служащие получению энергии. Даже повторение процесса получения краткосрочной информации не должно оставлять никаких следов в воспринимающем ее физиологическом аппарате, потому что его назначение — непрерывно сообщать организму сведения о быстро меняющейся окружающей обстановке — может выполняться лишь в том случае, если этот аппарат всегда в состоянии заменить только что принятое сообщение другим, часто ему противоположным.

К этому надо прибавить дальнейшее, еще более важное соображение: те защищенные от всех изменений устройства, которые на основе *текущих* (gegenwärtigen) сообщений органов чувств открывают нам окружающий мир в актах непосредственного "понимания", *составляют основание всякого опыта!* Их функция предшествует всякому опыту и должна ему предшествовать, чтобы опыт вообще был возможен. В этом отношении они вполне соответствуют определению "априорного", которое дал Иммануил Кант.

Как мы увидим в различных контекстах, эффективность хорошо приспособленной структуры всегда покупается ценой *потери степеней свободы.* Механизмы получения кратковременных знаний, о которых здесь идет речь, не составляют исключения. Вследствие весьма специального приспособления их структур к приему информации вполне определенного рода большинство их связано очень жесткой и узкой программой. Встроенный в эти структуры вычислительный аппарат по необходимости содержит "гипотезы", которых он придерживается с подлинно доктринерским упрямством. И если возникают обстоятельства, не "предусмотренные" выработавшим эти структуры процессом приспособления, то они могут передавать ложные сообщения и неисправимым образом на них настаивать. Целый ряд примеров доставляют различные обманы чувств.

"Доктринерский" характер законченных процессов приспособления навязывает нашему познанию некоторые гипотезы — лучше сказать, подсовывает их нам без нашего ведома. Мы не можем ничего узнать, увидеть или подумать без предпосылок, без предрасположений, в которых заключены такие врожденные гипотезы: они встроены в наш "аппарат отображения мира"! И как бы мы ни старались строить наши гипотезы свободно, мы не можем помешать тому, что в них прячутся эти древнейшие гипотезы априорного знания, возникшие путем мутации и рекомбинации генов и испытанные посредством "pattern matching" на протяжении эонов, — гипотезы, которые никогда не бывают совсем глупы, но всегда жестки и никогда не верны вполне.

4. ДВОЙНАЯ ОБРАТНАЯ СВЯЗЬ ПОЛУЧЕНИЯ ЭНЕРГИИ И ИНФОРМАЦИИ

Получение и накопление информации, существенной для сохранения вида, — столь же фундаментальная функция всего живого, как получение и накопление энергии. Та и другая одинаково древни, потому что обе должны были явиться на свет одновременно, вместе с возникновением жизни. Насколько мне известно, Отто Рёсслер был первый биолог, осознавший и высказавший представление, что процессы получения энергии не только образуют сами по себе цепь с положительной обратной связью (см. с. 261 и далее), но что они находятся также в отношении положительной обратной связи с процессами получения информации.

Когда вследствие мутации или рекомбинации наследственных задатков вероятность получения энергии столь существенно возрастает, что отбор начинает действовать в пользу наделенного данным преимуществом организма, то возрастает также и численность его потомства. Но вместе с тем повышается и вероятность того, что именно представителю этого потомства достанется следующий большой выигрыш в лотерее наследственных изменений.

Эта двойная цепь положительной обратной связи между процессами получения энергии и информации характерна для всего живого, в том числе и для вирусов, обладающих, по удачному выражению Вейделя, лишь заимствованной жизнью. Без сомнения, справедливо утверждение, что живые существа подвержены ненаправленным, чисто случайным изменениям, а эволюция происходит лишь путем устранения неприспособленных; но в такой формулировке содержится и опасность заблуждения.

Мы подойдем гораздо ближе к подлинной сущности становления органической природы, если скажем: жизнь есть чрезвычайно активное предприятие, преследующее одновременно две цели — приобретение "капитала" энергии и сокровища знания, причем обладание одним из них всегда способствует получению другого. Чудовищная эффективность этих двух функциональных циклов, связанных между собой усиливающим взаимодействием, является предпосылкой — и даже объяснением — того, что жизнь вообще способна победить в борьбе с безжалостной мощью неорганического мира, а при благоприятных обстоятельствах может "разрастаться". Аналогично действует современное крупное промышленное предприятие, например большой химический концерн, целенаправленно вкладывающий значительную часть своего дохода в лаборатории, чтобы извлечь из новых открытий новые источники дохода; это не только наглядная модель, но попросту частный случай того, что происходит во всех живых системах.

Я считаю важным открытием Отто Рёсслера представление о том, что органический мир зависит в своем эволюционном развитии не от одной лишь "чистой" или "слепой" случайности, но тотчас же хватается за любое благоприятное обстоятельство, возникающее из такой случайности, и создает его экономической эксплуатацией условия для дальнейших счастливых случайностей. Достигнутое здесь понимание подводит нас ближе к решению двух великих загадок.

Первая из этих проблем — *скорость* эволюции. Если бы эволюция зависела лишь от чисто случайного устранения неприспособленных, если бы не было функциональной взаимосвязи между получением капитала и информации, то для возникновения человека из простейших организмов, безусловно, не хватило бы тех нескольких миллиардов лет, которые по рассчитанным физиками периодам распада радиоактивных элементов составляют возраст нашей планеты.

Вторая проблема — *направление* эволюции. Как уже было сказано, жизнь является одновременно *и* приобретением информации, т. е. когнитивным процессом, *и* экономическим процессом (напрашивается выражение: коммерческим предприятием). Возрастающее знание об окружающем мире приносит экономические преимущества, производящие, в свою очередь, селекционное давление, под которым механизмы приема и накопления информации развиваются еще больше.

Естествоиспытатели, для которых приобретение знания превратилось в самоцель, гуманитарные ученые и все вообще культурные люди, наделенные этическим чувством, не могут одинаково относиться к двум великим благам жизни, капиталу потенциальной энергии и сокровищу знания: несравненно выше они расценивают второе. И конечно, эта оценка не снижается от понимания экономической природы того селекционного давления, которым порождено наше знание. Селекционное давление, стимулирующее умножение любой информации, полезной для сохранения вида, столь вездесуще, что его, возможно, хватило бы, чтобы объяснить общее направление эволюции от "низших" состояний к "высшим". Я вовсе не утверждаю, что исключается участие других, неизвестных факторов; но для объяснения общего направления эволюции при нынешнем состоянии наших знаний нет никакой нужды прибегать к сверхъестественным факторам вроде "демиургического разума" Дж. Г. Беннета. Атрибуты "низший" и "высший" поразительно единообразно применимы и к живым существам, и к культурам, причем эта оправданная оценка непосредственно относится к содержащемуся в этих живых системах бессознательному или сознательному знанию — независимо от того, создано ли это знание отбором, обучением или исследованием, хранится ли оно в геноме индивида или в традиции культуры.

Глава 2
ВОЗНИКНОВЕНИЕ НОВЫХ СИСТЕМНЫХ СВОЙСТВ

1. НЕДОСТАТОЧНОСТЬ СЛОВАРЯ

Когда мы пытаемся изобразить великий процесс становления жизни в согласии с его природой, мы неизменно сталкиваемся с тем препятствием, что словарный запас культурных языков сложился в то время, когда единственным известным видом развития был онтогенез, т. е.

индивидуальное развитие живого существа. В самом деле, такие слова, как Entwicklung[1]*, Development[2]*, Evolution[3]* и т. п., все означают в этимологическом смысле, что развивается нечто, уже бывшее прежде в неразвитом или свернутом состоянии, подобно цветку внутри почки или цыпленку внутри яйца. Указанные выражения удовлетворительно описывают такие онтогенетические процессы. Но они, к несчастью, полностью отказываются служить, когда мы пытаемся правильно изобразить сущность творческого процесса, состоящего именно в том, что все время возникает нечто совершенно новое, чего *прежде попросту не было*. Даже прекрасное немецкое слово Schöpfung (творение)[4]* этимологически означает, что нечто уже существующее черпается из некоторого также существующего резервуара. Некоторые философы-эволюционисты, осознав недостаточность всех этих слов, ухватились за еще худшее слово "эмергенция"*, вызывающее по логике языка представление о чем-то заранее сформировавшемся и внезапно появившемся, подобно киту, вынырнувшему для вдоха на поверхность моря, которое при буквально поверхностном рассмотрении казалось пустым.

2. ФУЛЬГУРАЦИЯ

Философы-теисты и мистики средневековья ввели для акта сотворения нового выражение "Fulguratio", что означает вспышку молнии. Несомненно, они хотели выразить этим непосредственное воздействие свыше, исходящее от Бога. По этимологической случайности — если не вследствие более глубоких неожиданных связей — этот термин гораздо лучше приведенных выше выражений описывает процесс вступления-в-существование чего-то прежде не бывшего. Для естествоиспытателя Зевсов перун — такая же электрическая искра, как и всякая другая, и если мы замечаем искру, проскочившую в неожиданном месте системы, то первое, что нам приходит на ум, это короткое замыкание — вновь возникшая связь.

Когда, например, совместно включаются две независимые системы, как это изображено на приведенной рядом простой электрической модели, заимствованной из книги Бернгарда Гассенштейна, то при этом внезапно возникают *совершенно новые системные свойства,* ранее не существовавшие *даже в зачаточном виде*. Это и есть глубокое содержание мистически звучащего, но вполне справедливого принципа гештальт-психологии: "Целое больше своих частей".

Особый случай возникновения новых системных свойств (ряд примеров которого нам еще встретится в дальнейшем) состоит в следующем. В последовательности подсистем, соединенных друг с другом в линей-

---

[1] *Развитие *(нем.).* Подобно русскому слову и приводимым дальше словам, означает развертывание чего-то свернутого (от wickeln — мотать, навивать, обертывать). — *Примеч. пер.*

[2] *Развитие *(англ.). — Примеч. пер.*

[3] *Развитие, эволюция (от лат. evolutio — развертывание (свитка)). — *Примеч. пер.*

[4] *Schöpfung от schöpfen — черпать; Schöpfung означает сотворение мира и все мироздание, но Schöpfwerk — водокачка. — *Примеч. пер.*

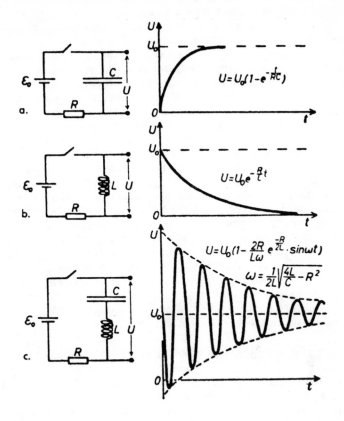

$$U = U_0(1 - e^{-\frac{t}{RC}})$$

$$U = U_0 e^{-\frac{R}{L}t}$$

$$U = U_0(1 - \frac{2R}{L\omega} e^{-\frac{R}{2L}} \cdot \sin\omega t)$$

$$\omega = \frac{1}{2L}\sqrt{\frac{4L}{C} - R^2}$$

Рис. 1. Три электрические цепи, в том числе колебательный контур *(c)*, иллюстрирующие понятие "системное свойство". Полюсы батареи с электродвижущей силой E_0 и напряжением на зажимах U_0 соединены проводником. Омическое сопротивление цепи в целом обозначается R. В случае *(a)* в цепь включен конденсатор емкости C, в случае *(b)* — катушка индуктивности L, в случае *(c)* — и конденсатор, и катушка. Напряжение U может быть измерено на двух зажимах. Графики справа показывают изменение напряжения после включения тока в нулевой момент. В случае *(a)* конденсатор заряжается через сопротивление до тех пор, пока он не достигает напряжения U_0. В случае *(b)* сила тока — вначале сдерживаемая самоиндукцией — возрастает до тех пор, пока не достигнет заданной законом Ома величины; при этом напряжение U теоретически обращается в нуль, поскольку общее сопротивление цепи заключено в R. В случае *(c)* возникают затухающие колебания. Наглядно очевидно, что поведение системы *(c)* не может быть получено простым сложением процессов *(a)* и *(b)*, хотя можно представить себе, что *(c)* получается соединением *(a)* и *(b)*.

Схема действует, например, при следующих значениях величин: $C = 0,7 \cdot 10^{-9}$ F; $L = 2 \cdot 10^3$ Hy; $R = 10^3$ Ω; $\lambda \approx 1,2 \cdot 10^{-6}$.

Последнее значение определяет также общую для всех трех кривых временную ось. (Расчет выполнил Э. У. фон Вейцзеккер.)

ную цепь, где каждая подсистема причинно воздействует на следующую, так что первая может быть только причиной действия, а последняя функционирует только как действие, возникает новая причинная связь, с помощью которой именно эта последняя система приобретает влияние на первую; вследствие этого причинная цепь замыкается, превращаясь в круг. С примерами таких замкнутых цепей, а именно цепей с положительной обратной связью, мы уже познакомились при рассмотрении способов получения энергии и информации. Не менее важное значение имеют круговые процессы с отрицательной обратной связью; но, поскольку они относятся к механизмам получения информации, я займусь ими подробнее в соответствующем разделе. Здесь же достаточно указать следующее. Когда в круг причинных связей встроен в некотором месте "знак минус" и тем самым действие процесса уменьшается в этом месте цепи тем больше, чем сильнее действие в предыдущем звене, то отсюда возникает эффект регулирования. Например, чем выше уровень жидкости в резервуаре карбюратора или в туалетном бачке, тем выше поджимается поплавок, запирая тем самым дальнейший приток жидкости. Следствием этого процесса является *постоянство* уровня жидкости.

Кибернетика и теория систем, объяснив внезапное возникновение новых системных свойств и новых функций, устранили неприятную видимость, будто в таких случаях происходят чудеса. Нет совершенно ничего сверхъестественного в том, что линейная причинная цепь замыкается в круг и тем самым возникает система, отличающаяся от всех предыдущих вовсе не степенью ее свойств, а принципиально. "Fulguratio" этого рода может быть единственным по значению, в самом подлинном смысле слова эпохальным событием в эволюции.

3. ВОЗНИКНОВЕНИЕ ЕДИНСТВА ИЗ МНОГООБРАЗИЯ

Как поняли многие мыслители, и философы, и естествоиспытатели, прогресс в развитии жизни почти всегда достигается таким образом, что некоторое число различных и ранее функционировавших независимо друг от друга систем интегрируется в некоторое целое высшего порядка и что в процессе такой интеграции в них происходят изменения, делающие их более подходящими для сотрудничества со вновь возникающей целой системой. Как известно, Гёте определил развитие как дифференциацию и подчинение частей. Людвиг фон Берталанфи с большой точностью описал этот процесс в своей теоретической биологии и привел ряд примеров. У. Г. Торп весьма убедительно показал в своей книге "Наука, человек и нравственность", что возникновение некоторого целого из многообразия различных частей, которые становятся при этом еще более непохожими друг на друга, есть важнейший творческий принцип эволюции: "Unity out of diversity"[1]*. Наконец, Тейяр де Шарден выразил то же в самой краткой и поэтически самой прекрасной форме: "Créer, c'est unir"[2]*. Этот принцип, по-видимому, действовал уже при самом возникновении жизни.

---

[1] *"Единство из многообразия" *(англ.).* — *Примеч. пер.*
[2] *"Творить — значит соединять" *(фр.).* — *Примеч. пер.*

Творческое соединение многообразного в единое функциональное целое само по себе означает усложнение живой системы. Но в ходе дальнейшей эволюции новая система часто упрощается посредством "специализации" соединившихся в нее подсистем; именно, каждая из них ограничивается той функцией, которая приходится на ее долю при новом разделении труда, тогда как другие функции, которые ей также приходилось выполнять во время ее независимости, переходят к другим членам целой системы. Даже клетки ганглий* нашего мозга, осуществляющие в совокупности высшие духовные функции, каждая в отдельности далеко уступают амебе или туфельке, причем не только в отношении отдельной функции клетки, но также и в отношении существенной информации, лежащей в основе этой функции. Амеба или парамеция располагает целым рядом осмысленных ответов на внешние стимулы и "знает" много важных вещей об окружающем мире. Но клетка ганглии "знает" лишь, когда она должна выстрелить, и даже этот выстрел она не может сделать ни сильнее, ни слабее: он должен быть лишь произведен или нет по принципу "все или ничего". Это "поглупение" члена, встроенного в высшее целое, имеет, естественно, свой положительный смысл: оно необходимо для функции целого, поскольку обеспечивает однозначность передачи сообщений. "Депеша", переданная клеткой, не должна быть слабее или сильнее в зависимости от случайного, сиюминутного состояния клетки, точно так же как дисциплинированный солдат не должен выполнять приказ с большей или меньшей энергией по его собственному усмотрению.

Такое упрощение первоначально независимых подсистем в ходе их интеграции в высшее целое представляет собой явление, наблюдаемое на всех ступенях эволюции. На уровне психосоциального развития человека и его культуры оно ставит перед нами трудные проблемы. Неизбежное развитие обусловленного культурой разделения труда неудержимо ведет к возрастающей специализации во всех человеческих занятиях и хуже всего в науке. Процесс этот приводит к тому, что, как говорит старая острота, специалист знает все больше и больше о все меньшем и меньшем и в конечном счете знает все ни о чем. Существует серьезная опасность, что специалист, которого конкуренция коллег вынуждает ко все более детальному и более специальному знанию, будет все меньше и меньше ориентироваться в других отраслях знания, пока наконец не утратит всякое суждение о том, каково значение и роль его собственной области в рамках большей системы отсчета, сверхличного общего знания человечества, составляющего достояние его культуры. В следующем томе мне придется вернуться к проблеме специалиста*.

Другой вид упрощения более высокоорганизованной системы составляет то, что в человеческой общественной жизни называется "улучшением организации". Так же как любая сконструированная человеком машина в своих первых, опытных образцах устроена сложнее, чем в окончательном варианте, часто упрощаются и живые системы. Взаимодействия, в частности обмен информацией между подсистемами, упрощаются или направляются на более прямые пути, ненужные исторические пережитки устраняются или, как это называется на биологическом языке, "рудиментируются". Особенно типично упрощение посредством "лучшей организации", происходящее в сверхличных, объединенных культурой сообществах людей.

4. ОДНОСТОРОННЕЕ ОТНОШЕНИЕ МЕЖДУ УРОВНЯМИ ИНТЕГРАЦИИ

Описанный выше способ интегрирования уже существующих подсистем в некоторое функциональное целое имеет своим следствием весьма своеобразное, в известном смысле *одностороннее* отношение, равным образом существующее *внутри* организма, между его целой системой и подсистемами, а также между высшими организмами и их уже вымершими примитивными предками. То же отношение существует в принципе между всем живым и неорганической материей, из которой оно состоит. Это отношение можно выразить онтологически* словами: целое *есть* все его части и продолжает этим оставаться, даже если в процессе эволюции оно обогащается *вдобавок* рядом новых системных свойств, создаваемых последовательными "фульгурациями". Сами подсистемы не приобретают при этом никаких новых и высших системных свойств, более того, в процессе уже описанного упрощения они могут даже потерять некоторые из них. Но ни одна закономерность, присущая подсистемам, не нарушается их вхождением в целое, и меньше всего — закономерности, управляющие неорганической материей, из которой построено все живое.

Таким образом — и в этом состоит рассматриваемый здесь односторонний характер отношения, — целая система обладает всеми свойствами своих членов, и прежде всего разделяет все их слабости, поскольку никакая цепь, разумеется, не может быть прочнее ее слабейшего звена. Но ни одна из множества подсистем не обладает свойствами целого. Весьма сходным образом каждый высший организм обладает большею частью свойств своих предков, но в то же время никакое сколь угодно точное знание свойств некоторого живого существа не позволяет нам предсказать свойства его выше развившихся потомков. Это вовсе не означает, что высшие системы не поддаются анализу и естественному объяснению. Но при этом исследователь в своих аналитических устремлениях никогда не должен забывать, что свойства и закономерности всей системы в целом, а также любой из ее подсистем всегда должны объясняться, исходя из свойств и закономерностей тех подсистем, которые находятся на *ближайшем*, низшем уровне интеграции. А это возможно лишь в том случае, если *известна структура,* соединяющая подсистемы этого уровня в высшее единство. Предполагая полное знание такой структуры, можно в принципе объяснить естественным способом, т. е. без привлечения сверхъестественных факторов, любую, даже самую высокоорганизованную живую систему со всеми ее функциями.

5. НЕ ПОДДАЮЩИЙСЯ РАЦИОНАЛИЗАЦИИ ОСТАТОК

Впрочем, это утверждение о принципиальной объяснимости живого существа справедливо лишь в той мере, в какой мы считаем данными *нынешние* структуры его тела; иначе говоря, мы поступаем при этом таким образом, как будто его *историческое возникновение* нас не интересует. Но как только мы задаем себе вопрос, почему определенный организм имеет данную, а не иную структуру, мы вынуждены искать важнейшие ответы в предыстории соответствующего вида. Если мы спрашиваем, почему наши уши находятся как раз на этом месте — по обе стороны головы, то этот вопрос допускает законный *каузальный** ответ: потому что мы происходим от предков, дышавших в воде и имевших в этом месте жаберную щель, так называемое брызгальце, сохранившееся при переходе к сухопутному образу жизни в качестве проводящего воздух канала и после изменения функции используемое для слуха.

Число чисто исторических причин, которые надо было бы знать, чтобы объяснить до конца, почему организм устроен "так, а не иначе", если не бесконечно, то, во всяком случае, настолько велико, что для человека в принципе невозможно проследить все такие цепи причинных связей, даже если бы они имели конец. Таким образом, всегда остается, как говорит Макс Гартман, некоторый *иррациональный*, или не поддающийся рационализации, *остаток*. То обстоятельство, что эволюция произвела в Старом Свете дубы и человека, а в Австралии — эвкалипты и кенгуру, обусловлено именно этими уже не поддающимися исследованию причинами, которые мы обозначаем обычно пессимистическим термином "случай".

Хотя, как надо снова и снова подчеркивать, в качестве естествоиспытателей мы не верим в чудеса, т. е. в нарушения всеобщих законов природы, мы вполне отдаем себе отчет в том, что нам никогда не удастся до конца объяснить возникновение высших живых существ из их более низкоорганизованных предков. Как подчеркнул в особенности Майкл Поланьи, высшее живое существо не "сводимо" к своим более простым предкам, и тем менее живая система может быть "сведена" к неорганической материи и происходящим в ней процессам. Впрочем, в точности то же относится к сделанным человеком машинам, которые представляют поэтому хорошую иллюстрацию того, в каком смысле здесь понимается несводимость. Если имеется в виду их современное, физическое устройство, то они до конца поддаются анализу, вплоть до идеального доказательства правильности анализа — полной осуществимости синтеза, т. е. практического изготовления. Но если имеется в виду их историческое, телеономное* становление как органов Homo sapiens, то при попытке объяснить, почему эти машины устроены "так, а не иначе", мы сталкиваемся с таким же не поддающимся рационализации остатком, как и в случае живых систем.

Как можно предположить, Поланьи далек от того, чтобы постулировать виталистические факторы; но, чтобы полностью исключить такое недоразумение, я предпочитаю говорить, что система, принадлежащая более высокому уровню интеграции, *не выводима* из более низкой, как бы точно мы ее ни знали. Мы знаем с полной уверенностью, что высшие системы возникли из низших, что они построены из них и до сих пор содержат их в качестве составных частей. Мы знаем также с полной уверенностью, каковы были предыдущие стадии, из которых возникли

275

высшие организмы. Но каждый акт построения представлял собой "Fulguratio", случившуюся в эволюции как единственное, своеобразное событие, и это событие в каждом случае носило характер случайности или, если угодно, *изобретения.*

Глава 3
СЛОИ РЕАЛЬНОГО БЫТИЯ

1. КАТЕГОРИИ БЫТИЯ НИКОЛАЯ ГАРТМАНА*

"Справедлив ли известный упрек в адрес философии Канта, что из нее вовсе исключен вопрос об основе бытия? Не следует ли, напротив, полагать, что проблема проведения границ и вообще проблема объективной истинности как раз и ставит вопрос об основах бытия? В самом деле, понятие лишь в том случае может подходить к некоторому предмету, если оно приписывает ему качества, действительно ему присущие. Таким образом, "объективная истинность", во всем ее объеме, предполагает, что категория разума есть в то же время предметная категория".

Как видно из этих высказываний Николая Гартмана, то, что побуждает его отождествить категории человеческого мышления с категориями внесубъективной реальности, — это его глубокое, коренное убеждение в существовании подлинного внесубъективного мира. Категория означает для него высказывание, предикат. Он говорит: "Категории суть основные предикаты сущего, предшествующие всем специальным соотношениям (Predikationen) и в то же время образующие их рамки". И в другом месте: "... сами они суть наиболее общие формы высказываний — а также колеи для возможных более специальных высказываний, — и тем не менее они выражают основное строение предметов, к которым они относятся. Смысл этого состоит в том, что выраженное таким образом основное строение предметов как раз присуще им в их бытии, *и притом независимо от того, высказаны эти суждения о предметах или нет* (курсив мой. — *К. Л.*). Все сущее, когда оно высказано, является в виде предикатов. Но предикаты не тождественны с ним. Понятия и суждения создаются не ради них самих, а ради сущего.

Внутренний, онтологический смысл суждения в том, что его логически имманентная форма трансцендирует*. Именно это придало понятию "категория" его онтологическую устойчивость, вопреки всем недоразумениям".

Если Гартман, как это достаточно ясно вытекает из цитированных утверждений, уверенно предполагает, что категории разума суть в то же время категории предметного мира, и если он основывает на этом, как он в действительности делает, свое убеждение в существовании и в относительной познаваемости внешнего мира, то он тем самым ближе всего подходит в своих основных гносеологических позициях к точке зрения гипотетического реализма, для которого категории и формы созерцания человеческого познавательного аппарата представляются чем-то очевидным образом возникшим в ходе эволюции и "подходящим" к условиям внесубъективного мира — аналогичным образом и по аналогичным причинам, как лошадиное копыто "подходит" к поверхности степи или плавник рыбы к воде. Конечно, Гартман был весьма далек от того, чтобы искать генетически-историческое объяснение утверждаемого им соответствия между категориями разума и категориями предметного мира. Однако его взгляды на строение реального мира, в особенности мира живых организмов, развитые им на основе его учения о категориях, столь полно совпадают со взглядами филогенетика*, что я всегда затрудняюсь пересказать ход мыслей Гартмана, не протаскивая в его учение о слоях эволюционные интерпретации. Однажды я спросил моего друга Вальтера Роберта Корти, близко знавшего Гартмана, что, по его мнению, сказал бы великий философ об эволюционном истолковании его учения. Корти ответил, что Гартман отверг бы такое истолкование, но прибавил утешительно: "Впрочем, именно это делает его теорию *съедобной*"*. В следующем разделе я опираюсь на это изречение подлинного философа.

2. УЧЕНИЕ НИКОЛАЯ ГАРТМАНА О СЛОЯХ РЕАЛЬНОГО БЫТИЯ

В реальном мире, где мы живем, говорит Николай Гартман, мы находим *слои,* каждому из которых присущи особые категории бытия или группы категорий бытия, присутствие или отсутствие которых отделяет этот слой от других. "В ступенчатом устройстве реальности имеются определенные основные феномены, отделенные непреодолимыми различиями", так что "согласованная с феноменами теория категорий должна принимать во внимание эти подразделения, так же как нарушающие их связи между явлениями бытия..." Но эти связи, проникающие через границы, которыми отделены друг от друга четыре великих слоя реального бытия — неорганического, органического, психического и духовного — действуют всегда *односторонне*. Принципы бытия и законы природы, справедливые в неорганическом мире, сохраняют свою безусловную силу и в высших слоях. Гартман пишет: "Таким образом, органическая природа возвышается над неорганической. Она не может, однако, быть независимой, а предполагает отношения и закономерности материального мира; она основывается на них, хотя они никоим образом не достаточны, чтобы составить живое. Точно так же психическое бытие и сознание обусловлено несущим их организмом, в котором и вместе с которым они только и могут явиться на свет. Подобным же образом великие исторические явления духовной жизни связаны с психической жизнью индивидов, их носителей в тех или иных условиях. Перемещаясь от слоя к слою через разделяющие их границы, мы каждый раз обнаруживаем одно и то же отношение основанности на "низшем", обусловленности этим "низшим" и в то же время самостоятельности высшего в его своеобразии и собственной закономерности.

Это отношение и есть, по существу, единство реального мира. При всем разнообразии и всей неоднородности мира он вовсе не лишен единства. Он обладает единством некоторой системы, но это система, состоящая из слоев. Реальный мир имеет слоистое строение. Дело здесь не в том, что разделительные границы непреодолимы — потому что они, может быть, непреодолимы только "для нас", — а в появлении новых закономерностей, новых способов образования категорий, хотя и зависящих от низшего слоя, но своеобразных и самостоятельных по отношению к нему".

Это прекрасное место из работы Гартмана свидетельствует, таким образом, о фундаментальном совпадении его чисто онтологически обоснованных взглядов со взглядами филогенетика, черпающего свое знание из сравнительного и аналитического изучения живых организмов. Учение Гартмана о слоях осуждалось как "псевдометафизическая конструкция", и совершенно несправедливо, потому что оно вовсе не является таковой. Оно построено не на дедуктивной спекуляции, а на эмпирическом материале и согласуется с явлениями и многообразием нашего мира, не разрывая его на разнородные составные части.

С моей точки зрения, самое убедительное доказательство онтологической правильности этого учения состоит в том, что оно, вовсе не принимая во внимание факты эволюции, тем не менее в точности с ними согласуется, подобно тому как согласовалась с ними любая хорошая работа по сравнительной анатомии, даже выполненная до Дарвиновых открытий. Построенная Гартманом последовательность великих категорий бытия просто-напросто совпадает с порядком их возникновения в истории Земли. Неорганическое существовало на Земле очень долго до появления органического; гораздо позже в ходе эволюции возникали центральные нервные системы, которым можно приписать субъективное переживание, т. е. "психику"*. И наконец, лишь в новейшей стадии творения выступила на сцену духовная жизнь.

Гартман отчетливо говорит, что категориальные различия между низшими и высшими слоями никоим образом не сводятся к великим границам, разделяющим неорганическое и органическое, органическое и психическое, наконец, психическое и духовное. Он говорит: "Высшие формации, из которых состоит мир, расслоены подобно тому, как расслоен сам мир". Для нас это означает, что каждый шаг эволюции, ведущий от существа низшей ступени организации к существу высшей ступени, в принципе имеет тот же характер, что и само возникновение жизни.

3. НАРУШЕНИЯ ПРАВИЛ КАТЕГОРИАЛЬНОГО АНАЛИЗА ФЕНОМЕНОВ И КАУЗАЛЬНОГО АНАЛИЗА СИСТЕМ*

Согласованность онтологии Гартмана с эволюционным изучением систем становится особенно очевидной, если рассмотреть, наряду с их закономерными методами, также их, к сожалению, столь частые нарушения. Онтолог озабочен тем, чтобы его описание внешней действительности *согласовалось с феноменами,* т. е. чтобы никакому явлению действительности не приписывались не подходящие к нему категории бытия, и при этом не были бы пропущены никакие категории, которые для этого явления характерны. Гартман говорил: "Легко усмотреть, что в устройстве реального мира существует некоторое расслоение; непредубежденный взгляд просто неизбежно обнаруживает его. И оно в самом

278

деле было замечено уже давно. Но представление о расслоенности не могло быть беспрепятственно принято по той причине, что ему всюду противостоял *постулат единства мира, выдвинутый спекулятивным мышлением"*.

Метафизическая спекуляция проявляется, например, в том, каким образом радикальный механицизм пытается объяснить все мироздание категориями и закономерностями классической механики, попросту недостаточными для этой цели. Когда механицист пренебрегает при этом закономерностями высшего порядка, отделяющими более высокие слои от низших и поднимающими их над низшими, или вовсе их отрицает, то возникает очевидная, но прямо-таки неискоренимая ошибка перехода границы "снизу вверх". Все так называемые "измы", такие, как механицизм, биологизм, психологизм и т. п., стремятся охватить процессы и закономерности, характерные и единственно свойственные высшим слоям, категориями явлений, относящимися к низшим, *что попросту невозможно.*

Такое же насилие над наблюдаемыми явлениями происходит, когда разделительная граница нарушается в обратном направлении. Гартман говорит об этом заблуждении, в некотором смысле противоположном предыдущему: "Исходный пункт всей картины мира выбирается в этом случае на высоте психического бытия — где человек переживает ее в своем самоощущении, — и оттуда принципы переносятся "сверху вниз", на низшие слои реальности". Все панпсихические картины мира, как, например, учение Лейбница о монадах, учение Якоба фон Юкскюля об окружающем мире и даже остроумная попытка Вейделя разрешить психофизическую проблему, впадают в одну и ту же ошибку, пытаясь объяснить все многообразие мира на основе единственного рода принципов бытия и становления.

Потребность в таком образе действий с целью прийти, насколько возможно, к единой картине мира у многих мыслителей кажется прямо непреодолимой. Иначе невозможно объяснить, как может человек со здравым рассудком отказывать собаке или шимпанзе в субъективном переживании, как это делал Декарт, или приписывать такие свойства атому железа, чему показал пример Вейдель.

Все открытия современной системной теории эволюции, относящиеся к возникновению новых системных свойств и к одностороннему отношению между разными уровнями интеграции, отчетливо свидетельствуют, что каузальный анализ, согласный с системными свойствами живой системы, приводит к результатам и связан с методами, которые весьма близки к результатам и методам гартмановского согласованного с феноменами категориального анализа. Более того, можно даже утверждать, что лишь согласованный с системами каузальный анализ позволяет показать, *почему* порицаемые Гартманом нарушения границ приводят к столь тяжким заблуждениям. Мы в точности понимаем, почему невозможно вывести свойства более высокоинтегрированной системы из свойств низшей системы (см. с. 275), а также почему столь бессмысленно пытаться проследить — и тем более постулировать — в отдельных подсистемах целой системы или у более простых предков высшего организма те свойства и функции, которые начинаются лишь с творческого акта высшей интеграции.

В этой книге мне придется особенно много заниматься одним типичным заблуждением этого рода — упорным стремлением многих психологов и исследователей поведения обнаружить адаптивное обучение не только у низших организмов, которым его попросту "еще" недостает, но, что хуже, в таких подсистемах высших организмов, которые не только не поддаются модификации посредством обучения, но, более того, по уже указанным в главе I причинам (с. 267) предохраняются от любой модификации их филогенетическим программированием. Психологу без биологической подготовки, обязанному большей частью своего практического знания о живых существах обращению с людьми и высшими млекопитающими и, сверх того, воспитанному в доктрине, рассматривающей рефлекс и условный рефлекс как простейшие и примитивнейшие элементы любого поведения животных и человека, может показаться едва ли не само собою разумеющимся приписать даже простейшим и низшим беспозвоночным хотя бы простые задатки или "ориенты"* условных реакций, и он будет держаться этого заблуждения со всей страстностью, происходящей от потребности в единой картине мира. Силой этой мотивации объясняется также целый ряд самообманов — иногда поистине трагических — при попытках обнаружить "обучение" также у низших организмов.

4. ЗАБЛУЖДЕНИЕ, СОСТОЯЩЕЕ В ПОСТРОЕНИИ АНТАГОНИСТИЧЕСКИХ ПОНЯТИЙ

Как было показано в предыдущем разделе, разным слоям реального бытия соответствуют весьма различные категориальные свойства, зависящие от различных уровней интеграции системы. Были рассмотрены ошибки, происходящие от стремления понять мир из единого объяснительного принципа, объяснить более простые системы на основе слишком высоких, и обратно — высокоинтегрированные системы на основе слишком элементарных принципов.

Теперь мы займемся противоположным заблуждением человеческой познавательной деятельности, состоящим в забвении того общего, что в равной мере присуще всем слоям реального мира. Образование антагонистических понятий, противопоставление альфы и не-альфы, есть форма мышления, которая, как и стремление к объяснению из единого принципа, несомненно является врожденным свойством человека, в некотором смысле уравновешивающим это стремление.

Уже описанное в разделе 4 главы 2 (см. с. 274) одностороннее проникновение слоев снизу вверх допускает два вида высказываний об общем и о различном. Можно, например, говорить, что все жизненные процессы суть химические и физические явления, что все субъективные процессы нашего переживания суть органические, физиологические и тем самым также химико-физические процессы и, наконец, что вся духовная жизнь человека в том же смысле происходит во всех этих лежащих в основе слоях. Столь же правильно и законно говорить: жизненные процессы "по существу", т. е. в смысле принципов бытия и становления, присущих только им одним, составляющих только их существенную особенность и прежде всего возвышающих процессы жизни над другими химико-физическими явлениями, представляют собой нечто совсем иное, чем эти явления. Сопровождаемые переживаниями нервные процессы суть нечто совершенно иное, чем неодушевленные нервно-физиологические процессы; и человек, обладающий в качестве наделенного духовной жизнью существа культурно обусловленным сверхличным знанием, умением и волей, тем самым отличается по своей сущности от своих ближайших зоологических родичей.

Между этими двумя рядами высказываний есть лишь кажущееся противоречие, и решение этой мнимой проблемы, которая может стать тяжким препятствием в развитии человеческого познания, является одним из важнейших достижений, к которым приводят независимо друг от друга, но в полном согласии между собой онтология Гартмана и каузально-аналитическое исследование живых систем: одностороннее проникновение слоев или уровней интеграции приводит к тому, *что к ним неприменима форма мышления, основанная на взаимно исключающих противоположностях (die Denkform des kontradiktorischen Gegensatzes).* В никогда не есть не-А, а всегда А + В, С есть А + В + С и так далее. Но хотя в действительности неуместно подчинять слои реального мира дизъюнктивным понятиям, такие понятия угнездились бесчисленными парами в нашем мышлении, в нашем научном и обиходном языке: природа и дух, тело и душа, животное и человек, естество и воспитание*.

Когда мы в нашем модельном примере (см. с. 271) интегрируем в единую систему две системы (a) и (b), т. е. составляем цепь с индукционной катушкой и конденсатором, то это новое единство все еще состоит из обеих подсистем, являющихся его частями, но обладает свойствами, никоим образом даже в зачаточном виде не заметными в этих подсистемах.

Казалось бы, должно быть столь же понятно, что аналогичные новые фульгурации, буквально на каждом шагу происходившие в ходе эволюции, при всей своей новизне оставляли в силе старые системные свойства.

Но есть представители философской антропологии, по-видимому, никак не способные это понять и предающиеся бесконечным бесплодным дискуссиям о том, отличается ли человек от "животного" "по своему существу" или только "степенью". Они не знают или не понимают, что *любое* вновь возникающее системное свойство, подобно колебательному характеру тока в нашей модели, безусловно, означает не "постепенное", а принципиальное изменение. Теплокровное животное со своей новой управляющей цепью, поддерживающей постоянство температуры, тем самым принципиально отлично от своих предков с переменной температурой, птичье крыло принципиально отлично от конечности пресмыкающегося, из которой оно возникло, и в точности в этом, и ни в каком ином смысле человек принципиально отличен от других антропоидов. Мой учитель Оскар Гейнрот имел обыкновение дружелюбно и терпеливо прерывать каждого, кто в его присутствии говорил в дизъюнктивных терминах о "человеке" и "животном", спрашивая: "Простите, когда вы говорите о животном, имеете ли вы в виду амебу или шимпанзе?"

5. РЕЗЮМЕ ДВУХ ПРЕДЫДУЩИХ ГЛАВ

Я хотел бы выделить из двух предыдущих глав, посвященных возникновению новых системных свойств и учению о слоях Николая Гартмана, три факта, имеющих значение для главной темы этой книги — сравнительного исследования строения и филогенеза когнитивных механизмов. Как и все жизненные процессы, процессы приобретения и накопления информации, способствующей сохранению вида, многослойны и сложно сплетены между собой. При их рассмотрении мы будем все время встречаться со следующими тремя фактами:

Во-первых. Простые и простейшие системы вполне способны функционировать самостоятельно, так же как простейшие организмы жизнеспособны и всегда были таковы, потому что иначе из них никак не могли бы возникнуть более высокоорганизованные потомки.

Во-вторых. Новая и сложная функция часто, если не всегда, возникает посредством интеграции нескольких уже имевшихся более простых функций, которые и в отдельности, независимо от этой позднейшей интеграции, способны были к функционированию, а затем никоим образом не исчезают и не теряют своей важности, функционируя в качестве необходимых составных частей нового единства.

В-третьих. Совершенно напрасно искать в отдельных, независимо функционирующих подсистемах или в низших организмах те системные свойства, которые возникают лишь на более высоком уровне интеграции.

Глава 4
ПРОЦЕССЫ ПРИОБРЕТЕНИЯ ТЕКУЩЕЙ ИНФОРМАЦИИ

1. ОГРАНИЧЕНИЯ ФУНКЦИИ ГЕНОМА

Несмотря на почти беспредельную емкость генома, его механизм проб и ошибок сам по себе не смог бы поддерживать живые системы в состоянии непрерывной приспособленности, обеспечивающем их выживание. А именно, когнитивный механизм генома не в состоянии справиться с *быстрыми* изменениями окружающей среды. В самом деле, он ничего не может "узнать" об успехе какого-либо из своих экспериментов, прежде чем не пройдет свой жизненный путь по меньшей мере одно поколение. Поэтому геном со своими процессами может вырабатывать приспособления лишь к таким условиям окружающей среды, которые сохраняются с достаточным статистическим постоянством в течение длительных периодов времени. На языке современной кибернетики можно сказать, что продолжительность поколения есть "время запаздывания", которое должно пройти, прежде чем когнитивный механизм генома начнет реагировать на внешнее влияние.

Однако, как было отмечено уже в "Пролегоменах" и подробнее рассмотрено в разделе 3 главы 1 (с. 266), существует множество хорошо приспособленных механизмов, принимающих и оценивающих информацию, но *не накапливающих* ее. Как уже было сказано выше, их своеобразие часто упускается из виду, поскольку функциональные аналогии между простейшей и самой первичной формой приобретения знания, какую представляет геном, и высшими формами человеческого стремления к познанию, воплощенными в культуре, слишком легко заставляют забывать, что между этими процессами, происходящими на разных уровнях органического бытия, располагается целый слой необходимых когнитивных функций, сообщающих знание о состоянии среды *в данный момент* и составляющих тем самым основу для всех более высоких видов опыта и обучения. К процессам этого рода мы и должны теперь обратиться. Они существуют у всех живых организмов, в том числе у бактерий и растений.

2. РЕГУЛИРУЮЩИЙ КОНТУР, ИЛИ ГОМЕОСТАЗ

Все физиологические механизмы, получающие кратковременную информацию и тем самым преодолевающие время запаздывания генома, обладают такой способностью благодаря *структурам,* соответствующая конструкция которых выработана геномом с помощью его метода проб и ошибок. Здесь заключена проблема: даже простейшая форма приобретения текущей информации, а именно регулирующий контур, или гомеостаз, связана со структурой и тем самым с результатами метода проб и ошибок, свойственного геному; а поскольку, с другой стороны, жизнь как таковая, вряд ли мыслима без гомеостаза, то возникает вопрос, отличающийся от известного вопроса о курице и яйце лишь тем, что он имеет смысл.

Мы уже видели на с. 272, что такое регулирующий контур, или цикл с отрицательной обратной связью. В мире организмов существует бесчисленное множество регулирующих контуров всевозможных степеней сложности, начиная от простейших механизмов, поддерживающих некоторое устойчивое состояние на "чисто" химическом уровне, вплоть до высокодифференцированных устройств, в которых сложнейшие функции органов чувств и центральной нервной системы поддерживают, через поведение отдельных индивидов или целых сообществ, определенное "заданное значение", например благоприятную для сохранения вида плотность популяции, как это удалось показать Уинн-Эдвардсу для различных видов животных.

Вообще, когда организм восстанавливает свое внутреннее равновесие после некоторой помехи или сохраняет его вопреки внешним воздействиям, угрожающим этому равновесию, это значит, что он получил и целесообразно оценил информацию о характере и степени соответствующего изменения окружающей его среды. Если, например, животное, находящееся в бедной кислородом среде, учащает свое дыхание или при избытке пищи временно приостанавливает еду, и т. п., это значит, что живая система информирована не только о своей собственной потребности в некоторых веществах, но также о "рыночной конъюнктуре", существующей в данный момент в окружающей среде для этих веществ.

Как и многие другие механизмы, с помощью которых организм получает информацию о текущем положении в окружающем мире, регулирующий контур действует неограниченно долго без всякого изменения его функции. Иными словами, если отвлечься от нежелательных явлений износа и старения, его запрограммированная геномом структура в течение длительного времени остается неизменной. Информация, для приема и использования которой устроен этот аппарат, сразу же оценивается, *но не накапливается*.

3. СТИМУЛИРУЕМОСТЬ

За исключением некоторых форм гомеостаза все процессы, с помощью которых организм получает и оценивает мгновенную информацию, основаны на его способности отвечать на так называемые стимулы (Reize). Стимул и стимулируемость (Reizbarkeit) определяли весьма различным образом. Вообще под стимулированием понимают такое явление, когда некоторое внешнее воздействие, в смысле причины, запускающей некоторый процесс, но не обязательно с прямым приложением силы, — воздействие, которое и называется "стимулом", вызывает ответ со стороны организма либо в виде некоторого процесса движения (включая любое изменение состояния движения), либо посредством выделения некоторых веществ, т. е. секреции. Когда говорят о стимулируемости, то, во всяком случае для низших организмов, чаще всего имеют в виду "запускаемость" (Auslösbarkeit) движений. Лишь у высших животных разделение труда между нервной и мышечной системами приводит к тому, что эти животные могут принимать и оценивать стимулы, не обязательно отвечая на них немедленным движением.

По-видимому, неизвестно, происходит ли когда-нибудь у самых низших организмов движение без стимуляции. Бактериологи не смогли ответить мне, существуют ли подвижные живые существа, не способные отвечать на стимулы. В принципе можно предполагать, что подвижность, в особенности способность к перемене места, может увеличивать вероятность получения энергии также и в том случае, когда она не сопровождается приобретением информации.

Но у большинства живых существ способность отвечать на стимулы тесно связана со способностью к перемене места, к перемещению. Можно сказать, что первичная и важнейшая функция перемещения состоит в том, что животное избегает опасной ситуации. Возможно, еще более примитивная функция движений тела заключается в том, что организм, стягивая, насколько возможно, свое тело, выставляет против вредных воздействий внешнего мира как можно меньшую поверхность, покрытую сложенной в складки, утолщенной кожей. С этим видом реакции избегания, характерным для многих прикрепленных или медленно движущихся организмов, часто соединяется выделение секретов, служащих для защиты поверхности. Так ведут себя одноклеточные, кишечнополостные (Coelenterata) и другие беспозвоночные, например улитки.

На стимулируемости основаны как те процессы, в которых получается и оценивается лишь текущая информация, без ее накопления (как это было уже описано для некоторых контуров регулирования), так и все те, которые происходят в центральной нервной системе и составляют основу самых высоких функций обучения и памяти. Об этих функциях пойдет речь значительно позже.

4. АМЕБОИДНАЯ РЕАКЦИЯ

Примечательным образом самая обычная и простейшая реакция на стимулы в мире организмов, *движение,* может быть направлена в любую сторону трехмерного пространства. Амебоидная клетка, состоящая лишь из "голой" протоплазмы, движется таким образом, что в некотором месте ее наружный слой, эктоплазма, становится тоньше. Затем выпячивается нечто вроде разорванного мешка, которое при дальнейшем, локализованном утончении внешней оболочки вырастает в ложноножку, так называемый псевдоподий. Далее содержимое клетки, следуя направлению наименьшего сопротивления, вливается в псевдоподий, основание которого все более наполняется и утолщается, и таким образом вся клетка постепенно движется в соответствующем направлении. Рост псевдоподиев сопровождается утолщением и стягиванием эктоплазмы на той стороне ползущей амебоидной клетки, которая в процессе движения оказывается сзади.

Процесс образования ложноножек и продвижения в их направлении прежде объясняли, предполагая, что их главной причиной являются изменения поверхностного натяжения. И в самом деле, на искусственных, неживых моделях можно весьма изящно имитировать весь этот процесс, меняя поверхностное натяжение шаровидной капли. Но после длительного наблюдения амеб в достаточно естественной среде я пришел к убеждению, что такое объяснение слишком просто. Как я уже давно утверждал, можно непосредственно наблюдать, как плазма амебы непрерывно переходит из золеобразного состояния в гелеобразное и обратно, оставаясь жидкой внутри клетки в основании ложноножки, где она протекает вперед, и снова застывая, как текущая лава, при соприкосновении с внешним миром, т. е. с водой или дном сосуда. То, что при поверхностном рассмотрении кажется уменьшением поверхностного натяжения и что в самом деле производит такое же механическое действие, — это частичное растворение гелеобразной эктоплазмы, начинающееся изнутри в том месте, где должен образоваться псевдоподий. Это представление, основанное на простых наблюдениях, было впоследствии полностью подтверждено исследованиями Л. фон Гейльбрунна. Когда поверхность подвергается вредному раздражению, отчего она как будто болезненно стягивается и начинает уползать от раздражителя, это происходит вследствие перехода в гелеобразное состояние жидких до этого частей плазмы, непосредственно примыкающих к раздраженному месту. Стягивание вызывается тем, что переход в гелеобразное состояние сопровождается некоторым уменьшением объема протоплазмы, а это производит такое же механическое действие, как увеличение поверхностного натяжения.

Но течение внутренней плазмы, конечно, не может быть обусловлено лишь перепадом давления, вызванным только что описанными процессами. В самом деле, течения протоплазмы известны также и в растительных клетках, заключенных в жесткую целлюлозную оболочку, где давление везде одно и то же.

Когда амебу наблюдают в ее естественной жизненной среде, т. е. не на подложке микроскопа, а свободно движущейся в чашке с культурой, где она живет, то обнаруживается поразительное разнообразие и приспособленность ее поведения. Как говорит лучший знаток простейших Г. С. Дженнингс, если бы она была размером с собаку, можно было бы без колебаний приписать ей субъективное переживание. И единственный способ движения, описанный выше, позволяет амебе справляться со всеми ситуациями окружающей среды. Следует иметь в виду, что с помощью одного и того же механизма амеба "боязливо" бежит от вредного воздействия, стремится к благоприятному воздействию, а в оптимальном случае "жадно" обтекает предмет, от которого исходит позитивный стимул, и поглощает его. Амеба бежит и ест с помощью одного и того же механизма движения!

Приспособительная информация, обусловливающая кажущуюся разумность амебы, основывается исключительно на ее способности избирательно реагировать на весьма различные внешние стимулы; при этом, однако, величина реакции может быть столь разной, что наблюдатель может усомниться в тождестве механизма движения. Амеба, медленно переползающая в более благоприятное место обитания под действием какого-нибудь перепада температуры, кислотности и тому подобного, производит совершенно иное впечатление, чем амеба, "бросающаяся" на добычу или тем более намеревающаяся с кажущейся хитростью захватить несколькими псевдоподиями быстро движущуюся жгутиковую инфузорию. Большое разнообразие поведения и ориентация во всех трех направлениях, достигаемая столь простым способом, придают амебе вид удивительно "разумного" существа. Между тем эти свойства, если можно так выразиться, вовсе не являются "заслугой" амебы, поскольку они происходят от особенностей, присущих протоплазме, как таковой, и тем самым живому организму, состоящему из одной протоплазмы.

Когда же эта Протеева способность создавать в любом месте функциональный передний и задний конец тела приносится в жертву твердой структуре, прежде всего продольно вытянутой обтекаемой форме всех быстро плавающих организмов, тогда возникает совершенно новая проблема: как целесообразно управлять этим быстрым, но жестким кораблем, перемещая его по всем трем направлениям пространства. Среди многоклеточных лишь немногие радиально-симметричные организмы, например морские звезды, способны передвигаться в любую сторону, хотя только в двух измерениях. И если осьминог, это удивительное сказочное существо, при поверхностном наблюдении кажется свободным от ограничений, налагаемых твердыми структурами всех высших организмов, если он в самом деле обладает, подобно амебе, полной свободой перемещения в любом направлении пространства, то он обязан этим не отсутствию структур, но их многообразию и совершенному владению ими.

5. КИНЕЗИС

Теперь нам предстоит рассмотреть ряд механизмов управления, позволяющих животным со структурно закрепленными передним и задним концами целесообразно использовать для сохранения вида свою способность к передвижению, отыскивая места, где более вероятно приобретение энергии и менее вероятна ее потеря. Может показаться удивительным, что это может быть достигнуто без воздействия на *направление* движения. И все же это возможно. Организм, движущийся в случайном направлении, ускоряющий при этом свое движение, как только окружающие условия становятся неблагоприятными, и замедляющий движение, когда они благоприятны, достигает требуемого эффекта таким чисто количественным воздействием на процесс движения. В виде иллюстрации можно представить себе (нежелательный, впрочем) процесс, когда число автомобилей возрастает в тех местах улицы, где условия замедляют движение. Если бы на их месте были простейшие животные вблизи разлагающейся частицы растения, то их поведение было бы целесообразным. Этот простейший вид поведения, ведущий к возможно более длительному пребыванию в возможно более благоприятных условиях среды, Френкель и Ганн назвали *кинезисом* (что означает движение).

У многих организмов этот процесс становится еще более эффективным оттого, что животные, движущиеся не прямолинейно, а более или менее зигзагообразно, увеличивают угол между случайно распределенными направлениями движения, как только попадают в благоприятные условия. Как легко понять, таким образом они значительно выгоднее используют пригодную для эксплуатации область. Такой процесс, под названием клино-кинезис, наблюдается большею частью в комбинации с простым кинезисом у самых разнообразных организмов, и отнюдь не только у простейших и беспозвоночных, но — в самом чистом виде — у многих равноногих ракообразных*, принадлежащих, как известно, к высшим ракам. Такие же в формальном и функциональном отношении, но основанные на гораздо более сложных сенсорных и нервных процессах способы поведения имеются у млекопитающих: достаточно представить себе пасущихся жвачных или людей, ищущих грибы.

Кинезис в собственном смысле замечателен простотой своего механизма. Здесь достаточен единственный рецептор, чисто количественным образом действующий на единственный способ движения. Это, насколько я могу понять, есть простейший процесс, с помощью которого организм, способный не амебоидно передвигаться во всех направлениях, может получать и оценивать *текущую пространственно ориентирующую информацию*. То, что организм узнает о внешнем мире, можно выразить простыми словами: "Здесь лучше" или "Здесь не так хорошо". Следствия, которые он выводит из этого "знания", столь же просты: "Здесь мы еще побудем" или "Отсюда надо поскорее уйти". При этом животное ничего не узнаёт о направлении перепада*, в котором внешняя среда становится лучше или хуже.

6. ФОБИЧЕСКАЯ РЕАКЦИЯ

Есть ряд низших организмов, реагирующих стереотипной реакцией *обращения*, когда перемена места приводит их к перепаду стимула, означающему быстрое ухудшение условий среды. В таком случае организм узнает нечто и о *направлении*, в котором находится подлежащее избеганию. Но если, наоборот, животное встречается с изменением, означающим улучшение жизненных условий, то реакция отсутствует, если только не действует кинезис, как это бывает у многих простейших. И лишь когда глупое существо выходит из благоприятной области на другую сторону, т. е. в неблагоприятную среду, оно отвечает на это реакцией избегания; по выражению Отто Кёлера, оно ведет себя точно так же, как поступает человек, кладущий в карман прибавку к заработной плате, не проронив ни слова, но устраивающий большой скандал при любом сокращении его дохода.

Как показал Г. С. Дженнингс и как подчеркивает Альфред Кюн в своей классической книге "Ориентация животных в пространстве", *величина угла поворота животного от неблагоприятного направления не зависит от направления воспринятого стимула*. Например, туфелька (Paramaecium) при своей реакции поворота ведет себя следующим образом. Сначала реснички на всей ее поверхности начинают работать в обратном направлении, так что она проплывает некоторое расстояние назад по тому же пути, по которому двигалась вначале. Затем реснички на одной стороне тела, а также в окрестности рта, подгоняющие ко рту пищу, начинают снова работать "вперед". Вследствие этого туфелька сначала не движется ни вперед, ни назад, а описывает передним концом окружность, причем продольная ось ее тела движется по боковой поверхности конуса. После некоторого промежутка времени, зависящего от силы стимула, но не от его направления, реснички начинают работать, как вначале, и туфелька плывет в направлении, которое занимала в этот момент ее продольная ось. Может случиться, что при возобновлении движения вперед ее тело повернулось по конической поверхности как раз на 360 градусов; тогда она опять плывет навстречу возрастающему стимулу. Может случиться и так, что новое направление оказывается еще менее благоприятным, чем прежнее, и ведет к еще более крутому нарастанию пугающего стимула. В обоих случаях животное повторяет свою реакцию. Этот способ поведения, названный Альфредом Кюном *фобической* реакцией, в отношении объема доставляемой животному информации значительно превосходит кинезис (но никоим образом не амебоидную реакцию). Животное не только узнаёт при этом, что некоторое место неблагоприятно, но также в каком направлении условия еще менее благоприятны, хотя и не получает сведений о том, в каком направлении нежелательные условия хуже всего и тем более в каком направлении надо искать благоприятные условия. Поскольку фобическая реакция не только оказывает количественное воздействие на движение, как это делает кинезис, но вызывает сверх того еще качественно иную реакцию обращения, животное может в течение длительного времени избегать неблагоприятной среды и оставаться в благоприятной, а не только сокращать свое пребывание в первой и удлинять во второй, как это позволяет делать кинезис.

Информация о том, какова благоприятная и неблагоприятная среда, при фобической реакции доставляется организму, так же как при амебоидной реакции и кинезисе, на той стадии общего процесса, на которой стимулы принимаются и в определенном смысле фильтруются. Проблемы, связанные с этой функцией, я рассмотрю в восьмом разделе этой главы[1].

7. ТОПИЧЕСКАЯ РЕАКЦИЯ, ИЛИ ТАКСИС

На гораздо более высоком уровне, как в отношении количества получаемой текущей информации, так и в смысле сложности участвующих процессов, стоит тип реакций ориентации, которые мы назовем вместе с Альфредом Кюном топическими реакциями, или таксисами. После опубликования его уже упомянутого труда было предпринято много важных исследований о пространственной ориентации животных. Для понимания лежащих в ее основе физиологических процессов особенное значение имели те из них, которые основываются на кибернетической точке зрения, на учении о регулирующем контуре, такие, как работы Миттельштедта, Яндера и других. Рамки этой книги не позволяют дать сводное изложение их результатов.

Простейшая топическая реакция, в терминологии Кюна — тропо-таксис, состоит в том, что организм вращается до тех пор, пока между двумя симметрично расположенными рецепторами устанавливается равновесие стимулов. Плоский червь, реагирующий "положительным тропо-таксисом" на течения, приносящие ему запах пищи, вращается до тех пор, пока поток воды с обеих сторон его головного конца достигает равной силы, а затем ползет против течения. Если искусственно устроить такую ситуацию, симметрично направив на голову червя два водяных потока из раздвоенной трубки, то червь проползает между ними по результирующему направлению. От этого простого механизма, почти соответствующего предложенной Лёбом абстракции "тропизма", все мыслимые переходы ведут к нервным организациям со сложнейшими обратными связями; хорошим примером этого является аппарат,

---

[1] *Не следует думать, что фобическая реакция является единственным механизмом ориентации, свойственным парамеции. При более слабом перепаде, а также в случае, когда животное входит в область более сильного перепада под большим углом к нему, оно вполне способно — как показала Вальтрауд Розе — в целесообразной степени изменить свой курс и избежать неблагоприятной среды, не прибегая к фобической реакции. В естественных условиях фобическая реакция наблюдается лишь изредка. Как показал Отто Кёлер, туфелька способна также различать стимулы, затрагивающие ее переднюю и заднюю части. Лишь на первые она отвечает фобически, на последние же — вполне целесообразным ускорением движения вперед. Эта способность различения отказывает при сверхсильных стимулах. Если внезапно поднести к заднему концу туфельки очень горячую иглу, она совершает точно такой же прыжок назад, как при соответствующем раздражении переднего конца. Такой способ поведения, названный Отто Кёлером реакцией испуга, может оказаться для животного гибельным; впрочем, это происходит лишь в условиях, вряд ли встречающихся в его нормальной свободной жизни.

с помощью которого богомол (Mantis) направляет свою атаку на добычу, как это сумел показать Г. Миттельштедт в итоге многолетних исследований.

Все эти топические реакции, от простейших до самых сложных, имеют ту общую черту, что животное сразу же, без проб и ошибок, выбирает пространственное направление, благоприятное для сохранения вида. Иными словами, *величина* угла, на который поворачивается животное, непосредственно зависит от угла между воспринятым стимулом и продольной осью животного. "Отмеренный" поворот характерен для всех топических реакций.

В то время как фобическая реакция дает организму информацию только о направлении, в котором он не должен двигаться, ничего не говоря ему о бесчисленных других направлениях пространства, которые он мог бы избрать, топическая реакция непосредственно информирует животное, *какое* из всех этих возможных направлений наиболее благоприятно. Таким образом, в отношении получаемой информации таксис многократно превосходит и фобическую реакцию, и кинезис, но, подчеркнем еще раз, не реакцию псевдоподий амебоидной клетки.

8. ВРОЖДЕННЫЙ МЕХАНИЗМ ЗАПУСКА

В разделах, посвященных движению амебы, кинезису и фобической реакции, я упомянул уже наряду с функцией приобретения информации, выполняемой соответствующим процессом движения, также функцию физиологического механизма, *запускающего этот процесс.* Организм нуждается не только в структурах, обеспечивающих моторное* осуществление некоторой формы движения, способствующей сохранению вида; ему нужен также аппарат для приема стимулов, говорящих ему, в какой момент и при каких обстоятельствах соответствующая форма поведения имеет шанс выполнить свое назначение.

Когда в физиологии нервной системы был открыт важный принцип *рефлекторной дуги,* казалось естественным охватить понятием рефлекса все процессы, запускающие движение; а когда И. П. Павлов объяснил не менее важный процесс возникновения условных реакций, казалось естественным истолковать все врожденные целесообразные реакции, т. е. реакции, происходящие без предварительного обучения и полезные для сохранения вида, как "безусловные рефлексы". Само по себе такое представление не ошибочно, но оно заслоняет подлинную проблему. Для животного с центральной нервной системой весьма вероятно, что аппарат, принимающий стимулы, так называемый рецептор, связан в одну систему с эффектором, т. е. нервным устройством, осуществляющим целесообразный моторный ответ, посредством нервного пути, хорошо подходящего под общее понятие рефлекторной дуги. В целом ряде случаев точно изучено, как проходит этот путь и из каких нервных элементов он состоит.

Но наша проблема заключается не в самом процессе рефлекса, а в некотором смысле в том, что ему предшествует, в его рецепторном начале. Мы должны спросить себя: как получается, что организм в точности "знает", какая именно реакция должна последовать за данным стимулом, чтобы осуществилась функция, полезная для сохранения вида? Каким образом получается, например, что амеба обволакивает и поглощает не все мелкие частицы, но — за редкими исключениями — только те, которые могут служить ей пищей? Откуда знает маленькое существо, пробивающееся через жизнь с помощью кинезиса, когда и где оно должно плыть быстро или медленно?

Следует предположить, что каждому такому моторному ответу предшествует работа механизма, *фильтрующего стимулы,* т. е. позволяющего действовать лишь тем из них, которые с достаточной статистической достоверностью характеризуют внешнюю ситуацию, где запускаемый способ движения .может оказаться целесообразным. Этот рецепторный аппарат можно сравнить с замком, который отпирается лишь вполне определенным ключом. Поэтому употребляется также выражение *ключевой стимул.* Физиологический аппарат, фильтрующий стимулы, мы назовем *врожденным механизмом запуска,* сокращенно — ВМЗ.

У одноклеточных и низших многоклеточных с их не слишком богатым запасом различных форм движения, по существу ограничивающимся поиском добычи и полового партнера, а также избеганием опасных ситуаций, к избирательности ВМЗ предъявляются не слишком высокие требования. И все же амеба избирательно реагирует на целый ряд стимулирующих ситуаций, хотя ее формы поведения различаются лишь количественно. По сравнению с нею заключенные в жесткую структуру жгутиковые инфузории, к которым принадлежит парамеция, кажутся далеко не столь пластичными. Это животное отыскивает с помощью своих фобических и топических реакций среду с требуемыми свойствами, и прежде всего с определенной концентрацией Н-ионов. Чаще всего встречающаяся в природе кислота есть CO_2*, и ее повышенная концентрация обнаруживается в водах, где находят парамеций, чаще всего поблизости от гниющих остатков растительных веществ; кислоту выделяют скопления бактерий, питающихся этими остатками. Связь эта столь надежна, а присутствие других, особенно ядовитых, кислот столь редко, что парамеция отлично обходится очень простой информацией, которую можно выразить словами: где имеется определенная концентрация кислоты, там собираются съедобные бактерии. Разумеется, программа вида не предусматривает экспериментирующего физиолога, который вводит в жизненное пространство парамеции каплю ядовитой щавелевой кислоты.

У высших животных с хорошо развитыми центральной нервной системой и органами чувств, а также с богатым запасом качественно различных форм поведения, к избирательности врожденных механизмов запуска предъявляются более высокие требования, особенно в тех случаях, когда различные комбинации стимулов, воспринимаемые *одним и тем же* органом, должны вызывать разные ответы. Когда, как, например, в случае самки сверчка, некоторый орган воспринимает лишь единственный вид раздражения, вызывающий единственное ответное поведение, эта проблема не возникает. Как показал Реген, самка сверчка не слышит ничего, кроме призыва самца сверчка. Напротив, мальки большинства видов цихлид оптически реагируют как на образ их матери, за которой они следуют, так и на хищную рыбу того же размера, от которой они спасаются бегством в укрытия. Любой из этих двух способов поведения, примененный к неправильному объекту, означал бы несомненную гибель.

В указанном случае самки сверчка орган слуха теоретически мог бы быть прямо соединен с исполнительным моторным аппаратом. Но в случае рыб между рецептором и эффектором должен быть фильтрующий аппарат, способный различать два вида ключевых стимулов. Сам он может быть расположен только в нервной системе, т. е. между воспринимающим и исполняющим органами.

О том, каким образом ВМЗ осуществляет свою физиологическую фильтрацию, мы знаем очень мало, хотя исследования Леттвина с сотрудниками, а также Экгарда Бутенандта на сетчатке лягушки бросают яркий свет на возможности такой сортировки. В последнее время Швартцкопф и его ученики показали на кузнечиках, что цепь ганглий, которую должны проходить ключевые стимулы, в самом деле выполняет фильтрацию, и установили, как это происходит.

Когда мы видим в естественных условиях, с какой уверенностью и целесообразностью ВМЗ сообщает организму, какие именно способы поведения способствуют в данных обстоятельствах сохранению вида, возникает тенденция к переоценке количества информации, заключенного в таком сообщении. Когда мы видим, как "разумно" ведут себя парамеции вблизи толчеи кормящихся бактерий, или как только что вылупившийся индюшонок при виде пролетающей хищной птицы забивается в ближайшее укрытие, или как молодая пустельга* при первом столкновении с водой купается в ней и затем чистит свои перья, как будто она уже делала это тысячу раз, то мы узнаем почти с разочарованием, что примитивные инфузории ориентируются только по концентрации кислоты, что индюшонок точно так же прячется от большой мухи, ползающей по белому потолку, и что гладкая мраморная плита вызывает у молодой пустельги те же движения, что вода.

Врожденная информация механизма запуска закодирована столь просто, как это только возможно при условии, что в биологически неадекватных ситуациях его действие должно быть маловероятным. Классическим примером простой, но вполне достаточной для животного в естественных условиях информации служит ВМЗ, вызывающий реакцию укуса у обыкновенного клеща (Ixodes rhicinus). Как показал Якоб фон Юкскюль, клещ кусает все, что имеет температуру в 37^0 C и пахнет масляной кислотой. Насколько проста эта характеристика естественного хозяина клеща, млекопитающего, настолько же невероятно, чтобы эту реакцию мог вызвать какой-нибудь другой встречающийся в лесу предмет.

Одно из самых основательных и точных исследований ВМЗ было проведено на мальках цихлид супругами Кюнцер. Хороший обзор современного состояния этой проблемы содержится в работе В. Шлейдта (1964).

9. СВОЙСТВЕННОЕ ВИДУ ИМПУЛЬСИВНОЕ ПОВЕДЕНИЕ В СМЫСЛЕ ОСКАРА ГЕЙНРОТА*

Врожденный механизм запуска играет особую роль, когда он приводит в действие так называемое инстинктивное движение. У организмов, которым жесткий, расчлененный скелет оставляет лишь вполне определенные степени свободы, т. е. прежде всего у членистоногих и позвоночных, всегда есть свойственные виду двигательные координации, запрограммированные в геноме как одно целое и готовые к выполнению. По-немецки они называются наследственными координациями (Erbko ordinationen), или инстинктивными движениями (Instinktbewegungen), по-английски "закрепленными шаблонами движения" ("fixed motor patterns"). Физиологически они характерны тем, что их очень жесткая последовательность движений порождается не сцеплением рефлексов, как естественно было бы предположить, а процессами, происходящими в самой нервной системе *без участия рецепторов*. Эрих фон Гольст, Пауль Вейс и другие посвятили подробные исследования физиологии центрально координированных форм движения. Как показали недавно Э. Тауб и А. Дж. Берман, даже у приматов бо́льшая часть их часто высокодифференцированных двигательных координаций функционирует независимо от какого-либо управления внешними и внутренними рецепторами. При врожденных координациях афферентный* контроль играет роль лишь в общей пространственной ориентации, но несуществен для самого возникновения последовательности движений. Это можно уяснить себе даже без вивисекционных опытов дезафференции (т. е. выключения всех чувствительных нервов) по часто происходящим *холостым движениям,* в которых врожденная координация выполняется в целости без присутствия нормально вызывающего ее объекта. Так, например, ткачик, Quelia, может выполнять все сложное движение, служащее для закрепления на ветке соломинки при постройке гнезда, даже при отсутствии соломинки или какого-либо подобного предмета. Это поведение выглядит так, как будто птица "галлюцинирует" отсутствующий предмет.

Выполнение наследственной координации, рассматриваемое само по себе, не есть когнитивный процесс. Содержащееся в ней готовое к употреблению моторное умение находится в распоряжении животного как хорошо сконструированное орудие, и чем более специализировано это орудие, тем у́же область его применения. Есть врожденные координации общего назначения, как, например, координации перемены места, грызения, чесания, долбления. и т. д., и есть другие, в высшей степени специализированные для определенной функции, как, например, уже упомянутое связывающее движение ткачика или многие формы поведения при токовании и оплодотворении.

Именно в этих врожденных координациях, дифференцированных для вполне определенных функций, наиболее отчетливо проявляется их точно приспособленная жесткость, их полная независимость от какого-либо обучения. Даже опытный этолог снова и снова удивляется, видя, как только что выращенное молодое животное, о котором достоверно известно, что оно не могло получить информацию из собственного опыта,

293

впервые демонстрирует такую последовательность поведения во всей ее целесообразности и совершенстве. Оскар Гейнрот описывает, как выращенный из яйца и едва научившийся летать ястреб поймал в воздухе фазана, пытавшегося перелететь со стола на подоконник, и прежде чем смог вмешаться его воспитатель, уселся с уже убитой добычей на шкаф. Гейнрот прибавляет: "Это первое профессиональное действие ястреба произвело на нас неизгладимое впечатление". В действительности соединение моторного умения и точного "знания" ситуации, в которой это умение должно быть применено, предполагает огромную массу врожденной информации.

Только что описанная форма поведения, состоящая из срабатывания некоторого ВМЗ и запущенного им действия врожденной координации, образует функциональное целое, чрезвычайно часто встречающееся в царстве животных. Оскар Гейнрот назвал его "свойственным виду импульсивным поведением". Это понятие оказалось чрезвычайно плодотворным, и лишь много времени спустя дальнейший анализ этого единства показал, что две его компоненты могут интегрироваться в функциональное целое также и другим способом.

У высших животных свойственное виду импульсивное поведение представляет собой прототип когнитивного процесса, который, как уже говорилось в главе 1 (см. с. 267), является не приспособлением, а функцией уже приспособленного механизма. При рождении организму задается информация о биологически "правильных" ситуациях и о средствах, позволяющих ему справляться с такими ситуациями. Процесс, доставляющий текущую информацию, говорит животному лишь одно: "Hic Rhodus, hic salta"[1]*, теперь наступил момент применить вот этот особенный способ поведения!

Свойственное виду импульсивное поведение является типичным примером *линейной* цепи актов поведения, пригодной к функционированию уже в этой простой форме; но при интеграции с другими такими цепями, каждая из которых столь же проста, возникает "фульгурация" поистине эпохальных новых функций. Простая цепь описанного выше типа встречается, собственно, лишь у тех живых существ, у которых, как, например, у пауков-скакунов и многих насекомых, такое поведение осуществляется в жизни индивида лишь единственный раз.

Но у высших животных к этому прибавляется еще по крайней мере один дальнейший тип поведения — поиск запускающей ситуации стимулирования, который мы назовем, вместе с Уоллесом Крейгом, *аппетентным поведением.* Можно предположить, что чисто линейная цепь поведения, дополненная этим предварительным членом, уже имеет значение для сохранения вида. Впрочем, я не могу подтвердить это каким-либо конкретным примером. Почти во всех случаях, когда наблюдается аппетентное поведение, обнаруживается также *обратное влияние успеха* на предшествующее поведение. Но тем самым возникает тот же круговой процесс, на котором основывается обучение в собственном смысле этого слова, т. е. обучение посредством успеха, о чем будет речь в главе 6.

---

[1]*"Здесь Родос, здесь прыгай" *(лат.),* пословица, взятая из басни Эзопа. — *Примеч. пер.*

10. ДРУГИЕ СИСТЕМЫ, ПОСТРОЕННЫЕ ИЗ ВРОЖДЕННЫХ МЕХАНИЗМОВ ЗАПУСКА И ИНСТИНКТИВНЫХ ДВИЖЕНИЙ

Как я уже говорил, мой учитель Оскар Гейнрот и я сам в течение долгого времени рассматривали "свойственное виду импульсивное поведение" как простейший и важнейший составной элемент всего животного и человеческого инстинктивного поведения. Понимание, что оно состоит из двух физиологически различных частей, непосредственно следовало из открытия Эриха фон Гольста, убедительно показавшего, что врожденная координация не состоит, как до тех пор считалось само собою разумеющимся, из цепей безусловных рефлексов. Как показал Гольст, координация движений не только выполняется в точной последовательности без помощи рефлексов, но может также начаться без всякого внешнего стимула. Лини, у которых были перерезаны задние корни всех спинномозговых нервов, выполняли вполне нормальные плавательные движения; нервная система дождевого червя, полностью отделенная от остального тела и подвешенная в физиологическом растворе, неуклонно посылала последовательность нервных импульсов, которая побудила бы мышечную систему червя, если бы она была, выполнять координированные движения ползания. Таким образом, движение вызывается стимуляцией и координацией, производимыми *в самой центральной нервной системе*. Как выразился Эрих фон Гольст, "мантия рефлексов" служит лишь для того, чтобы целесообразно приспособить стимулируемые изнутри движения к обстоятельствам места и времени окружающего мира.

Наследственная координация образует неизменный остов поведения, структура которого содержит исключительно филогенетически полученную информацию. Она приводится в действие лишь многочисленными служащими ей механизмами, принимающими текущую информацию, которые в адекватной ситуации запускают эту координацию и направляют ее во времени и пространстве. Это открытие я рассматриваю как момент рождения этологии, поскольку оно доставило Архимедову точку опоры, на которой основано наше аналитическое исследование.

Описанные здесь физиологические открытия бросают новый свет на процессы, образующие совместно с врожденной координацией уже рассмотренные функциональные устройства. До тех пор, пока свойственное виду импульсивное поведение считали цепью безусловных рефлексов, процесс его запуска казался первым членом этой цепи, таким же "рефлексом", как другие. Физиологически он казался не отличающимся от этих других, а потому не заслуживающим особого внимания. Но когда оказалось, что эндогенная стимуляция каждой такой последовательности движений непрерывно происходит сама по себе и должна постоянно тормозиться особыми контролирующими механизмами, т. е. когда стало ясно, что запуск инстинктивного движения, по существу, означает лишь *снятие торможения* его спонтанности, тем самым возник вопрос, какой особый физиологический механизм осуществляет такое снятие торможения.

У многих низших животных важнейшая функция высших инстанций нервной системы состоит именно в том, чтобы осуществлять постоянное торможение различных свойственных организму эндогенных автоматических движений, а в надлежащий момент, на основании поступающей извне мгновенной информации, "снимать с них узду". Дождевой червь, лишенный своего "мозга", т. е. его верхнеглоточной ганглии, непрерывно ползает и не может остановиться. Подобным же образом оперированный краб не может перестать есть, пока имеется что-нибудь съедобное, и т. п.

Открытие эндогенной стимуляции центрально координированных форм движения бросило новый свет не только на процесс их высвобождения, но и на ряд других, иначе устроенных и в высшей степени важных явлений. Из наблюдений Гейнрота, Лисмана и моих собственных давно уже было известно, что при длительном неупотреблении некоторого инстинктивного движения порог вызывающего его стимула не остается постоянным, а все более снижается. Вследствие этого соответствующая форма поведения запускается все легче, начинает срабатывать в ответ на неадекватные стимулы, на "замещающие объекты", и в экстремальном случае оно происходит наконец без всякого заметного стимула — как мы говорим, "вхолостую" ("auf Leerlauf"). Это явление снижения порога я изучил и описал, когда еще твердо верил, что инстинктивные движения представляют собой цепи рефлексов. Но уже в то время я добросовестно уделил особое внимание тем явлениям, которые нельзя объяснить теорией рефлекторных цепей. И как раз эти явления получили яркое объяснение благодаря открытиям Гольста. Впрочем, снижение порога запускающего стимула — не единственное следствие длительного отсутствия ситуации, адекватной для определенного инстинктивного движения. Длительное лишение условий выполнения некоторой врожденной координации большею частью приводит организм *как целое в состояние беспокойства,* побуждая его *активно искать ключевые стимулы.* Это уже рассмотренное в конце предыдущего раздела явление мы называем, следуя Уоллесу Крейгу, *аппетентным поведением* (appetitive behavior).

То, что "подгоняет"* животное, "импульс", неявно содержащийся в старом термине Гейнрота "импульсивное поведение", таким образом, во многих случаях вовсе не совпадает с одним из "великих" общих побуждений животного и человеческого поведения — таких, как голод, жажда или половое влечение, — физиологические причины которых сравнительно легко обнаруживаются и состоят в нехватке важных веществ либо в переполнении пустотелых органов ("импульс детумесценции"*). Более того, каждое мельчайшее специальное инстинктивное движение представляет собой автономный стимул поведения, если оно в течение некоторого времени не "отреагируется" ("abreagiert") — если воспользоваться этим не очень изящным выражением Зигмунда Фрейда. Это играет важную роль в образовании условных реакций, о чем будет сказано в главе 6. Как впервые показали Н. Тинберген и Г. П. Берендс, три важнейших подсистемы стимулируемого поведения: аппетентное поведение, действие врожденного механизма запуска и успокаивающее выполнение инстинктивного движения — могут соединяться друг с другом также иным, более сложным образом. Очень часто продолжительная последовательность форм поведения программируется таким образом, что составляющее ее начало аппетентное поведение доставляет стимулирующую ситуацию, которая запускает не непосредственно инстинктивное движение, составляющее его цель, а вначале лишь *другой вид аппетентного поведения*. Чеглок* летает в поисках добычи — это аппетентное поведение первого порядка. Он встречает стаю скворцов и, высоко поднявшись над нею, выполняет особый маневр, имеющий целью отрезать от стаи одного определенного скворца, — это аппетентное поведение второго порядка. Лишь в случае, если это поведение приводит к успеху, хищник достигает ситуации, в которой осуществима следующая форма поведения, а именно умерщвление добычи, за которым следуют дальнейшие инстинктивные движения — сначала ее ощипывание, а затем пожирание. Для нашего представления о сущности инстинктивного движения важно то обстоятельство, что многие врожденные координации встроены в такую последовательность не в качестве удовлетворяющей инстинктивное стремление конечной цели, а в некотором смысле в виде промежуточных целей. Их можно поэтому с равным правом истолковать как формы аппетентного поведения, направленные к достижению стимулирующей ситуации, запускающей следующий член последовательности. Такую последовательность аппетенций Тинберген назвал иерархически организованным инстинктом.

Такая система иерархически упорядоченных аппетенций по филогенетически "хорошо продуманной" программе ведет животное от одной стимулирующей ситуации к другой, причем — и в этом суть дела — всегда от более общей, легче находимой к более специальной, которую трудно было бы найти, если бы первый механизм запуска, производящий переключение с аппетенции первого порядка на аппетенцию второго порядка, не указывал к ней путь. Понятие иерархически организованного инстинкта не имеет ничего общего с метафизическими конструкциями: число участвующих в нем механизмов запуска можно определить экспериментально, а участвующие врожденные координации допускают точное описание.

Цепи аппетенций и механизмов запуска, участвующих в такой системе, могут также образовывать "вилку", когда после достижения стимулирующей ситуации, к которой ведет аппетентное поведение первого порядка, имеется возможность *нескольких* дальнейших способов поведения, т. е. пробуждается несколько дальнейших аппетенций. Самец колюшки, у которого весной, с возрастанием продолжительности дня, гормональным путем развивается готовность к размножению, начинает сначала перемещаться из глубокой воды в мелкую и продолжает это аппетентное поведение до тех пор, пока не оказывается в заросшем растениями спокойном мелководье. В этой ситуации он становится "территориальным", т. е. завладевает вполне определенной областью, которую более не покидает. При этом меняется его "установка", т. е. готовность к определенным формам поведения, что внешним образом сообщается как собратьям по виду, так и исследователям его поведения изменением его окраски. С этого момента самец колюшки в равной мере готов строить гнездо, сражаться с соперниками и ухаживать за самкой, вести ее к гнезду и там с нею нереститься. Таким образом, стимулирующая ситуация, достигнутая аппетентным поведением первого порядка, составляет предпосылку для одновременного возникновения нескольких различных аппетенций. Систему инстинктов колюшки глубоко изучил Н. Тинберген, а для случая песочной осы (Ammophila) эту работу проделал Г. П. Берендс.

Подобная иерархически организованная система инстинктов намного "пластичнее", чем простое импульсивное действие в смысле Гейнрота, поскольку каждый из многих последовательно включаемых механизмов запуска получает информацию об условиях окружающей среды в данный момент и приспосабливает к ним поведение. Сверх того многие участвующие в общем процессе и направляющие его в пространстве таксисы также вносят значительный вклад в приобретение информации.

Иерархические системы инстинктов обладают особой приспособительной способностью, экономящей время и энергию; она состоит в том, что в определенных случаях отдельные члены цепи поведения могут опускаться. Когда чеглок в нашем предыдущем примере сталкивается с отдельным скворцом, то он, конечно, не производит маневр отрезания от стаи и переходит прямо к умерщвлению. Как показал Берендс, соответствующие "сокращения" не всегда удается вызвать у песочной осы; во многих случаях насекомое застревает в обязательной иерархической последовательности действий.

Подчеркнем еще раз, что эта поистине удивительная и тем самым производящая впечатление "разумности" приспособительная способность иерархически организованной системы достигается посредством функций, служащих для приема текущей информации. Система приспособлена, но она обеспечивает своей открытой программой богатый набор комбинаций, целесообразный для сохранения вида *даже и без* адаптивной модификации ее механизма. Тем самым она полностью относится к категории когнитивных процессов, действующих без обучения, — процессов, составляющих предмет этой главы. Независимость их действия от обучения может быть доказана в тех многих случаях, где сложные, иерархически организованные цепи поведения встречаются в жизни индивидуального животного лишь единственный раз, как, например, в столь основательно изученном супругами Пекхемом и Джоселин Крейн поведении спаривания многих пауков, или исследованном и заснятом на кинопленку Эрнстом Ризом поведении личинок рака-отшельника, которые уже в стадии свободно плавающей Glaucothoe при первой же встрече с раковиной улитки выполняют всю высокодифференцированную последовательность форм поведения, с помощью которых взрослый рак-отшельник находит, обследует, чистит и заселяет раковину.

Принципиальная независимость действия иерархически организованного инстинктивного поведения от процессов обучения не исключает того факта, что как раз оно и стало основой, на которой развились механизмы обучения. К высокоразвитым процессам обучения оно находится в том "одностороннем" отношении, которое характерно для явлений, происходящих на различных уровнях интеграции. Вспомним, что было сказано об этом выше в разделе 4 главы 2 (см. с. 274).

Механизмы, получающие текущую информацию, независимы в своем действии от процессов обучения, добавляющихся на высшем уровне, но составляют *предпосылку* для их возникновения. Без них были бы невозможны рассматриваемые в следующих двух главах процессы адаптивной, или "телеономной", модификации поведения путем обучения. Прокладывание путей посредством упражнения, ослабление стимулов вследствие привыкания, усиление избирательности механизмов запуска вследствие привычки — короче, все те процессы, о которых пойдет речь в следующей главе, возможны лишь на основе функций, описанных в этой главе. Это в особенности справедливо в отношении когнитивной функции *обучения посредством успеха* (conditioning by reinforcement), которое будет рассмотрено в главе 6. Возникновение этой высшей и важнейшей формы обучения имело своей предпосылкой наличие вполне пригодных к действию систем, состоявших из аппетентного поведения, врожденного механизма запуска и конечной целевой ситуации. Без наличия этих трех членов никогда не могла бы возникнуть "фульгурация" той обратной связи, посредством которой успех воздействует в обратном направлении на предшествующее поведение и которая составляет сущность условных реакций в узком смысле.

11. РЕЗЮМЕ ГЛАВЫ

Из когнитивных механизмов, рассмотренных в первых трех главах, *только* механизм генома с его методом проб и ошибок в состоянии не только приобретать информацию, но и накапливать ее. Количество приобретаемой и сохраняемой таким образом информации почти безгранично, но *время,* необходимое для того, чтобы вновь полученное знание привело к полезным для сохранения вида последствиям, соответствует по меньшей мере жизни поколения. Поэтому живые системы — если они не находятся в практически невозможной неизменной среде — могут сохранять свою приспособленность лишь при участии *краткосрочно* действующих механизмов, дающих информацию о *текущем* состоянии окружения и оценивающих полученные данные.

Самый первоначальный, древнейший и вездесущий из этих механизмов — это *регулирующий контур,* посредством обратной связи делающий внутренние условия организма независимыми от колебания внешних условий и поддерживающий их постоянство (гомеостаз).

У свободно движущихся организмов имеются процессы, позволяющие им целесообразно справляться с *пространственными* условиями окружающей их среды, такие, как, например, амебоидная реакция, *кинезис, фобическая* реакция и *таксис,* общей предпосылкой которых является *способность воспринимать стимулы.*

На более высоком уровне дифференциации за ними следуют *врожденный механизм запуска,* наследственная координация, или инстинктивное движение, и более сложные системы, построенные из двух предыдущих.

В противоположность когнитивным функциям генома, а также высшим функциям познания, включающим в себя обучение, все описанные в этой главе механизмы *не способны накапливать информацию.* Действие их представляет собой не процесс приспособления, а функцию готовых приспособленных структур. Они защищены от любой модификации и должны быть таковыми, поскольку предшествуют любому опыту, составляя основу всякого возможного опыта. В этом отношении они соответствуют "априорному", как его определил Кант.

Рассмотренные в этой главе механизмы приобретения текущей информации, способные действовать независимо от какого-либо обучения, составляют, в свою очередь, необходимую основу для процессов обучения, развивающихся на высшем уровне интеграции.

Глава 5

ТЕЛЕОНОМНЫЕ МОДИФИКАЦИИ ПОВЕДЕНИЯ
(за исключением обучения посредством вознаграждения
— conditioning by reinforcement)

1. ОБЩИЕ СВЕДЕНИЯ ОБ АДАПТИВНОЙ МОДИФИКАЦИИ

Модификацией называется любое изменение свойств организма, вызванное воздействием внешних условий на его индивидуальную жизнь. Для любого живого существа модификация обусловливает, на основе его наследственных задатков, т. е. генотипа, его внешний образ — фенотип. Модификация — это вездесущий процесс. Вряд ли будет преувеличением утверждать, что любое малое различие в условиях окружающей среды, в которой вырастают два генетически одинаковых индивида, влечет за собой некоторое малое различие в их свойствах, т. е. в их фенотипе. Но такие модификации плана строения под влиянием среды вовсе не обязательно суть изменения, полезные в смысле сохранения вида. Напротив, вероятность того, что модификация, *вызванная* определенным изменением среды, означает приспособление *к этому же* изменению, не выше вероятности того, что некоторая случайная мутация или рекомбинация генов принесет с собой какое-либо преимущество для сохранения вида. Но если в ответ на некоторое вполне определенное внешнее влияние *регулярно* происходит модификация, представляющая собой телеономное, т. е. способствующее сохранению вида, приспособление именно к этому влиянию, то можно предположить с вероятностью, близкой к достоверности, что соответствующая специфическая модифицируемость уже является *результатом предшествующего отбора.*

Если, например, на большой высоте, с уменьшением содержания кислорода при низком давлении воздуха, человеческая кровь обогащается гемоглобином и красными кровяными тельцами; или если собака в холодном климате приобретает более густую шерсть; или если растение, растущее при слабом свете, вытягивается в длину и тем самым доставляет своим листьям лучшее освещение, все эти адаптивные модификации никоим образом не являются следствием *только* внешнего влияния, которое их вызывает, но также и некоторой встроенной генетической программы, выработанной геномом по методу проб и ошибок и составляющей в каждом отдельном случае уже готовое приспособление к среде. В словесной форме данная растению инструкция звучала бы примерно так: при недостаточном освещении стебель должен вытягиваться до тех пор, пока света не станет достаточно. Следуя Эрнсту Майру, мы назовем этот вид генетической информации *открытой программой*.

Открытая программа — это когнитивный механизм, способный не только приобретать, но и накапливать информацию о внешней среде, не заключенную в геноме. Иными словами: онтогенетическое применение самой подходящей из способностей, содержащихся в открытой программе, *есть процесс приспособления*. Таким образом, открытая программа приобретает и хранит информацию; но не следует упускать из виду, что для этой функции ей требуется количество генетической информации *не меньшее, а большее, чем в случае замкнутой программы*. Это можно пояснить сравнением. Предположим, что человек хочет построить домик из готовых деталей, не требующих никаких предварительных приспособительных изменений, — это пример полностью замкнутой программы. Единственная строительная площадка, на которой можно осуществить такое намерение, — это совершенно плоская поверхность, вроде тех строго горизонтальных террас, какие образует лава на вулканических островах. В таком случае строителю достаточно очень простой инструкции. Но представьте себе, что надо поставить подобный домик на неровном или покатом месте; подумайте, как много дополнительных инструкций должен получить строитель, чтобы суметь в любом случае выполнить свою задачу, несколько меняющуюся от одной площадки к другой. Эта мысленная модель хорошо иллюстрирует, насколько ошибочно дизъюнктивное противопоставление понятий ''врожденного'' и ''выученного'' (nature and nurture). Любая способность к обучению основывается на открытых программах, предполагающих не меньше, а больше заложенной в геноме информации, чем так называемые врожденные формы поведения. Тот факт, что это так трудно понять многим в остальном проницательным мыслителям, объясняется, по-видимому, общечеловеческой склонностью мыслить противоположностями.

Адаптивные модификации существуют на всех ступенях органического развития, начиная с самых низших живых существ. Так, например, у многих бактерий, если их выращивают в бедной фосфором среде, разрастаются те химические структуры клетки, которые служат для усвоения этого вещества. Бактериям нужно некоторое время для такого переключения; и если их затем внезапно возвращают в богатую фосфором среду, то они сначала ''объедаются'' фосфором, пока адаптивная модификация структуры клеток не изменит в обратном направлении их способ питания. Когнитивная функция описанного процесса напоминает здесь функцию регулирующего контура, доставляющего организму информацию о ''текущем состоянии рынка''.

Описанная выше функция бактерий наводит на мысль о процессе обучения. Но вообще мы называем процессами обучения лишь такие адаптивные модификации, которые относятся к *поведению*. Получение мгновенной информации, которая не накапливается, т. е. все когнитивные процессы, рассмотренные в предыдущей главе, мы не называем обучением. Отличительным признаком процессов обучения мы считаем то обстоятельство, что некоторое приспособительное изменение происходит в ''механике'', т. е. в структурах органов чувств и нервной системы, функцией которых является поведение. Именно в этом изменении структур и состоит приобретение информации, а также ее накопление, поскольку этот процесс более или менее непрерывен.

Адаптирующая модификация, и в особенности адаптирующая модификация поведения, есть когнитивный процесс особого рода. Он превосходит и процесс генома, и все описанные выше процессы приобретения текущей информации в том отношении, что может не только накапливать информацию, как первый из них, но также — как последние — может принимать во внимание и кратковременные изменения окружающей среды. Ни один из рассмотренных выше процессов не способен *к тому и другому*.

В высшей степени вероятно, что структуры, изменяющиеся при любой адаптивной модификации поведения высших организмов, суть структуры центральной нервной системы. Позже мы еще вернемся к невероятности предположения, будто результаты обучения кодируются в цепных молекулах, наподобие связанной с геномом информации. Чем сложнее живая система, тем менее вероятно, что некоторое случайное изменение ее структуры производит иное действие, чем простая помеха. Но во всем известном нам мире нет более сложной системы, чем устройство высших животных, поведение которых управляется центральной нервной системой. Поэтому весьма удивительно достижение органического становления, выработавшего многообразную адаптивную модифицируемость как раз в этой системе. Эта модифицируемость опирается на удивительные, невероятно сложные структуры, лежащие в основе открытых программ и создающие возможность обучения. Вряд ли в истории человеческого разума было большее заблуждение, чем мнение эмпиристов, будто человек до всякого индивидуального опыта есть чистый лист, "tabula rasa". Впрочем, столь же велико лишь по видимости противоположное, а по существу то же самое заблуждение многих не биологически мыслящих психологов, предполагающих как нечто само собою разумеющееся, что обучение участвует во всех, даже мельчайших элементах поведения животных и человека. Оба заблуждения имеют то вредное следствие, что они заслоняют центральную проблему любого обучения. Проблема эта состоит в следующем: как получается, что обучение улучшает действие поведения, способствующее сохранению вида?

2. СВИДЕТЕЛЬСТВО ЭКСПЕРИМЕНТАЛЬНОЙ ЭМБРИОЛОГИИ

При выполнении открытой программы осуществляется когнитивная, т. е. приспособительная, функция. Внешнее воздействие доставляет информацию, определяющую выбор одной из предусмотренных программой возможностей, и именно той, которая лучше всего подходит к ситуации.

Значительный вклад в понимание этого все еще весьма загадочного процесса внесла механика развития, или экспериментальная эмбриология. Классический пример открытой программы, предлагающей несколько возможностей, доставляет нам эмбриология внешнего клеточного слоя, эктодермы, у эмбрионов позвоночных. В зависимости от места, где находятся клетки эктодермы в теле зародыша, они могут образовать верхний слой кожи, части глаза или головной мозг со спинным мозгом. *Каждая* клетка эктодермы содержит информацию, нужную для построения любого из этих органов. Какая из этих программ будет выполнена, зависит от влияний, исходящих от окружения. Если предоставить клетки самим себе, например, в куске, вырезанном из брюшной стороны зародыша лягушки, то эктодерма всегда образует лишь верхний слой кожи. Если же клетка оказывается в близкой окрестности спинной струны, Chorda dorsalis — предшественницы позвоночного столба, — то она образует спинной мозг и головной мозг; там же, где несколько позже к эктодерме приближается выпячивающийся из головного мозга глазной пузырек, она образует точно в надлежащем месте хрусталик. Легко доказать на опыте, что в каждом случае такую специальную форму развития "индуцируют" влияния, исходящие от окрестных образований: если пересадить зародышу лягушки кусочек Chorda dorsalis под кожу живота, то в лежащей над ним эктодерме формируется кусочек нервного ствола.

Как говорит Шпеман, первый великий исследователь этих процессов, *проспективная потенция*, т. е. первоначально имеющиеся возможности, богаче *проспективного значения* каждого участка ткани, потому что это последнее в каждом случае зависит от *места,* где развиваются ее соответствующие куски. Влияния, исходящие от этого места, *индуцируют* одно из возможных направлений развития, и, когда оно продвинется в достаточной степени, оно окончательно *детерминируется,* т. е. не может уже быть изменено, так что проспективная потенция соответствующей образующей орган системы далее ограничивается проспективным значением органа.

Все разнообразные виды явлений, происходящих при адаптивных модификациях, по существу, сходны с только что указанными процессами эмбриогенеза. Не очень существенно, исходит ли индуцирующее влияние от окрестности некоторого участка ткани внутри зародыша или от внешнего окружения организма. Система, способная к модификации, всегда содержит генетическую информацию для всех подпрограмм, которые она потенциально способна осуществить. Спинная струна не "говорит", конечно, эктодерме, как она должна сделать спинной и головной мозг, а глазной пузырек не "говорит" ей, как должен выглядеть хрусталик. Поэтому Шпеманово понятие "организатора", с его виталистической окраской, может вызвать некоторое заблуждение. Сейчас мы знаем, что неорганические воздействия также способны "индуцировать", например побудить эктодерму построить тот или иной из упомянутых выше органов. То же относится ко многим адаптивным модификациям, в том числе связанным с поведением. Любое обучение, подобно индукции в механике развития эмбриона, под действием определенных внешних влияний осуществляет ту из разнообразных возможностей открытой программы, которая лучше всего подходит к внешней ситуации. Сами эти внешние воздействия также "предусмотрены", т. е. встроены в программу на основе предшествующих процессов приспособления.

Как жестко и специфично могут быть запрограммированы такие влияния на определенный процесс обучения, видно из опытов Х. Гарсиа и его сотрудников, о которых нам еще придется подробнее говорить впоследствии в другой связи. Здесь достаточно сказать, что крысу нельзя отучить от поедания некоторого вида пищи никакими болезненными наказаниями, за исключением стимулов, вызывающих неприятные ощущения в органах пищеварения.

Итак, обучение в самом широком смысле, определенное как телеономная модификация поведения, по существу, сходно с процессом механики развития, который Шпеман назвал индукцией. (Для читателя, далекого от естествознания, заметим, что ”индукцией” называется также метод естественно-научного подхода, который не имеет ничего общего с понятием Шпемана.)

В одном существенном отношении индукция в механике развития отличается от большинства, если не от всех процессов обучения. После того как под действием индукции достигается сужающая *детерминация,* процесс уже необратим; между тем выученное поведение может быть, как известно, забыто или даже превращено обратной дрессировкой в свою противоположность. В свое время Карл Бюлер серьезно ставил вопрос, не следует ли включить эту обратимость в определение всякого обучения. Примечательно, однако, что есть и такие процессы обучения, которые *не* обратимы и фиксируются детерминацией в полном шпемановском смысле, раз навсегда. Это, во-первых, процессы так называемого *запечатления,* необратимо закрепляющие объект определенного инстинктивного поведения, а во-вторых, некоторые процессы, в которых приобретаются интенсивные реакции уклонения, оставляющие, особенно у молодых индивидов, неизгладимый след в виде ”психических травм”.

Обозначать ли словом ”обучение” все телеономные модификации, относящиеся к поведению, — это дело вкуса. Есть авторы, называющие таким образом даже приобретение знаний геномом. И сам я в моей книге ”The Innate Bases of Learning”[1]* соединил под именем обучения все служащие сохранению вида модификации поведения. Поскольку вся психологическая школа бихевиоризма основывает свою работу на гипотезе, что обучение посредством успеха — conditioning by reinforcement — есть единственная форма обучения, более того, единственный заслуживающий изучения процесс во всем поведении животных и человека, мне кажется уместным подчеркнуть своеобразие этого процесса обучения еще и тем, что я рассмотрю его в отдельной главе, а в этой главе описываю лишь простейшие формы индивидуального приобретения знаний.

3. ПРОКЛАДЫВАНИЕ ПУТИ ПОСРЕДСТВОМ УПРАЖНЕНИЯ

Как известно, механизмы автомобиля подвергаются адаптивному изменению с помощью процесса, именуемого ”обкаткой”. Нечто подобное происходит также, по-видимому, со многими механизмами поведения. Например, М. Уэллс установил, что у только что вылупившихся из яйца каракатиц (Sepia officinalis) реакция поимки добычи уже в первый раз происходит с совершенной координацией, хотя и заметно медленнее,

---

[1] *”Врожденные основы обучения” *(англ.). — Примеч. пер.*

чем после многократного повторения. Улучшается также и точность прицела. Э. Гесс наблюдал подобный же эффект упражнения при клевательном движении только что вылупившихся цыплят домашней курицы. Как он показал, попадание в цель не играет никакой роли в улучшении этой формы движения. Гесс надевал цыплятам очки, призматические стекла которых имитировали боковое смещение цели. Цыплята так и не научились корректировать отклонение и все время продолжали клевать в ожидаемом направлении, мимо цели. Но после некоторого упражнения это движение имело гораздо меньший разброс.

4. СЕНСИТИВИЗАЦИЯ

С сенсорной стороны поведения процессам моторного прокладывания путей соответствует так называемая *сенситивизация*. Так называется вызываемое повторным запуском некоторой реакции снижение пороговых значений запускающих ее ключевых стимулов. Первая реакция вызывает у животного в некотором смысле тревогу; на антропоморфном языке можно было бы сказать, что у него *обостряется внимание*. Этим сравнением выражается уже и тот факт, что сенситивизация большей частью *кратковременнее* моторного прокладывания путей.

Конечно, состояние тревоги, вызванное сенситивизацией, имеет значение для сохранения вида лишь в тех случаях, когда однократное столкновение с некоторой стимулирующей ситуацией предвещает *ее вероятное повторение*. Это особенно относится к стимулам, вызывающим бегство. Слегка клюнутый дождевой червь, избежавший гибели благодаря быстрой реакции бегства, правильно поступает, "считаясь" с тем, что опасный дрозд может снова оказаться на его пути. Как показал М. Уэллс, сенситивизация становится особенно важной для сохранения вида, когда объект реакции, враг или добыча, регулярно встречается стаями, как это часто бывает у многих организмов открытого моря. Один из самых впечатляющих примеров сенситивизации поведения поимки добычи — так называемая "feeding frenzy"[1]* у глубоководных морских рыб, например у акул, макрелей или сельдей. Поймав несколько особей добычи, рыбы кажутся буквально обезумевшими — "frenzy" и означает помешательство — и бессмысленно хватают все вокруг себя, причем пороговые значения ключевых стимулов снижаются настолько, что, например, тунцы хватают толстые крючки без приманки; на этом и основана техника рыболовства, обычная в тропических морях.

У низших животных сенситивизация (Sensitivierung)[2]* — широко распространенная форма обучения, особенно типичная, согласно М. Уэллсу, для многощетинковых кольчатых червей (Polychaeta). Среди них есть высокоразвитые хищные формы, снабженные эффективными органами чувств.

---

[1]*"Лихорадка питания" *(англ.). — Примеч. пер.*
[2]*Вошедший в употребление термин Sensitierung, обозначающий этот процесс, ошибочен, во всяком случае в немецком языке; в английском же используется слово sensation.

Как при моторном прокладывании путей, так и при сенситивизации улучшение функции системы достигается *самим ее функционированием,* что составляет одну из определяющих особенностей обучения. Но в обоих случаях еще отсутствует другой признак, обычно включаемый в определение обучения, — так называемая *ассоциация.* Этот термин означает образование новой связи между двумя нервными процессами, которые до этого индивидуального процесса обучения функционировали независимо друг от друга. Ассоциация характерна для всех процессов обучения, рассматриваемых в дальнейшем.

5. ПРИВЫКАНИЕ

Стимулирующая ситуация, запускающая при первом столкновении с нею реакцию определенной интенсивности, часто уже во второй раз теряет в некоторой степени свою действенность, а после ряда дальнейших повторений может совсем лишиться запускающей силы. В немецком языке это называется Reizgewöhnung (привыканием к стимулу) или Sinnesadaptation (адаптацией к ощущению); как будет видно из дальнейшего, последнее выражение нельзя считать особенно удачным. По-английски это называется "habituation".

В типичном случае исчезновение реакции не зависит от того, следует ли за соответствующим ключевым стимулом дрессирующая, "усиливающая" ситуация стимулирования или нет. Во многом это явление подобно *уставанию;* может быть, оно и развилось в ходе эволюции из некоторых весьма специфических явлений уставания. Однако его важное значение для сохранения вида состоит как раз в том, что оно *предотвращает* уставание соответствующей реакции, прежде всего в ее моторном аспекте.

Цель эта достигается тем, что привыкание касается лишь стимулов вполне определенного вида. Пресноводный полип (Hydra) отвечает на целый ряд различных стимулов тем, что стягивает свое тело и щупальца в как можно меньшее пространство. Сотрясение подкладки, прикосновение, небольшое движение окружающей воды, химические или тепловые раздражения — все это производит одно и то же действие. Но если гидра поселяется, как это часто бывает, в медленно текущей воде, где ее тело все время колеблется в разные стороны вследствие завихрений потока, то это стимулирующее действие потока постепенно перестает запускать описанное поведение и полип широко распускает свое тело и щупальца, позволяя им пассивно следовать движению среды. Но при этом — что следует подчеркнуть — *пороговое значение всех других стимулов, запускающих стягивание, не меняется.* Именно это, без сомнения, произошло бы, если бы стимулы потока не совсем утратили свое действие, а снова и снова вызывали хотя бы очень слабое стягивание гидры. Тогда, конечно, моторная функция реакции уставала бы, а тем самым снижалась бы также способность реагировать на все другие *стимулы.* Этому и препятствует привыкание к стимулу.

Привыкание можно также назвать *десенситивизацией,* выработкой нечувствительности. Упомянутое выше выражение "адаптация к ощущению" (Sinnesadaptation), по-английски "sensory adaptation", вводит в заблуждение, поскольку его языковая форма вызывает представление, будто имеются в виду процессы, происходящие в органе чувства, подобные адаптации сетчатки нашего глаза к свету и темноте или изменению величины зрачка, служащим для того, чтобы приспособить чувствительность нашего глаза к различным условиям освещения. Конечно, и этот процесс можно называть привыканием; человек, выходящий ночью из ярко освещенной комнаты, может, разумеется, сказать: "Мне надо сначала привыкнуть к темноте". Но в том смысле, как мы понимаем здесь слово "привыкание", оно означает процессы, которые лишь в немногих случаях, как, например, в случае глаза, могут быть сведены к изменениям в самом органе чувства, а происходят в центральной нервной системе. Кроме того, они большею частью *долговременнее* подлинных "адаптаций" органов чувств. Для изучения привыкания к стимулу Маргрет Шлейдт воспользовалась реакцией так называемого клохтания у индюка и доказала, что этот процесс происходит не в органе чувства. Клохтание вызывается разнообразными звуками, и если с помощью генератора звуков производится краткий звук постоянной высоты, повторяющийся через некоторые промежутки времени, то вначале индюк клохчет на каждый из этих стимулов, потом он делает это все реже и наконец совсем перестает. Когда затем производятся звуки другой высоты, то оказывается, что возникшая таким образом десенситивизация относится лишь к очень узкой области высот, примыкающей сверху и снизу к высоте стимулирующего звука. "Кривая адаптации" круто опускается с обеих сторон от вершины, так что пороговые значения высот, чуть дальше отстоящих от исходной, не меняются. Все описанное до сих пор еще укладывается в представление, что адаптация или уставание происходит в самом органе чувства. Но М. Шлейдт показала, что дело обстоит иначе, с помощью опыта, впечатляющего своей простотой: она предложила звук, уже переставший действовать, такой же высоты и длительности, как раньше, но гораздо более тихий. К нашему общему удивлению, этот более тихий звук вновь произвел полное запускающее действие, как если бы был предложен совсем другой звук. Таким образом, специфическая сенситивизация по отношению к данному стимулу, безусловно, произошла не в органе чувства, потому что этот орган в своем адаптированном или уставшем состоянии реагировал бы на тихий звук еще намного слабее, чем на звук прежней силы.

Даже без направленных экспериментов, при наблюдении процессов привыкания в естественных условиях, можно уяснить себе, как сильно исчезновение первоначальной реакции зависит от вполне определенной комбинации внешних стимулов. Уже сама сложность таких условий указывает, что в общем процессе должны участвовать высшие функции центральной нервной системы. Вот пример: многие из утиных (Anatidae) реагируют на хищников, движущихся по границе их водоема, поведением, которое охотники называют "травлей"*: они преследуют врага, издавая предостерегающие звуки и сколько возможно не упуская его из виду. Эта реакция прежде всего относится к лисе и особенно легко вызывается объектами, покрытыми рыжим мехом, чем весьма коварно пользуются голландские охотники на уток в так называемых загонах*: они привязывают лисью шкуру к спине дрессированной собаки, которая заманивает уток в длинный, спирально изогнутый канал, так называемую трубку, с ловушкой в конце. Когда мы переселились с нашим богатым поголовьем утиных на озеро Эсс (Ess-See), тогда еще не огороженное от лис, мы опасались, что привычка наших птиц к моим собакам, помесям чау и овчарки, с рыжей шерстью и очень похожим на лис, может стать для наших птиц опасной. Они подпускали к себе собак столь близко, что подобное поведение по отношению к лисе могло бы оказаться фатальным. Однако это опасение оказалось напрасным, поскольку исчезновение реакции относилось лишь к нашим собственным индивидуальным собакам: даже собака породы чау, принадлежавшая моей знакомой, подверглась "травле" с нисколько не сдерживаемой яростью, и тем более доставалось лисам.

Часто удивляются, насколько малые изменения достаточны, чтобы разрушить привыкание к целой ситуации. Например, достаточно было одной из наших собак появиться на берегу озера, противоположном нашему институту, чтобы вновь разжечь полную реакцию травли у тех же уток и гусей. То же я наблюдал у дроздов шама (Copsychus malabaricus)[1]*. Пара этих птиц, высиживавших птенцов в моей комнате, изгнала из своего участка птенцов первого выводка, когда следующий выводок приближался к возрасту оперения. Когда я запер в клетку молодого самца, предохранив его таким образом от нападений родителей, прежде всего отца, то взрослые птицы привыкли к присутствию неустранимого сына, так как стимул был некоторым образом скрыт. Они не обращали больше внимания на клетку и ее обитателя. Но когда я неосторожно переставил клетку в другое место комнаты, "адаптация" была совершенно уничтожена и оба родителя так яростно набросились через решетку на молодого самца, что совсем забыли обо всем остальном, и прежде всего о новых птенцах. Поскольку эти птенцы еще не могли самостоятельно есть, они погибли бы с голоду, если бы я не удалил камень преткновения из комнаты.

Явление привыкания задает нам загадки в том отношении, что процесс "адаптации" в ряде случаев кажется явно нецелесообразным. Мы знаем ряд очень специфических форм реагирования, которые, вопреки их очевидному значению для сохранения вида, так скоро десенситивизируются, что, собственно, лишь при первом выполнении проявляют свою полную интенсивность; это показал Роберт Хайнд на реакции предупреждения и бегства, вызываемой у зяблика совой. Даже после нескольких месяцев "отдыха" реакция и отдаленно не достигла той интенсивности, какую она имела в первый раз. Даже сильнейший мыслимый стимул, дрессирующий, т. е. "подкрепляющий", реакцию, а именно преследование живой совой, вырвавшей у зяблика несколько перьев, никоим образом не произвел ожидаемого действия, т. е. не снял притупления этой реакции. Трудно себе представить, чтобы механизм, столь очевидным образом произведенный эволюцией для определенной функции и столь высокодифференцированно выполняющий ее, был создан для того, чтобы развить свою деятельность один раз или самое большее два раза в жизни индивида. Должна быть какая-то ошибка в нашей

_____

[1]*Нем. Schamadrosseln. — *Примеч. пер.*

аргументации или в нашей постановке эксперимента. Реакция молодых серых гусей на имитацию родительского предупреждения исчезала в наших опытах так же быстро, как реакция зяблика на сову в опытах Хайнда, и так же мало восстанавливалась. Может быть, мы просто сводим на нет реакцию, запуская ее в человеческом нетерпении слишком быстро и слишком часто; а может быть, мы способствуем ненормально быстрой адаптации тем, что устраиваем в наших "контролируемых" экспериментальных условиях такую однородность всей ситуации, какой никогда не бывает в естественной жизни.

Вольфганг Шлейдт изучил случай, в котором десенситивизация действительно доставляет полезную для приспособления информацию. Как было уже сказано на с. 292, у индюков имеется механизм запуска реакции бегства от хищных птиц, отвечающий очень простой конфигурации стимулов: все, что выделяется черным силуэтом на светлом фоне и движется с определенной угловой скоростью, связанной определенным соотношением с собственной длиной, для дикой индейки является "хищной птицей", например муха, медленно ползущая по белому потолку, точно так же, как пролетающий в небе сарыч*, вертолет или воздушный шар. При попытке сравнить друг с другом разные формы в отношении их действенности, например форму летящего гуся с формой орла, оказалось, что форма, как таковая, вполне безразлична, но привыкание к определенному объекту происходило столь быстро, что в каждом случае действеннее всех оказывался тот, который дольше всего не предъявлялся подопытному животному. На свободе наши дикие индейки проявляли самую сильную "реакцию на хищную птицу", когда показывался дирижабль мюнхенской рекламной фирмы, раз или два в год пролетающий над нашей местностью, гораздо меньшую реакцию — на значительно чаще видимые вертолеты и самую слабую — на сарычей, почти ежедневно круживших над нами. Информация, вызывающая у птицы это быстрое привыкание, в словесном выражении звучала бы таким образом: "Опасайся медленно проходящих по небу предметов, но больше всего тех, которые видишь *реже всего*". В естественных условиях Северной Америки это был бы несомненно белоголовый орел (Haliaetus albicilla), единственная хищная птица, которая может угрожать взрослым диким индейкам.

Как уже было сказано, процесс привыкания, или десенситивизации, отличается от ранее рассмотренных простейших процессов модификации поведения — прокладывания путей и сенситивизации — в одном существенном отношении: он сопровождается так называемой ассоциацией, устанавливающей связь врожденных механизмов запуска с весьма сложными функциями распознавания образов, которые будут рассмотрены в одной из следующих глав. Эта связь осуществляет особое, в физиологическом аспекте еще загадочное *торможение*. В *привычной* стимулирующей ситуации, которая может представлять невероятно сложную комбинацию отдельных стимулирующих данных, ключевые стимулы, действующие врожденным образом, *теряют* свое запускающее действие, но *сохраняют* его во всех других, даже очень мало отличающихся комбинациях с другими стимулами.

6. ПРИУЧЕНИЕ

В обиходной речи мы обозначаем словом "привычка" (Gewöhnung) не только процесс, посредством которого мы привыкаем к ранее тягостному стимулу, так что он перестает действовать и более нами не осознается, но и такой процесс, когда определенная стимулирующая ситуация или способ поведения вследствие многократного повторения становятся нам приятными и даже необходимыми. В этом случае, точно так же как и в случае десенситивирующего привыкания, имеется прочная "ассоциация", устанавливающая связь между ключевыми стимулами, действующими на аппарат запуска, и комплексом стимулов окружающей ситуации, повторно сопровождающих такие ключевые стимулы. Эта ассоциация приводит к тому, что реакция, которая первоначально могла быть вызвана простой конфигурацией ключевых стимулов, в дальнейшем нуждается уже для своего запуска во всем комплексе стимулирующих данных, как врожденных, так и "привычных". Таким образом, ассоциация производит здесь действие, прямо противоположное ее действию при десенситивизации, описанному в предыдущем разделе. Там она прекращает действие первоначально действовавших стимулов; между тем в рассматриваемом здесь процессе ключевые стимулы не только остаются действенными в своем взаимодействии с привычной стимулирующей ситуацией, но, более того, их действенность проявляется *только* в соединении с нею. Значение этого процесса для сохранения вида состоит в значительном усилении *избирательности* механизма запуска. В отличие от десенситивирующего привыкания, соответствующие примеры можно найти прежде всего у высших животных. Птица, долго содержавшаяся в клетке и годами евшая из одного и того же блюдца, может умереть с голоду, если это блюдце разобьется и ей предложат есть из другой посуды. Патологическим образом приучение проявляется у людей со старческим слабоумием, у которых малейшее изменение обстановки расстраивает осмысленное поведение.

Значение приучения для сохранения вида отчетливее всего видно в онтогенетическом развитии многих животных. Например, только что вылупившийся серый гусь "приветствует", а затем бежит следом за любым предметом, отвечающим на его "свистки покинутости" ритмическими звуками средней высоты и при этом движущимся. Если гусенок проделал это один или несколько раз по отношению к человеку, то в дальнейшем очень трудно побудить его следовать за гусыней или чучелом; а если терпеливо приучить его к этому, он не проявляет уже той интенсивности и верности, какую вызывает у него первый объект. Такая необратимая фиксация побуждения на его объекте, называемая *запечатлением,* будет рассмотрена дальше, в отдельном разделе. Запечатление в реакции следования гусенка, независимо от того, направлено ли оно на человека или гусыню, вначале относится лишь к виду, а не к индивидуальности запечатленного объекта. Уже способный к бегу и однозначно запечатленный на гусей, маленький гусенок может быть еще без труда перемещен из одной гусиной семьи в другую. Но если он следовал за своими родителями около двух полных дней, то он начинает уверенно узнавать их индивидуально, и несколько раньше по голосу, чем по чертам лица, — ведь анатиды* примечательным образом узнают друг друга, как и мы, по конфигурации лица. И когда они не видят лица своего собрата по виду, они распознают его еще хуже, чем мы.

Это избирательное привыкание гусенка к индивидуальности своих родителей происходит без участия положительной или отрицательной дрессировки. Случается, что гусенок теряет своих родителей в течение первого часа следования за ними и тогда пытается примкнуть к какой-нибудь другой гусиной паре с выводком, большей частью изгоняющей такого чужака укусами. Но эти неприятные переживания с чужими собратьями по виду не предохраняют его от повторения такой ошибки, а если он снова находит своих родителей, никак не побуждают его крепче их держаться. Напротив, кажется, что даже недолгое следование за чужими гусями стирает образ родителей: как показывают наблюдения, гусенок, однажды потерявший родителей и приставший к чужой паре, склонен снова и снова это повторять. Связанные с этим неприятные переживания, по-видимому, не действуют на его поведение.

Другой пример. Как показал строгими опытами Рене Спитс, у человеческого младенца примерно двухмесячного возраста, только что выработавшего моторику *улыбки*, этот вид приветствия может быть запущен с помощью очень простых макетов. Наряду с конфигурацией двух глаз и переносицы здесь существенно кивающее движение головы, причем оптическое воздействие усиливается отчетливой границей волос. Как добавочный ключевой стимул действует ухмыляющийся рот с высоко оттянутыми вверх уголками. Сначала детский воздушный шар с грубо нарисованными на нем признаками действовал так же, как кивающий воспитатель. Но через несколько недель, в течение которых младенец чаще улыбался подлинным людям, чем макетам, действие простого макета почти внезапно исчезало. Научившись отличать, "как выглядит человек", ребенок боялся теперь разрисованного воздушного шара, которому раньше улыбался, хотя — это следует подчеркнуть — шар не причинил ему никаких неприятных переживаний, так что здесь не могло быть отрицательной дрессировки.

Значительно позже, между шестым и восьмым месяцами жизни, запускающий улыбку механизм еще раз повышает свою избирательность, на этот раз резким скачком. Ребенок начинает, как говорят воспитатели, "дичиться" посторонних, и с этого времени приветствует улыбкой только мать и нескольких других хорошо знакомых людей; по отношению ко всем остальным он заметным образом проявляет поведение бегства или избегания. Вместе с процессом обучения, приводящим к личному узнаванию определенных людей, в ребенке пробуждаются важные процессы образования человеческих связей. Самые ужасные последствия получаются, когда у ребенка отнимают возможность шаг за шагом, как было описано выше, повышать избирательность механизмов запуска своего социального поведения и устанавливать тем самым социальные связи с определенными лицами; между тем это происходит и по сей день в больницах и детских учреждениях, где все время меняется персонал.

Несомненно также, что, когда человеческий младенец "дичится", это происходит вследствие приучения, не связанного с отрицательной дрессировкой, т. е. с неприятными переживаниями от общения с чужими людьми. Напротив, чем меньше чужих видит маленький ребенок, тем сильнее он дичится.

7. РЕАКЦИИ ИЗБЕГАНИЯ, ВЫЗЫВАЕМЫЕ "ТРАВМОЙ"

Я перехожу теперь к процессу обучения, который большинство психологов, изучающих обучение, отождествляют с приобретением подлинного условного рефлекса. Но я полагаю, что здесь идет речь о гораздо более простом явлении, для объяснения которого нет надобности постулировать сложный механизм обратной связи — условные реакции — рассматриваемый в следующей главе.

Ключевой стимул, врожденным образом вызывающий реакцию бегства максимальной интенсивности, часто уже после единственного воздействия неразрывно ассоциируется с сопровождающей его и непосредственно предшествующей ему общей стимулирующей ситуацией. У низших животных этот особый вид ассоциации наблюдается уже на самой низшей ступени. Вероятно, он связан непрерывными переходами с процессами простой сенситивизации. Например, у многих плоских червей световой сигнал, который уже сам по себе, возможно, вызывает незаметную, еще допороговую реакцию бегства, усиливает свое действие при ассоциации с некоторым стимулом, врожденным образом запускающим сильную реакцию бегства; многие американские исследователи поведения называют такое усиление "conditioning"[1]*. У низших беспозвоночных без централизованной нервной системы приобретение условных реакций — если можно их так назвать — всегда основывается на процессе этого рода. Все их обучение ограничивается этим процессом и видом привыкания, описанным на с. 306 и след. для пресноводных полипов.

У высших животных рассматриваемое здесь приобретение реакций бегства, как и привыкание, ассоциируется с функцией комплексного распознавания образов. Собака, однажды застрявшая во вращающейся двери и испытавшая вследствие этого крайний испуг, с тех пор избегала не только всех вообще вращающихся дверей, но также, очень специальным образом, даже отдаленной окрестности того места, где она пережила травму. Если ей приходилось пробегать по соответствующей улице, то еще до приближения к этому месту она переходила на противоположный тротуар и мчалась мимо него галопом, поджав хвост и опустив уши.

Подобные "психические травмы", как их называют психоаналитики у людей, представляют собой почти необратимые ассоциации между некоторой комплексной стимулирующей ситуацией и реакцией бегства, очень хорошо известные дрессировщикам собак и наездникам: однократное действие стимула на животное может его навсегда "испортить".

---

[1] *Приведение в требуемое состояние *(англ.);* термин бихевиористской психологии. — *Примеч. пер.*

8. ЗАПЕЧАТЛЕНИЕ

Необратимая фиксация некоторой реакции на стимулирующей ситуации, встреченной индивидом лишь несколько раз в своей жизни, вызывается также уже упомянутым процессом, который мы назвали *запечатлением*. С физиологической стороны это явление замечательно тем, что неразрушимая ассоциация формы поведения с ее объектом устанавливается в такое время, когда она еще вовсе не способна проявляться, а в большинстве случаев не может быть обнаружена даже в виде следов. *Сенситивный период,* в течение которого возможно запечатление, часто располагается в онтогенезе индивида очень рано и в ряде случаев ограничивается немногими часами, но всегда довольно отчетливо определен. Однажды совершившаяся детерминация (с. 303) объекта уже не может быть обращена. Так, например, животные, сексуально запечатленные на другой вид, навсегда и непоправимо "извращены".

Большинство известных процессов запечатления относится к *социальным* формам поведения. Например, запечатлеваются реакция следования у птенцов выводковых птиц, соперническая борьба у многих птиц, и прежде всего сексуальное поведение. Неправильно говорить, что такая-то птица или такое-то млекопитающее запечатлены, например "запечатлены на человека". То, что таким образом определяется, — это всегда лишь объект некоторой вполне определенной формы поведения. Птица, сексуально фиксированная на чужой вид, может никак не проявлять это в других отношениях, например в отношении сопернической борьбы или иного социального поведения. У серых гусей детские реакции следования и иные социальные формы поведения очень легко запечатлеваются на человека, что весьма полезно для наших исследований; однако сексуальное запечатление при этом не происходит.

Известны также случаи, когда поведение паразитов запечатлевается на вид их хозяина; например, как показал Г. Торп, наездники* откладывают яйца в тот вид гусениц моли, из которого они сами вылупились. Посредством "трансплантации" личинок можно запечатлеть на мучную моль наездников, нормально паразитирующих на восковой моли. У муравьев, как показал Брун, каждый индивид фиксирует свои социальные реакции на том виде муравьев, представители которого оказывали ему помощь, когда он вылуплялся из куколки. На этом основывается так называемое рабовладение у многих видов муравьев. Моника Гольцапфель показала, что поведение ловли добычи у сов запечатлевается на определенный вид животных, служащих добычей; более того, если в течение сенситивного периода это запечатление не произошло, то индивид навсегда остается неспособным поймать добычу.

Запечатление связано множеством переходов с другими процессами ассоциативного обучения. Так, например, обучение характерному для вида способу пения у многих певчих птиц, как показал М. Кониси, точно так же связано с некоторым сенситивным периодом и точно так же необратимо, как типичные процессы запечатления. Такие переходы приводили к недоразумениям. Многие авторы, в том числе Р. Хайнд, П. Бейтсон и другие, изучали процессы, вполне отчетливо отличающиеся от типичных процессов запечатления, такие, как процесс присоединения цыпленка курицы к матери или к некоторому замещающему объекту. Такие явления больше похожи на обычные процессы обучения, чем на типичное запечатление. На основании полученных при этом результатов были подвергнуты сомнению наблюдения Ч. О. Уитмена, О. Гейнрота и мои. Между тем современные результаты К. Иммельмана, М. Шейна, М. Кониси, Ф. Шутца и других полностью подтвердили все установленное прежними авторами уже более двадцати лет назад.

Так же как привыкание и приучение, запечатление "ассоциируется" с комплексными процессами распознавания образов, и так же как в тех двух процессах, при запечатлении выученное "закладывается во врожденный механизм запуска". Тем самым процесс запечатления делает этот механизм более избирательным.

Одна из самых интересных и загадочных функций запечатления состоит в том, что оно осуществляет при восприятии запускающей комбинации стимулов замечательную абстракцию. Сексуальные реакции селезня кряквы, воспитанного в обществе самки пеганки, запечатлеваются не на этот индивид Tadorna tadorna L., а на этот *вид*. При выборе между многими пеганками этот селезень почти никогда не выбирает свою "партнершу по запечатлению" — чему препятствуют механизмы, сдерживающие инцест*, — а предпочитает другую представительницу того же вида. Одна галка, воспитанная мною и тем самым "сексуально запечатленная на человека", направила свое токование на маленькую темноволосую девочку. Для меня непостижимо, что побудило птицу считать нас обоих представителями одного вида.

Не решен также вопрос, не играют ли все же некоторую роль в процессе запечатления какие-то вознаграждающие, т. е. дрессирующие, стимулы; иначе говоря, нельзя ли истолковать запечатление как условную реакцию (conditioned response) в смысле И. П. Павлова и американских исследователей психологии обучения. Против этого говорит то уже упомянутое обстоятельство, что запечатленный объект часто оказывается твердо детерминированным к такому моменту времени, когда животное ни разу еще не выполнило, даже в виде слабого намека, относящуюся к этому объекту форму поведения. Например, галка незадолго до вылета из гнезда сексуально запечатлена, хотя можно с уверенностью утверждать, что к этому моменту у нее никогда не было даже намека на сексуальное настроение. Должно пройти еще два года, прежде чем у нее пробудится инстинктивное поведение копуляции, которое, как надо полагать, должно производить важнейшее дрессирующее действие в качестве окончательного акта, удовлетворяющего побуждение. Впрочем, этим не вполне исключается возможное участие других дрессирующих стимулов, еще не распознанных как таковые. Но для такого предположения нет принудительных мотивов, и, по всей вероятности, запечатление есть ассоциативный процесс обучения того же рода, что и оба описанных в предыдущих разделах. Ввиду своей необратимости и своей связи с точно определенными фазами онтогенеза запечатление имеет более отчетливый характер *индукции* в смысле Шпемана, чем все другие процессы обучения.

9. РЕЗЮМЕ ГЛАВЫ

В предшествующей четвертой главе были рассмотрены физиологические механизмы, принимающие кратковременную информацию и мгновенно оценивающие, но не накапливающие ее. Все они могут функционировать неограниченное число раз, без каких-либо изменений в их механизме от выполнения этой функции. Они составляют основу любого возможного опыта и как раз по этой причине должны быть защищены от любой модификации опытом.

В настоящей пятой главе был рассмотрен принципиально иной процесс, изменяющий в течение индивидуальной жизни самый механизм поведения, и притом таким образом, что улучшается его функция, способствующая сохранению вида.

Улучшение функции некоторой структуры и повышение ее ценности для сохранения вида посредством модификации не более вероятно, чем посредством мутации или рекомбинации наследственных задатков. Но если определенные внешние обстоятельства регулярно вызывают определенные модификации, осуществляющие приспособление *именно к этим обстоятельствам,* то можно с подавляющей вероятностью предположить, что имеются закрепленные в геноме *открытые программы* в смысле Эрнста Майра.

Такая генетическая программа содержит *несколько отдельных программ* для построения некоторого механизма и предполагает поэтому не меньше, а гораздо больше генетической информации, чем единственная замкнутая программа. Но благодаря этому открытая программа способна воспринимать дальнейшую информацию извне, в зависимости от которой определяется, *какие* из потенциально заложенных в программе возможностей она осуществит. Такое осуществление придает новому приспособлению постоянный характер, так что лежащая в его основе информация накапливается.

Тем самым центральная нервная система повторяет на высшем уровне функцию, уже присущую геному, но отсутствующую у процессов приобретения текущей информации, описанных в четвертой главе.

Любое обучение есть телеономная модификация тех физиологических механизмов, функцией которых является поведение.

Надежную модель открытой программы и адаптивной модификации доставляет нам механика развития, или экспериментальная эмбриология. Какая из "проспективных потенций" некоторой эмбриональной ткани будет осуществлена, зависит от "индуцирующих" влияний окрестности. Все процессы адаптивной модификации, в том числе процессы обучения, по существу, близки к индукции в смысле Шпемана.

Простейшие формы адаптивных модификаций поведения — это прокладывание моторных путей и сенситивизация рецепторных процессов. Последние имеют значение для сохранения вида лишь в тех случаях, когда стимулирующая ситуация с высокой вероятностью появляется в виде *серий.*

Все дальнейшие процессы модификации, рассмотренные в этой главе, основываются на *ассоциации,* т. е. на установлении связи между двумя нервными функциями, ранее не находившимися в причинной зависимости друг от друга. Посредством этого процесса стимулирующая ситуация, часто очень сложная, приобретает влияние на врожденную форму поведения.

В случае привыкания, или десенситивизации, это влияние имеет *тормозящий* характер: первоначально запускающие ключевые стимулы вследствие ассоциации теряют свою действенность, но сохраняют или соответственно восстанавливают ее даже при малейшем изменении комплексной ситуации. Как знает каждая повариха, "перемена" придает новую действенность притупившимся ключевым стимулам.

При обратном процессе приучения врожденно действующие ключевые стимулы ассоциируются с некоторой комплексной комбинацией стимулов таким образом, что *в дальнейшем* остаются действенными *лишь* в их сопровождении. Таким образом врожденный механизм запуска чрезвычайно усиливает свою избирательность.

При интенсивных реакциях бегства запускающие ключевые стимулы часто уже после единственного очень сильного воздействия, именуемого "психической травмой", ассоциируются с сопровождающей комплексной стимулирующей ситуацией, в дальнейшем вызывающей сильное побуждение к бегству. Эта ассоциация часто необратима.

Многие формы поведения, в особенности социального, в ранних сенситивных фазах развития, в которых они еще вовсе не способны функционировать, необратимо фиксируются на некотором объекте. Эти процессы, именуемые запечатлением, своей связью с некоторым сенситивным периодом и своей необратимостью более всех процессов обучения напоминают явления, которые Шпеман назвал индукцией и детерминацией.

В процессах, рассмотренных в четвертом — седьмом разделах этой главы, посредством обучения устанавливается новая связь между независимо функционирующими нервными процессами. Представление об обучении в общем смысле, которого придерживались старые психологи — исследователи поведения, такие, как Вильгельм Вундт и Ч. Л. Халл, весьма точно подходит к описанным процессам. Но если критически сопоставить различные американские теории обучения, как это сделал К. Фоппа в своем прекрасном сжатом обзоре, то снова и снова бросается в глаза, сколько вреда причиняет теоретическим построениям большинства авторов описанная на с. 278—279 тенденция к единообразному объяснению. Снова и снова пытаются справиться со *всеми* процессами обучения с помощью единственной, всеохватывающей теории. То, что при этом называется "обучением", — это не существующий в действительности промежуточный предмет между процессами, описанными в этой главе, и другими, в основе которых лежит совершенно иная и более сложная организация нервных процессов. Эти процессы составляют предмет следующей главы.

Глава 6

ОБРАТНОЕ СООБЩЕНИЕ ОБ УСПЕХЕ
И ДРЕССИРОВКА ВОЗНАГРАЖДЕНИЕМ
(conditioning by reinforcement)

1. НОВАЯ ОБРАТНАЯ СВЯЗЬ

Все животные, у которых центральная нервная система достигла определенного уровня дифференциации, т. е. головоногие, ракообразные, паукообразные, насекомые и позвоночные, включая человека, обладают способностью к приобретению знаний, превосходящей своей эффективностью все до сих пор рассмотренные когнитивные механизмы, а именно способностью к обучению в более узком смысле слова. У психологов, далеких от биологии и ничего не знавших о конвергентном* приспособлении, наличие этой способности у столь многих различных организмов вызвало ошибочное представление, что здесь идет речь о первичном феномене, об основной форме любого приобретения знаний или даже о единственном элементе поведения вообще. В действительности же пять указанных групп животных развили свой нервный аппарат, лежащий в основе рассматриваемой функции, столь же независимо друг от друга, посредством конвергентного приспособления, как они выработали свои глаза и конечности, также независимо возникшие в каждой из этих групп.

Обучение посредством проб и ошибок возникло как типичная фульгурация в смысле, объясненном на с. 270, посредством установления новой связи между уже существовавшими механизмами, способными действовать независимо друг от друга. Мы уже познакомились с функцией каждого из этих составляющих механизмов.

Комплекс поведения, который Гейнрот назвал свойственным виду импульсивным поведением (arteiegene Triebhandlung), состоит, как мы уже знаем, из аппетентного поведения срабатывания врожденного механизма запуска и выполнения генетически запрограммированной последовательности поведения с достижением в конце ее завершающей ситуации, удовлетворяющей побуждение. Эта цепь из трех отдельных процессов представляет основу, из которой возникло все обучение посредством проб и ошибок (conditioning). Линейная последовательность процессов приобретает новые неожиданные системные свойства вследствие поистине эпохального "изобретения": *конечный успех последовательности начинает производить обратное модифицирующее воздействие на ведущие к нему формы поведения.*

Формы поиска, более или менее случайно входившие в аппетентное поведение, *усиливаются* этим обратным воздействием, если выполнение всей последовательности достигает успеха, способствующего сохранению вида, а в противном случае ослабляются. Иными словами: успех действует, как то, что обычно называется "вознаграждением", а неудача — как то, что называется "наказанием". В литературе на английском языке все ведущее таким образом к усилению или к "положительной

317

дрессировке" предыдущего поведения называется *reinforcement¹**, и, к сожалению, это слово употребляется также пишущими по-немецки психологами; напрашивающиеся немецкие термины отвергаются ими как "субъективистские". Поскольку это понятие восходит к Ивану Петровичу Павлову, я попросил одну из моих сотрудниц, хорошо говорящую по-русски, найти у этого автора, где он впервые употребил соответствующий термин и как он звучал по-русски. Оказалось, что великий физиолог написал свои ранние работы, где он ввел это понятие, по-немецки, использовав слова "Verstärkung"²* *и* "verstärken"³*. Этот выбор немецкого выражения кажется мне не вполне удовлетворительным. То, что достигается рассматриваемым процессом обучения, можно лучше всего выразить, сказав, что успех *подкрепляет** поведение животного, ведущее к нему.

Вместе с новой обратной связью возникает когнитивный процесс, доставляющий индивиду за один раз больше прочного знания, чем метод генома мог бы доставить, в самом благоприятном случае, в течение целого поколения, — по меньшей мере вдвое больше, поскольку этот процесс может извлекать информацию не только из успеха, как геном, но также и из неудачи. Кроме того, рассматриваемый процесс действует не так, как геном, "пробующий" наудачу всевозможные существенные и несущественные факторы, а опирается на надежно испытанные врожденные рабочие гипотезы, а именно на те, которые прочно встроены в систему поведения всех высших животных в виде механизмов приобретения текущей информации, описанных в главе 4. Тем самым поведение, модифицируемое методом проб и ошибок, заранее направляется в сторону большей вероятности успеха. Не случайно "заранее" по-латыни звучит "a priori"*. Мы узнаем об этом больше в разделах, посвященных пониманию и обучению.

Ввиду большой эффективности возникающего таким образом нового когнитивного аппарата понятно, что из быстро движущихся высших животных способны к конкуренции лишь те, которые им обладают.

2. МИНИМАЛЬНАЯ СЛОЖНОСТЬ СИСТЕМЫ

С другой стороны, из сказанного понятно, почему обучение посредством успеха не могло возникнуть у одноклеточных и низших многоклеточных животных, лишенных центральной нервной системы. Система, способная оценить как источник знания успех или неудачу некоторой предыдущей формы поведения и применить результат такой оценки для обратного модифицирующего действия на механизм этой формы поведения, имеет, разумеется, своей предпосылкой существование нескольких не слишком простых, весьма эффективно действующих подсистем. Эти подсистемы и их образ действия мы рассмотрели при обсуждении свойственного виду импульсивного поведения.

Легче всего представить себе механизм, подкрепляющий животное в тех формах поведения, которые ведут к простому удовлетворению

---

¹ *Усиление *(англ.).* — *Примеч. пер.*
² *Усиление *(нем.).* — *Примеч. пер.*
³ *Усиливать *(нем.).* — *Примеч. пер.*

потребностей тканей. В этом случае достаточен был бы единственный "датчик"*, регистрирующий наличие или отсутствие некоторого необходимого для жизни вещества и посылающий свое сообщение в аппарат предыдущего поведения. Такая простейшая возможность подлинной условной реакции и в самом деле осуществляется в отдельных случаях, например, по наблюдениям Детье, при добывании пищи у многих мух. Но, вообще говоря, для большинства систем поведения, адаптивно модифицируемых подлинным обучением, должны быть выполнены следующие три предпосылки.

Во-первых. Форма поведения, с которой начинается все действие, должна быть "широко открытой", т. е. иметь программу, предоставляющую возможность разнообразных адаптивных модификаций; как мы уже знаем, такая программа предполагает особенно *большой* запас генетической информации.

Во-вторых. Должна каким-то образом "заноситься в протокол" или "запоминаться" форма, какую имели вводные звенья цепи действий при ее последнем выполнении, и эта запись должна связываться с обратным сообщением об успехе.

В-третьих. Это обратное сообщение должно быть достаточно *надежным*. Завершающее действие, которое удовлетворяет побуждение, т. е. "consummatory act"[1]* в смысле Уоллеса Крейга или, в случае аппетенции по состоянию покоя в смысле Мейер-Гольцапфель, целевая стимулирующая ситуация должны быть столь однозначно определены внутренними и внешними рецепторными процессами, чтобы с достаточной вероятностью исключить ошибочное сообщение об успехе или неудаче. Иными словами: рецепторный аппарат, передающий обратные сообщения, должен выполнять функции, аналогичные функциям врожденного механизма запуска (с. 290). Нельзя представить себе более простую мысленную модель физиологического аппарата, осуществляющего обучение посредством успеха (conditioning by reinforcement).

Система поведения, способная к такой функции, тем самым никак не может быть простым "рефлексом", как это подсказывает терминология И. П. Павлова. Конечно, существуют простые "рефлекторные" реакции избегания, подобные рассмотренным в 5.6, которые возникают путем простой ассоциации между реакцией бегства и приобретенным запускающим действием некоторой стимулирующей ситуации; они имеют внешнее сходство с рассматриваемыми здесь процессами обучения. Но нам не известен ни один случай, когда бы удалось адаптивно модифицировать некоторую систему поведения посредством дрессирующих, т. е. положительно действующих, "вознаграждающих" стимулов *без участия аппетентного поведения*. На это обстоятельство давно уже указал Э. Ч. Толмен.

Даже в классическом случае слюнных условных "рефлексов", исследованном И. П. Павловым, указанный рефлекторный процесс никоим образом не является единственным процессом, подкрепляемым дрес-

---

[1] *"Завершающее действие" *(англ.),* от consummate — доводить до конца, завершать. — *Примеч. пер.*

сировкой; более того, слюноотделение составляет лишь малую часть гораздо более сложной последовательности форм поведения, бóльшая часть которых, однако, в классическом лабораторном опыте выключается той простой мерой, что собака привязывается тщательно продуманной кожаной сбруей, едва ли позволяющей ей сделать какое-нибудь движение. Мой покойный друг Говард Лиделл, работавший в качестве приглашенного сотрудника в одной из павловских лабораторий, вызвал там некоторое неприятное удивление, произведя неортодоксальный опыт. Сначала он выдрессировал собаку на условный стимул, состоявший в ускорении звуков метронома. Когда собака научилась надежно выделять слюну на этот стимул, Лиделл освободил ее от уз. Тогда собака сразу же подбежала к метроному, продолжавшему равномерно тикать, подпрыгнула к нему, приветствовала его, виляя хвостом и подвывая, иначе говоря, продемонстрировала все поведение собаки, выпрашивающей еду у хозяина или старшего товарища по своре. При этом она интенсивно выделяла слюну, хотя метроном не ускорил своего хода, так что условный стимул вовсе не предлагался. У общественных псовых (Canidae) выпрашивание корма и взаимное кормление широко распространены. Согласно Крайслеру, волки уже в возрасте одного года кормят чужих более молодых детенышей, у гиеновых собак (Lycaon pictus L.) удачливый охотник кормит всех членов своры. У обоих этих видов врожденные координации выпрашивания те же, что у домашней собаки. Эти координации — а вовсе не одно только отделение слюны — воплощают ту реакцию, которая в классическом опыте выступает в качестве условной!

Я никоим образом не хочу преуменьшить значение опытов Павлова. Вполне законно искусственно изолировать некоторую отдельную реакцию, особенно если это доставляет такие хорошие возможности количественного исследования, как слюноотделение собаки. Но при этом не следует упускать из виду, что в таком случае мы *вырезаем кусок из системы*. Ни в коем случае не следует впадать в ошибку мышления, присущую некоторым людям с несомненными аналитическими способностями, которые полагают, что система состоит теперь из одной только изолированной части и что одной этой части уже достаточно, чтобы понять все свойства системы в целом.

Если мы теперь бросим взгляд с точки зрения биологического системного анализа на важнейшие известные в настоящее время факты о возникновении условных реакций при *подкреплении* (reinforcement), то мы увидим, что они полностью подкрепляют изложенное здесь мнение: положительная дрессировка посредством вознаграждения есть важный критерий "подлинной" условной реакции. В перечень "обусловливаемых" реакций, которые приводит в своей книге К. Фоппа, вкралось несколько случаев, где реакция избегания, основанная на простой ассоциации, принимается за подлинное "conditioning"[1]*.

---

[1] *"Кондиционирование" *(англ.),* в смысле создания условных реакций. — *Примеч. пер.*

3. ПОИСК ЭНГРАММЫ*

Прежде чем обратиться к вопросу, на какие части всей модифицируемой обучением системы воздействует адаптивная модификация и откуда происходит новая информация, воздействующая на них, я хотел бы высказать некоторые общие соображения о физиологической природе обучения и памяти.

Поиск *энграммы,* знака в памяти*, оставляемого обучением, до сих пор остался удручающе бесплодным. Для своего остроумного доклада "In Search of the Engram"[1]* К. С. Лешли избрал подзаголовок: "Thirty years of frustration"[2]*. В действительности же терпеливые исследования Лешли обнаружили, наряду с другими очень важными результатами, тот факт, что энграмма не локализована в каком-либо определенном месте мозга, а заключается в организации, связывающей всевозможные части мозга. Впрочем, даже сегодня мы не можем сказать, какие физиологические процессы лежат в ее основе. Отсюда понятно, почему многие серьезные исследователи сразу же после открытия генетического кодирования информации в цепных молекулах выдвинули гипотезу, что знание, приобретенное в индивидуальном опыте и хранимое в памяти, удерживается таким же способом. Между тем эта гипотеза вызывает большие сомнения. Если бы она была верна, то должно было бы существовать два механизма, функционирующих независимо друг от друга, один из которых тотчас же "записывает на пленку" все поступающие нервные импульсы, т. е. превращает их временну́ю последовательность в пространственную конфигурацию соответствующей цепной молекулы, заключающей в своем коде воспринятые факты. Второй механизм должен быть в состоянии считывать записанные этим химическим кодом сообщения и переводить их обратно в нервные импульсы, координированные во времени и пространстве. Эта гипотеза, независимо от ее общей невероятности, не может объяснить, почему у всех известных живых существ способность к обучению находится в прямом отношении к числу ганглионарных клеток и вообще к величине и дифференцированности центральной нервной системы. В последнее время биохимики показали, что химическое кодирование индивидуально приобретенной информации в цепных молекулах невозможно по временны́м причинам. Поскольку, кроме того, больша́я часть результатов, как будто доказывавших химическую передачу индивидуально приобретенной информации, при критическом повторении не смогла быть воспроизведена, я твердо придерживаюсь предположения, что все функции обучения, во всяком случае в той мере, в какой они обусловливают более сложные адаптивные модификации поведения, разыгрываются в синапсах, т. е. в соединениях, связывающих отдельные нервные элементы, и что эти изменения, как уже было сказано (с. 302 и далее), ближе всего родственны эмбриогенетическим процессам индукции. Этим не исключается, что в таких локальных явлениях могут играть роль изменения в кодировании цепных молекул.

---

[1] *"В поисках энграммы" *(англ.). — Примеч. пер.*
[2] *"Тридцать лет фрустрации" *(англ.). — Примеч. пер.*

4. ВРОЖДЕННЫЕ НАСТАВНИКИ

Открытая программа тех механизмов поведения, которыми каждый индивид благодаря эволюционному развитию его предков снабжается в начале жизненного пути, всегда сконструирована надежно испытанным способом, так, что оставленные открытыми переменные части ее относятся к условиям окружающей среды, *не предсказуемым* в их особенностях, в их временно́м и пространственном осуществлении, но достаточно постоянным в жизни индивида, чтобы оправдать хранение соответствующей информации. Только что вылупившийся серый гусь никоим образом не может знать, как выглядят индивиды, которые являются его родителями и за которыми ему придется следовать в течение месяцев; молодая пчела не может иметь врожденной информации о географическом строении окрестностей ее улья. Способность узнавать отдельных собратьев по виду и способность приобретать посредством дрессировки навыки отыскания пути представляют собой хорошие примеры установок обучения, доставляющих такую существенную информацию, которая *не может быть* получена ни от генома, ни от механизмов приобретения текущей информации.

С другой стороны, как мы знаем, именно открытая программа имеет своей предпосылкой большу́ю массу филогенетически приобретенной, связанной с геномом информации. Эта информация превращается в целесообразное поведение животного не посредством морфогенетического* развития, а иным путем. Конечно, сначала морфогенез создает на основе этой информации вполне определенные нейтральные устройства, как, например, описанную на с. 312 врожденную установку обучения, позволяющую мгновенно ассоциировать очень сильный стимул к бегству со всей сопровождающей его стимулирующей ситуацией. Далее, вся описанная в 6.2 структура аппарата подкрепления успехом построена, разумеется, на основе информации, заключенной в геноме. И если мы хотим остаться в пределах естественнонаучного объяснения, то нельзя себе представить, чтобы заключенная в геноме информация могла превращаться в способствующее сохранению вида поведение каким-нибудь иным способом, чем посредством построения реальных структур нервной системы и органов чувств.

Именно это структурирование направляет обучение на целесообразные пути. Из него вырастают ”наставники”, заботящиеся о том, чтобы открытые места различных программ всегда заполнялись способом, содействующим сохранению вида. Как уже не раз говорилось, сами эти структуры должны быть как можно меньше подвержены изменению вследствие модификации, чтобы ничего не потерять из содержащейся в них врожденной информации. Если в некоторой системе форм поведения имеется подсистема, способная сильно модифицироваться обучением, это неизбежно предполагает, что другие подсистемы достаточно резистентны по отношению к модификациям, чтобы обеспечить выполнение учебной программы модифицируемых частей.

Если не допускать сверхъестественных факторов, например предустановленной гармонии между организмом и окружающим миром, то необходимо постулировать существование врожденных механизмов обучения, чтобы объяснить функции большинства процессов обучения, очевидным образом способствующие сохранению вида. К числу условий возможного опыта принадлежат и те наставники, которые соответствуют Кантову определению априорного: эти врожденные наставники — то, что предшествует любому обучению и должно ему предшествовать, чтобы сделать обучение возможным.

Для естествоиспытателя в высшей степени захватывающее предприятие — разыскивать в некоторой комплексной системе форм поведения, способной к функционированию лишь при адаптивной модификации посредством обучения, те места, где содержится генетически закрепленная открытая программа процессов обучения. Лежащая в основе всего этого информация, связанная с геномом, может быть заложена в самые различные механизмы органов чувств и нервной системы. Например, она может быть сосредоточена в чисто рецепторных механизмах. При типе поведения, который Уоллес Крейг назвал *аверсией** и который я, вместе с Моникой Мейер-Гольцапфель, предпочитаю называть *аппетенцией по состояниям покоя,* это филогенетически запрограммированные рецепторные процессы, говорящие организму, что во внешнем мире что-то "не в порядке". Может быть слишком сухо, слишком влажно, слишком тепло, слишком холодно, слишком светло, слишком темно, соленость воды может быть слишком высокой или слишком низкой, биотоп может доставлять слишком мало укрытий или содержать слишком много препятствий для обзора и т. д. и т. п. Моторное возбуждение, владеющее животным, пока продолжается "вызывающая аверсию" стимулирующая ситуация, может принимать самые разнообразные формы и происходить на самых разных уровнях организации, от простейшего кинезиса до сложных, целенаправленных способов поведения, включающих обучение и понимание. Во всех случаях, когда имеется адаптивная модификация, она затрагивает формы поведения, связанные с поиском пути. Как подлинные условные реакции, возникают *путевые дрессировки,* быстрейшим образом удаляющие организм от мешающего стимула.

Другой вид возникновения условных реакций, столь же широко распространенный и имеющий столь же простую врожденную программу, выполняет важную функцию — сохраняет посредством внешнего поведения постоянные условия внутри организма, т. е. обеспечивает с помощью целесообразных реакций *гомеостазы.* Мы знаем о самих себе, что получаем достоверные сообщения, когда в каком-либо из различных регулирующих контуров нашего тела что-нибудь не в порядке. Сообщение "датчика" может быть специфического рода, как, например, при недостатке в тканях определенных веществ. Самые обычные примеры — голод и жажда. Первые бихевиористы, как, например, Торндайк, полагали, что удовлетворение потребностей тканей (tissue needs) является важнейшим подкреплением (Bekräftigung), производящим самодрессировки. При этом даже не ставился вопрос, каким образом организм в целом, и прежде всего его центральная нервная система, "узнает", чего недостает и какими формами поведения он может устранить этот недостаток.

Еще один пример механизма, сообщающего о неблагополучии уже в несколько ином смысле, — чувство боли. Его особая функция — локализация помехи: мы сразу узнаем, *где* непорядок, и нам уже не дозволяется о нем забыть. Но особенно интересны наименее поддающиеся локализации сообщения, которыми наше тело дает знать о нарушении его гомеостазов. В таких случаях мы можем лишь сказать, что нам плохо. Например, при небольшой инфекции мы никак не в состоянии указать, в каком месте происходит нарушение, даже если чувствуем себя "отвратительно". Но если человека "тошнит", это доставляет уже более точную информацию о месте неблагополучия, а часто можно даже сказать, почему этому человеку так плохо. Как раз в этом и состоит, конечно, ценность такого сообщения для сохранения вида. Если, например, неприятность произошла от употребления испорченной еды, то большей частью мы наталкиваемся посредством "свободных ассоциаций", как выражаются психоаналитики, на какое-нибудь блюдо с душком, съеденное накануне, и тогда причинная связь становится для нас субъективно очевидной. Условные реакции избегания, возникающие вследствие таких переживаний, могут сохраняться надолго, часто на всю жизнь.

Врожденный механизм обучения, производящий эти условные реакции, используя неприятные самочувствия как "наказания" и приятные — как подкрепления, может программироваться очень общим образом. Такому механизму достаточно иметь датчики, в смысле техники управления, в различных регулирующих контурах организма, наказывая за любое изменение, отклоняющееся от желательного номинального значения, и вознаграждая за любое изменение, приближающееся к нему. На этом принципе и в самом деле основывается механизм, определяющий выбор пищи у многих "всеядных", т. е. животных, потребляющих очень разнообразные питательные вещества. Курт Рихтер давно уже установил, что крысы, которым предлагали различные необходимые для их питания вещества порознь, во множестве отдельных сосудов — так что белки были даже разложены на отдельные аминокислоты, — брали из каждой мисочки ровно столько, сколько требовал хорошо рассчитанный рацион. Поскольку крыса никак не может иметь филогенетически приобретенной информации о том, из каких аминокислот синтезируются обычные для нее белковые вещества и в каких отношениях они туда входят, это знание должно приходить к животным другим путем. Исследования Х. Гарсиа и Ф. Р. Эрвина привели к весьма важным результатам о программе врожденного механизма обучения, доставляющего крысе такую информацию. Ее можно приучить или отучить от употребления некоторого вида пищи *только* посредством переживаний, исходящих из ее кишечника. Указанные авторы использовали в качестве наказывающих стимулов инъекции апоморфина, вызывающие тошноту и рвоту, или определенную дозу рентгеновского излучения, производящую то же действие в виде так называемого "рентгеновского похмелья". Все попытки отучить крыс от приема некоторых питательных веществ посредством болевых стимулов и других сильнейших наказаний не приводили к цели. С другой стороны, с помощью указанных способов раздражения кишечника столь же невозможно было отучить крыс от иных форм поведения, кроме приема определенной пищи.

Как в адаптивных модификациях аппетентного поведения, стремящегося к состояниям покоя, так и в только что описанных самодрессировках на определенные виды пищи на передний план выступают условные реакции *избегания*. Поэтому в некоторой степени оправданно говорить об аверсиях в более общем смысле, как это и делал Крейг. Но когда, например, животное переползает из более холодной среды в более теплую, то никак нельзя объективно установить, избегает ли оно холода или ищет тепла; именно поэтому я предпочитаю термин Мейер-Гольцапфель. Однако несомненно, что в обоих случаях организм находится в состоянии возбуждения и что именно снятие возбуждения действует в качестве дрессирующего подкрепления. Это и есть тот тип подкрепления посредством снижения напряжения — relief of tension, — особую важность которого выяснил Ч. Л. Халл.

Существуют также модифицируемые системы поведения, в которых врожденная информация содержится не только в рецепторных механизмах запуска, анализирующих стимулирующую ситуацию, но и в самих запускаемых наследственных координациях. Хороший пример этого составляет постройка гнезда у галок (Coloeus monedula L.), а также у других врановых (Corvidae). Стоя в центре будущего гнезда, птица выполняет с материалом в клюве толкательное движение со своеобразным дрожанием, направленное по широкой окружности в сторону и немного вниз, которым она прижимает материал к основанию гнезда или к уже построенным его частям и втыкает его в эти места. Если материал наталкивается при этом на сопротивление, то дрожательное движение усиливается и непрерывное во времени толкание превращается в ряд сильных ударов в одном направлении, механическое действие которых несколько напоминает действия человека, чистящего трубку, когда введение чистителя в отверстие трубки наталкивается на сопротивление. И если птица держит ветку или что-нибудь в этом роде, то она продвигает этот предмет до тех пор, пока наконец после ее длительных усилий он не пристает таким образом, что его нельзя уже передвинуть ни вперед, ни назад. Когда это происходит, движения "дрожательного толкания" достигают своего оргиастического максимума и внезапно прекращаются. Птица теряет теперь всякий интерес к объекту, а на какое-то время и вообще к постройке гнезда. Дрожательное толкание с его внезапным, удовлетворяющим побуждение концом — это типичный пример завершающего действия, "consummatory act" в смысле Уоллеса Крейга.

В отличие от многих других певчих птиц, галки и другие врановые явно не имеют локализованной в механизме запуска информации о том, что подходит для постройки гнезда. Когда у них впервые пробуждается стремление к этому, они приносят самые невероятные предметы и пытаются прикрепить их дрожательным толканием к месту, подходящему для постройки гнезда. Знание такого места является, однако, врожденным. Я видел галок и воронов, заталкивающих этим движением осколки стекла, патроны для электрических ламп, даже кусочки льда. Конечно, эти вещи не пристают, так что удовлетворяющее завершающее действие не запускается. И в очень короткое время птица *научается* использовать лишь такие предметы, которые при дрожательном толкании доставляют обратные сообщения, или "реафференции", запрограммированные в качестве подкреплений во врожденном механизме обучения. Этих сообщений достаточно, чтобы выдрессировать у птицы выбор таких материалов, которые могут быть сплетены инстинктивным движением в очень прочное строение. Иногда у этого врожденного наставника случаются ошибки, что легко объясняется экономностью врожденной информации: конечно, проволока или полосы жести дают особенно подкрепляющие реафференции, и может случиться, что птица выдрессируется на такой материал, биологически неприемлемый из-за своей теплопроводности. Поблизости от промышленных предприятий не так уж редко встречаются металлические гнезда. Описанный процесс представляет пример действия так называемого *сверхнормального* объекта; реакция на такой объект, как мы еще увидим дальше, напоминает по своему характеру порок.

Сложнее те процессы обучения, которые интегрируют в единую функцию различные инстинктивные движения при постройке крысиного гнезда. Как показал И. Эйбль-Эйбесфельдт, каждая отдельная наследственная координация, входящая в этот процесс, является полностью врожденной. В единственном случае врожденной является также их последовательность: крыса "знает" от рождения, что постройку гнезда надо начинать со сбора материала далеко от места будущего гнезда и доставки его на это место. Крысы, которых Эйбль-Эйбесфельдт вырастил в клетках, не содержавших никаких свободно переместимых предметов, использовали в качестве замещающего объекта собственный хвост, который они брали в зубы далеко от привычного места сна, несли его туда и добросовестно укладывали в надлежащем месте. Поскольку желательно было провести эксперимент с особями без всякого опыта, пришлось повторить его с другими особями, которым в ранней молодости, задолго до проявления побуждений к постройке гнезда, ампутировали хвост. Когда они выросли, им впервые предложили мягкие полоски бумаги, и они сразу же принялись строить. Те из них, которые уже выбрали себе в нерасчлененном помещении определенное место для сна, сразу же стали складывать там принесенные бумажные полоски. У тех, которые до эксперимента спали то в одном месте, то в другом, прошло несколько минут, прежде чем они решились выбрать место для гнезда. Когда отделили угол помещения куском жести площадью в несколько квадратных сантиметров, все подопытные животные стали строить гнезда в этом укрытии.

Строительная деятельность лишенных опыта крыс выразительным образом отличалась от поведения нормальных контрольных животных. Вначале она была намного более интенсивной. Подопытные животные с жадностью набросились на строительный материал, что объяснялось накоплением ни разу не отреагированных инстинктивных движений и чего, конечно, следовало ожидать. Но важное различие состояло в том, что у них *отсутствовал порядок* наследственных координаций, характерный для постройки гнезд опытными крысами. Опытная крыса в начале постройки гнезда ограничивается доставкой материала, пока он не наберется в значительном количестве. Затем она подтягивает этот материал к себе концентрически, вращаясь вокруг вертикальной оси, так что образуется кольцеобразный вал с центром в середине гнезда. Лишь когда этот вал достигает достаточной высоты, опытное животное переходит к так называемому "движению обойщика", заключающемуся в том, что крыса уплотняет и приглаживает внутреннюю стенку вала передними лапами. Подопытное животные Эйбля сразу же выполняли каждую из этих форм движения в законченной координации, так что даже при анализе с помощью замедленной киносъемки не обнаружилось никаких отличий по сравнению с их опытными собратьями по виду. Но указанная выше последовательность полностью отсутствовала: крысы поспешно прибегали с полоской бумаги, клали ее на пол, а затем выполняли в пустом воздухе движения укладки и сглаживания одно за другим, без всякого порядка.

У крыс вся модифицируемая система сложнее, чем у галок, но каждый из множества имеющихся врожденных механизмов обучения действует по тому же принципу. Дрессировка и подкрепление определенной последовательности движений в обоих случаях осуществляются посредством двух процессов. Первый процесс состоит в том, что данная форма наследственной координации может выдать вознаграждающее обратное сообщение лишь при вполне определенной, предусмотренной программой ситуации окружающей среды. Второй же процесс осуществляется обратным сообщением об успехе или неудаче, доставляемым экстероцепторными* и, вероятно, также проприоцепторными* механизмами.

Если инстинктивное движение, так сказать, тратится впустую, не вызывая никаких реаффрекций, то и это действует, вероятно, так же, как прямая отрицательная дрессировка. Во всяком случае, при непосредственном наблюдении рассматриваемых процессов обучения складывается впечатление, что движение укладки доставляет крысам гораздо больше удовлетворения и выполняется с бо́льшим изяществом, если материал для укладывания уже собран, а ”движение обойщика” вполне удовлетворяет их лишь в том случае, если вал из строительного материала уже сооружен.

Для читателя, интересующегося теорией обучения, замечу, что процессы обучения, при которых бо́льшая часть врожденной информации сосредоточена не в рецепторном секторе, а в самой наследственно координированной форме движения, могут быть включены в понятие ”оперантного обучения” (operant conditioning). Но в этом случае ”оперант” состоит не в простом, многократно применимом движении, как, например, царапание или сгребание передней лапой, которое может иногда по чистой случайности иметь подкрепляющий успех, как при нажатии рычажка в ящике Скиннера или в более старомодном ”ящике с секретом”. Он заключается в высокодифференцированном инстинктивном движении, пригодном лишь для единственной специфической функции, и именно той, ради которой оно выработано эволюцией соответствующего вида.

В случае простого, многократно применимого способа поведения справедливы закономерности, сформулированные Б. Ф. Скиннером для процесса обучения, который он назвал кондиционированием типа R. Первый из этих законов гласит, что сила операнта возрастает, если за ним следует подкрепляющая стимулирующая ситуация. Согласно второму закону, сила уже подкрепленного кондиционированием операнта убывает, если за ним не следует подкрепляющий стимул. Эти законы справедливы, если оперантом является так называемая инструментальная реакция, такая, как пространственное перемещение или другие простые формы движения, служащие различным побуждениям. Они справедливы лишь отчасти, если оперант есть инстинктивное движение, аппетенция которого мотивирует животное. В таком случае предшествующее движение в длительной перспективе, возможно, и подкрепляется успехом, но на ближайшее время оно может даже совсем угаснуть. Пока что побуждение удовлетворено, и действие дрессировки станет заметным, лишь когда оно снова проснется. Но отсутствие подкрепления никоим образом не приводит к тому, что животное отказывается от операнта. Поскольку он является наследственной координацией с автономным побуждением, отсутствие удовлетворения приведет лишь к тому, что животное стремится удовлетворить свою потребность в этой форме движения в других ситуациях и на других объектах, но со все возрастающей аппетенцией.

Важно подчеркнуть эти различия, потому что способ проб и ошибок, описанный уже в случае галок и крыс и наблюдаемый, по существу, в том же виде у очень многих животных, можно спутать с так называемым *исследовательским поведением, или поведением любопытства,* о котором будет речь в дальнейшем.

В описанных выше процессах инстинктивное движение подвержено собственному автохтонному* мотивационному давлению, и эта одна и та же форма движения без изменений испытывается на самых разнообразных объектах. Но при подлинном поведении любопытства организм находится под действием совсем иной мотивации, не зависящей от давления, побуждающего к отдельному инстинктивному движению; это убедительно доказала Моника Мейер-Гольцапфель. При таком поведении животное не испытывает *одно* инстинктивное движение на *различных* объектах, а, напротив, испытывает на *одном* объекте *множество* инстинктивных движений, часто весь свой рабочий репертуар, выполняя эти движения одно за другим. Оба процесса обучения отличаются от классического "operant conditioning" в том отношении, что при этом последнем "оперантом" является универсально применимая инструментальная реакция, которая может быть запущена под давлением самых различных мотиваций.

Особенно интересную и неожиданную локализацию врожденной информации открыл М. Кониси в своих исследованиях развития способности к пению у молодых певчих птиц. О многих видах этой группы известно, что неопытный птенец должен услышать пение взрослого собрата по виду, чтобы у него развилось свойственное виду, нормальное во всех подробностях пение. Как известно, исследования И. Николаи обнаружили тот поразительный факт, что некоторые птицы, например снегири, учатся только у вполне определенных особей, с которыми они состоят в столь же определенных, очень тесных социальных отношениях. Известно было также, что птенцы многих видов, которым приходится учиться путем подражания, выбирают в качестве образца пение своего вида даже в том случае, когда слышат много других птичьих голосов и когда голоса их собратьев по виду вовсе не самые заметные и громкие из всех. Кроме того, Оскар Гейнрот заметил, что воспитанные в изоляции птенцы тех видов, которым необходим образец пения своих собратьев, после длинного ряда попыток производят в конце концов песню, приблизительно напоминающую свойственную их виду. Гейнрот предположил, что это "самоподражание".

Все эти явления находят объяснение благодаря открытиям Кониси. Птицы, у которых он разрушал в самом раннем возрасте орган слуха, взрослыми производили пение, состоявшее скорее из шумов, чем из музыкальных звуков, и лишенное всякой структуры. Это наблюдалось и у таких видов, индивиды которых, выросшие в звукоизолированных камерах, вырабатывали вполне отчетливое видовое пение. Отсюда вытекает удивительный, но неизбежный вывод, что лишенные опыта птицы имеют рецепторный прообраз своего видового пения; Кониси называет его "auditory template"[1]*. Птица играет своим голосом, тихо напевает подобно лепечущему ребенку, испытывая самые разнообразные комбинации звуков, и сохраняет те из них, которые лучше всего соответствуют свойственному виду акустическому шаблону, предстоящему перед ее "воображением". Тихие напевы, которые наши любители птиц так мило называют "сочинением"*, носят, таким образом, характер исследовательской игры.

Рассмотренных примеров филогенетически запрограммированных механизмов обучения достаточно, чтобы продемонстрировать три факта, важных в контексте этой книги.

Во-первых. В принципе всегда можно показать соответствующим экспериментальным анализом, в какой подсистеме комплексной модифицируемой системы поведения находится врожденная информация, обеспечивающая возможность выдрессировать у животного целесообразные для сохранения вида формы поведения.

Во-вторых. Ни один процесс обучения не может быть понят, если не известна вся система, адаптивную модификацию которой он осуществляет.

В-третьих. Невозможно сформулировать общие, справедливые для всякого обучения утверждения о том, чтó именно действует в качестве подкрепления ("reinforcement"). Теория Торндайка, по которой сущностью подкрепления является удовлетворение потребностей тканей, или теория Халла, видящего существенный дрессирующий фактор в снятии нервного напряжения ("relief of tension"), обе подходят лишь к специальным случаям. Физиологическая природа процесса подкрепления должна отдельно исследоваться в каждом случае обучения.

5. МОДИФИЦИРУЕМЫЕ ПОДСИСТЕМЫ И ИХ АДАПТИВНАЯ ИЗМЕНЧИВОСТЬ

В предыдущем изложении и более подробно в моей книге "Эволюция и модификация поведения" (Harvard University Press, 1965) я пытался показать, что невозможно допустить адаптивную модифицируемость *всех* вообще существующих частных процессов поведения, не прибегая к виталистическому допущению предустановленной гармонии между

---

[1] *"Слуховой шаблон" *(англ.). — Примеч. пер.*

организмом и внешним миром. Само собой разумеется, что любая модифицируемость, служащая сохранению вида, имеет своей предпосылкой возникшую в ходе эволюции открытую программу и сверх того точно так же филогенетически запрограммированный механизм обучения описанного в предыдущем разделе вида. Всеобщая и неограниченная пластичность всех форм поведения предполагала бы *бесконечное* множество такой информации и таких аппаратов обучения, что, очевидно, бессмысленно.

6. УСЛОВНАЯ РЕАКЦИЯ, ПРИЧИННОСТЬ И ПРЕОБРАЗОВАНИЕ СИЛЫ

Как уже было сказано вначале (с. 254), часто случается, что когнитивные аппараты различных уровней интеграции очевидным образом возникают в ходе приспособления к одной и той же внесубъективной обстановке. Нередко такие аппараты встречаются у животных разного уровня развития; нередко обнаруживается, что они функционируют одновременно, но независимо друг от друга у одного и того же вида. Это справедливо и в рассматриваемых дальше случаях.

Как подчеркнул Э. Ч. Толмен в своей книге "Целенаправленное поведение животных и человека", важнейшая функция способности к образованию условных реакций состоит в том, что она дает организму возможность оценить некоторую комбинацию стимулов, которая сама по себе не имеет биологического значения, как *предзнаменование* скорого наступления другой, жизненно важной ситуации, и позволяет сделать к ней *приготовления*.

Наблюдая полудиких коз армянского нагорья, я заметил однажды, как уже при первых отдаленных раскатах грома они отыскивали в скалах подходящие пещеры, целесообразно готовясь к возможному ливню. То же они делали, когда поблизости раздавался грохот взрывов. Я вполне отчетливо помню, что при этом наблюдении я внезапно впервые осознал: в естественных условиях образование условных реакций лишь тогда способствует сохранению вида, *когда условный стимул находится в причинной связи с безусловным*.

Надежное, регулярное "post hoc"[1]*, служащее предпосылкой того, что некоторая условная реакция выполняет функцию, способствующую сохранению вида, никогда не встречается в естественных условиях без причинных связей, которые в таком случае легко обнаружить. В принципе они присутствуют и тогда, когда экспериментатор перед кормлением павловской собаки регулярно заставляет звучать "сигнал еды". Правда, причинная детерминированность в поведении самого исследователя пока ускользает от нашего анализа.

Как я полагаю, доказательство телеономности условной реакции бросает важный свет на некоторую ошибку Юмова эмпиризма, которую критикует также Карл Р. Поппер в своей книге "Объективное знание". Как показывает Юм, с точки зрения чистой логики ни из какого числа прецедентов нельзя заключить, что та же последовательность событий

---

[1]*После этого *(лат.). — Примеч. пер.*

должна повториться; нельзя даже заключить, что вероятность такого допущения возрастает с числом повторений. В связи с этим логическим тезисом Юм ставит психологический вопрос, как же это получается, что каждый разумный человек с большой уверенностью ожидает, что завтра снова взойдет солнце, что отпущенный камень упадет на землю и, вообще, что все на свете будет дальше происходить, как до сих пор. Великий эмпирист отвечает на этот вопрос, говоря, что это следствие привычки — "custom of habit", — иными словами, это происходит потому, что многократное повторение приводит в действие некоторый механизм ассоциации идей, без которого мы, по словам Юма, были бы вовсе не способны к жизни.

Противоречие между логикой и человеческим здравым смыслом — "common sense", — как показал Поппер, не только привело многих мыслителей к глубокому сомнению в возможности объективного знания, но заставило и самого Юма принять некоторую нерациональную теорию познания. Поппер говорит о нем: "Его открытие, что из повторения невозможно вывести никакую доказательную аргументацию, хотя оно и господствует в нашей когнитивной жизни и в нашем "понимании", привело его к заключению, что рассудочные основания и разум играют в нашем понимании лишь подчиненную роль. Наше "знание" разоблачается как нечто, чему подобает лишь природа веры, более того, веры, не поддающейся защите с точки зрения разума, — то есть нерационального убеждения" (His result that repetition has no power whatever as an argument, al though it dominates our cognitive life or our "understanding" led him to the conclusion that argument or reason plays only a minor role in our understanding. Our knowledge is unmasked as being not only of the nature of belief, but of rationally indefensible belief — of an irrational faith)*.

Карл Поппер указывает выход из этой апории* ясным рассуждением, из которого я хочу привести лишь два предложения, свидетельствующих, даже вне их контекста, о фундаментальном совпадении между результатами логики и исследования поведения. Поппер пишет: "Я считаю чрезвычайно важным различение между логической и психологической проблемой, вытекающее из трактовки Юмом той и другой. Но я полагаю, что его точка зрения неудовлетворительна в отношении того, что я назвал бы логикой. Он описывает, причем достаточно ясно, процессы *правильных заключений;* но он рассматривает их как "рациональные" *сознательные процессы*" (I regard the distinction, implicit in Hume's treatment, between a logical and a psychological problem as of the utmost importance. But I do not think that Hume's view of what I am inclined to call "logic" is satisfactory. He describes, clearly enough, processes of *valid inference,* but he looks upon these as "rational" *mental process*).

К методическим принципам Поппера принадлежит перевод всей субъективной терминологии в объективирующую во всех тех случаях, когда входят в рассмотрение *логические* проблемы. Он говорит попросту следующее: "Что верно в логике, то верно и в психологии" (what is true in logic, is true in psychology). Этот принцип переводимости ("principle of transference"), связывающий субъективное с объективным, в точности соответствует нашему высказанному уже в пролегоменах убеждению в фундаментальной тождественности всех процессов переживания с физиологическими процессами.

Логическое мышление, точно так же как образование условных реакций и бесчисленные иные "психологические" процессы, есть функция человеческого аппарата отображения мира, в целом находящегося в соответствии с условиями внесубъективной действительности, о чем уже неоднократно говорилось выше (с. 249). Горестное заключение Юмова эмпиризма, что все наше знание в действительности есть лишь совершенно неосновательная вера, было бы справедливо лишь в том случае, если бы было верно утверждение: "Nihil est in intellectu quod non antefuerat in sensu" (В нашем разуме нет ничего, чего не было раньше в нашем чувственном восприятии).

Но мы знаем уже, насколько ложно это утверждение, мы знаем, что любое явление приспособления есть когнитивный процесс и что данный нам a priori аппарат, с помощью которого только и возможно индивидуальное приобретение опыта, имеет уже своей предпосылкой огромную массу полученной в ходе эволюции и хранящейся в геноме информации. Этого Юм еще не знал, а бихевиористы не хотят этого знать.

В каждом из нас заложена установка, вынуждающая нас после повторного наступления некоторого события предполагать некоторую непонятную, трудно определимую *связь* между его отдельными появлениями. Я хорошо помню, как, будучи школьником, долго не мог поверить моему учителю математики, что если шарик рулетки очень много раз остановился на красном, то с увеличением числа таких повторений не возрастает вероятность того, что в следующий раз выпадет черный цвет. Учитель в конце концов убедил меня, сказав: "Подумай, ведь колесо не *помнит,* что было раньше, каждый следующий запуск в точности таков, как первый, с одинаковой вероятностью красного и черного". Я говорил с очень многими людьми, заметившими у себя этот логически необъяснимый принудительный ход мыслей. Возникает нелегкий, но интересный вопрос, какой же реальный механизм приписывается в этих ожиданиях колесу рулетки. От него как будто ожидают, как от живого существа, что после столь многих повторений оно устанет вести себя одинаково и захочет перейти к чему-то другому.

Гораздо легче ответить на вопрос, почему после многократного переживания некоторой *последовательности* событий мы склонны рассматривать уже происшедшие как верное предзнаменование дальнейших. Такое принудительное мышление и поведение было бы бессмысленно, если бы внесубъективная действительность была чем-то вроде колеса рулетки и явления в ней столь же случайно следовали бы одно за другим.

Но чисто случайные события, последовательность которых напоминала бы то, что происходит с колесом рулетки, в естественных условиях крайне редки. Напротив, цепи явлений, в которых *эффект преобразования силы* причинно обусловливает регулярный порядок, не только часто встречаются, но поистине вездесущи. Когда за молнией следует гром или за отдаленным громом следует дождь и когда эти явления хотя бы несколько раз следуют друг за другом в том же порядке, то с подавляющей вероятностью можно предположить, что все три явления *связаны между собой причинной зависимостью.* Но если одно явление есть причина другого, это всегда предполагает какую-то форму преобразования силы. Точно так же вероятность допущения, что некоторая цепь явлений связана причинной зависимостью, действительно возрастает вместе с числом наблюдаемых случаев. Внесубъективная действительность, которую физик считает удовлетворяющей закону сохранения энергии, — это несомненно та же действительность, которая отражается в форме приспособления по меньшей мере двух различных когнитивных аппаратов: во-первых, в рассматриваемой здесь способности к образованию условных реакций и вообще к образованию ассоциаций и, во-вторых, в человеческой форме мышления, выражающей причинность.

Реакция избегания у туфельки и комплексное центральное представление пространства у самых высших организмов — это приспособления к одной и той же реальной действительности, именно к непроницаемости тел и к их расположению в пространстве. Аналогичным образом образование условных реакций и причинное мышление — приспособления к одной и той же реальности, именно к сохранению и превращениям энергии.

Эмпиристы ошибаются, полагая, что причинное мышление человека возникает лишь вследствие привычки и что наше "propter hoc"[1]*, наше "потому что" якобы тождественно с часто переживавшимся и надежным "post hoc", "регулярно за этим". Аксиоматическая природа нашего причинного мышления вряд ли где-нибудь проявляется яснее, чем в предложениях, которыми Джеймс Прескотт Джоуль начинает свою классическую работу об эквиваленте тепла. Он говорит там, столь же наивно, как безапелляционно, что абсурдно предполагать, будто какая-нибудь форма энергии может исчезнуть, не превратившись в некоторую другую, постулируя тем самым то, что в конечном счете доказывает, а потому вовсе не имел бы надобности постулировать. Точно так же априорный характер причинного мышления проявляется у каждого умного ребенка в вечном вопросе "почему?".

Уже неоднократно говорилось, что функция более простых когнитивных аппаратов может контролироваться с точки зрения более сложных и что их сообщения при таком контроле никогда не оказываются ложными, а всегда лишь более бедными информацией, чем сообщения высших механизмов. Вполне очевидно, что такое же отношение существует между условной реакцией и причинным мышлением. Обучение посредством успеха, как и вообще любое образование ассоциаций, использует лишь одну из закономерностей превращения сил, состоящую в том, что причина предшествует во времени своему следствию. Этого достаточно, чтобы организм мог сделать жизненно важные приготовления.

7. МОТОРНОЕ ОБУЧЕНИЕ

Насколько мне известно, венский зоолог Отто Шторх первый ясно выразил тот важный факт, что адаптивная модификация поведения обнаруживается в рецепторном секторе поведения животного уже на гораздо более низком уровне развития, чем в моторном. За исключением

---

[1] *Вследствие этого *(лат.)*. — *Примеч. пер.*

очень простого процесса обучения, моторного прокладывания путей, описанного в первом разделе предыдущей главы, все сказанное до сих пор о телеономном изменении поведения посредством обучения относится к рецепторным процессам, к тому, что Шторх называет "рецепторикой приобретения": сенситивизация, привыкание, приучение, травматическая ассоциация поведения бегства с определенными стимулирующими ситуациями, а также усиление избирательности врожденных механизмов запуска — все это процессы, основанные на изменениях рецепторных аппаратов.

В чем же состоят простейшие телеономные модификации *моторных* функций? Та же функция условной реакции, которая позволяет организму ответить с опережением во времени на условный стимул способствующими сохранению вида приготовлениями к ожидаемому безусловному стимулу, дает ему также возможность выучить ту последовательность, в какой он должен выполнять определенные инстинктивные движения, каждое из которых находится в его распоряжении в форме, полученной им от рождения. Мы уже познакомились с таким процессом обучения на примере постройки гнезда у крыс. Я склонен допустить, *что любое моторное обучение основывается на том же принципе,* если только речь идет не о простом прокладывании путей, рассмотренном в 5.2, а о подлинных условных реакциях. В самых примитивных случаях соединенные друг с другом формы движения суть целостные инстинктивные движения, легко распознаваемые как таковые, что мы видели в случае движений при постройке крысиного гнезда. Когда же элементы движения, соединенные таким образом, короче продолжительностью и проще, то складывается гораздо более отчетливое впечатление обучения некоторой новой форме движения. Относительно простой пример возникновения целостно действующей таким образом последовательности движений составляет заучивание путевых дрессировок у мышей. Если наблюдать, как мышь научается пробегать высотный лабиринт, то можно уяснить разницу между свободной последовательностью движений, управляемой текущей информацией, и выполнением жестко определенной, заученной последовательности, как это видно, например, в фильмах, заснятых О. Кёлером и В. Динглером в 1952 году. В незнакомой местности мышь продвигается вперед буквально шаг за шагом, ощупывая путь то вправо, то влево чувствительными волосками, расположенными под носом, и время от времени пробегая кусок пути в обратном направлении. Уже при третьем или четвертом повторении пути мышь нередко пробегает короткий отрезок быстрее, но затем сразу же останавливается и возвращается к прежней форме пространственной ориентировки. При дальнейших повторениях возникают новые короткие броски в других местах пути, они умножаются, становятся длиннее и наконец сливаются в общих концах. Путевая дрессировка окончена, когда в конце концов все эти "трудные стыки", сдерживающие быстрый бег, исчезают. Теперь мышь пробегает весь путь в единственной плавной последовательности движений.

Соединение отдельных, уже имеющихся отрезков движений перемещения совершается в действительности вследствие того, что каждая условная реакция сцепляется с другой, ближайшей. Каждое движение производит *ожидаемую* стимулирующую ситуацию, которая, с одной стороны, говорит организму, что он все еще находится на правильном пути, а с другой стороны, запускает следующий моторный импульс.

В точности этот вид обучения и именно эту форму сенсорного контроля выученного моторного процесса описал Альфред Кюн в своей ставшей классической книге "Ориентирование животных в пространстве" под именем мнемотаксиса и мнемической гомофонии; но он описал их лишь как теоретическую возможность. На это последовали возражения с разных сторон, что если бы эти допущения были верны, то животное вынуждено было бы всегда пробегать один и тот же однажды выученный путь и было бы дезориентировано, если бы хоть на шаг от него отступило. Поскольку Кюн не знал ни одного животного, удовлетворяющего этим требованиям, он опустил при переиздании своей книги главу о мнемотаксисе и мнемической гомофонии — и напрасно, потому что рассматриваемые здесь животные, как, например, водяная землеройка*, ведут себя в точности так, как требуется по его теории. Это производит особенно сильное впечатление, когда такое существо в самом деле сбивается с пути или когда в эксперименте нарочно нарушается гомофонное* совпадение между его твердо заученной последовательностью движений и обстоятельствами пути. Когда я удалял с пути моих землероек возвышавшееся препятствие, на которое они привыкли вспрыгивать и пробегать по нему дальше, то они в соответствующем месте подпрыгивали в пустой воздух, а затем, дезориентированные, сидели сначала на земле в том месте, где раньше находился исчезнувший предмет — небольшой деревянный ящичек. Потом они начинали исследовать местность волосками усиков, поворачивали назад и, как можно было заметить, узнавали уже пройденный до препятствия участок пути. Затем, с новым мужеством, они поворачивали, мчались в прежнем направлении — и снова подпрыгивали в пустоту в критическом месте! Они напоминали мне детей, которые, застряв при чтении наизусть стихотворения, начинают снова с какого-нибудь предыдущего места, чтобы пройти трудное место "с налету".

Можно с уверенностью допустить, что обучение более сложным целесообразным формам движения также происходит по только что описанным принципам. Хотя в случае путевых дрессировок речь идет почти исключительно о линейном сочленении отдельных элементов движения, происходящих от наследственных координаций перемещения, не видно причин, почему бы интеграция одновременно протекающих частичных движений не могла осуществляться посредством подобных же процессов.

Многие авторы называли "знание наизусть" выученных последовательностей поведения "кинестетическим" знанием. Конечно, обратные сообщения проприоцепторов* играют важную роль в усвоении "заученного" движения (англ. "motor skill"), как показывает уже само греческое слово, составленное из κίνησις (движение) и ἀσθάνομαι (чувствую). Это выражение удачно также с феноменологической стороны, так как хорошо "заученная" форма движения в самом деле "чувствуется". Но, с другой стороны, этот термин вызывает представление, будто именно проприоцепторные образы наших воспоминаний дают нам возможность точно повторять такую последовательность движений, а это допущение, вероятно, неверно. Как давно уже показал Эрих фон Гольст, произвольно составленные координации движений также подчиняются законам магнитного эффекта и центральной координации, что было в последнее время многократно подтверждено. Мы знаем из исследований Дж. Экклса, что орган, где осуществляется координация заученных движений, есть *мозжечок.*

Как мы еще покажем подробнее в разделе о произвольном движении, обучение движениям даже на самом высоком уровне в принципе не отличается от путевого обучения низших млекопитающих. В распоряжении животного всегда имеются врожденные формы движений с готовыми программами и центральной координацией, посредством обучения лишь интегрируемые в некоторое новое целое. По мере более высокого филетического* развития способности животных к обучению движения эти моторные элементы становятся все меньше. Но даже при подлинных произвольных движениях они все еще намного выше уровня интеграции фибриллярных* сокращений; более того, они, несомненно, охватывают в большинстве случаев еще сокращения нескольких синергических, т. е. действующих в одном направлении, мышц; но они все же достаточно малы, чтобы связываться в почти любые "мелодии движения" как при одновременном действии, так и во временнóй последовательности.

Об элементах движения, составляющих перемещения, мы знаем довольно достоверно, что в основе их лежат эндогенная* стимуляция и центральная координация. Я полагаю, что физиологические явления этого рода вообще не могут быть адаптивно изменены обучением или другими влияниями; меняться может лишь многообразие тех процессов, которые мы назвали выше (с. 295) мантией рефлексов, составляющих, налегая друг на друга, слой между этими явлениями и требованиями внешней среды. В пользу этого допущения говорит также то уже известное нам обстоятельство, что в случаях, когда посредническая функция мантии рефлексов оказывается недостаточной, лежащая в основе наследственная координация не просто "размягчается" и подчиняется таксисам, а распадается на малые куски, сами по себе столь же "твердые", как прыжок доброго коня, скачущего галопом, но как раз благодаря своей краткости более пригодные к легкому и многостороннему использованию в соответствии с пониманием пространства.

Несомненно, особое значение отработанного, "заученного" движения для сохранения вида состоит прежде всего в том, что оно *может быть выполнено без промедления, происходящего от задержки реакций.* Когда пытаются поймать таких территориальных животных, как ящерицы или коралловые рыбы, на их свободно проложенных путях, то можно заметить, насколько заученная наизусть последовательность движений отличается своей целеустремленностью и быстротой от последовательности, управляемой шаг за шагом механизмами ориентации. Пока животное движется в согласии с заученной путевой дрессировкой, оно перемещается так быстро и целеустремленно, что вряд ли можно рассчитывать захватить его внезапным рывком или наброшенной сетью. Но если удается внезапной атакой вызвать у намеченной жертвы столь сильную панику, чтобы заставить ее покинуть область, охваченную путевыми дрессировками, то большей частью ее можно поймать. Я полагаю, что преимущества, доставляемые таким образом путевыми дрессировками, составили главную часть селекционного давления, выработавшего у видов указанного экологического типа территориальное поведение.

Никто еще не пытался применить к заученным, отработанным последовательностям движений животных те методы исследования, которые Эрих фон Гольст использовал в свое время, чтобы показать, что центрально координированные движения независимы от афферентных* процессов. Конечно, предпринятая Эрихом фон Гольстом операция "дезафференции", выключение всех подводящих нервов, означает тяжелое общее повреждение организма, так что, если бы дезафферeнцированное животное не владело больше некоторым выученным до операции движением, это бы мало что доказало. У людей, болеющих Tabes dorsalis[1]*, у которых вследствие болезни не функционируют окончания нервов, сообщающих о положении наших членов — так называемые проприоцепторы положения, — как известно, существенно нарушается координация движений. Но надо принять во внимание, что человек, в некотором роде, чемпион мира по усвоенным, сознательно управляемым произвольным движениям, и потому у него вполне могут афферентно контролироваться формы движения, эквиваленты которых у животных такого контроля не допускают.

Я не решаю вопроса, все ли выученные движения у животных и людей имеют одинаковую физиологическую природу; я говорю здесь лишь о том типе выработанных, отшлифованных тысячекратным повторением движений, о которых наш обиходный язык создал в своем естественном развитии такие выражения, как "знать что-нибудь наизусть", "вошло в плоть и кровь", "стало второй натурой" или, наконец, "совершенно автоматически". В отношении таких последовательностей движений я все же склонен допустить, что их физиологические механизмы те же, на которых основываются уже описанные путевые дрессировки мелких млекопитающих. Вопрос об этих механизмах представляет интерес по той причине, что соответствующие последовательности движений в ряде отношений поразительно напоминают наследственные координации, то есть инстинктивные движения.

Во-первых, координация выработанных движений, как показал уже Эрих фон Гольст, подчиняется ряду законов, совпадающих с законами центральной координации врожденных форм движения. Например, в обоих случаях ритмы различных включенных в общую координацию элементарных движений влияют друг на друга одинаковым образом. Явления "относительной координации" и "магнитного эффекта", по поводу которых я отсылаю к работам фон Гольста, осуществляют в буквальном смысле гармоническое созвучие отдельных ритмов, стремясь привести их в фазовое отношение, выражающееся в небольших целых числах. Чем совершеннее это получается, тем устойчивее координация ритмов. Формы движения, сопротивляющиеся описанным тенденциям процесса центральной координации, остаются неустойчивыми, т. е. их трудно сохранить, как знает каждый пианист, которому прихо-

---

[1] *Сухотка спинного мозга *(лат.)*. — *Примеч. пер.*

дится играть одной рукой триоли, а другой — восьмые. Именно эти функции относительной координации и магнитного эффекта сообщают каждому хорошо усвоенному заученному движению, так же как независимому от процессов обучения инстинктивному движению, ту экономную и изящную форму, которая столь соответствует нашему чувству прекрасного.

Второе свойство заученного движения, которым оно напоминает врожденные наследственные координации, состоит в сильной резистентности по отношению к попыткам его изменить. Как имел обыкновение говорить Карл Бюлер, характерное свойство выученного состоит в том, что оно может быть снова забыто. Конечно, это утверждение было высказано как афоризм, но оно имеет более глубокий смысл, потому что, как я полагаю, оно справедливо лишь в отношении "настоящего" обучения, но не того процесса, из которого возникают заученные координации движений. По моим впечатлениям, эти координации вообще никогда не забываются до конца, так что изменения и приспособления внешнего выполнения движения достигаются скорее наложением на него вновь приобретенных добавочных движений, чем исчезновением давно вошедшего в привычку. В пользу этого мнения говорят, например, наблюдения за водителями автомобилей в каждом случае, когда они меняют тип машины. Если какие-нибудь движения заслуживают таких оценок, как "отработанные", "выученные наизусть", то это движения подлинно хорошего водителя. Если такой водитель долгое время ездит на одной и той же машине, а затем вынужден переменить ее, то жесткость этих движений проявляется весьма отчетливо. Когда моя жена перешла от машины с рычажным переключением к другой, с переключателем на рулевой колонке, она долго еще хватала рукой пустоту в поиске отсутствующего рычага и лишь затем переводила руку вверх, к рукоятке на руле. Это обходное движение постепенно превратилось в колебательное, дугообразное движение руки, производившее впечатление аффектации на всякого не посвященного в его историю, и оно еще не совсем исчезло, когда машина с рулевой рукояткой пришла в негодность и была заменена новой, опять с рычажным переключением. Моя жена, более пяти лет все время ругавшая переключение с руля и сожалевшая о рычажном, оказалась неспособной просто устранить координацию движений, связанную с рулевым переключением. Предоставляю читателю сообразить, по какому пути ее рука отклонялась теперь к рукоятке; как можно понять из всего сказанного, дама делала это весьма элегантно. Упорство, с которым заученные движения сопротивляются всякой попытке их устранить, хорошо известно преподавателям спорта. Им вовсе не нравится, когда ученик, желающий выучиться, например, игре в теннис или спортивному плаванию, перед этим уже приобрел самоучкой некоторый навык в соответствующем виде спорта: как можно понять из сказанного выше, это не помогает, а составляет труднопреодолимое препятствие в усвоении оптимальных координаций, необходимых для участия в соревнованиях.

Третье и самое замечательное совпадение между отработанным движением и наследственной координацией состоит в том, что после длительного неупотребления в обоих случаях заметно отчетливое аппетентное поведение, направленное на выполнение движения. Один из сильнейших мотивов, побуждающих человека танцевать, бегать на коньках или заниматься другими видами спорта, — это аппетенция, направленная на вполне определенное, хорошо отработанное движение, интенсивность которой возрастает со степенью усвоения движения и с его трудностью.

Такую же аппетенцию к выполнению трудных заученных движений продемонстрировал Г. Харлоу на макаках, повторяющих выученные манипуляции снова и снова без дальнейшего вознаграждения, "для собственного удовольствия". "Функциональное удовольствие", как удачно назвал это явление Карл Бюлер, очевидным образом играет важную роль в возникновении хорошо выработанных заученных последовательностей поведения. Мы знаем о самих себе, что каждое усовершенствование, каждое сглаживание еще имеющейся "неловкости" доставляет человеку отчетливо заметное удовольствие. Усовершенствование движения само себя вознаграждает, и в моей книге "Эволюция и модификация поведения" я говорил о "perfection-reinforcing mechanism"[1]*.

С феноменологической стороны усвоение хорошо выработанных движений имеет еще несколько замечательных свойств, по крайней мере одно из которых весьма существенно для роли произвольного движения в *исследовательском* поведении, о котором будет речь в следующей главе. Эти свойства своеобразно противоречивы. С одной стороны, знание усвоенного движения столь определенно и столь исключительно сосредоточено в подсознательных и даже бессознательных слоях нашей личности, что мы лишь мешаем его выполнению, если пытаемся сознательно следить за ним и контролировать его. В самом деле, часто мы даже не знаем в доступных сознанию слоях, чтó мы делаем и как мы это делаем. Если человек очень долго не выполнял заученное движение, например, если после более чем десятилетнего перерыва он впервые становится на лыжи, то вначале, стоя над крутым спуском, он думает, что вообще не сможет ехать, но как только начинает спуск, то, к его собственному удивлению, движение происходит так же беспрепятственно, как раньше.

С другой стороны, при хорошо усвоенных формах движения нередко удается вызвать столь живое представление о кинестезии* его выполнения, что можно путем самонаблюдения выяснить подробности процесса, которых мы уже не знаем на уровне сознания. Когда недавно мой внук спросил·меня, которая из двух больших педалей моей машины включает сцепление и которая торможение, то я, к собственному удивлению, обнаружил, что просто не знал этого, и прежде, чем дать ответ, должен был прибегнуть к только что описанному способу.

Я полагаю, что возникновение подобных мысленных образов собственных движений играет важную, даже решающую роль в специфически человеческой дифференциации центрального представления пространственных данных, а тем самым и для нашего понятийного мышления. В высшей степени вероятно, что управляемое соображением хватание, сущность которого состоит в ощупывании кончиками пальцев,

---

[1] *"Механизм подкрепления совершенствованием" *(англ.). — Примеч. пер.*

в особенности кончиком указательного пальца правой руки, было одной из предпосылок понимания*. В пользу этого говорит также огромная величина области коры большого мозга, представляющей руки и пальцы в их сенсорном и моторном аспекте, и отношение моторных полей к пирамидальным путям, важнейшим нервным путям произвольных движений.

Усвоение координаций движений уже в самой примитивной форме, как оно проявляется, например, в описанном выше "заучивании" последовательности перемещений у землеройки, есть когнитивный акт, и притом чрезвычайно эффективный. Естественно, наследственная координация может быть приспособлена лишь к тем условиям окружающей среды, какие должны предсказуемым образом встретиться любому индивиду данного вида животных.

"Заученная" форма движения обладает многими функциональными свойствами, характерными также для наследственных координаций: ее выполнение не замедляется задержками реакций; она имеет собственное аппетентное поведение и тем самым становится *мотивацией*. Подобно инстинктивному движению, она "скроена по мерке" потребностей — не только общих потребностей вида, но также и особых условий индивидуальной жизни. Легко понять важное значение этой комбинации свойств для сохранения вида. Она полезнее всего для животных, которым приходится иметь дело со сложно структурированной, изменчивой средой. У животных, живущих на деревьях и передвигающихся с помощью хватающих рук, которые вместе с тем должны уверенно перемещаться по привычному пути в ветвях с помощью усвоенных, заученных движений, буквально каждый шаг и каждый захват в этой выученной последовательности движений должен быть предварен внутренним представлением. Этим животным, передвигающимся с помощью хватающих рук, особенно необходима большая точность приспособления, поскольку их клещеобразная рука, чтобы обеспечить себе опору, должна сжиматься вокруг ветки в надлежащий момент и в нужном месте. Среди них лишь медлительные ночные полуобезьяны, такие, как лори и потто, могут позволить себе доверить свою ориентацию в пространстве механизмам, доставляющим текущую информацию. Все быстро движущиеся и особенно прыгающие полуобезьяны и обезьяны, напротив, в совершенстве владеют заученными движениями. В этом заключается одна из причин, по которым человек произошел из такой группы животных.

Поскольку я не вижу какой-либо принципиальной разницы между процессами, участвующими в простом приобретении путевых дрессировок и в обучении самым сложным заученным движениям, мне не представляется необходимым постулировать принципиально различные процессы в центральной нервной системе для объяснения рецепторного и моторного обучения. То новое, что возникает в процессе обучения как в рецепторной области, так и в моторной, состоит в *образовании новых связей*. Иными словами: адаптивная модификация, вероятно, всегда относится к синапсам и всегда ближайшим образом родственна индукции в смысле Шпемана.

8. ПРИСПОСОБЛЕНИЕ МЕХАНИЗМОВ ОБУЧЕНИЯ ПОД СЕЛЕКЦИОННЫМ ДАВЛЕНИЕМ ИХ ФУНКЦИЙ

Великая фульгурация образования нового регулирующего контура, создавшая обучение посредством успеха, придала новую функцию *крайним членам* цепи явлений, которая до этого была линейной. *До* великого изобретения условной реакции завершающее действие имело лишь весьма простую задачу — выполнить по жесткой "замкнутой" программе определенную последовательность движений, дать обратное сообщение, что это исполнено, и тем самым выключить аппетентное поведение. Что такое обратное сообщение в самом деле происходит, можно заключить уже из внезапного резкого спада возбуждения после завершающего действия; это доказано опытами Ф. Бича, оперативно выключавшего у самца шимпанзе обратное сообщение об опорожнении семенного пузыря в ходе оплодотворения.

Как мы уже знаем (с. 295), все наследственные координации имеют тенденцию протекать непрерывно. Первая функция, ради которой в центральной нервной системе возникли высшие и централизованные инстанции, состоит в *торможении* центрально координированных движений. Наряду с этой функцией торможения такие "центры" должны обладать способностью снимать торможение каждой соответствующей формы движения в биологически правильный момент; иными словами, они должны быть в состоянии получать текущую информацию о том, когда наступает этот благоприятный момент. Наследственная координация, стоящий над нею центр торможения и механизм запуска образуют с самого начала некоторое функциональное целое. Гейнрот увидел это своим гениальным прозрением, создав понятие свойственного виду импульсивного поведения.

Сообщение, поступающее от наследственной координации в "центр", вначале имеет лишь содержание "программа выполнена"; в ответ на это высшая инстанция вновь пускает в ход ранее снятое торможение. Лишь в исключительных случаях завершающее действие, удовлетворяющее инстинктивное побуждение, прекращается от "разгрузки", т. е. от исчерпания его специфического возбуждения, как это происходит, например, с пением многих птиц, которое медленно угасает.

Весьма вероятно, что механизм рассмотренной простой системы предоставил селекционному давлению отправные точки, давшие ему возможность сделать из механизма сообщения о *выполнении* механизм сообщения об *успехе*. В этой новой функции от завершающего действия требуется значительно больше; это все равно как если бы честный солдат, до сих пор умевший лишь докладывать: "Приказ исполнен", теперь должен был бы вдруг развить в себе способность дать высшему командованию рассудительный отчет, к какому успеху привело его действие, и даже указать, чтó в приказах командования было ошибочным. Для этой новой функции требуется много разнообразной экстероцепторной и проприоцепторной информации, и сверх того нужны еще механизмы, обладающие достаточным филогенетическим "знанием", чтобы уверенно различать успех и неудачу.

Таким образом, с изобретением условной реакции к механизму завершающего действия предъявляются новые требования: не только должен возникнуть аппарат, доставляющий богатое информацией сообщение о своем успехе, но возникают также требования к количеству нервной энергии, необходимой для того, чтобы достаточно впечатляющее сообщение могло дойти до многих различных инстанций центральной нервной системы, функции которых должны быть адаптивно изменены. Под селекционным давлением этих новых функций механизмы завершающего действия приобрели особые структуры и физиологические свойства, которые прежние этологи долгое время понимали неверно: *некондиционируемая* система поведения, такая, как свойственное виду импульсивное поведение, выполняется обычно без видимой подчеркнутости завершающего действия. Это особенно характерно для цепей поведения, выполняемых лишь один раз в жизни индивида, например спаривания у многих членистоногих. В таких случаях у животного при выполнении завершающего действия не наблюдается никакого особенного повышения общего возбуждения. После возбужденного танца, с помощью которого, например, самец паука-скакуна ухаживает за своей самкой, ход спаривания, завершающего цепь поведения, кажется чуть ли не вялым.

Даже у весьма способных к обучению цихлид, высокоразвитых рыб, ухаживающих за потомством, метание икры и оплодотворение происходит без какого бы то ни было заметного повышения возбуждения; напротив, вступительные церемонии образования пар, с их танцевальными движениями и роскошным предъявлением ярких красок, свидетельствуют о гораздо большем общем возбуждении, чем завершающее действие. При этом многое *выучивается*; научаются узнавать друг друга, и длительный брак, в котором они затем живут, предполагает такое индивидуальное знакомство. Весьма вероятно, что дрессирующее действие движений при образовании пар сильнее, чем воздействие метания икры и оплодотворения, которое самец выполняет с таким же "чувством долга", как и другие действия по уходу за потомством, что и вызвало у одной моей сотрудницы, при наблюдении оплодотворения икры у Etroplus maculatus, бессмертное восклицание: "Он это делает так вяло, что это похоже на добродетель!"

Если сравнивать поведение при оплодотворении у этого вида с поведением жеребца или вообще с целеобразующими завершающими действиями высших животных, например с умерщвлением добычи у хищников или нападением хищной птицы, то при наблюдении таких форм поведения трудно избежать впечатления, что пламя возбуждения охватывает весь организм. Конечно, это высокое общее возбуждение важно потому, что чисто количественным образом обеспечивает необходимое число и силу нервных импульсов для воздействия на весьма многочисленные места центральной нервной системы, где обратное сообщение о завершающем действии должно индуцировать модификации. Этот фейерверк общего возбуждения и — с субъективной стороны — жгучее чувственное наслаждение никоим образом не являются лишенными функций эпифеноменами*, побочными продуктами, а составляют неотъемлемые части физиологического механизма, способного извлекать информацию из успеха и неудачи.

Во всех системах поведения рассмотренного типа за сообщением о выполнении сразу же следует *резкий спад* возбуждения. Но при виде описанного ”фейерверка общего возбуждения” мне кажется слишком искусственным считать один только этот спад возбуждения причиной дрессировки, развертывающей выполнение завершающего действия. Точка зрения Халла, по которой ”relief of tension”, ослабление возбуждения, является главным дрессирующим фактором, справедлива в весьма многих других случаях, но в отношении целеобразующего действия она, безусловно, неверна, как видно из простейшего самонаблюдения.

Когда механизм запуска приобретает в рамках кондиционируемой системы поведения иные и новые частичные функции по сравнению с теми, которые он выполнял в неспособной к обучению линейной системе, он также подвергается сильно измененному селекционному давлению. Это новое селекционное давление предъявляет к нему требования, во многих отношениях противоположные бывшим прежде, когда нужна была возможно бо́льшая избирательность. В немодифицируемой, линейной цепи поведения некоторого инстинктивного действия врожденный механизм запуска является единственной инстанцией, ”знающей”, когда и как следует выполнить все действие. Необходимая при этом избирательность становится не просто ненужной, но прямо вредной, когда начинает играть свою учительскую роль второй процесс получения информации. С тех пор, как лишь обратное сообщение удовлетворяющего побуждение завершающего действия уведомляет организм, какой момент, какое место и какой объект наиболее благоприятны для выполнения всей формы поведения, для организма становится преимуществом, чтобы механизм запуска был *менее* избирателен. Соответственно этому мы часто находим у близко родственных животных весьма различную избирательность аналогичных, может быть, даже гомологичных* врожденных механизмов запуска. Мы уже встретились с неизбирательностью врожденных механизмов запуска, определяющих выбор материала для гнезда у способных к обучению врановых птиц. У гораздо менее способных к обучению ткачиковых (Estrildini и Ploceini)* знание материала, единственно пригодного у этих птиц с высокодифференцированными движениями для постройки гнезда, является полностью врожденным, так что многие из них вообще приходят в настроение размножения лишь в том случае, если получают надлежащие ключевые стимулы со стороны строительного материала.

Процесс условной реакции, при котором информация *об* объекте получается *из* вида врожденной формы движения, дает важное преимущество: с его помощью отбираются те свойства объекта, которые *существенны* для успешного выполнения кондиционируемой формы поведения. Этот процесс, осуществляющий путем проб и ошибок дрессировку на какой-либо наиболее благоприятный доступный объект, применяется очень многими высшими животными. Понятно, что чем больше его роль, тем меньшим может быть заложенное во врожденном механизме запуска знание объекта; более того, для сохранения вида может оказаться выгодным, чтобы врожденный механизм запуска как можно более упростился, предоставив процессу обучения самый широкий простор. На его долю остается лишь дать молодому животному ”намек”, в каком направлении его поиски имеют наибольшие шансы на успех. Эта форма поведения по способу проб и ошибок принципиально отличается от исследовательского, или любознательного поведения, как уже было подчеркнуто на с. 328, и как мы еще подробнее объясним на с. 373 и далее.

Глава 7
КОРНИ ПОНЯТИЙНОГО МЫШЛЕНИЯ

1. ИНТЕГРИРОВАННЫЕ ЧАСТИЧНЫЕ ФУНКЦИИ

Каждая из когнитивных функций, которые будут рассмотрены в этой главе, встречается у животных, и каждая из них имеет свою собственную, независимую от всех остальных ценность для сохранения вида; ради этой ценности и под ее селекционным давлением она и возникла. Если бы мы знали эти функции лишь у животных, то вряд ли пришли бы к мысли, что они вообще способны к интеграции в систему высшего порядка. Как уже было сказано (с. 275), высшая система столь же мало выводима из ранее существовавших частичных систем, как высшее животное из своих нижестоящих предков. Но меньше всего можно было бы предсказать по этим частичным функциям те поистине эпохальные новые функции, которые явились как специфические системные свойства возникшего из их интеграции целого: способность к понятийному мышлению и к словесному языку, к накоплению сверхличного знания, к предвидению последствий собственных действий и тем самым к ответственной морали.

При изложении частичных функций мне неизбежно придется повторяться. Давно уже я понял, сколь важное значение для возникновения человека имели абстрагирующая функция восприятия, пространственная ориентация с центральным представлением пространства и любознательное поведение. Уже тогда я описал эти функции таким образом, что сегодня мало что могу к этому добавить. Но когда я писал мои прежние монографии, я еще не вполне сознавал, что создание того единственного системного целого, функцией которого является понятийное мышление и возникновение которого означает так называемое "очеловечение" ("Menschwerdung"), потребовало интеграции этих трех когнитивных способностей друг с другом и еще по меньшей мере с двумя другими.

Две не принятые тогда во внимание когнитивные функции, которые нам предстоит здесь рассмотреть, — это, во-первых, произвольное движение, которое в сочетании с вызванными им обратными сообщениями является когнитивной функцией sui generis[1]*; во-вторых, подражание, которое, в тесной связи с богатым реафференциями* произвольным движением, составляет предпосылку для усвоения словесного языка и тем самым независимой от объектов традиции. Я оказался перед выбором: либо принять на себя вину за подробное повторение ранее написанного, либо отослать читателя к предыдущим работам. Но, как

---

[1] *Своего рода, своеобразная *(лат.).* — *Примеч. пер.*

я знаю по опыту, читатель очень редко следует таким указаниям, а потому я предпочитаю навлечь на себя упрек в повторении.

Теперь я рассмотрю по отдельности шесть упомянутых когнитивных функций в их первоначальной форме, в которой они осуществляются у животных, как если бы мы ничего еще не знали о том, что они являются подсистемами и тем самым необходимыми предпосылками высочайших, специфически человеческих функций. Ввиду взаимной независимости этих подсистем порядок, в котором они будут здесь рассмотрены, вполне безразличен. Я начну с абстрагирующей функции восприятия, представляющей когнитивную функцию особого рода, уже упомянутую в Пролегоменах (с. 253). Мы уже знаем также (с. 318), что она принимает участие в различных функциях обучения.

При описании сложных систем нельзя избежать подобных возвращений и забеганий вперед, поскольку, к сожалению, линейная последовательность написанных или сказанных слов способна изображать одновременно существующее лишь во временном порядке.

2. АБСТРАГИРУЮЩАЯ ФУНКЦИЯ ВОСПРИЯТИЯ

Сообщения, поступающие в нашу центральную нервную систему от внесубъективной действительности через наши органы чувств, никогда не достигают или только в исключительных случаях достигают уровня нашего переживания в их первоначальной форме как данные нашего ощущения, независимо принятые отдельными рецепторами. Это может случиться самое большее с так называемыми "низшими" чувствами, когда, например, отдельное раздражение осязательного тельца или определенное качество запаха проходят путь от рецептора до нашего Я, не подвергаясь особым процессам обработки, оценки и интерпретации. То, что наш сенсорный и нервный аппарат представляет нашему переживанию в оптической и акустической области, — это всегда уже результат в высшей степени сложных процессов обработки*, имеющих целью вывести из данных нашего ощущения заключения о фактах внесубъективной реальности, лежащих в основе этих данных и образующих стоящую за всеми явлениями действительность, — как мы это принимаем с позиций гипотетического реализма.

При этих — разумеется, бессознательных — "заключениях" нашего обрабатывающего аппарата, как уже было подчеркнуто в начале книги (с. 253), возникает проблема узнавания определенных комбинаций воспринимаемых стимулов, неизменно повторяющихся во времени в одних и тех же сочетаниях. Как я уже объяснил, любое распознавание и узнавание реальных фактов основывается на том, что внешние конфигурации, или "шаблоны", содержащиеся в данных ощущениях, сравниваются с конфигурациями, приобретенными из индивидуального опыта или из эволюции вида и служащими наличной основой дальнейшего познания, т. е. на том, что Карл Поппер называет "pattern matching"[1]*. Постоян-

---

[1]*Приблизительно: "сравнение шаблонов" *(англ.).* Труднопереводимое английское слово "pattern" означает обычное, часто встречающееся сочетание признаков и передается русскими словами "шаблон", "образец", или просто "паттерн". — *Примеч. пер.*

ные конфигурации пространственного характера означают большей частью то, что мы попросту называем предметами. Якоб фон Юкскюль дал им простое определение: предмет — это то, что движется вместе.

Мы не могли бы узнавать реальные вещи окружающего нас мира, если бы нам приходилось для этого всегда воспринимать точно те же стимулы в точно тех же конфигурациях, — если бы, например, образ предмета на сетчатке нашего глаза должен был всегда возникать в том же месте, иметь ту же форму, цвет и величину. Удивительная функция нашего воспринимающего аппарата состоит именно в том, что с помощью уже упомянутых механизмов обработки он позволяет нам узнавать предметы без этого невыполнимого условия.

Можно доказать, что в оптической области такая обработка начинается уже в сетчатке. Как показали Леттвин с сотрудниками, а позднее Э. Бутенандт, чувствительные клетки ретины* лягушки соединены в отдельные группы таким образом, что их центростремительные невриты* ведут от клеток каждой группы к одной ганглионарной клетке. Эта последняя избирательно реагирует на определенное коллективное сообщение группы, состоящее, например, в том, что некоторый темный контур перемещается по сетчатке справа налево; или для другой подобной клетки все клетки ее группы одновременно сообщают ей об усилении освещения. Есть даже группы, избирательно реагирующие лишь на выпуклые, движущиеся в определенном направлении границы затемнения. Собственно, стимулом в строгом физиологическом смысле является только свет, падающий на палочку или колбочку. "Темная выпуклость движется по сетчатке справа налево" — это уже сообщение чрезвычайно сложной сенсорно-нервной структуры, избирательно отвечающее определенной конфигурации, "шаблону" единичных стимулов.

Поэтому когда мы, этологи, говорим об "одном стимуле" и называем так, например, признак "красное снизу", на который пылкий самец колюшки отвечает шаблоном движений конкурентной борьбы, то это просто сокращенное выражение, которое может ввести в заблуждение. Если мы называем этот признак "ключевым стимулом", то предполагается известным, что его восприятие основывается на сообщении очень сложного обрабатывающего аппарата, избирательным образом позволяющего действовать лишь этой особой конфигурации стимулов, и притом вполне определенным способом.

На принципе "pattern matching" основана бóльшая часть нашего познания. Но в процессах, позволяющих нам воспринимать все встречающиеся во внешнем мире "шаблоны", содержится функция, вполне равносильная настоящей абстракции. Ведь это не что иное, как абстракция, когда сообщения зрительных клеток лягушачьей ретины объединяются в описанные выше сообщения и когда этот процесс действует независимо от абсолютной величины стимулов, принимая во внимание лишь соотношения и конфигурации.

Способность воспринимать постоянное соотношение между стимулами независимо от их количественных и качественных изменений была открыта гештальтпсихологом Кристианом фон Эренфельсом, выдвигавшим такую *транспонируемость* восприятия образов как один из его важнейших критериев. Его классический пример — восприятие мелодии, которая узнается как одна и та же, хотя бы она была сыграна на любой высоте звука и на любом мыслимом инструменте. Но способность транспонирования присуща отнюдь не только тем высокоинтегрированным процессам восприятия, которые называются восприятием образов. Как показывают немногие уже изложенные здесь факты о постоянстве цветов (с. 254—255) и о функциях лягушачьей ретины (с. 346), функция транспозиции, сводящаяся к отвлечению от случайного и абстракции существенного, есть основная функция восприятия вообще и тем самым основа *объективации* в том смысле, как мы ее определили в начале книги (с. 246).

То, что при этом абстрагируется, — это всегда свойства, *инвариантно присущие предмету*. Это можно лучше всего продемонстрировать на простейших функциях восприятия, обычно называемых явлениями постоянства. Этот термин относится к понятию, определяемому исключительно функцией, поскольку физиологические механизмы, ответственные за столь различные эффекты, как, например, постоянство цвета и постоянство формы, по своему происхождению принципиально различны. Но все такие механизмы имеют целью, как уже сказано, узнавание предметов окружающего нас мира как "одних и тех же", даже если сопровождающие обстоятельства их восприятия меняются столь сильно, что абсолютные стимулирующие данные, получаемые нашими органами чувств, в разных случаях совершенно различны.

Все мы сразу же понимаем, что имеется в виду, когда говорят о цвете некоторого предмета, не отдавая себе отчета в том, что эта вещь отражает в зависимости от освещения световые волны совершенно различной длины. Я вижу бумагу в моей пишущей машинке белой, хотя она отражает в этот момент сильно окрашенный в желтое свет электрической лампы; но и при красном свете солнечного заката я воспринимал бы ее точно так же, как белую. Аппарат моего восприятия постоянства делает это без участия моего сознания, "вычитая" желтую или красную компоненту освещения из того излучения, которое бумага действительно отражает в данный момент. Цвет освещения, который этот аппарат должен хорошо "знать" для такого расчета, он опускает в своем сообщении, потому что воспринимающий организм, как правило, не интересуется этим цветом. Точно так же пчела, обладающая во многом аналогичным аппаратом постоянства цвета, нисколько не интересуется цветом господствующего освещения; ей нужно лишь узнавать богатые медом цветы по "их собственному цвету", т. е. по неизменно присущим им свойствам отражения, независимо от того, облучает ли их голубоватый утренний свет или красноватый вечерний.

Другой аппарат, выполняющий аналогичные функции, дает нам возможность воспринимать *величину* предмета как одну из его постоянных характеристик, хотя площадь его изображения на нашей сетчатке убывает пропорционально квадрату расстояния. Опять-таки другие механизмы осуществляют удивительный фокус, позволяющий нам воспринимать как постоянное то *место,* где находится видимый предмет, хотя его изображение на нашей сетчатке при малейшем движении нашей головы и тем более глаз совершает самые дикие зигзагообразные скачки. Физиологию обеих этих функций постоянства исследовал в особенности Эрих фон Гольст, к работам которого я здесь отсылаю читателя.

Гораздо сложнее и почти не изучен с физиологической стороны тот аппарат обработки, который позволяет нам воспринимать как нечто постоянное трехмерную *форму* предмета, когда этот предмет движется, — например, вращается перед нашими глазами, так что форма его изображения на сетчатке испытывает сильнейшие изменения. Нужны чудовищно сложные операции стереометрии и начертательной геометрии, чтобы выполнить эту функцию, которая всем нам кажется чем-то само собою разумеющимся, функцию, состоящую в том, что все эти изменения изображения на сетчатке — даже изображения тени — интерпретируются как движения в пространстве некоторого предмета постоянной формы, а не как изменения его формы.

Функции восприятия, изученные Кристианом фон Эренфельсом, М. Вертгеймером и В. Кёлером, — это, несомненно, функции постоянства, хотя, может быть, в свете сказанного на с. 274 было бы неверно утверждать, что они "не что иное, как" таковые. Естествоиспытателю, интересующемуся гештальтпсихологией, я рекомендую прочесть работы Вольфганга Метцгера; краткое резюме содержится в моей статье "Восприятие образов как источник научного познания" ("Gestaltwahrnehmung als Quelle wissenschaftlicher Erkenntnis").

В эволюции органов и даже в техническом развитии машин не так уже редко случается, что аппарат, развитый ради вполне определенной функции, неожиданно оказывается способным выполнять наряду с этой функцией еще одну, совершенно иную. Так, однажды вычислительный аппарат, сконструированный для вычисления сложных процентов, к удивлению собственных конструкторов, оказался способным выполнять также операции интегрального и дифференциального исчисления. Нечто подобное произошло с функциями постоянства восприятия. Как мы знаем, все они были развиты ради постоянства восприятия предметов; выработавшее их селекционное давление было вызвано необходимостью надежно узнавать определенные предметы окружающего мира. Но те же физиологические механизмы, которые доставляют нам эту возможность, поразительным образом способны также выделять, *абстрагировать** постоянные свойства, отличающие не только *одну* вещь, но и определенный *род* вещей. Они способны отвлекаться от свойств, не обладающих родовым постоянством, а присущих лишь отдельным индивидам. Иными словами, они обращаются с этими индивидуальными признаками, как со случайным фоном, на котором можно выделить постоянное качество гештальта, свойственное всем индивидуальным представителям данного рода. Это качество непосредственно воспринимается затем как качество рода.

Эта высочайшая функция механизмов постоянства первоначально совершенно независима от рациональной абстракции, она свойственна высшим млекопитающим и птицам точно так же, как маленьким детям. Когда годовалый ребенок правильно обозначает всех собак словом "гав-гав", это вовсе не значит, что он абстрагировал формулу определения Canis familiaris L.; тем более маленький сын Эйбль-Эйбесфельдта не построил понятия "млекопитающего" и "птицы", когда объединил всех представителей этих классов словами "гав-гав" и "пи-пи", правильно отнеся большого гуся и крохотную певчую птичку на дереве к классу птиц, а свою новорожденную сестренку — к классу млекопитающих. Несомненно, в таких случаях маленький Адам давал имя непосредственно воспринятому им родовому качеству. Все эти функции абстракции и объективации, осуществляемые восприятием гештальта, не только родственны другим, более простым функциям восприятия постоянства, а строятся из них, т. е. содержат их как необходимые частичные функции. Разумеется, восприятие гештальта обладает, как более высоко интегрированное целое, новыми системными свойствами, к чему добавляется еще и то обстоятельство, что оно также связывается с обучением и памятью.

Кажется, восприятие гештальта имеет даже свой собственный отдельный механизм хранения информации. В моей уже упомянутой работе о восприятии образов я подробно описал, как процесс формирования гештальта, его отделения от случайного фона может продолжаться в течение длительного времени, даже многих лет. Исследователь поведения, как и врач, снова и снова обнаруживают, что некоторая закономерность, повторяющаяся в целом ряде отдельных переживаний, например последовательность движений или синдром болезненных явлений, лишь тогда воспринимается как инвариантный гештальт, когда наблюдение ее повторялось очень часто, во многих случаях — буквально тысячи раз.

Этому сопутствуют весьма своеобразные субъективные явления. Задолго до того, как удается формулировать причины для этого, уже заметно, что некоторый комплекс наблюдаемых явлений интересен и привлекателен. Лишь несколько позже возникает предположение, что в таком комплексе заключается какая-то закономерность. То и другое, естественно, побуждает повторять наблюдения. Результат этого поразительного, но никоим образом не сверхъестественного процесса часто приписывается "интуиции" или даже "вдохновению".

То, что происходит в действительности, достаточно удивительно. Ясно, что у нас имеется обрабатывающий аппарат, который в состоянии записывать поистине невероятное число отдельных "протоколов наблюдений" и сохранять их в течение долгого времени и, сверх того, способен вести настоящую статистику этих данных. Мы должны допустить обе эти функции, чтобы объяснить тот несомненный факт, что наше восприятие гештальтов способно вычислить по большому числу отдельных образов, каждый из которых содержит больше случайных, чем существенных данных, и которые накапливаются в течение длительного времени, заключенную в них существенную инвариантность или, пользуясь жаргоном специалистов по связи, способно компенсировать "шум" информационного "канала" избыточностью информации.

Системе, совершающей такие вещи, мы должны приписать очень сложное строение. Однако мы не удивляемся тому факту, что все эти сенсорные и нервные процессы, несмотря на их далеко идущую аналогию с рациональными явлениями, происходят в тех областях нашей нервной системы, которые совершенно недоступны нашему сознанию, нашему самонаблюдению. Эгон Брунсвик ввел для них термин *"рациоморфные* процессы", указывающий, что они и в формальном, и в функциональном отношении строго аналогичны логическим процедурам, хотя, несомненно, не имеют ничего общего с сознательным разумом. Напрашивающееся подозрение, что здесь речь идет о процессах, первоначально имевших рациональный характер, но затем "вытесненных" в смысле психоанализа и погруженных в подсознание, легко опровергнуть. Малоодаренные дети и даже животные могут выполнять с помощью рациоморфных процессов сложнейшие математические, стереометрические, статистические и иные операции, которые даже одаренные исследователи могут лишь несовершенно воспроизвести рациональным путем.

Способность восприятия гештальтов накапливать информацию для дальнейшей оценки также аналогична нашей рациональной памяти, но основана, вероятно, на физиологических процессах иного рода. В способности удерживать отдельные данные рациоморфная функция во много раз *превосходит* рациональную, но нам не хватает способности произвольно вызывать хранимые ею данные. По поводу других различий, а также отдельных недостатков и преимуществ, присущих обоим аналогичным видам процессов, я должен отослать читателя к моей уже упомянутой работе о восприятии образов.

Мои соображения об аналогиях между рациональными и рациоморфными функциями вовсе не означают, что абстрагирующая и объективирующая функция нашего понятийного мышления просто параллельна восприятию образов, но не связана с ним. Рациоморфные функции способны действовать независимо от понятийного мышления, они стары, как сама Земля, поскольку можно с уверенностью допустить, что у стегоцефалов каменноугольного периода сетчатка выполняла в принципе такие же абстрагирующие функции, как у наших лягушек. В функциональном отношении абстрагирующие и объективирующие функции восприятия — предшественники соответствующих функций нашего понятийного мышления. Но, как это обычно бывает при интеграции ранее существовавших систем в более высокое единство, фульгурация понятийного мышления никоим образом не сделала их излишними; они представляют собой его необходимые предпосылки и составные части.

3. ПОНИМАНИЕ И ЦЕНТРАЛЬНОЕ ПРЕДСТАВЛЕНИЕ ПРОСТРАНСТВА

"Понимающее" поведение и "разумность" тесно связаны друг с другом: разумным считается существо с высокоразвитой способностью понимающего поведения. О том, как эта способность возникает, старая психология, очевидно, мало задумывалась — может быть, потому, что эту в высшей степени духовную функцию заранее считали физиологически необъяснимой. Поэтому определение способности к понимающему поведению ограничивается обычно *отрицательными* положениями. Как уже было указано (с. 266), форма поведения считается понимающей, если она позволяет организму справляться с некоторой специальной ситуацией окружающей среды способом, содействующим сохранению вида, хотя об этой особенной ситуации организм не располагает ни информацией, приобретенной в ходе эволюции, ни полученной в индивидуальной жизни. Как мы уже говорили в 1.3 и подробнее во всей главе 4, с этим чисто отрицательным определением "per exclusionem"[1]* можно сопоставить другое, положительного типа, основанное на знании механизмов, лежащих в основе понимающего поведения: мы называем понимающей форму поведения, особая приспособленность которой опирается на процессы кратковременного получения информации, описанные в главе 4.

В ориентации высших позвоночных особо важную роль играет оптическое восприятие пространственной глубины и направления. Поэтому даже наивный наблюдатель не совсем неправ, когда он судит о разумности отдельных видов животных по более высокому или более низкому развитию у них этих способностей. Между тем есть большое число позвоночных, получающих информацию для пространственной ориентировки главным образом из вызываемых собственным движением животного параллактических* смещений изображений отдельных предметов на сетчатке. Этот вид пространственного восприятия наблюдается не только у рыб, но и у бесчисленных птиц и млекопитающих; достаточно вспомнить зуйка или малиновку, вынужденных совершать для локализации видимого предмета характерные кивающие или покачивающиеся движения. Копытные также лишь в исключительных случаях фиксируют предметы обоими глазами, и даже собака, бегущая без поводка рядом с хозяином, поддерживая с ним при этом тесный контакт, очень редко смотрит на него обоими глазами, разве что хозяин позовет ее, чихнет, споткнется и т. п. и этим привлечет ее внимание. Но даже в таком случае собака чаще всего смотрит на хозяина, держа голову наискось, что указывает на преимущественно акустическую ориентировку.

Преобладание у столь многих высших животных параллактической ориентации приводит, как можно заметить, многих людей к ошибочному мнению, что все эти животные не в состоянии фиксировать предметы обоими глазами. Поэтому нужно особо подчеркнуть: всем двуглазым позвоночным в принципе присущ механизм ориентации, состоящий в том, что изображение предмета на сетчатке приводится посредством двустороннего направления глаз в положение наиболее резкой видимости, а затем по обратным сообщениям глазных мышц определяется расстояние до этого предмета. У немногих видов, не обладающих таким механизмом, он, вероятно, вторичным образом атрофировался, как, например, у ряда сомов (Siluridae) вьюновых (Cobitidae), и в немногих других случаях. Весьма вероятно, что зрение двумя глазами вообще возникло под селекционным давлением функции бинокулярной фиксации добычи.

У многих рыб, земноводных и пресмыкающихся, у которых, за исключением случаев бинокулярной фиксации, глаза движутся независимо друг от друга, пеленгация* добычи выполняется примерно следующим способом. Сначала животное фиксирует добычу одним глазом, внимательно следящим за всеми ее движениями. Когда интенсивность реакции возрастает, второй глаз также поворачивается к добыче. После этого животное устанавливает свою голову или все тело в плоскости симметрии между направлениями зрения обоих глаз, неизменно направ-

---

[1] *"Методом исключения" *(лат.). — Примеч. пер.*

ленных на добычу, а затем приближается к добыче до тех пор, пока достигается надлежащее расстояние, чтобы ее схватить. При этом информацию о величине фиксируемого предмета и расстоянии до него доставляют, по всей вероятности, те же механизмы, которые Эрих фон Гольст обнаружил у людей. Как конвергенция* глазных осей, так и процесс установки хрусталиков на резкость доставляют путем реафференции необходимые данные. Многие животные с особенно дифференцированным механизмом ловли добычи не способны схватить ее и в том случае, если она находится слишком близко от их рта. Например, морской конек вынужден при этом с трудом отодвигаться, часто изгибая гротескным образом свое тело, чтобы маленький рачок, неудобно подплывающий к нему, оказался в плоскости симметрии его головы и в то же время на подходящем "расстоянии выстрела".

У значительного большинства позвоночных оценка параллактического смещения видимых предметов служит для грубой ориентировки, а бинокулярное зрение — для локализации добычи. Бинокулярная фиксация неживых окружающих предметов, имеющих значение лишь как препятствия или субстрат* перемещения, происходит лишь в тех особых случаях, когда такой предмет должен быть точно локализован, например, когда в ходе движения нога животного должна быть точно поставлена на данный предмет или когда хватательный орган должен его с уверенностью охватить. С такими требованиями сталкиваются уже некоторые рыбы, а именно живущие на дне или ползающие формы, потерявшие способность свободно парить в воде; так как они тяжелее воды, они остаются на дне, если только не поднимаются над ним усиленными плавательными движениями. Когда таким донным формам приходится целенаправленно перемещаться в богато структурированной среде, например в скалистых нагромождениях литорали* или в зарослях мангровых корней, они должны быть способны точно локализовать детали поверхности, по которой ползают.

Несколько групп окуневых рыб (Percomorphae) выработали формы, специализировавшиеся на этом. Особенно хорошо оснащены в этом смысле представители собачковых (Blenniidae) и пескарей (Gobiidae). Почти все наблюдатели этих интересных рыбок подчеркивают их "разумность". Уильям Биб говорит о них: "Of all fishes, they are least bound-up in fishiness"[1]*, а мой учитель профессор Генрих Йозеф говорил о них в шутку, но очень метко: "Blennius вообще не относится к классу рыб, а принадлежит к таксам". Этим хорошо описывается комическое впечатление, всегда возникающее у опытного наблюдателя, когда животное делает нечто неожиданное, особенно то, что мы привыкли видеть лишь у более высокоразвитых животных. Когда мы видим, как бленниус, взобравшийся "собственными ногами" на высокий камень, затем высоко поднимается на брюшных плавниках, загнутых далеко вперед, сильно отклоняет вверх голову — почти у всех других рыб жестко связанную с туловищем — и фиксирует обоими глазами верхний край обломка

---

[1]*"Они меньше всех рыб связаны своей рыбьей природой" *(англ.)*. Fishiness означает не только "рыбью природу", но и "тусклость", "невыразительность". — *Примеч. пер.*

скалы, прежде чем вскочить на него точно нацеленным прыжком, — все это каждый раз производит неотразимо комическое впечатление. Еще забавнее Periophthalmus, принадлежащий к Gobiidae, который в фиксации обоими глазами неживых предметов и в ползании превосходит всех Blenniidae. Он способен, выйдя из воды, взбираться на мангровые корни и целенаправленно перепрыгивать с одного из них на другой.

Среди Blenniidae и Gobiidae есть и первоначальные формы, не дифференцированные в указанном направлении, с вполне дееспособным плавательным пузырем, так что они, подобно другим рыбам, могут свободно парить в воде без мышечных усилий. При сравнении их с ползающими формами той же группы бросается в глаза существенное различие в форме головы. У способных к парению форм лоб плосок, как и у других рыб, и глаза расположены по бокам головы. Чем дальше заходит приспособление к жизни на дне и к ползанию и чем важнее становится тем самым функция точной оптической ориентации в пространстве, тем круче становится лоб и тем ближе подходят глаза к грани между спинной линией и передней стороной головы, так что перед ними открывается свободное пространство для бинокулярной фиксации. Это приспособление достигает крайней степени у уже упомянутого илистого прыгуна[1]*, Periophthalmus. На рис. 2 показана последовательность приспособления у различных видов обоих порядков.

Сами по себе оценка параллактического смещения видимых предметов и локализация их бинокулярной фиксацией — это два различных, но вполне равноценных механизма. И все же антропоморфная точка зрения, по которой фиксирующие животные умнее животных с неподвижным взглядом, не совсем ошибочна. Виды рыб, лучше всех известные человеку, как, например, золотые рыбки и многие другие, имеют вошедшие в поговорку неподвижные "рыбьи глаза". Все они принимают пространственно ориентирующую информацию, лишь когда движутся, поскольку лишь в таком случае изображения на сетчатке различных предметов пространства смещаются по отношению друг к другу. Когда такая рыба останавливается вплотную перед каким-нибудь препятствием, например камнем или плотным кустом водяного растения, то часто можно заметить, что, когда она снова начинает двигаться, она вначале продолжает в точности следовать направлению, прегражденному препятствием. Лишь когда собственное движение вызывает соответствующий сдвиг изображений на сетчатке и тем самым доставляет информацию, лежащую в основе ориентации, рыба начинает изменять направление плавания.

Поведение животных, ориентирующихся с помощью фиксации, отличается от только что описанного в одном существенном отношении: в то время как при параллактической ориентации перемещение и пеленгация, как мы видели, совпадают во времени, у фиксирующих животных они разделены во времени. Локализация *предшествует* перемещению. Животные, ориентирующиеся с помощью "телотактической" фиксации, т. е. приводящие изображения предметов одно за другим в место острейшего зрения, как бы ощупывая пространство вокруг себя, всегда

---

[1]*Нем. Schlammspringer. — *Примеч. пер.*

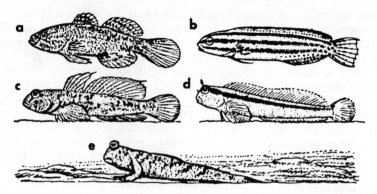

Рис. 2. Конвергентное приспособление положения глаз к бинокулярной фиксации субстрата у Gobiidae и Blenniidae. Свободно плавающие формы, Dormitator, порядок Gobiidae, (a) и Petroscirtes, порядок Blenniidae, (b) имеют такую же форму головы, как большинство свободно плавающих рыб. Обитающие на дне формы, такие, как Gobius jozo (c) и Blennius rouxi (d), имеют крутой профиль головы, делающий возможной сильную конвергенцию глаз вперед. У живущего на суше Periophthalmus, порядок Gobiidae (e) это приспособление заходит дальше всего.

делают это, оставаясь на месте. Вслед за этой фазой ориентации начинается перемещение, уже вполне ориентированное и как будто спланированное заранее. Аналогии с этой последовательностью внутреннего приготовления и последующего выполнения движения встретятся нам еще раз на более высоких уровнях функций понимания.

Конечно, параллактическая и фиксирующая пространственная ориентация встречаются вместе друг с другом, в одном и том же организме; роли их различаются лишь количественно. Для параллактической ориентации важно периферическое зрение, т. е. оценка данных, доставляемых более далекими от центра сетчатки местами; поэтому у животных, способных к хорошей параллактической ориентации, глаза часто бывают больше, чем у постоянно прибегающих к фиксации. Например, чиж непрерывно фиксирует во всех направлениях "все, что есть в пространстве", и его крохотные глазки находятся в постоянном движении. Между тем большой глаз малиновки или зуйка остается почти неподвижным относительно головы, но зато через правильные промежутки времени производится уже упомянутое покачивание.

Примечательным образом два способа ориентации во многих случаях не могут заменять друг друга. Как уже было сказано, первичная функция бинокулярного восприятия глубины — прицеливание в добычу, тогда как параллактическое восприятие глубины служит для грубой ориентации в пространстве и избежания препятствий. Рыбы открытого моря, обладающие как хищники превосходным бинокулярным зрением, не в состоянии применять его для избегания препятствий. На Адриатическом побережье мне довелось однажды видеть, как сотни мальков одного вида морских щук (Belonidae)[1]* плыли прямо на берег и там

---

[1] *Hornhechte, макрелещуковые. — *Примеч. пер.*

гибли. Они двигались не сомкнутой стаей, а поодиночке, на расстоянии около метра друг от друга и в точности параллельно, очевидно управляемые какой-то ориентировкой на свет, соленость воды или на что-то еще. За несколько метров от берега все они были еще вполне здоровы, в зоне прибоя они боролись за свою жизнь, а на берегу нагромождался вал из трупов. О рыбах открытого моря, живущих в неволе, также известно, что они не в состоянии принимать во внимание препятствия, расположенные под прямым углом к направлению плавания, а потому даже в очень больших бассейнах сплошь и рядом наталкиваются головой на стенку. В открытом море они обнаруживают уже издали большие и непрозрачные предметы с помощью параллактической ориентации, обходя их по плавным дугам. С ситуацией, когда подобные препятствия окружают их со всех сторон, они не в состоянии справиться.

Тесная корреляция между способностью к пространственной ориентации и пространственной структурой жизненного пространства уже знакома нам на примере приспособления Gobiidae и Blenniidae к сухопутной жизни и ползанию. Та же корреляция существует и вообще во всем животном мире. Меньше всего понимание требуется от организмов, живущих в однородной по всем направлениям среде — в открытом море. Из всех известных нам в настоящее время свободно движущихся многоклеточных животных самые "глупые" — это, по-видимому, некоторые медузы, которые, как, например, легочная медуза (Rhisostoma pulmo)[1]*, вообще лишены пространственно направленных реакций. Они и не нуждаются в таковых, поскольку их легкий колокол и тяжелая желудочная ножка удерживают их в устойчивом равновесии, а пищу они добывают фильтрацией из морской воды, так что им не надо схватывать целенаправленным движением отдельные частицы еды. Единственные встречающиеся у них направленные движения — это движения амебоидных клеток стенок желудка. Единственный ответ всего организма на стимулы состоит в том, что каждый удар зонтика возбуждает определенные рецепторы, так называемые краевые тельца, чем запускается следующее сжатие этого органа. Как остроумно сказал о легочной медузе Якоб фон Юкскюль, "она не воспринимает ничего, кроме ударов собственного колокола".

Как мы уже знаем, многие рыбы открытого моря не способны целесообразно реагировать на пространственные условия. У сухопутных животных также существует тесная связь между структурированностью жизненного пространства и способностью справляться с нею при помощи пространственно ориентированного поведения. Открытую степь можно в некотором смысле считать двумерным аналогом открытого моря, однородного во всех трех пространственных направлениях. Если, например, сравнить способность к пространственному пониманию у близко родственных форм животных, одни из которых живут в степях, а другие — в скалах или на деревьях, скажем, у куропатки и хохлатого перепела или у антилопы орикс и серны, то обнаруживаются поразительные различия в способности овладения пространственными условиями.

---

[1] *Нем. Lungenqualle. — *Примеч. пер.*

Пара куропаток, воспитанных мною "с яйца", оказалась не способной понять как непроницаемое препятствие выбеленную стену. Когда им хотелось переменить место, они бежали в направлении стены комнаты, расположенной против окна, потому что она была светлее, чем часть стены под окном. Встретившись с препятствием, они не просто натыкались на него клювом, а упорно продолжали толкаться в том же направлении, неустанно отбегая и снова набегая на стену. Повернувшись, они с особенной силой мчались вперед, все больше стирая себе роговую поверхность кончика клюва и перья передней части шеи, так что мне пришлось повесить перед стеной темный занавес, чтобы предотвратить более серьезные повреждения. Чтобы ограничить птиц определенной частью комнаты, я отделил их доской, вышины которой едва хватало, чтобы не позволить им выглядывать наружу. Куропатки часто налетали на эту доску то выше, то ниже, но так и не научились целенаправленно перелетать через нее даже после того, как они много раз при бесцельных взлетах случайно оказывались по другую сторону доски.

Примечательно, что в полете они гораздо лучше ориентировались в пространстве, чем на земле. Когда они внезапно взлетали с большим ускорением, на которое эти птицы способны, казалось, что сейчас раздастся сильный удар о стену или оконное стекло и на пол упадет мертвая птица. Но этого никогда не происходило; куропатки всегда благоразумно сворачивали, оказавшись вблизи стены, и целенаправленно приземлялись на полу. Ясно, что куропатка может "позволить себе" пренебрегать препятствиями на степной почве, но в полете должна быть в состоянии избегать таких вертикальных препятствий, как дерево, опушка леса или крутой склон. Передвигаясь на ногах, куропатка так же не может использовать свои способности к ориентации, "предусмотренные" для полета, как морская щука не может использовать свое "предусмотренное" для ловли добычи бинокулярное зрение для того, чтобы не натолкнуться на крутой скалистый берег.

Как уже было сказано, способности к овладению сложными пространственными условиями часто сильно различаются у очень близко родственных форм. У морских щук, которые не в состоянии даже "понять" как препятствие крутой берег, есть близкие пресноводные родственники, каким-то образом справляющиеся даже со стеклянными стенами маленького аквариума, хотя, как это видно на многих фотографиях, большей частью ценой повреждения своих острых челюстей. Хохлатый перепел, близкий родственник куропатки, отлично ориентируется в пространстве, и т. п. Так как вряд ли можно допустить, что у этих животных органы чувств устроены иначе, чем у их "более глупых" родственников, можно предположить, что способность к лучшему или худшему представлению пространства зависит от организации центральной нервной системы.

Какое же жизненное пространство предъявляет к своим обитателям наивысшие требования в отношении понимания пространства? Без сомнения, это ветви деревьев! Но среди древесных животных самая точная, доходящая до мельчайших деталей информация о пространственных условиях требуется не тем, которые удерживаются на ветвях с помощью присосок или когтей, как это делают древесные лягушки, белка и многие другие обитатели деревьев; она нужна тем, кто лазает по деревьям с помощью хватательных органов, сжимающих как клещи сучья и ветки. Животные, лазающие с помощью присосок и когтей, решаются броситься приблизительно в направлении намеченной цели; вероятность уцепиться за что-нибудь одним или двумя пальцами довольно велика, да и падение у этих большей частью маленьких животных не обязательно приводит к трагическому концу. Напротив, хватающая рука дает опору лишь в том случае, если она сжимается в надлежащем месте, в надлежащем положении и в надлежащий момент; она не прикрепляется ни когда она раскрыта, ни когда сжата в кулак.

Хватание сжимающей рукой коррелировано у млекопитающих с определенным положением глаз на голове аналогично тому, как у рыб коррелирована с положением глаз редукция плавательного пузыря и способности к парению, и по аналогичным причинам. В обоих случаях требуется особенно точное представление пространства. Среди сумчатых, как и среди плацентарных, имеются обитатели деревьев, лазающие с помощью когтей и с помощью хватающих рук. В обоих подклассах млекопитающих первые имеют большей частью расположенные по бокам и несколько выпученные глаза, как мы это видим у белки, между тем как вторые имеют большей частью глаза, направленные вперед, "как у совы". У сумчатых рассматриваемая корреляция менее выражена, вероятно, потому, что многие их формы лазают очень медленно и не нуждаются при своем хамелеонообразном перемещении в особенно хорошей пространственной ориентации. Но можно с уверенностью утверждать, что все животные, захватывающие свою цель после далекого прыжка клещеобразной рукой, предварительно фиксируют эту цель бинокулярным зрением.

Висение и лазание антропоидов с их крюковидной рукой предъявляет отнюдь не меньшие требования к точности пространственного понимания*, чем у других приматов с хватающей рукой. Но только крюковидная рука обладает особым свойством, к которому мы еще вернемся в разделе о любознательном поведении и самоисследовании: во время захвата она находится в непосредственной близости от точки фиксации.

При описании поведения животных, ориентирующихся посредством фиксации различных окрестных предметов, я уже сказал, что временна́я последовательность движений глаз, "прощупывающих" пространство, и заключительного уверенного и успешного движения производят впечатление чрезвычайной "разумности"; причина этого в том, что такое поведение есть простой аналог планирующего *мышления,* какое мы находим у человекообразных обезьян.

Когда антропоиду предлагают задачу, требующую понимания, он ведет себя совсем иначе, чем енот или макака-резус в подобном случае. Те беспокойно бегают в поиске взад и вперед, моторно испытывая разные возможности. Но человекообразная обезьяна спокойно усаживается, внимательно обводя взглядом экспериментальную установку. Ее внутренняя напряженность выражается в так называемых проскакивающих движениях, например очень часто она почесывает себе голову, как размышляющий человек. Она также "испытывает" разные возможности, на что указывает блуждание ее взгляда, без устали перепрыгивающего с одной точки экспериментальной установки на другую. Это очень хорошо видно в фильме об опытах с орангутаном, снятом в Сухуми, в Советском Союзе. Перед обезьяной поставили задачу передвинуть ящик, стоящий в одном из углов помещения, в противоположный угол, где к потолку на нитке был подвешен банан. Вначале взгляды обезьяны беспомощно блуждают по диагонали между ящиком, стоящим в левом нижнем углу, и бананом, висящим справа вверху. Затем обезьяна начинает злиться, так как не может найти решение; она пытается уклониться от неприятного положения, отвернувшись — cut-off behaviour[1]* в смысле Чанса. Но задача не дает ей покоя, она снова поворачивается к экспериментальной установке. Вдруг ее взгляд начинает двигаться другими путями. Он обращается к ящику, затем к месту на полу под бананом, оттуда вверх к манящей цели, снова вертикально вниз и опять к ящику. После этого молниеносно следует освобождающая, решающая задачу догадка, которую можно безошибочно прочесть на выразительном лице оранга, и он тотчас же направляется, кувыркаясь от радости, к ящику, подставляет его под банан и достает его. Для необходимого понимающего поведения ему было достаточно нескольких секунд. Кто наблюдал такое решение задачи обезьяной, не может всерьез усомниться, что в момент решения животное испытывает переживание, аналогичное нашему "переживанию "ага" в смысле Карла Бюлера.

Что же происходит с обезьяной объективно и субъективно, когда она неподвижно сидит, но совершает при этом трудную внутреннюю работу, собирая взглядом информацию о заданной ситуации? Что она переживает, мы не знаем, но мы можем с большой уверенностью допустить, что весь этот процесс аналогичен тому, который мы у самих себя называем *мышлением*. Лично я уверен в том, что обезьяна делает то же, что и я сам, а именно в *воображаемом,* т. е. модельно представленном в ее центральной нервной системе, пространстве передвигает столь же воображаемый ящик и "представляет себе", как она затем сможет на него взобраться и достать банан.

Я не вижу, как может быть мышление чем-то принципиально иным, чем такое пробное, совершающееся лишь в мозгу действие в воображаемом пространстве. Я утверждаю, по меньшей мере, что процессы этого рода содержатся также в наивысших операциях нашего мышления и составляют их основу. Во всяком случае, я не в силах представить себе какую-нибудь форму мышления, независимую от этой основы. Уже более 20 лет назад В. Порциг написал в своей книге "Чудо языка" следующие слова: "Язык переводит все не наглядные отношения в пространственные. И это делает не какой-то один язык или группа языков, а все без исключения. Эта особенность принадлежит к неизменным чертам ("инвариантам") человеческого языка. Временны́е соотношения выражаются в языке в пространственных терминах: перед Рождеством и после* Рождества, на протяжении двух лет*. Когда речь идет о психических процессах, мы говорим не только о внешнем и внутреннем, но также о том, что происходит "выше и ниже порога" сознания, о подсознании, о переднем плане и заднем плане, о глубинах* и слоях психики.

---

[1] *Поведение отключения *(англ.).* — *Примеч. пер.*

Пространство вообще служит моделью для всех не наглядных отношений: наряду* с работой он преподает; любовь была больше честолюбия; за* этой мерой стоял замысел — незачем приводить дальнейшие примеры, любое число которых можно найти в каждом куске письменной или устной речи. Значение этого явления связано с его всеобщей распространенностью и его ролью в истории языка. Его можно продемонстрировать не только на примере употребления предлогов, которые все первоначально означают пространственные отношения, но также на словах, обозначающих виды деятельности и свойства".

Уже в работе, вышедшей в 1954 году, я выразил ту точку зрения, что приведенные выше выводы языковеда "имеют основополагающее значение не только для истории языка, но еще более для филогенетического развития мышления вообще и тем самым также дословесного и несловесного мышления". Эта точка зрения получила в последнее время в высшей степени важное подтверждение в исследованиях Ноама Хомского и его сотрудников (4). На основе обширного сравнительного изучения языков эти исследователи пришли к выводу, что определенные основные структуры языка и мышления свойственны всем людям всех культур и являются врожденными, причем в одинаковой форме. По их мнению, эти общечеловеческие и специфические для нашего вида функции возникли не под селекционным давлением взаимопонимания, а под селекционным давлением логического мышления. Независимо от Хомского, Герхард Гёпп пришел к следующему выводу, изложенному в его книге "Эволюция языка и разума": "Язык есть не только средство внешнего взаимопонимания, но и *неотъемлемая составная часть самого разума*".

4. ПОНИМАНИЕ И ОБУЧЕНИЕ

Мы определили выше понимающее поведение (с. 266 и далее) как функцию механизмов текущей информации. Но только что описанные высшие функции понимающего поведения содержат в себе также процессы обучения, и обратно, очень многие процессы обучения заключают в себе элементы понимающего поведения.

При всех сколько-нибудь сложных процессах понимающего решения задач функционируют механизмы, доставляющие текущую информацию во временно́й последовательности. Сообщения, принятые вначале, должны каким-то образом *накапливаться,* поскольку, как можно показать, они взаимодействуют с последующими, делая таким образом возможным понимающее решение. Далее, как уже было сказано, когда антропоиды оказываются перед задачей, решение которой требует понимания, они *никогда не действуют сразу*. Уже на более низком уровне пространственной ориентации, как мы видели, ориентированное движение следует за временем неподвижности, когда животное, постоянно меняя направление взгляда, *собирает* информацию о пространственных условиях.

Уже в этом случае, и тем более при более высокоорганизованном понимающем поведении, сообщения механизмов, получающих текущую информацию, должны сравниваться и приводиться в связь друг с другом. *Решение* задачи должно быть, разумеется, функцией системы, возникающей из интеграции именно этих механизмов. Но в работе этой системы должны принимать участие функции памяти. Вольфганг Кёлер описывает, как шимпанзе, с которыми он провел свои классические эксперименты над понимающим поведением, систематически, шаг за шагом просматривали подробности поставленной задачи и некоторым образом все эти подробности запоминали. Нечто подобное можно было видеть у орангутана, поведение которого было описано выше.

Другая комбинация функций понимания и обучения обнаруживается уже в самых примитивных формах обучения посредством проб и ошибок. Даже в тех случаях, когда одно и то же инстинктивное движение испытывается на различных объектах (с. 325 и след.) — так что подлинное исследовательское поведение еще отсутствует, — уже самые первые попытки совсем еще неопытного животного *никогда* не бывают совершенно ненаправленными, как ”эксперименты” генома. Даже когда организм не обладает, по-видимому, ни малейшей информацией для решения поставленной задачи, когда, например, кошку запирают в классический ”ящик с секретом” (Vexierkiste), попытки решения всегда начинаются в направлении, указываемом текущей информацией. Уже с самого начала они отнюдь не состоят, например, в слепых комбинациях мышечных сокращений; кошка не пытается выбраться из ящика, скажем, прищуриванием глаз или облизыванием лап. Более того, она сразу принимает гораздо более ”разумные” меры, царапая стены, пытаясь просунуть лапы и нос в щели ящика и даже начиная попытки освобождения с тех мест своей тюрьмы, где это кажется наиболее обещающим. В основе действий животного лежит обилие текущей информации, весьма существенно увеличивающее его шансы на успех и аналогичные в функциональном отношении рабочей гипотезе.

Это можно резюмировать таким образом: не существует функций высшего и сложного понимания, не имеющих своей предпосылкой участие обучения и памяти. Но, с другой стороны, обучение посредством проб и ошибок никогда не происходит без руководства механизмов ориентации, неотделимых от понимания. Как мы увидим в одной из следующих глав, элементы понимающего поведения играют существенную роль также и в подлинном любознательном обучении.

Наконец, я рассмотрю в этом разделе еще одно, на этот раз антагонистическое отношение между обучением и понимающим поведением, важность которого подчеркнул Вольфганг Кёлер в своих исследованиях на шимпанзе. Последовательность действий, безусловно возникающая при своем первом выполнении из понимающего поведения, после многократного повторения закрепляется в рутинно выполняемое дрессированное поведение. Если после этого предлагается та же задача с очень небольшим изменением, которое само по себе не делает ее труднее, но не подходит к уже превратившемуся в рутину методу решения, то животное *терпит неудачу* — исключительно по той причине, что не может вырваться из рутины своего поведения, превратившегося в дрессировку. Чем меньше требуемое изменение, тем сильнее привычка блокирует решение, которое было бы найдено без труда "необученным" животным.

Норман Майер подробно изучил это же явление на крысах, а также поставил на людях следующий изящный эксперимент. Большому числу испытуемых предлагалась задача связать друг с другом два каната, свисавших с потолка спортивного зала. Расстояние между канатами было выбрано столь большим, что с концом одного из них в руке нельзя было дотянуться до другого. В качестве единственного орудия был предложен большой камень. Решение состояло, конечно, в том, чтобы привязать камень к одному из канатов, заставить его качаться как маятник, а затем, подойдя к качающемуся камню с другим канатом в руке, поймать его в крайнем положении. Решение нашла поразительно небольшая часть подопытных лиц, немногим более 60%. Затем перед другой группой была поставлена та же задача, но вместо камня была предложена кочерга. Ее гораздо легче было привязать к канату, и она столь же хорошо могла сыграть роль маятника, но процент решивших задачу снизился, составив теперь чуть больше 50%. Объяснялось это тем, что значительное число лиц застряло в безуспешных попытках использовать кочергу как крюк, т. е. пыталось с одним из канатов в руке зацепить кочергой второй, что, разумеется, было исключено надлежащим выбором расстояния.

Майер приходит к убедительному заключению, что хотя выученное и составляет предпосылку для любого понимающего подхода к решению — без опыта с различными качающимися предметами никто не сумел бы решить предложенную задачу, — но и обратно, "въевшиеся" привычки мышления и выученные методы очень часто могут мешать отысканию решения. Майер определяет способность к понимающему решению задач как готовность переменить метод, начиная с самой основы.

История науки показывает на ряде примеров, как упорные привычки мышления и методического поведения могут препятствовать решению задач, по существу, не столь уж трудных. Именно этим торможением объясняется, почему великие открытия так часто делались не специалистами в соответствующих областях. Второй закон термодинамики был сформулирован не физиком, а врачом, Робертом Юлиусом Майером*; возбудитель сифилиса был открыт не бактериологом и не патологом, а зоологом Шаудином. Историю этого открытия я знаю со слов моего отца, которому ее рассказал сам Шаудин. Он сделал то же, что предпринял бы любой зоолог в качестве первого шага микроскопического исследования: присмотрелся в микроскопе к нефиксированному, неокрашенному "нативному* препарату" сифилитического секрета*, и с первого же взгляда заметил скопление спирохет. Тогда он спросил своего друга-патолога, в лаборатории которого это произошло: "Разве в мазке сифилитического гнойника всегда бывает так много спирохет?" На это он получил удивленный отрицательный ответ. Дело в том, что спирохеты не окрашиваются, а потому невидимы в препаратах, изготовленных обычными методами бактериологии и патологической гистологии.

5. ПРОИЗВОЛЬНОЕ ДВИЖЕНИЕ

Наряду с эволюцией пространственной ориентации и все более точным и детальным представлением пространства должны были, очевидно, возникать соответствующие им более дифференцированные и тонкие *возможности движения*. Без них организм не смог бы учитывать в своем поведении все подробности этой богатой информации; иными словами, без такого в некотором смысле зеркального отображения в моторном поведении высокое развитие пространственной ориентации и понимания не было бы действенным. Это не значит, что эволюция моторики произошла в виде приспособления к пространственной ориентации; то и другое, и произвольное движение, и понимание пространства, возникли как приспособления к требованиям, которые предъявляет к организму сложно структурированное жизненное пространство. Таким образом, обе функции, несомненно, возникли "рука об руку" друг с другом. Впрочем, физиологически они независимы друг от друга, как это видно в тех редких случаях, когда одна из них опережает другую. Дальше мы рассмотрим некоторые относящиеся сюда примеры.

Существуют все мыслимые переходы между теми центрально координируемыми формами движения, на которые вообще не влияют механизмы ориентации, и такими, которые в их на первый взгляд безграничной приспособительной способности и пластичности служат орудиями понимания. Хорошими примерами первых являются инстинктивные движения ухаживания у многих утиных птиц; примерами вторых — так называемые произвольные движения, о которых уже была речь на с. 336. Многие старые исследователи объединяли рефлекторную компоненту управления с локомоторным* побуждением, почти всегда эндогенно-автоматическим, в общее понятие таксиса; с функциональной точки зрения такое объединение, в сущности, закономерно. Таким образом, когда раньше говорили о положительном или отрицательном фототаксисе или гелиотаксисе, а еще раньше о положительных или отрицательных тропизмах, то под этим понимали не только поворот в новое направление, но и дальнейшее движение в этом направлении.

Но здесь мы имеем дело с *отношениями,* существующими между когнитивными функциями пространственной ориентации и моторными процессами, которые им подчинены. Поэтому мы должны ввести для когнитивного и для моторного процесса строго различные понятия. Прибегая к не раз уже использованному сравнению с управлением корабля, мы должны отчетливо различать деятельность капитана, вычисляющего по различным данным местонахождение судна и наиболее выгодный курс к выбранной цели, и моторные функции корабля, находящегося в его распоряжении для достижения этой цели.

Характер и возможности влияния, оказываемого капитаном на технические устройства своего корабля, и влияния пространственной ориентации и понимания на моторику животного вполне аналогичны. То, что "приказывают" техническим устройствам или моторике, — это, во-первых, торможение и снятие торможения, часто соединяемые с возможностью переключения на обратный ход, и, во-вторых, налагающиеся на это повороты, величина которых определяется в зависимости от условий окружающей среды, как это видно в управлении судовым рулем и во многих топических реакциях (см. 289). Обе эти возможности могут осуществляться как по отдельности, так и вместе, во всех мыслимых комбинациях.

Торможение и расторможение встречаются как единственные способы влияния системы в целом на пространственное перемещение, конечно, только у самых низших одноклеточных, выбирающих благоприятные места по принципу кинезиса, рассмотренному в 4.5. Многие из этих существ, например многие жгутиконосцы, по-видимому, не способны даже дать своему двигательному аппарату команду "full stop"[1]*, а могут лишь "выбирать" между замедленным движением и "полным вперед". По-видимому, неизвестно, есть ли среди жгутиковых способные к переключению на обратный ход.

Как мы уже знаем, ресничные инфузории, такие, как туфелька, умеют делать гораздо больше; они способны управлять по крайней мере тремя различными областями на поверхности своего тела, снабженными гребными ресницами, и могут независимо останавливать реснички в этих областях и включать их на прямой или обратный ход. На этой способности основаны их фобические и топические повороты.

Метод выполнения целенаправленных поворотов посредством торможения и расторможения независимо управляемых движителей давно уже применяется в человеческой технике. Как знает каждый любитель Марка Твена, у старых пароходов на Миссисипи каждое из двух боковых колес имело привод от отдельной машины. Другой пример — современные гусеничные тракторы. Эти два двигательных устройства — единственные созданные органическим миром системы, поведение которых полностью соответствует теории тропизмов Жака Лёба.

Вторая возможность направить перемещение животного в определенную сторону состоит в том, что курс определяется механизмом, независимым от двигательного аппарата, например движением руля на корабле или боковым изгибом тела у многих позвоночных. Примеры этого мы также находим уже на уровне одноклеточных. Для жгутиковой евглены, обладающей хлорофиллом, целесообразно держаться тех мест, где интенсивность освещения обеспечивает фотосинтез. Евглена достигает этого, изогнувшись изящной дугой по направлению к источнику света, а затем прямо двигаясь к нему. Метцнер убедительно показал, как выполняется эта ориентация. Как и многие одноклеточные, евглена плавает, постоянно вращаясь вокруг своей продольной оси. У нее есть две органеллы, светочувствительное место в протоплазме и пятно, пигментированное в ярко-красный цвет, так называемая стигма. Когда при вращении вокруг продольной оси стигма бросает тень на светочувствительное место, это реактивно запускает удар жгутиков, поворачивающий передний конец евглены на постоянный угол в направлении света. Эти небольшие повороты в одну сторону повторяются до тех пор, пока евглена не начинает плыть точно в направлении света. Теперь стигма вращается вокруг светочувствительного места, не бросая на него тени. Выводы Метцнера в свое время оспаривались. Но уже строго круговой

---

[1]*"Полная остановка" *(англ.). — Примеч. пер.*

путь, описываемый животным, — "как будто проведенный циркулем", по его выражению, повторенному затем другими наблюдателями, — однозначно подтверждает правильность его заключений.

Пример формы движения высшего позвоночного, в которой наследственная координация управляется таксисом, наподобие управления корабля рулем, был изучен совместно Н. Тинбергеном и мною в 1938 году. Когда самка серого гуся подкатывает к гнезду выпавшее оттуда яйцо, она выполняет это с помощью движения головы и шеи, происходящего точно в плоскости симметрии птицы, которое само по себе совершенно неизменно, так что ни его форма, ни прилагаемая сила не могут быть изменены внешними стимулами. Гусыня "застревает", если ее заставляют перекатывать слишком большой предмет, не справляется по слабости с предметом лишь немного тяжелее гусиного яйца, а более легкий поднимает в воздух. В течение этого движения яйцо должно находиться в равновесии на нижней части клюва, что достигается небольшими боковыми стабилизирующими движениями — таксисами, которые запускаются прикосновениями яйца к нижней части клюва. Если после начала движения ловким приемом убрать яйцо, то движение проводится до конца вхолостую в плоскости симметрии птицы, в то время как боковые стабилизирующие движения прекращаются, что происходит, впрочем, и в том случае, когда гусыню заставляют "перекатывать" вместо яйца деревянный кубик, устойчиво лежащий на краях нижней части клюва и не угрожающий, подобно яйцу, скатиться в сторону. Зрители заснятого нами фильма об этом процессе (в Encyclopaedia cinematographica[1]*) неизменно поражаются тому, сколь механически происходит описанный процесс у птицы, весьма умной в других отношениях.

Мы познакомились с примерами действия двух принципов, позволяющих высшим инстанциям организма целесообразно управлять его моторикой; во-первых, это "разрезание" наследственных координаций, разбиваемых с помощью торможения и расторможения на подходящие куски; во-вторых, управление наследственной координацией посредством одновременно протекающего движения, ориентируемого внешними стимулами. Есть лишь немного примеров, где тот или иной из этих двух процессов настолько преобладает, как в приведенных выше случаях. В большинстве случаев, особенно у высших животных, они действуют одновременно, тысячью разных способов сотрудничая друг с другом.

Торможение и расторможение всегда сохраняют свою важную роль также и у высших организмов. Можно показать, что не только у дождевого червя, но и у человека эндогенно-автоматические, центрально координируемые формы движения происходили бы *непрерывно,* если бы их не задерживало, когда они не нужны, центральное торможение. Если эта функция отказывает, как бывает при многих повреждениях мозга, особенно после воспаления мозга, энцефалита, то некоторые эндогенно-автоматические координации движений, как, например, сосательные движения рта или хватательные движения руки, происходят в непрерывной последовательности.

---

[1] *Кинематографическая энциклопедия *(лат.). — Примеч. пер.*

Даже у низших беспозвоночных высший "центр" центральной нервной системы имеет наряду с торможением и расторможением наследственных координаций еще и другие важные функции. "Мозг" дождевого червя, его верхнеглоточная ганглия, не только определяет, должна ли быть заторможена или расторможена центрально координируемая эндогенная наследственная координация и в какой степени это должно быть сделано; он решает также, *какие* из различных форм движения, находящихся в распоряжении животного, должны быть использованы в данный момент.

Хотя функциональное целое, состоящее из наследственной координации и стоящих над нею механизмов торможения, представляет собой замкнутую, подлинно независимую систему, такой механизм, всегда служащий одной, вполне определенной функции, часто контролирует и использует *не всю* мускулатуру животного. Остается, таким образом, место для других моторных процессов. Так же как при перекатывании яйца у серого гуся наследственно координируемые и управляемые таксисами двигательные импульсы приводятся в действие одновременно, при некоторых обстоятельствах две наследственные координации могут налегать друг на друга, составляя единую форму движения. Это может происходить на различных уровнях интеграции: у рыб случается, что два двигательных органа, например хвостовой плавник и грудные плавники, одновременно подчиняются противоположным двигательным импульсам, так что один плавник гребет вперед, а другой назад. Но антагонистические импульсы могут также складываться в единое мышечное сокращение. Эрих фон Гольст показал это на рефлекторных и эндогенно-автоматических движениях плавников губановых рыб*.

Как уже было сказано в начале главы, с усложнением когнитивных процессов, доставляющих понимание сложных пространственных структур, возрастают требования, предъявляемые к приспособительной способности моторики животного. Чтобы удовлетворить этим требованиям, используются оба упомянутых выше принципа приспособления форм движения, и поучительно исследовать на близко родственных животных, живущих в различных жизненных пространствах, в какой мере они умеют владеть собственной моторикой в данных условиях. Чем менее однородно жизненное пространство, тем меньше должен быть по необходимости "minimum separabile"[1]* перемещения, т. е. наименьшая часть наследственной координации, которая может быть независимо использована. У быстро бегающих животных открытой степи влияние, оказываемое механизмами пространственного приспособления на наследственные координации перемещения, ненамного выходит за пределы того, чем капитан может воздействовать на технические устройства своего корабля: шаг, рысь и галоп могут быть "предписаны" лишь как целые координированные аллюры, а новые двигательные комбинации, как знают наездники, удается в лучшем случае лишь навязать дрессировкой. Как показали Цееб и Трумлер, все движения, выдрессированные у лошадей испанской школой верховой езды, свойственны лошади как наследственные координации, и лишь запуск их посредством

---

[1] *"Отделимый минимум" *(лат.).* — *Примеч. пер.*

приказов, так называемые "подсказки" ("Hilfen") наездника, основывается на образовании условных реакций.

У степного животного наименьшая единица двигательной координации может быть относительно большой. Почва предоставляет для каждого прыжка в галопе примерно такую же опору, как для предыдущего и следующего. Если в отдельных случаях это не так, то препятствие чаще всего различимо уже на расстоянии, позволяющем животному вовремя остановиться или обогнуть его. При появлении неожиданных препятствий лошади, как известно, сплошь и рядом падают.

Наложение управляемых таксисом движений на локомоторные наследственные координации лошадей очень невелико. Конечно, как можно заметить, при подъеме по неровной почве лошадь вовсе не ступает вслепую, она следит за дорогой и ставит ноги примерно туда, где есть хорошая опора, но эта ее способность попадать в цель крайне неточна. Лошадь не умеет поставить ногу с прицелом в данное место, например переступить с вершины валуна на следующий. Осел, а также мул справляются с этим лучше, а горные зебры, по мнению хороших наблюдателей, в этом особенно искусны.

Отношения, вполне аналогичные наблюдаемым у эквидов* степей и гор, можно видеть у антилоп. Степные антилопы ведут себя подобно лошадям, но наша горная антилопа, серна, по приспособляемости и уверенности движений превосходит, пожалуй, всех млекопитающих, кроме приматов. Особенно удивительно, что эти животные способны при каждом шаге прицельно ставить ногу в надлежащее место, не отказываясь при этом от такой сберегающей энергию наследственной координации, как галоп. Даже на крупной каменной осыпи из глыб очень разной величины они беспрепятственно продолжают свой галоп в том же ритме, и лишь небольшие синкопы, делающие их бег еще более изящным, выдают то обстоятельство, что наложение управляемых движений не вполне достаточно, так что серне часто приходится все же прибегать к торможению и расторможению наследственной координации, чтобы приспособить ее к строению местности.

Необходимость разрыва жестко координированных последовательностей движений для приспособления к пространству становится особенно ясной в тех случаях, когда, как уже было упомянуто на с. 362, пространственное понимание животного было бы достаточно, чтобы справиться с определенной задачей, но этому мешает несовершенство имеющейся моторики. Наглядной аналогией этого редкого явления может быть старая, вошедшая в пословицу острота дунайских судовщиков. Капитан колесного парохода, которому не удалось правильно подойти к причалу в стоячей воде и который рассчитывает подвести судно к требуемому месту подвижками взад и вперед, бесчисленное множество раз командует "три удара вперед, четыре удара назад, пять вперед" и т. д., пока в яростном отчаянии не дает команду "два в сторону", к чему, как известно, колесный пароход не способен*. Но судно с поперечным винтом в носовой части и приводом Фойта — Шнейдера могло бы выполнить приказ отчаявшегося дунайского капитана.

Вот аналогичный случай в поведении животного. Серый гусь учится подниматься и спускаться по лестнице, причем последнее дается куда труднее. Если при этом высота и ширина ступеней несколько больше, чем это подходит к длине гусиного шага, он оказывается неспособным исправить небольшим промежуточным шагом фазовое отношение, которое становится с каждым шагом все более неблагоприятным. Наконец его нога опускается на ступень так близко к ее заднему вогнутому углу, что при следующем шаге он наталкивается задней стороной лапы на передний край той же ступени, а потому не может достать ногой ближайшую нижнюю. Тогда он оттягивает лапу назад, но только для того, чтобы много раз, скользя лапой по краю ступени, ступать ею в пустоту. Наконец гусь выходит из положения, прибегнув к помощи крыльев, и, не нагружая повисшую в пустоте ногу, совершает одноногий прыжок на ближайшую нижнюю ступень. Тогда восстанавливается приемлемое фазовое отношение и птица беспрепятственно спускается по ряду дальнейших ступеней, пока отношение между ступенями и шагами снова не выходит из фазы, после чего весь процесс повторяется.

Турецкая утка* и каролинская утка* нисколько не превосходят серого гуся в понимании пространства, но, как настоящие обитательницы деревьев, они обладают моторной способностью, очевидным образом отсутствующей у гуся: они могут сделать управляемый пониманием рассчитанный шажок до переднего края ступени, когда нижняя ступень оказывается для них слишком далеко.

Есть и другая ситуация, в которой серый гусь вследствие недостаточного владения моторикой оказывается вынужденным совершать очень странные и бестолковые движения буквально "против здравого смысла". Когда гусю нужно преодолеть твердое препятствие высотой по его грудь, например ограду газона из полосового железа, то уже в нескольких метрах от препятствия можно заметить у него понимание такой необходимости. Именно, делая шаги, он поднимает ноги все выше, так что нередко уже за целый шаг от ограды нога его поднимается выше самого препятствия. Редко случается, что нога попадает в точности на верхний край железной полосы; если она попадает слишком далеко или не дотягивается до края, что случается столь же часто, то гусь выходит из положения уже описанным способом, с помощью крыльев. В виде исключения серые гуси иногда ведут себя в таких случаях иначе: вместо того чтобы выступать описанным выше смешным "парадным шагом", они спокойно подходят к ограде, прицеливаются вытянутой и дрожащей от напряжения шеей к ее верхнему краю, вспрыгивают обеими ногами на ограду и сразу же прыгают вниз, на другую сторону. Каролинские и турецкие утки всегда ведут себя таким образом, но не проявляют никакого заметного возбуждения.

Весьма вероятно, что "изобретение" эволюции, состоявшее в вырезании из длинной последовательности движений некоторой наследственной координации куска, определяемого ориентацией и пониманием, и превращении этого куска в независимо употребляемый элемент движения, было первым шагом к возникновению так называемого произвольного движения. Такой вырезанный кусок имеет с произвольным движением важное общее свойство: из него и других подобных кусков можно составить новую последовательность движений, приспособленную к весьма специальным внешним обстоятельствам и достигающую своей цели, как и наследственная координация, гладко и без промедления от задержки реакций. Как уже упоминалось, такая "приобретенная моторика", как ее назвал Отто Шторх, возникла в эволюции позже "приобретенной рецепторики". Кроме того, мы уже знаем, что приобретение путевых дрессировок является самой примитивной известной нам формой обучения движению и что, вероятно, и более сложные последовательности движений выучиваются таким же способом.

Элементы движения, составляющие перемещения, основываются, как мы знаем, на эндогенной выработке стимулов и центральной координации. Насколько известно, эти формы движения в своей импульсивной последовательности вообще не модифицируемы обучением; их кажущаяся "пластичность" объясняется многообразием тех процессов, которые образуют слой между ними и внешним миром, отчасти тормозя и растормаживая их, отчасти на них налегая. Эрих фон Гольст называет все эти ориентирующие во времени и пространстве процессы "мантией рефлексов". Посредническая функция этого физиологического аппарата опирается, насколько я понимаю, на два уже описанных процесса: либо на лежащую в основе наследственную координацию накладывается управляемое движение, либо, если ее течение слишком долго и слишком жестко, она разрубается на куски, которые вследствие их краткости легче поддаются соединению в разнообразные последовательности, удовлетворяющие требованиям пространственного понимания.

То, что обычно называют произвольными движениями человека, — это уже большей частью результаты обучения движению, т. е. *"заученные"* движения, составленные из мельчайших моторных элементов. Как уже было сказано (с. 336), мельчайшие моторные элементы всегда находятся на гораздо более высоком уровне интеграции, чем уровень фибриллярных сокращений. Точнее говоря, под произвольными движениями следовало бы понимать применение этих отдельных имеющихся в распоряжении организма мельчайших координаций, *еще не* соединенных предыдущим обучением в гладкую последовательность. Это применение всегда выглядит в высшей степени неуклюже, примерно как поведение мелкого млекопитающего, впервые вышедшего на какой-нибудь путь.

Если мы хотим дать функциональное определение произвольного движения, то наряду с уже указанными его свойствами нужно упомянуть еще одно: такое движение может быть приведено в действие в любой момент. Не все движения перемещения обладают этим свойством. Как мы знаем из исследований Эриха фон Гольста, выработка эндогенных стимулов, от которой зависит некоторая форма движения, находится в постоянном отношении к "нормальному потреблению", т. е. к частоте, с которой это движение в среднем выполняется в повседневной жизни животного. Губан плавает почти весь день, так что в естественных условиях его грудные плавники вряд ли останавливаются хоть на мгновение от восхода солнца до того, как он засыпает незадолго до заката. Напротив, плавательная деятельность морского конька ограничивается в среднем несколькими минутами в день. Соответственно этому у губана, лишенного мозга и подвергаемого искусственному дыханию, служащие перемещению грудные плавники работают непрерывно; напротив, у препарированного таким же образом морского конька важнейший орган его перемещения, спинной плавник, вообще не движется. Но он не лежит, как у неоперированной рыбы, плотно сложенным в предназначенном для этого желобе на спине, а стоит в "приспущенном", частично выпрямленном виде. Определенными стимулами, например давлением на область горла, можно заставить спинной плавник принять его нормальное, сложенное положение. Если его долго удерживают в этом положении, то после прекращения давления он выпрямляется, поднимаясь выше, чем был ранее в "приспущенном" положении, и притом тем выше, чем дольше он удерживался в сложенном положении внешним стимулом. Если давление продолжалось достаточно долго, то после прекращения тормозящего стимулирования плавник не просто поднимается до максимальной высоты, а выполняет в течение некоторого времени волнообразные движения, как при плавании вперед. Эрих фон Гольст интерпретирует это явление, известное уже Шеррингтону и названное им "спинальным контрастом", следующим образом: выпрямление плавника питается тем же эндогенным источником стимулов, который вызывает его колебание при плавании, и потребляет специфическое активирующее возбуждение того же рода. Моторика выпрямления плавника имеет более низкое пороговое значение, чем локомоторное колебание, и потребляет меньше специфического возбуждения. Приспущенное положение плавника на невозбужденном препарате спинного мозга потребляет в точности столько эндогенного возбуждения, сколько постоянно производится. Спадание плавника при нажатии области горла есть такое же действие, какое в нормальном случае осуществляется высшими инстанциями центральной нервной системы. Пока действует торможение, возбуждение специфической активности экономится, в некотором смысле накапливается, и после снятия торможения проявляется в том, что начинает активировать даже моторный процесс с более высоким порогом. С этим допущением согласуется и тот факт, что на препарате спинного мозга плавник, перестав работать, очень медленно возвращается по асимптотической кривой к прежнему приспущенному положению.

Аналогичные различия в выработке специфической энергии, активирующей часто используемые и редко используемые формы поведения, наблюдаются у многих животных, например у различных птиц. У мелких птиц, таких, как зяблики и синицы, способы перемещения меняются в течение дня бесчисленное множество раз, переходя от прыгания к полету и обратно. Хотя периоды полета часто очень коротки, такая птица проводит все же в полете значительную часть своего времени бодрствования и прежде всего должна быть в любой момент готова взлететь. При таком типе перемещения полет производит на наблюдателя несомненное впечатление произвольного движения. Птица никогда не может прийти в состояние, в котором она "захотела" бы летать, но не смогла.

У редко летающих птиц, например у гусей, это вполне может случиться. Кроме времени перелета гуси летают, как правило, всего дважды в день, утром и вечером. Даже если удается побудить их дрессировкой летать в другое время дня, то этим создается ситуация, в которой они используют двигательную координацию, запускаемую не "ради нее самой", аналогично тому, как мы используем наши произвольные движения. Но при этом процесс взлета происходит совсем иначе, чем этого ожидает привычный к произвольным действиям человек. Когда раздаются первые возгласы служителя, отправляющегося к известному им месту кормления, гуси тотчас же становятся внимательными и не спеша, но уверенно направляются к месту, откуда они привыкли взлетать. Но кто думает, что, придя туда, они сразу же расправят крылья и улетят, тот ошибается. Гуси стоят на месте, вытягивают шеи и начинают церемонно "приводить себя в летательное настроение". Их эмоциональные восклицания постепенно меняются, становятся отрывистее и короче, незаметно переходя в типичные звуки взлета. Одновременно с этим начинается покачивание клювом из стороны в сторону, происходящее с возрастающей частотой; оно выражает летное настроение и, как можно показать, передает его собратьям по виду. Наконец гусь вынимает оба крыла из несущих пазух, наклоняется для прыжка и расправляет крылья, после чего он взлетает — или нет. Дело в том, что описанный процесс постепенного нарастания летного возбуждения может быть остановлен и обращен в любом месте, при любой интенсивности достигнутого возбуждения. Я много раз видел, как гусь "низко склоняет колени" и широко раскрывает крылья, чтобы простоять несколько секунд в этой позе, напоминающей плохо набитое чучело, а затем снова выпрямиться.

По скорости нарастания возбуждения опытный наблюдатель может судить, взлетит гусь или нет. Если птица проходит в быстром темпе первые, низкопороговые движения, выражающие летное настроение, можно экстраполировать кривую их нарастания и предсказать, что возбуждение достигнет высшей степени. Если же кривая нарастания имеет тенденцию к уменьшению крутизны, то можно предсказать, что она вскоре "выйдет на плато", а затем опустится. По еще неизвестным причинам линия нарастания и убывания возбуждения, связанного со специфической активностью, никогда не образует острых углов; дело происходит так, как будто изменение интенсивности возбуждения обладает собственной инерцией.

Человек-наблюдатель при виде процессов этого рода часто впадает в нетерпение. Видя, как гусь в течение многих минут старается "раскачать" свое летательное возбуждение, наблюдатель испытывает такое же стремление как-то помочь бедной птице преодолеть порог раздражения, какое бывает, когда мы видим человека, мучительно пытающегося чихнуть и стремящегося достигнуть порога облегчающего взрыва всеми приемами, которые так превосходно изображает Вильгельм Буш*. Кто хорошо знает собак, тот не выносит популярной дрессировки "говорящая собака": в этом случае собаке навязывается движение, для нее не произвольное, пороговое значение которого достигается с мучительным трудом.

Среди движений перемещения такие редко используемые координации, как плавание морского конька и полет серого гуся, составляют исключение, поскольку у большинства животных движения перемещения готовы к употреблению в любой момент и в любом числе. Селезень кряквы не может выполнить "по первому требованию" одно из своих движений ухаживания, а петух не может запеть, точно так же, как человек не может по приказу чихнуть; но все они способны, если надо, в любое время и сразу же сделать шаг вперед. По понятным причинам необходимо, чтобы движение ходьбы было всегда доступно. И в этом, несомненно, состоит предпосылка и причина, по которой значительное большинство произвольных движений образовалось из того материала наследственных координаций, который содержится в движении ходьбы. Когда животное "хочет чего-нибудь, но не может", у него почти всегда можно наблюдать движения ходьбы, или по крайней мере подготовку к ним или их части. Собака, жадно смотрящая на внесенную хозяином миску с едой, переступает с одной передней ноги на другую, лошадь подобным же образом скребет землю передним копытом и т. д. Понятно, что куски из координаций ходьбы чаще всего служат составными частями выученных последовательностей поведения.

Как уже было сказано, проприоцепторные процессы, несомненно, играют роль при возникновении заученных движений, но не при совершенном выполнении вполне "заученного" движения. Было также упомянуто, что подлинно произвольное движение, т. е. действительно новое упорядочение произвольных элементов движения, выглядит крайне неловким. Очевидно, что контролирующие процессы реафференции требуют значительного времени.

Именно эти процессы обратного сообщения при выучивании форм движения играют решающую роль в построении центрального представления пространства, лежащего в основе всех высших форм понимающего поведения. Процессы обучения движению и приобретения знания посредством реафференций неразделимы и идут рука об руку. Вероятно, в филогенетическом смысле именно эффективность заученных движений, способствующая сохранению вида, произвела то селекционное давление, которое вызвало возникновение подлинных произвольных движений. Для очень многих позвоночных жизненно важны последовательности движений, приспособленные к весьма специальным пространственным условиям, не замедляемые задержками реакций и выполняемые с молниеносной быстротой. Но достаточно было небольшого смещения акцентов, какое должно было произойти при любознательном поведении высших животных и прежде всего при самоисследовании наших прямых предков, чтобы первостепенное значение для сохранения вида получило приобретение знаний. Способность, первоначально служившая лишь моторному умению, превращается теперь в важное средство исследования. У маленького человеческого ребенка исследовательская игра по меньшей мере столь же важна для приобретения и построения внутренней модели пространственного окружения, как и для освоения заучиваемых двигательных координаций. Как показали исследования Т. Дж. Бауера и У. Болла, освоение пространства с помощью осязания — не единственное основание, на котором строится наше пространственное воображение. У младенца постоянство восприятия величин способно действовать задолго до всякого тактильного исследования пространства. Но для изучения особых пространственных форм различных предметов взаимодействие обучения движению с развитием внутреннего представления пространства имеет фундаментальное значение. Если бы произвольные движения, образующие любые формы из мельчайших моторных элементов, не способны были активно овладевать любым пространственным объектом — насколько это позволяет его величина, — то наше осязание не могло бы стать столь важным источником пространственного опыта, каким оно является.

Тесная связь между обеими функциями проявляется также в том, что тому органу нашего тела, который способен к наиболее утонченной произвольной моторике, — указательному пальцу — соответствует относительно наибольшее представление в задней центральной извилине нашего мозга, где находится его сенсорная область. Представление языка и губ в отведенной им области также поразительно велико, больше, чем соответствующее всей руке. Подобным образом обстоит дело и у шимпанзе. Без сомнения, у наших предков-млекопитающих рот и язык были важнейшими органами осязания, прежде чем у антропоидов эта роль перешла к руке. Примерно так же ведет себя маленький ребенок: как известно, сначала он засовывает все новое для исследования в рот. Но и у взрослого, как показывает самонаблюдение, ощупывание языком доставляет поразительно точные пространственные представления.

Рассмотренная функция произвольного движения, состоящая в получении информации о внешних условиях посредством реафференций, есть частный случай гораздо более общего принципа. Любое исследование, в сущности, всегда опирается на получение реафференций. Ту же функцию выполняет заученное движение, "подогнанное" к определенным пространственным условиям, но оно осуществляет это особенным образом. Именно в ходе процесса обучения, в котором движение, как было описано, составляется из малых моторных элементов, оно доставляет отображение своего предмета, составленное из столь же большого числа подробностей; и при каждом новом выполнении заученного движения эта внутренняя картина сравнивается с внешней действительностью посредством наложения. Каждое отклонение тотчас же сообщается обратно, принимается во внимание и исправляется. Это типичный случай основного акта познания, который мы уже знаем под именем "pattern matching" (с. 265).

Когда выполнение некоторого движения контролируется несколькими органами чувств, аналогичная функция осуществляется на более высоком уровне интеграции. Я уже говорил, какое значение имела определенная особенность, присущая лишь антропоидам, для возникновения самоисследования и тем самым размышления: лишь у этих животных хватающая рука действует в поле их собственного зрения, так что экстероцепторные сообщения органа зрения поступают одновременно с проприоцепторными восприятиями положения и движения конечностей, побуждая тем самым к акту познания — к "pattern matching". Когда маленький ребенок открывает собственные ноги и руки и начинает с ними исследовательскую игру, от этого не только удваивается число доставляющих информацию реафференций, но также становится отчетливо различимым их происхождение извне или изнутри.

Как уже неоднократно подчеркивалось, "взрослый" язык повседневного общения очень тонко чувствует глубокие психологические связи. Важность того, что человек приобретает знания активным исследованием, т. е. произвольными движениями, вызывающими обратную связь, отчетливее всего подчеркивается тем фактом, что в нашем языке прилагательное *wirklich* — действительный — есть сильнейшее выражение того, что само по себе существует или происходит. В английском языке ему соответствует слово "actual"*.

6. ЛЮБОЗНАТЕЛЬНОЕ ПОВЕДЕНИЕ И САМОИССЛЕДОВАНИЕ

В более общем смысле, и лишь с функциональной точки зрения, можно назвать "исследовательским" любое поведение, при котором организм нечто *делает,* чтобы нечто *узнать.* Тогда под это понятие подпали бы все виды моторной деятельности, обратные связи которых доставляют сенсорным путем приспособительную информацию. Это в самом деле происходит в рассмотренных на с. 325 и след. случаях, когда животное испытывает одну и ту же форму движения в разных ситуациях или на разных объектах; напомню пример во́рона, узнающего таким способом подходящий материал для гнезда. Как следует еще раз подчеркнуть, мотивация этого рода поведения, состоящего из проб и ошибок, доставляется исключительно аппетенцией того же самого единственного инстинктивного движения!

Вероятно, именно из этого рода обучения, который можно представить себе так же, как "operant conditioning"[1]* в смысле бихевиористской школы, возникла в ходе эволюции гораздо более действенная форма исследования. Эта форма отличается от ранее описанной в двух существенных отношениях. Во-первых, вместо того чтобы применять на пробу к различным ситуациям и объектам *одну и ту же* наследственную координацию, здесь на одном и том же объекте испытываются одна за другой едва ли не все наследственные координации, находящиеся в распоряжении соответствующего вида животных. Во-вторых, мотивация, стимулирующая это поведение, не состоит уже в аппетенции по одному-единственному конечному движению, осуществляющему его цель и удовлетворяющему инстинктивное побуждение, а происходит из другого источника, обладающего замечательной способностью активировать многие, может быть даже все, наследственные координации, свойственные данному виду. Этот вид приобретения знания, особые свойства которого впервые ясно осознала Моника Мейер-Гольцапфель, мы называем исследовательским, или любознательным, поведением.

В играх высших млекопитающих и птиц непосредственно видно, что мотивация выполняемых при этом разнообразных, быстро сменяющих друг друга инстинктивных движений, безусловно, не может исходить из тех же источников стимулов, которые питают ее в серьезном случае. Например, в игре котенка движения, происходящие из круга функций, связанных с ловлей добычи, конкурентной борьбой и защитой от более крупных хищников, сменяют друг друга в течение нескольких секунд. Но кошка, вынужденная при встрече с угрожающим хищником*, например большой собакой, занять известную защитную позу угрозы с выгнутой спиной, после этого в течение многих минут, даже десятков минут, не

---

[1] *"Оперантное кондиционирование" *(англ.).* — *Примеч. пер.*

может успокоиться настолько, чтобы вообще быть способной к какому-нибудь другому настроению, например к настроению ловли добычи или конкурентной борьбы. Между тем в игре отдельные движения, относящиеся к различным установкам, сменяют друг друга беспорядочно и без перерывов. Это, как я полагаю, заставляет нас согласиться с заключением Моники Мейер-Гольцапфель, что входящие в игру наследственные координации питаются из *другого* источника мотиваций, чем те, которые активируют их в случаях, связанных с сохранением вида.

Трудно сказать, происходит ли то, что мы обычно называем "игрой" молодого животного, из исследовательского поведения в более узком смысле, которое мы сейчас рассмотрим, или же наоборот. Существуют все мыслимые переходы и промежуточные ступени между этими процессами. Исследовательский характер проявляется тем отчетливее, чем больше *различных* форм поведения пробуется на *одном и том же* объекте или *в одной и той же* ситуации. Например, когда молодому во́рону предлагают совершенно неизвестный ему предмет подходящей величины, он реагирует на него сначала теми формами движения, которыми опытная взрослая птица "ненавидит" хищника. Он приближается к предмету осторожно, сбоку, вприпрыжку и наконец наносит по нему сильный удар клювом, после чего обращается в бегство. Если нарисовать на одном конце продолговатого предмета два пятна, грубо имитирующих глаза, то ворон направит свой удар клювом в противоположный конец. Если предмет не реагирует преследованием — как это сделал бы хищник большего размера, — то ворон в свою очередь переходит в атаку примерно таким образом, как он приближался бы в серьезном случае к вполне способной защищаться добыче. При этом он всегда клюет ее в "голову" или в глаза. Если оказывается, что предмет "уже мертв", то птица начинает всеми подходящими инстинктивными движениями измельчать его, одновременно испытывая на съедобность. Наконец, она прячет обломки. Позже, когда объект становится вполне безразличным, она время от времени использует их, чтобы прятать среди них другие, более интересные вещи или сидеть на более крупных из них.

К этому процессу в точности подходит высказывание Арнольда Гелена об исследовательском поведении: предмет становится после изучения "близко знакомым", а затем откладывается "ad acta"[1]* в том смысле, что животное в случае надобности может тотчас же "обратиться" к этому знанию.

До возникновения такой надобности по наблюдаемому поведению животного не заметно, что в своем любознательном поведении оно чему-то научилось. Когда, например, серая крыса*, выполнив процесс исследования, по существу аналогичный описанному выше поведению во́рона, пробежит, обшарит и облазит всевозможные пути в своей области деятельности, то она в точности знает, какой путь ведет из любой точки этой области к ближайшему укрытию и насколько это укрытие надежно. Но это обширное знание проявляется лишь в том случае, если в соответствующей точке на крысу подействует сильный ключевой стимул, вызывающий бегство. До этого момента все выучен-

---

[1]*"К делу" *(лат.);* здесь: для дальнейшего использования. — *Примеч. пер.*

ное остается скрытым; поэтому говорят о "латентном обучении", хотя, как видно из предыдущего, самый процесс обучения очевиден и лишь приобретенное им "знание" латентно, да и то лишь до тех пор, когда оно понадобится.

Подобно формам движений, участвующим в игре, формы движений, свойственные любознательному поведению, активируются не теми установками, которым они подчинены в других случаях. Как и при игре, движения, выражающие различные установки, следуют при этом друг за другом гораздо быстрее, чем могли бы сменяться соответствующие установки в серьезном случае; но можно и другим способом показать, что в их основе лежит особая общая мотивация: именно, исследование тотчас же угасает, как только вводится в действие какая-нибудь иная установка, отличная от специфической "установки любознательности". В нашем примере мы наблюдаем у исследующего во́рона движения бегства, ловли добычи, еды и т. д., но он тотчас же прекращает все это, когда у него начинает действовать подлинная установка бегства, подлинное побуждение к охоте или подлинное чувство голода. Когда исследующий во́рон начинает испытывать голод, он направляется к известному источнику пищи или выпрашивает ее у служителя; иными словами, "в серьезном случае" он возвращается к предметам и формам поведения, способным, *как он уже знает,* утолить голод. Густав Балли впервые отчетливо установил, что игра может происходить лишь "в ненапряженном поле", как он это выразил в терминах теории поля Курта Левина.

Правильно понял сущность исследовательского поведения Арнольд Гелен. Как он говорит, это поведение "состоит из "сенсомоторных" последовательностей движений, соединенных со зрительными и осязательными ощущениями и образующих круговые процессы, которые сами производят стимулы для своего продолжения. Они выполняются без чувственного побуждения и не имеют какого-либо непосредственного значения для удовлетворения инстинкта... Это продуктивное взаимоотношение (с условиями окружающей среды) является в то же время *объективным (sächliches)"*. Вряд ли можно лучше описать особый характер исследовательского поведения и охарактеризовать его отличие от обычных процессов оперантного приобретения условных реакций, рассмотренных в предыдущих разделах этой главы. Об этих процессах Гелен говорит: "Процессы обучения побуждаются лишь ситуационным давлением наличного инстинктивного стимула, так что животное действует, по существу, зависимым образом... При этом оно не придает своему действию какой-либо самостоятельности, так что его поведение не объективно". Однако в книге, откуда взята эта цитата, Гелен допускает ошибку (впрочем, исправленную впоследствии им самим), приписывая объективно исследовательское любознательное поведение исключительно человеку. Поэтому мне хотелось бы еще раз подчеркнуть, что подлинное исследовательское поведение вполне объективно: во́рон, изучающий некоторый предмет, не хочет есть, а крыса, лазящая по всем закоулкам в своей области, не хочет спрятаться; они хотят знать, съедобен ли *в принципе* — хотелось бы сказать, "теоретически" — соответствующий предмет, можно ли использовать его как убежище. Якоб фон Юкскюль сказал однажды, что в мире, окружающем животных, все вещи — действенные вещи. В особом смысле таковы все предметы в окружении любознательных существ, ранее близко изученные ими, а затем отложенные ad acta. Несомненно, они "объективированы" в некотором ином, высшем смысле, так как знание о возможном способе их использования приобретается и хранится независимо от ситуационного давления изменчивых инстинктивных побуждений.

Понятно, что живые существа, которые в состоянии изучать свойства различных предметов своего окружения, особенно способны к приспособлению. Обращаясь с *каждым* неизвестным предметом, как если бы он был биологически важен, они в действительности обнаруживают все предметы, имеющие такое значение. Опираясь на эту функцию, во́рон, например, в состоянии существовать в разных биотопах, как если бы он был специально приспособлен к любому из них. В пустынях Северной Африки он живет как коршун-стервятник, питаясь падалью; на птичьих базарах Северного моря он ведет образ жизни поморника, пожирая яйца и птенцов, а в Центральной Европе перебивается, подобно вороне, охотой на мелких животных.

Филогенетические программы таких любознательных животных всегда в высшей степени "открыты" — если обозначить их термином, который ввел в употребление Эрнст Майр. Действенные предметы (Aktionsdinge), из которых строится их внешний мир, не определяются свойственными виду врожденными механизмами запуска, содержащими нужные признаки и информацию, а находятся объективирующим исследованием. "Открытость по отношению к миру", которую Арнольд Гелен считает свойством, отделяющим человека от животного, имеется, по существу, в том же смысле и у типичных любознательных животных, хотя у них она менее развита и не интегрирована вместе с другими указанными в этой главе предпосылками мышления в единую систему высшего порядка.

Программа поведения, модифицируемая в столь широких пределах, как у рассматриваемых любознательных животных, требует моторики, допускающей многообразные применения. Аналогичные требования предъявляются к используемым органам. Высокая морфологическая специализация органов исключает их многостороннюю применимость. Поэтому все типичные любознательные животные в морфологическом отношении являются относительно *малоспециализированными* представителями своих таксономических* групп. Они, по моему излюбленному выражению, "специалисты по неспециализированности". Таковы, например, крысы среди грызунов, во́роны среди певчих птиц и, наконец, человек среди приматов. Характерно, что среди высших животных лишь такие специалисты по неспециализированности могут стать космополитами. Конечно, крыса или человек способны к относительно меньшим физическим достижениям, чем животные, высокоспециализированные в соответствующем отношении; но оба они превосходят своих ближайших зоологических родичей в многообразии моторного умения. Человек мог бы вызвать весь класс млекопитающих на спортивное соревнование, рассчитанное на многосторонние результаты, где требовалось бы, например, пройти 30 км, переплыть водное препятствие шириной в 15 м, нырнув на глубину в 5 м и достав при этом пару определенных предметов, а затем подняться на несколько метров по канату (все это может сделать любой обыкновенный человек); и оказалось бы, что нет ни одного млекопитающего, способного подражать ему в этих трех упражнениях. Если взять вместо каната дерево, то с человеком мог бы состязаться белый медведь*, а если несколько уменьшить глубину ныряния и длину пешеходного маршрута, то с ним сравнялись бы многие макаки. Но только крыса могла бы успешно с ним конкурировать, если бы в соответствии с размерами ее тела все расстояния были сокращены.

Размышляя о последствиях любознательного поведения, и прежде всего о важности этого поведения для возникновения понятийного мышления, можно удивиться видимой незначительности тех изменений и интеграций ранее существовавших систем, которые привели к столь глубокому перевороту. Чтобы могло возникнуть исследовательское поведение, не понадобилось существенного изменения функций какого-либо из известных механизмов, участвовавших в качестве подсистем в приобретении условных реакций, и ни один из них не оказался лишним. Новое "изобретение" состояло лишь в таком обобщении аппетентного поведения, что целью его стала не ситуация запуска определенного завершающего действия, удовлетворяющего инстинктивное побуждение, а ситуация обучения сама по себе. Для достижения этого потребовалось, собственно, лишь некоторое смещение акцента, так как почти все аппетентное поведение высших, способных к обучению животных так или иначе идет рука об руку с обучением, с приобретением условных реакций. Так обстоит дело уже в процессах, описанных на с. 325 и далее, когда информация замкнута в форме наследственной координации, а характер подходящего объекта усваивается методом проб и ошибок. Качественно новая особенность состоит в том, что мотивацию доставляет *самый процесс обучения,* а не проведение завершающего действия.

С этим на первый взгляд столь малым шагом выступает на сцену совершенно новое когнитивное явление, в принципе тождественное с исследовательской деятельностью человека и ведущее, без изменения его сущности, к научному исследованию природы. В ходе этого развития взаимосвязь между игрой и исследованием остается столь же тесной, полностью сохраняясь также у взрослого человека-исследователя, между тем как у животных эта связь с возрастом исчезает. "Человек лишь тогда вполне человек, когда он играет", — говорит Фридрих Шиллер, а Фридрих Ницше говорит, что "в истинном мужчине спрятан ребенок", на что моя жена отвечает вопросом: "Так ли уж спрятан?"

Как я уже подробно объяснил в другом месте, замедление развития человека в юности, которое Больк назвал ретардацией, а также остановка развития на юношеской стадии, так называемая неотения, являются предпосылкой того, что у человека, в отличие от большинства животных, любознательное поведение с возрастом не исчезает, а определяющая его сущность открытость по отношению к миру сохраняется в нем, пока глубокая старость не положит ей предел.

Так же как восприятие образов, возникшее с целью простого узнавания неизменности вещей, оказалось способным абстрагировать сверхиндивидуальные закономерности, присущие множеству отдельных предметов (с. 348), любознательное исследование создало без существенного

изменения лежащих в его основе механизмов новую функцию, в зароды-
ше имеющуюся уже у наших ближайших зоологических родичей, но
лишь у человека ставшую важной, даже определяющей особенностью,
— способность к самоисследованию.

Можно задаться вопросом, когда и каким образом наши предки
осознали свое собственное существование. Трудно себе представить,
чтобы существо, у которого любознательное поведение было одной из
важнейших функций для сохранения вида, рано или поздно не открыло
свое собственное тело как заслуживающий исследования объект. То, что
этот решающий шаг сделали именно антропоиды, связано с уже известными нам обстоятельствами. Поскольку они передвигались по деревьям,
хватаясь руками за ветви, у них высоко развились понимание пространства и способность его центрального представления, а также способность к произвольному движению. Сверх того, при их особом способе
движения хватающая рука постоянно действует в поле зрения животного. Это как раз и не происходит у большинства млекопитающих, включая многих обезьян. Собака ступает передней лапой на место, которое
она только что, за доли секунды до этого, видела, но при ее перемещении
собственное тело не попадает в ее поле зрения; примерно так же обстоит
дело у мартышек, макак и павианов. Напротив, осторожно передвига-
ющаяся по дереву человекообразная обезьяна почти все время видит
свою руку вместе с предметом, который она намерена схватить, особенно тогда, когда захват производится не с целью перемещения, а для
исследования. Как показал Г. Миттельштедт в своем известном опыте,
даже у человека направление, в котором он показывает рукой, все время
контролируется и корректируется обратными сообщениями о положении конечности, которое наши глаза устанавливают намного точнее, чем
это способны делать проприоцепторы нашего чувства глубины. Насколько мне известно, с человекообразными обезьянами подобный опыт
еще не был поставлен. Однажды я видел, как шимпанзе, лежа на спине,
прикрывал свет электрической лампочки осторожными легкими движениями руки, пропуская его то в один, то в другой глаз. Складывалось
впечатление, что он исследовал результаты собственного движения. Как
бы то ни было, человекообразные обезьяны — единственные известные
животные, у которых передняя конечность, важнейший орган любознательного поведения, оказывается в поле зрения одновременно с изуча-
емым предметом. Это дает им возможность наблюдать взаимодействие
того и другого. Дальнейшую важную возможность открыть взаимодействие между собственным телом и исследуемым предметом доставляет
общественная игра. Эта деятельность занимает у молодых обезьян
весьма значительную часть их активного дня, причем "диалогическая"
функция, присущая любой исследовательской игре, приводит к диалогу
в более узком и высшем смысле: при любом исследовании объекту
задается вопрос и регистрируется его "ответ". Когда два молодых
любознательных шимпанзе играют друг с другом, это взаимодействие
удваивается. Когда одна из обезьян держит руку другой в своих руках
и внимательно изучает ее, как это нередко можно видеть у молодых
шимпанзе, то есть все условия для решающего открытия, что собственная рука имеет ту же природу, как рука собрата. Мне кажется весьма

вероятным, что вещественность собственного тела была открыта именно тогда, когда человекообразная обезьяна увидела его в зеркальном изображении, рассматривая своего собрата по игре.

Конечно, открытие собственного тела, и прежде всего собственной руки, как возможного предмета исследования в ряду многих других, еще никоим образом не означало подлинного размышления. И оно не пробудило еще того удивления самим собой, которое считается началом философствования. Но одно лишь постижение того факта, что собственное тело или собственная рука тоже является "вещью" внешнего мира с точно такими же постоянными отличительными свойствами, как и всякая другая вещь окружающей среды, должно было иметь глубочайшее, поистине эпохальное значение. С постижением вещественной природы собственного тела и его действующих органов неизбежно возникает новое, более глубокое понимание взаимодействий, происходящих между организмом и предметами его окружения. Постижение собственного тела в его предметном постоянстве делает его *сравнимым* со всеми другими вещами окружающего мира и тем самым *мерой* этих вещей*.

Таким образом и открылся организму, в подлинной фульгурации, новый уровень объективирования окружающего мира: в то мгновение, когда наш предок впервые одновременно осознал собственную хватающую руку и схваченный ею предмет как вещи реального внешнего мира и постиг взаимодействие между ними, его постижение процесса схватывания стало пониманием, а его знание о существенных свойствах схваченной вещи стало понятием*. Разумеется, только что описанный процесс находится в тесной взаимосвязи с другими рассмотренными в этой главе функциями, составляющими его предпосылки. Так, например, рассмотренная в первом разделе абстрагирующая функция восприятия служит предпосылкой того, что организм узнает исследуемый предмет в самых различных условиях как один и тот же объект. Необходимой предпосылкой самоисследования является также центральное представление пространства со всеми составляющими его функциями, и прежде всего такой неистощимый источник знания, как реафференции, доставляемые произвольными движениями.

7. ПОДРАЖАНИЕ

Подражание движениям — это функция, которая может быть названа когнитивной лишь в некотором широком смысле слова. Оно является предпосылкой понятийного мышления, поскольку оно необходимо для интеграции функций, описанных в предыдущих разделах этой главы, с традицией, которой будет посвящен следующий раздел. Вероятно, оно возникло в ходе эволюции из игры и любознательного поведения общественных животных с продолжительной семейной жизнью. Подражание имеет, в свою очередь, своими предпосылками неразрывно связанные между собой функции — произвольное движение и его проприоцепторный и экстероцепторный контроль.

В свою очередь, подражание является предварительным условием усвоения человеческого словесного языка и вследствие этого — бесчисленных других специфически человеческих функций. Можно поразмыслить о том, почему именно рот стал органом этой сигнальной системы. Как мы знаем, уже у наших предков губы и язык стали органами, способными к особенно точным произвольным движениям и доставляющими, соответственно этому, богатые информацией реафференции. В то же время их моторика, вместе с моторикой гортани, принимает важнейшее участие в произведении выразительных движений и выразительных звуков. У наших близких и дальних зоологических родичей лицо и, в особенности, рот являются при любом социальном взаимодействии предметами самого пристального внимания всех участвующих и тем самым как будто предназначены для сигнализации.

Между тем самый процесс подражания загадочен как в смысле его физиологического возникновения, так и в отношении его распространения в животном мире. Строго говоря, способность к подражанию встречается, кроме человека, лишь у некоторых птиц, прежде всего у певчих птиц и попугаев, у которых она, впрочем, ограничивается узкими рамками воспроизведения звуков. Правда, способность обезьян к подражанию вошла в поговорку, так что "aping"[1]* означает по-английски просто "точнейшее подражание". Но даже у человекообразных обезьян точное повторение воспринятого процесса движения наблюдается лишь в зачаточной форме и по своей точности не идет ни в какое сравнение с соответствующими способностями птиц. Правда, шимпанзе сразу же понимает смысл процесса, когда, например, видит, как человек пользуется ключом, чтобы открыть дверь, и подражает ему в этом, пытаясь сделать то же, что после нескольких попыток ему и удается. Но именно то, что мы называем "обезьянничанием", т. е. повторение некоторого движения или выражения лица ради одного только подражания, насколько мне известно, встречается у обезьян лишь в слабой, зачаточной форме.

Но человеческие дети — и замечательным образом уже упомянутые птицы — вполне определенно это делают. Социальным психологам достоверно известно, что дети повторяют движения взрослых с величайшей точностью просто ради удовольствия, доставляемого подражанием, притом задолго до того, как начинают понимать смысл и назначение соответствующих шаблонов поведения. Питер Бергер и Томас Лакмен произвели в своей книге "Социальное построение действительности" ("The Social Construction of Reality") весьма точный анализ таких процессов. При этом дети проявляют очень тонкую чувствительность в отношении образно запечатлеваемых форм движения, каковы многие выразительные формы общения. На моего старшего внука, когда ему не было еще и двух лет, произвел глубокое впечатление совершенный по форме поклон моего японского друга, который он стал повторять поистине "неподражаемо": ни один взрослый не смог бы без подготовки воспроизвести его столь точно. Процесс этот был неотразимо комичен, и лишь благодаря тому обстоятельству, что мой друг был исследователь поведения, такое "обезьянничание" его не обидело.

У человека именно точность подражания выразительным движениям и звукам имеет величайшее общественное значение, поскольку детали

---

[1] *"Обезьянничание". — *Примеч. пер.*

произношения и манер, общие некоторой группе, являются предпосылкой "сцепления", групповой связи.

Певчие птицы и попугаи, и прежде всего их птенцы в определенном возрасте, также проявляют отчетливую аппетенцию к выразительным звуковым сочетаниям, лежащим в пределах их способности к подражанию. Молодой снегирь, которому вырастивший его служитель насвистывает какую-нибудь мелодию, торопливо подходит к сетке, немного наклоняет голову в сторону источника звуков и взъерошивает перья возле ушей, как зачарованный вслушиваясь. Подобным же образом ведут себя скворцы, а у дроздов рода шама (Copsychus malabaricus) очень интересно наблюдать, как птенцы внимательно и напряженно прислушиваются к пению своего отца.

Происходящее при этом восприятие услышанного во многих случаях лишь через несколько месяцев переходит в моторику вокализации. Как рассказывет Гейнрот, соловей, услышавший в свою первую весну, между 12-м и 19-м днем жизни, пение одной славки-черноголовки, после Рождества, когда он начал петь, стал воспроизводить индивидуальное пение этой славки с такой же точностью, как сделанная Гейнротом граммофонная запись. Таким образом, этот соловей должен был хранить в памяти акустический образ песни славки в течение месяцев, прежде чем он смог транспонировать его в моторику.

Каким образом происходит такая транспозиция сенсорного в моторное, мы знаем из работ М. Кониси. У многих видов свойственное виду пение является "врожденным", поскольку оно более или менее нормально развивается также у птенца, изолированного от звуков. Но при этом моторика пения никоим образом не задана в виде наследственной координации; у птицы имеется врожденный акустический шаблон* ("template"), который, точно так же, как рано услышанная последовательность звуков, переводится под контролем слуха в моторику пения методом проб и ошибок. Это давно уже предполагал Гейнрот, говоривший о "самоподражании". Справедливость этого предположения доказал М. Кониси, оперативным путем удаляя в раннем возрасте органы слуха у птиц этого типа. В таком случае подопытные птицы производили только бесформенный щебет, не содержавший даже чистых тонов, а вследствие множества сильных обертонов похожий на шум. Впрочем, призывные и предупредительные возгласы являются подлинными наследственными координациями также и у птиц, пение которых развивается описанным здесь способом, причем их моторика врожденная. Поэтому они вполне нормально производятся также птицами, в раннем возрасте лишенными слуха. То же верно в отношении всех выразительных звуков куриных и утиных, как и большинства других не способных к подражанию птиц.

Врожденные акустические "шаблоны" — это слово является самым точным переводом термина "template" — имеют у большинства птиц, обнаруживающих такое свойство, две различных, часто налегающих друг на друга функции. Лишь в редких случаях они столь совершенны, что могут доставить птенцу полную информацию о том, как должно звучать свойственное виду пение. В большинстве же случаев изолированный от звуков, но не лишенный слуха птенец выполняет упрощенное, хотя и узнаваемое пение своего вида. Следует поэтому допустить, что простой врожденный акустический образец в естественных условиях сообщает птице, *какому* из многих раздающихся в окрестностях видов птичьего пения она должна подражать.

Нечто подобное я предполагал уже много лет назад, основываясь на одном наблюдении домашнего воробья. Гейнрот и другие обнаружили, к своему удивлению, что чириканье воробья, при всей его простоте, не является врожденным, а должно быть усвоено путем подражания, как настоящее пение. Как сообщает Ф. Браун, воробьи, воспитанные в обществе щеглов, без затруднений усвоили сложное пение этого вида. И вот, когда я взял из гнезда самца воробья в возрасте двух дней и вырастил его, я внимательно прислушивался, какому из раздававшихся в моем птичнике видов пения станет подражать мой воробышек. К моему удивлению, он просто-напросто чирикал, казалось, опровергая этим данные знаменитых орнитологов. Лишь через некоторое время я заметил, что он чирикает не как воробей, а в точности как волнистый попугай. Среди многих гораздо более звучных и выразительных птичьих напевов он избрал звуки волнистого попугая, действительно похожие на воробьиное чириканье, потому что они были наилучшим приближением к его врожденному акустическому шаблону.

О способных к подражанию птицах мы достоверно знаем из исследований Кониси, что афферентный или, точнее, реафферентный контроль, т. е. обратные сообщения о собственном поведении, составляет неотъемлемую часть процесса подражания; между тем о физиологических процессах человеческого подражания мы вообще ничего не знаем. В принципе я придерживаюсь мнения, что при таком полном незнании физиологической стороны явления можно и должно использовать в качестве источника знания феноменологию, т. е. самонаблюдение. Но феноменологией в строгом смысле этого слова каждый может заниматься лишь на самом себе; ее сверхиндивидуальная справедливость зависит от того, насколько другие способны воспроизвести в себе описанное переживание. После этой преамбулы я попытаюсь описать, что во мне происходит, когда я пытаюсь чему-нибудь моторно подражать.

При виде какой-либо характерной реакции или выражения лица я прежде всего испытываю "первичное", т. е. не вызванное никакими другими различимыми мотивациями стремление подражать увиденному; а затем удивительным образом это удается мне почти без подготовки. Так, уже с первой попытки мне удалось имитировать перекошенное лицо Ульбрихта*, вызвав неожиданный смех. Мне не пришлось объяснять присутствующим, кому я пытался подражать. Конечно, моему успеху могла содействовать та же форма бороды.

Замечательно, что первое явление, доступное моему самонаблюдению при выполнении этой функции, имеет однозначно кинестетический характер: это восприятие того, "что должно ощущаться", когда делают подобную гримасу или подобное движение. При многократном повторении подражание несколько улучшается, но лишь в очень скромной мере. Самонаблюдение в зеркале мало помогает; достаточно одной только проприоцепторной реафференции, чтобы сообщить мне, что мое подражание приблизительно достигает цели, бывшей в моем кинестетическом воображении. Слишком частое повторение не приносит улучшения, а, напротив, лишь разрушает первоначальную внутреннюю картину имитируемого движения, возникшую вследствие глубоко бессознательного процесса; или, лучше сказать, повторение перекрывает эту картину находящимися в памяти картинами собственного движения, так что за копиями постепенно исчезает оригинал.

Уже то обстоятельство, что маленькие дети выполняют рассматриваемую функцию лучше взрослых, свидетельствует о том, что она не имеет ничего общего с рациональными процессами. В пользу этого допущения говорит также тот факт, что подражание никоим образом не удается произвести произвольно или воспроизвести в любой момент: для этого требуется особого рода "вдохновение", как и для высших функций восприятия образов*. Весь этот процесс напоминает также игру, поскольку он может происходить лишь в спокойном, радостном настроении и в "ненапряженном поле". Кто знает по собственному наблюдению два явления — подражание у маленьких детей и обучение пению птенцов — тот все больше удивляется очевидным параллелям между обоими процессами, наблюдаемыми у столь различных существ и, по всей вероятности, различными в своей физиологической основе.

Феноменология процесса подсказывает нам предположение, что первый шаг человеческого подражания должен состоять в возникновении некоторого сенсорного прообраза. Конечно, это предположение показалось бы нам крайне невероятным, если бы описанные выше наблюдения и опыты над певчими птицами не свидетельствовали о том, что их звуковое подражание, очевидно, возникает таким путем. Несомненно, в основе аналогичных функций должен лежать в обоих случаях очень сложный сенсорный и нервный аппарат; между тем мы уже привыкли находить такой аппарат лишь в случаях, когда его выработала некоторая функция, важная для сохранения вида. В случае человека вопрос о значении функции подражания для сохранения вида кажется почти излишним, и в начале этого раздела мы уже дали на него предварительный ответ. Но до сих пор совершенно неизвестно, каковы физиологические процессы, переводящие сенсорный прообраз в моторику у людей. Безусловно, это достигается не методом проб и ошибок, как это можно с большой уверенностью допустить в отношении аналогичной функции птиц. Но, с другой стороны, мы, в сущности, не знаем, какое значение для сохранения вида имеет эта функция у наших единственных коллег в искусстве подражания и в музыкальном искусстве; кроме птиц и человека, эти способности не свойственны никаким другим живым существам. Все сигналы, служащие коммуникации, такие, как звуки призыва, ухаживания, предупреждения и тому подобные, являются, как известно, врожденными также и у птиц, способных к подражанию.

8. ТРАДИЦИЯ

Известен ряд случаев, когда у высокоразвитых общественных животных индивидуально приобретенное знание наследуется сообществом и выходит, таким образом, за пределы жизни того животного, которое это знание приобрело. Когда биолог употребляет глагол "наследовать", мы настолько привыкли подразумевать генетические процессы, что слишком уж забываем первоначальное, юридическое значение этого слова. Процесс, с помощью которого усвоенное знание передается от одного индивида к другому, от одного поколения к следующему, называется традицией.

Такая передача знания может происходить двумя способами. Во-первых, вызывающая бегство комбинация стимулов, как, например, предупредительный звук или "заразительно" действующее бегство опытного собрата по виду, может быть связана посредством ассоциации со всей окружающей ситуацией, в которой пугающий стимул действовал один или несколько раз, как это описано на с. 312. Во-вторых, процессы обучения более высокого порядка могут привести к тому, что младшее животное воспроизводит формы поведения старшего, более опытного. Это не обязательно должно быть подлинным подражанием: достаточно, чтобы пример опытного животного указал исследовательскому поведению неопытного определенное направление. Первое достоверное доказательство существования подлинной традиции у животных получил я сам в двадцатые годы, наблюдая галок. Вначале я столкнулся с тем неприятным фактом, что птенцы, воспитанные моими руками и поэтому очень ручные, нисколько не боялись собак, кошек и других хищников, а потому подвергались при свободном полете крайней опасности.

У галок есть единственный свойственный их виду инстинкт, защищающий их от хищников: он состоит из врожденного механизма запуска и единственного инстинктивного движения, приводимого в действие этим механизмом. Механизм запуска отзывается на комбинацию стимулов, которая должна иметь следующие признаки: нечто черное и само по себе подвижное должно уноситься живым существом. Твердые черные предметы, как, например, фотографические камеры, столь же мало производят запускающее действие, как мягкие, развевающиеся или дрожащие, но не черные. Мягкие куски черной бумаги, которыми тогда обертывали кассеты, напротив, вызывали реакцию точно так же, как мокрые черные плавки или трепещущая живая галка, когда я возился с одним из этих объектов на глазах у моих галок. При этом вид живого существа, играющего в этой "схеме" роль уносящего добычу хищника, совершенно безразличен. Одна из галок, вознамерившаяся нести к своему гнезду черное маховое перо во́рона, вызвала ту же реакцию в ее полной силе.

На такую комбинацию стимулов каждая взрослая галка, имеющая ее в поле зрения, отвечает пронзительным трескучим звуком, в то же время своеобразно изгибая тело и дрожа широко распростертыми крыльями. Эти формы движения отчетливо заметны даже в полете. Каждая галка, находящаяся достаточно близко, чтобы услышать этот сигнал, сразу же торопится к его источнику, присоединяется к трескучему концерту, и когда наберется достаточное число собратьев по виду, они яростно нападают на врага, причем не только толкают его, но вонзают в него когти и обрушивают на него град ударов клюва. В моем опыте "врагом" была моя рука, державшая чучело галки, и мое плечо тотчас же покрылось потоками крови.

В первый же раз, когда я невольно навлек на себя трескучее нападение галок, я обратил внимание на их длительное недоверие ко мне после этого происшествия. Я сразу же понял, что мне не следует проводить дальнейшие эксперименты, запускающие трескучую реакцию, поскольку мне важно было для моих целей, чтобы птицы остались ручными. В то же время мои галки были приучены видеть своих собратьев, свободно сидевших на моей руке или на плече, не реагируя на эту ситуацию как на "мягкий черный предмет, уносимый живым существом". Но это было следствием специального приучения, как видно из того, что в дальнейшие годы те же галки, ставшие слишком робкими, чтобы садиться на мое тело, сразу же принимались трещать, когда я показывался с ручным галчонком на руке. Это поведение сорвало мой план повысить среднюю прирученность моих оробевших галок добавлением недавно воспитанных ручных птиц, что вполне удается проделать с группой диких гусей.

Если галка неоднократно замечает, что некоторое живое существо несет какой-нибудь черный, мягкий, развевающийся предмет, то "обличенный" таким образом виновник становится для нее, посредством образовавшейся подлинной условной реакции, выученным стимулом, запускающим реакцию треска, и в дальнейшем вызывает ее даже в тех случаях, когда появляется без злополучного черного предмета. Почти так же ведут себя вороны. Когда мой друг Густав Крамер прогуливался в лесах близ Гейдельберга со своей ручной вороной, то он неизменно вызывал реакцию "ненависти" диких ворон, как только его птица садилась ему на плечо. Со временем он приобрел у окрестных ворон столь "дурную репутацию", что они преследовали его с громкими возгласами ненависти и в тех случаях, когда он выходил из дому в городском костюме, в котором его никогда не видели вместе с ручной вороной. То же случалось со мною каждый раз, когда я пытался воспитать ручную галку. Результат оказывался противоположным моим намерениям.

Поскольку птенцы общественных корвидов* верно следуют за своими родителями и сверх того в ранней молодости, как правило, никогда не покидают ближайших окрестностей своего гнезда, где все время находится множество взрослых птиц, то вряд ли может случиться, что птенец встретится с опасным хищником иначе как в присутствии опытной взрослой птицы, тотчас же реагирующей на него громким треском. Сверре Сьеландер благодаря своему дару звукоподражания сумел доказать на опыте, что неопытному галчонку достаточно один или два раза показать кошку или подобное ей животное, сопровождая это трескучими звуками, чтобы у птицы навсегда запечатлелся страх перед соответствующим объектом. Более того, Сьеландеру удалось тем же методом внушить своей галке отвращение даже к ее собратьям по виду и другим корвидам, удержав ее тем самым от присоединения к осеннему перелету.

У гусей традиция играет важную роль в другом отношении, а именно для знания путей перелета. Гуси, воспитанные без родителей, подобно оседлым птицам обычно остаются на месте, где они выведены. Как показал наш опыт искусственного поселения колонии диких гусей в Зеевизене, птенцы, оставшиеся без руководства, вначале не решаются вторгнуться в чужие им места. Чтобы побудить их пастись на лугах, расположенных вне институтской ограды и арендованных как раз для этой цели, оказалось необходимым водить их туда вместе с воспитанными "вручную" гусями, запечатленными на сопровождение своего воспитателя, и терпеливо приучать их кормлением к посещению этих пастбищ.

Однажды приобретенные путевые навыки держатся у гусей чрезвычайно прочно, как видно из следующего наблюдения. В тридцатые годы у меня было в Альтенберге стадо из четырех серых гусей, привыкших сопровождать меня в прогулках по обширной, почти безлесной пойме Дуная. Я ехал на велосипеде по дамбе, ограждавшей эту местность, а гуси кружились вокруг меня, время от времени приземляясь поблизости. Чтобы создать для гусей возможно более действенные подкрепляющие стимулы, я выискивал с ними разные заросшие камышом и травой болотца, где гуси хорошо себя чувствуют. Птицы любили эти экскурсии точно так же, как собаки любят свою ежедневную прогулку, и в привычное время ждали уже у дверей дома, чтобы взлететь сразу же, как только я выкачу из сарая велосипед.

Однажды я решил посмотреть, что станут делать гуси, если я не выеду с ними в привычное время. Наш дом был расположен отдельно и высоко, так что с крыши можно было хорошо рассмотреть в бинокль часть поймы Дуная, по которой проходили наши экскурсии. Ко времени привычного взлета гуси стали беспокойными и издавали все более громкие звуки, выражающие летное настроение. Это продолжалось намного дольше, чем если бы я, как обычно, выехал на велосипеде. В конце концов гуси взлетели и направились сначала к ближайшему лугу, где мы обычно встречались после того, как я проезжал деревенскую улицу, которой они боязливо избегали. Над этим местом встречи гуси долго кружились, издавая громкие призывные звуки, а затем устремились к тому болотцу, где мы побывали накануне в послеполуденное время. Они опять долго кружились над ним с призывными криками, после чего устремились, не садясь на землю, ко второму, реже посещаемому пруду. Не найдя меня и там, они улетели еще дальше и искали меня возле заполненного водой гравийного карьера, где мы бывали очень редко и куда уже давно не наведывались. Там они тоже немного покружились, и вслед за тем, нигде не спускаясь на землю, вернулись в сад у моего дома.

По этим наблюдениям кажется весьма вероятным, что у гусей передается от поколения к поколению не только общий курс перелета, но и знание каждого отдельного места отдыха. В пользу этого предположения говорит не только все, что мы знаем из других источников о долговременной памяти этих птиц, но также и полевые наблюдения голландских орнитологов, заметивших, что в определенных водоемах из года в год появляются, примерно в одни и те же дни, стаи из примерно одинакового числа серых гусей, причем, по мнению наблюдателей, это оказывались всегда одни и те же птицы с их потомством.

У серой крысы Штейнигер установил существование традиции, действующей на протяжении ряда лет. Передаваемое при этом знание касается опасности определенных ядов. Опытные крысы сигнализируют об опасности, мочась на соответствующую приманку; но, по-видимому, предостережением является уже тот факт, что они ею пренебрегают.

Крысы и другие всеядные, т. е. животные, употребляющие разнообразную пищу, при встрече с неизвестными им видами пищи имеют обыкновение съедать вначале лишь минимальное количество, как об этом уже говорилось. Ясно, что недоверие животных ко всему неизвестному поддерживает образование традиций.

Японские исследователи, в том числе С. Кавамура, М. Каваи и Я. Итани, наблюдали у макак подлинную традицию форм моторного поведения, изобретенных одним определенным индивидом и вслед за тем, поскольку они "окупались", вскоре распространившихся на все сообщество. За этим распространением можно было точно проследить. Любопытно, что в одном случае несколько изобретений было сделано одним и тем же индивидом, молодой самкой. Сначала она догадалась мыть в ручье запачканный землей сладкий картофель. Когда этот прием усвоило значительное число обезьян, некоторые из них попробовали проделать это с морской водой и заметили, что еда приобретает при этом приятный привкус. Затем они стали погружать картофель в морскую воду также и во время еды. Когда же макак стали кормить овсом, который им попросту высыпáли на песок приморского пляжа, одна из обезьян, а именно примечательным образом та же изобретательница мытья картофеля, стала бросать в воду овес вместе с песком, на котором он лежал. Вероятно, вначале это было неосмысленное применение приема, оправдавшегося в случае сладкого картофеля. Но, как это часто бывает, применение ложной гипотезы случайно привело к успеху: песок опустился на дно, а зерна всплыли, и в одно мгновение родилась процедура, в сущности подобная применяемой золотоискателями; ее переняло значительное число обезьян — к моменту публикации их было 19.

Все эти известные случаи животной традиции отличаются от человеческой в одном важном отношении: все они зависят от наличия объекта, с которым они связаны. Опытная галка может сообщить неопытной об опасности кошек лишь в том случае, если такой хищник имеется в наличии как "наглядное пособие"; опытная крыса может сообщить своему собрату по виду, что некоторая приманка ядовита, лишь при наличии этой приманки. По-видимому, то же относится ко всем животным традициям — как к простейшей передаче условных реакций, так и к сложнейшему обучению посредством подлинного подражания.

Эта *привязанность к объекту,* свойственная всем животным традициям, является, по-видимому, причиной, по которой они никогда не приводили к сколько-нибудь заметному *накоплению* сверхличного знания. В самом деле, такая специальная традиция, как знание кошки у галок, неизбежно прервется, если на протяжении одного поколения ни разу не появится ее объект; и легко себе представить, что обусловленная таким образом относительная кратковременность любой традиции у животных препятствует их соединению и тем самым постепенному образованию сокровища сверхличного знания.

Лишь понятийное мышление и являющийся вместе с ним словесный язык делают традицию *независимой от объекта,* создавая свободный символ, который дает возможность передавать факты и их взаимные отношения без конкретного наличия объекта.

9. РЕЗЮМЕ ГЛАВЫ

В первом разделе речь идет о методических трудностях, связанных со словесным описанием составляющих единое целое сложных систем. Во второй части ''Фауста'' Гёте выражает эти трудности устами Елены: ''Но я говорю впустую, потому что слово напрасно пытается творчески воспроизвести образы''*. Чтобы как-то сообщить читателю то, что я знаю, как мне кажется, о сложных системах, я пытался воспроизвести их линейными последовательностями слов, причем почти все время меня преследовало тягостное ощущение, что я ''говорю впустую''. Оно было особенно сильно в отношении этой главы, где различные функции собраны вместе лишь по той причине, что все они в совокупности составляют предпосылки понятийного мышления и тем самым возникновения человека. Объяснить все это было тем труднее, что эти функции соединяются в систему высшего порядка вовсе не так, как равноценные ивовые прутья сплетаются в корзину; напротив, они крайне неравноценны друг другу и находятся в весьма различных отношениях взаимодействия и зависимости друг от друга — иногда очень тесных, а в других случаях очень слабых. Эти отношения мы должны были принять во внимание уже в этой главе, поскольку они играют роль уже на дочеловеческом уровне жизни. Нам придется, однако, вернуться к ним в следующей главе, где речь пойдет об интеграции всех этих функций в систему высшего порядка; повторения здесь неизбежны.

Во втором разделе главы рассматриваются функции восприятия образов. Все функции постоянства, такие, как постоянство цвета, величины, направления и формы, являются *абстрагирующими* в том смысле, что они исключают из процесса получения знаний случайную форму и характер стимулирующих данных, и в то же время *объективирующими*, поскольку они сообщают о постоянно присущих предметам свойствах всегда одинаковым образом, независимо от случайных условий восприятия. Способность отделять существенное от случайного основывается на сенсорных и нервных процессах, недоступных нашему самонаблюдению и рациональному контролю, но функционально вполне аналогичных разумным вычислениям и умозаключениям. Следуя Эгону Брунсвику, такие бессознательные вычислительные процессы называют *рациоморфными*.

Вычислительные аппараты, осуществляющие эти функции, имеются уже у относительно низших животных; во всех случаях они возникли в ходе эволюции в связи с необходимостью узнавать отдельные предметы в разных условиях, распознавая в них один и тот же объект. Но на высших уровнях развития эти ''компьютеры'' способны распознавать свойства, присущие *многим* отдельным вещам и составляющие общий, существенный признак этих вещей.

Абстрагирующая функция восприятия образа не только является, в онтогенетическом и филогенетическом смысле, *предпосылкой* возникновения понятийного мышления, но, безусловно, остается также и в дальнейшем его необходимой составляющей функцией.

Понимающее поведение, рассматриваемое в третьем разделе, характеризуется тем, что решения задач, способствующие сохранению вида, находятся на основе механизмов получения информации, описанных в разделе 1.3. Среди этих механизмов получения текущей информации важнейшими являются механизмы пространственной ориентации, а из этих последних у высших позвоночных важнее всего оптические механизмы. У значительного большинства позвоночных для грубой ориентировки животного и избегания препятствий служит оценка параллактического смещения изображений на сетчатке при его собственном движении. Фиксация обоими глазами служит прежде всего для локализации добычи. Лишь в тех случаях, когда организму требуется очень точное определение расположения неодушевленных предметов, фиксация обоими глазами применяется также для этой цели. Чем богаче пространственная структура жизненного пространства, тем точнее должна быть пространственная ориентация. Животные, обитающие на суше и взбирающиеся на возвышающиеся предметы, нуждаются в более точной ориентации, чем свободно плавающие или летающие. При этом, как было сказано, самые высокие требования к ориентации предъявляет передвижение по деревьям посредством хватания руками за ветви.

У рыб, фиксирующих объекты внешней среды, процесс оптической ориентации предшествует процессу ориентированной моторики. Аналогично обстоит дело на более высоком уровне, у млекопитающих. Посредством длительного оптического "прощупывания" пространства они добиваются точного понимания всех пространственных условий, чтобы затем решить задачу одним быстрым движением. Вероятно, при этом происходит "внутреннее действие" в "воображенном" пространстве, т. е. в модели пространства, представляющей его в центральной нервной системе. Все человеческое мышление может быть истолковано как подобное "действие в воображенном пространстве", происходящее в виде репетиции лишь в центральной нервной системе. В пользу такого представления говорят закономерности человеческого *языка,* обнаруженные еще Порцигом, а затем Хомским, Гёппом и другими исследователями.

В четвертом разделе речь идет об отношениях между пониманием и обучением. Функции памяти должны играть роль во всех случаях, когда сбор пространственной информации предшествует во времени действию. Более сложные функции понимающего поведения включают в себя особенно большие количества приобретенной обучением информации.

Обратно, вряд ли существует хоть один вид обучения, не управляемый пространственным пониманием с самого начала; даже неопытное животное, встретившись с некоторой задачей, никогда не действует совсем ненаправленным образом, а всегда руководствуется текущей пространственной информацией.

Наконец, жестко заученные формы движения могут препятствовать понимающему решению вновь возникшей задачи. Примеры этому есть и в истории науки.

В пятом разделе главы рассматривается произвольное движение. Оно является моторным коррелятом* сенсорных механизмов, доставляющих пространственную информацию при исследовательском поведении. Достигнутому пониманию отвечают, однако, лишь ограниченные возможности действия, зависящие от наличной моторики. Между тем понимание лишь в том случае полезно для сохранения вида, если установке, требуемой пониманием пространства, соответствует надлежащая моторная возможность. В ходе эволюции улучшение пространственного понимания и улучшение моторики шли рука об руку. То и другое, представление пространства и приспособительная способность моторики, у различных форм животных тесно связано с требованиями, предъявляемыми к ним пространственными структурами их жизненного пространства. Эти требования ниже всего в структурно бедных биотопах (открытое море, степь) и выше всего в структурно богатых (коралловые рифы, горы, кроны деревьев). Постепенное приспособление моторики к более высоким требованиям состоит в том, что в распоряжении животного оказываются все более короткие куски перемещений, независимые друг от друга. Minimum separabile[1]* отдельного доступного элемента движения меньше всего в так называемом произвольном движении. Такие элементы соединяются посредством обучения в так называемые заученные движения требуемой формы ("motor skills" в смысле Г. Харлоу). Первоначальное значение заученного движения для сохранения вида состоит в быстроте его выполнения, не замедляемого задержками реакций. Произвольное движение приобретает новую важную функцию на службе исследовательского поведения, доставляя информацию о пространственных условиях с помощью порожденных им реафференций. Вследствие этого действующие с наибольшим произволом моторные органы (указательный палец, губы) представлены наибольшими площадями в сенсорной задней части центральной извилины доминантного полушария. Кроме того, произвольное движение приобретает новую функцию в качестве средства подражания (седьмой раздел); эта функция принадлежит, как и предыдущие, к предпосылкам понятийного мышления.

В шестом разделе главы рассматривается любознательное поведение. Многих животных сильнейшим образом привлекают все неизвестные им предметы, и они применяют к ним в быстрой последовательности едва ли не все доступные им шаблоны движения. Их быстрая смена свидетельствует о том, что отдельные формы движения активируются здесь не теми мотивациями, которые вызывают их в "серьезных" случаях. Кроме того, исследовательское поведение исчезает тотчас же, как только возникает "подлинная" мотивация. Оно может происходить лишь в "ненапряженном поле". Как показывает самое слово "любознательность"*, при исследовательском поведении аппетенция непосредственно направляется на ситуации, в которых животное может приобрести своей деятельностью некоторое знание. Даже в том случае, когда оно пробует на незнакомом предмете формы движения, принадлежащие определенной области функций, например связанные с добыванием пищи, это не значит, что оно хочет есть: оно стремится узнать, съедобен ли в принципе данный предмет. Значение исследовательского поведения для сохранения вида состоит в приобретении *объективного* знания.

Поскольку программы поведения любознательных животных в широких пределах модифицируемы, они нуждаются в столь же широкой

---

[1]*Наименьшая величина, которая может быть от чего-нибудь отделена *(лат.)*. — *Примеч. пер.*

применимости их моторики и их органов. Такие животные морфологически не специализированы, они всеядны; часто они космополиты. У большинства животных любознательное поведение, а также тесно связанная с ним игра ограничиваются молодым возрастом. У человека любознательность сохраняется на всю жизнь благодаря ретардации* его развития и его частичной неотении, т. е. замедлению роста и продолжительной задержке на юношеской стадии развития.

Объективное исследование, осуществляемое любознательным поведением, выполняет особую объективирующую функцию. В конце концов организм вводит собственное тело в область своего любознательного исследования, и тем самым эта функция поднимается на еще более высокий уровень интеграции: когда исследующий антропоид одновременно воспринимает собственную схватывающую руку и схваченный ею предмет как предметы реального внешнего мира, он приближается в своей хватательной деятельности к образованию понятия, а его знание о существенных свойствах схваченного предмета приближается к понятию*.

Рассмотренное в седьмом разделе главы *подражание,* строго говоря, не является самостоятельной когнитивной функцией. Предпосылка его состоит в том, что в распоряжении организма должны находиться произвольные движения с их реафференциями. Оно же, в свою очередь, составляет предпосылку возникновения передаваемого традицией словесного языка. Подлинное подражание сложным процессам движения встречается у антропоидов лишь в зачаточной форме; наивысшего развития оно достигает у человека и замечательным образом у птиц — хотя у них оно ограничивается лишь подражанием звукам. Многие птицы обладают от рождения акустическим шаблоном, который они переводят в моторику пения под контролем уха, т. е. с помощью акустических реафференций. У человека акт подражания начинается, по-видимому, с кинестетических процессов. Этот чисто феноменологический факт — почти все, что мы можем сказать о физиологическом механизме подражания у человека. Метод проб и ошибок играет здесь очень небольшую роль. Как человек, так и птица проявляют аппетенцию к подражанию и отдаются ему без понимания его цели, просто ради удовольствия, доставляемого выполнением этой функции. Чтобы перевести в моторику нечто увиденное или услышанное, необходим в высшей степени сложный физиологический аппарат, какой возникает в органическом мире лишь под сильным селекционным давлением определенной функции, служащей сохранению вида. Очевидно, в чем состоит эта функция подражания у человека; у птиц же она все еще остается загадочной, тем более что она *не* служит у них для передачи сигналов.

Восьмой и последний раздел главы посвящен традиции, т. е. передаче индивидуально приобретенного знания от одного поколения к другому. Уже у птиц и низших млекопитающих знание определенного объекта часто передается по традиции, а у обезьян передаются даже моторные навыки — "техники". Во всех таких случаях возможность передачи знания зависит от наличия объекта, к которому относится это знание. Лишь понятийное мышление и словесный язык человека делают передачу традиционного знания независимой от объекта — с помощью образования свободных символов. Такая независимость была предпосылкой накопления знания и его превращения в традицию, что свойственно лишь человеку.

Ни одна из рассмотренных восьми функций не присуща исключительно человеку; но в каждой из них он превосходит все другие живые существа. И все эти функции необходимым образом участвуют в свойственной только человеку функции понятийного мышления и словесного языка. Ни одна из них, за исключением специфически человеческого искусства подражания, не возникла лишь на службе и под селекционным давлением этой глобальной функции. Каждая из них имеет свои особые назначения, к которым приспособлены ее первоначальные функциональные свойства. Тем удивительнее их интеграция в высшее системное целое; это целое отделено от всех прежде существовавших живых систем "разрывом" едва ли меньшим, чем другой "разрыв", отделяющий жизнь от неорганического вещества.

Глава 8
ЧЕЛОВЕЧЕСКИЙ ДУХ

1. ЕДИНСТВЕННОСТЬ ЧЕЛОВЕКА

Серьезные причины побудили меня посвятить целую главу этой книги (с. 269—276) описанию процесса, создающего путем соединения ранее существовавших подсистем некоторое органическое единство, с новыми свойствами и функциями, которых прежде попросту не было. Чтобы полностью понять новую категорию реального бытия, вошедшую в мир с фульгураций человеческого духа, нужно сначала понять этот основной процесс органического становления. Но как раз такое понимание отсутствует у значительной части нынешних антропологов. Они впали в два в некотором смысле противоположных заблуждения и разделились на два лагеря с одинаково ложными взглядами.

Сторонники одного из этих заблуждений — так называемого "редукционизма" — придерживаются фикции *непрерывности* эволюционного процесса и полагают, что он может порождать лишь *постепенные* различия. Но, как мы знаем (с. 281), *каждый* шаг эволюции создает не просто различие в степени, а различие в сущности. Между тем типичный антрополог-редукционист Эрл У. Каунт пишет: "Различие между государством насекомых и человеческим обществом — это не различие между простой социальной автоматикой и сложной автоматикой культурного общества, как часто предполагалось; в действительности это различие между культурой с большой инстинктивной составляющей и малой составляющей обучения, с одной стороны, и культурой с большим участием обучения — с другой". В других местах, впрочем, тот же автор подчеркивает — справедливо, но вопреки предыдущему высказыванию, — что создание *символов* является специфически человеческой функцией. Существенное различие между животными и человеком не находит здесь ясного выражения.

С другой стороны, непонимание органического становления и возникающих из него слоев живого бытия, всегда различных по своей сущности, но неизменно опирающихся друг на друга, приводит к мышлению в дизъюнктивных* понятиях и сооружению типологических противоположностей, превратившихся в столь тяжкое препятствие для понимания любых исторических взаимосвязей, как филогенетических, так и культурно-исторических и онтологических. Противоположность между "животным" и "человеком" при этом систематически кладется в основу рассмотрения таким образом, что заранее исключается понимание подлинных исторических и онтологических отношений между этими формами бытия. Так, например, Г. Дукс в своем послесловии к книге Гельмута Плеснера "Философская антропология" говорит: "Филогенетическая близость человека к некоторым животным, в особенности к антропоидам, придает внутреннее оправдание издавна утвердившемуся противопоставлению человека и животного и делает его чем-то бо́льшим, чем применяемое время от времени, вплоть до наших дней, более или менее эффектное стилистическое средство". В соответствии с такой точкой зрения этот автор считает любое обратное заключение *per analogiam*[1]* от животного поведения к человеческому чем-то недопустимым или в лучшем случае, как он выражается, "относительно невинной опрометчивостью". Философская антропология, как он говорит, "свидетельствует о человеке как о существе, которое прежде всего должно создать для себя свой мир. "Приспособление" становится пустым словом, когда то, к чему происходит приспособление, само несет на себе печать человеческого замысла". По мнению этого автора, теория приспособления* есть вообще "гносеологическое чудище, оставляемое в живых лишь потому, что оно, как полагают, оказывает в этологии некоторые услуги".

Эти цитаты достаточно демонстрируют, насколько антропологи обоих указанных направлений лишены всякого понимания процессов великого органического становления и неспособны понять исторические взаимосвязи. Но парадоксальным образом как раз те философские антропологи, которые, как это было только что описано, отворачиваются от всего общего человеку и животным, вопреки своей вере в их дизъюнктивную противоположность *недооценивают* действительно существующее между ними *различие*.

Для целей этой книги, и в частности для целей этой главы, важно категориальное различие между человеком и всеми другими живыми существами — тот "разрыв" (Hiatus), по выражению Николая Гартмана, то большое расстояние между двумя ступенями реального бытия, которое возникло вследствие фульгурации человеческого духа.

Лишь в виде отступления и лишь с целью предотвратить смешение фундаментально различных категориальных "разрезов" — смешение, какое допускал, впрочем, и сам Николай Гартман, — я хотел бы сказать здесь еще кое-что о самом загадочном из них, об абсолютно непроницаемой для нашего понимания разделительной стене, проходящей внутри нашего собственного, несомненно единого существа, — стене, отделя-

---

[1] *По аналогии *(лат.)*. — *Примеч. пер.*

ющей процессы нашего субъективного переживания от явлений, происходящих в нашем теле и поддающихся объективному, физиологическому исследованию. Николай Гартман говорит, правда, что этот "зияющий разрыв в структуре бытия" подобен тому, который существует "гораздо ниже психофизической границы, между безжизненной природой и органически живой"; но следует сказать здесь, что эти два разреза принципиально различны по своей природе.

Прежде всего принципиальная ошибка заключена уже в словах "ниже психофизической границы". Разрыв между физиологическими явлениями и переживанием не проходит через природу горизонтально, он не отделяет высшее от низшего, более сложное от более простого. Напротив, он проходит через наше существо в некотором смысле вертикально; есть очень простые нервные процессы, сопровождаемые самыми интенсивными переживаниями, и очень сложные, аналогичные рациональным операциям, но происходящие при этом "без всяких переживаний", более того, совершенно недоступные нашему самонаблюдению (с. 349—350). В то время, когда великий философ высказал рассматриваемое здесь мнение, возможность "заполнить" когда-нибудь разрыв между неорганическим и органическим некоторым "континуумом* форм" казалась столь бесконечно малой, что решение этой задачи представлялось столь же невозможным, как решение проблемы души и тела. Он мог еще с достаточным основанием писать: "...не удалось показать, каким образом возникла жизнь — со свойственными ей функциями саморегулирующегося обмена веществ и самовоспроизведения". В настоящее время как раз в отношении этих двух основных функций жизни достигнуты, благодаря биокибернетике и биохимии, столь решающие успехи, что уже не кажется утопической надежда объяснить в обозримом будущем своеобразие жизни, исходя из строения составляющего ее вещества и истории ее развития. Во всяком случае, не представляется принципиально невозможным, что приращение наших знаний заполнит разрыв между неорганическим и органическим бытием некоторым континуумом промежуточных форм.

Но великий разрыв между объективно-физиологическим и субъективно переживаемым имеет совсем иной характер, поскольку он обусловлен отнюдь не одним только пробелом в наших знаниях, но априорной, заложенной в структуре нашего познавательного аппарата принципиальной невозможностью знать. Парадоксальным образом непроницаемая стена между телесным и душевным существует лишь для нашего разума, но не для нашего чувства: как уже было сказано (с. 247), когда мы говорим об определенном человеке, то мы имеем в виду не объективно постижимую реальность его тела и не психическую реальность переживания, в которой нам не позволяет усомниться "очевидность его присутствия"; в действительности мы имеем в виду само собою разумеющееся, аксиоматически несомненное единство того и другого. Иными словами, вопреки всем интеллектуальным рассуждениям, мы попросту не в состоянии усомниться в принципиальном единстве тела и души! Отношение между ними Макс Гартман с полным основанием назвал алогическим.

В этой книге проблема тела и души не обсуждается. Нас интересует здесь лишь тот факт, что разрыв, отделяющий телесное от душевного, имеет принципиально иной характер, чем оба других великих разреза в слоистом строении реального мира, а именно разрез между неживым и живым и разрез, отделяющий человека от животного. Оба этих разреза суть *переходы,* каждый из которых произошел в результате некоторого исторически уникального события в становлении реального мира. Оба они не только в принципе могут быть заполнены мыслимым континуумом промежуточных форм; более того, мы знаем, что такие промежуточные формы *действительно существовали в определенные периоды времени.* Видимость непроходимой пропасти создают два обстоятельства. Во-первых, в обоих случаях переходные формы были неустойчивы, т. е. представляли собой фазы, особенно быстро пройденные в ходе эволюции и вслед за тем исчезнувшие. Во-вторых, громадная величина пройденного в обоих случаях шага эволюции делает особенно впечатляющим расстояние между краями только что заполненной пропасти.

Что касается разрыва между телом и душой, то, по выражению Николая Гартмана, он, может быть, незаполним "лишь для нас", т. е. для того познавательного аппарата, которым мы оснащены. Я думаю, что эта пропасть не может быть заполнена не только при наличном состоянии наших знаний в настоящее время. Даже самое утопическое приращение наших познаний не приблизило бы нас к решению проблемы тела и души. Своеобразие переживания принципиально не может быть объяснено на основе физико-химических законов и любой, сколь угодно сложной структуры нейрофизиологического аппарата.

Два других великих разрыва в принципе могут быть заполнены, т. е. процессы развития, ведущие от неорганического к органическому и от животного к человеку, равным образом доступны подходам и методам естествознания; более того, они загадочным образом сходны. Параллели — едва ли не аналогии, — существующие между двумя величайшими фульгурациями, происшедшими в истории нашей планеты, побуждают к глубокому раздумью. Я пытался объяснить в первой главе, что жизнь в некотором определяющем аспекте своей сущности есть познавательный процесс и что ее возникновение означает возникновение структуры, способной получать и хранить информацию и в то же время устроенной таким образом, что она может захватывать из потока рассеивающейся мировой энергии достаточное количество горючего, чтобы питать им пламя познания. Эта фульгурация первого познавательного аппарата образовала первый великий разрыв.

Второй великий разрыв, отделяющий человека от высших животных, *также возник вследствие фульгурации, создавшей новый когнитивный аппарат.*

От вирусообразных предшественников жизни до наших ближайших животных предков структуры и функции, собиравшие нужную для приспособления информацию, оставались почти одни и те же. Конечно, с усложнением центральной нервной системы индивидуальное обучение играло все бо́льшую роль и передача выученного от поколения к поколению начала даже способствовать, как мы видели в разделе 8 главы 7, длительному сохранению приобретенных знаний. Но если сравнить по объему и долговечности информацию, собранную обучением и хранимую традицией, с информацией, содержащейся в геноме, то мы приходим к выводу, что даже у высших живых существ, предшествовавших человеку, разделение труда между геномом и механизмами приема текущей информации оставалось в общем и целом неизменным. Все, что даже самая умная обезьяна с самой богатой традицией знает из собственного обучения и родового наследия, если бы это можно было количественно выразить в "битах", заведомо оказалось бы ничтожной долей того, что хранит тот же обезьяний вид в своем геноме. Даже у гораздо более простых животных наследственная информация, закодированная в последовательностях нуклеотидов, заняла бы в словесном выражении много томов.

Тем самым, оставив без внимания лишь пренебрежимое количество информации, можно утверждать: в течение всех огромных периодов истории Земли, когда из предшественника жизни, стоявшего гораздо ниже бактерий, развились наши предшествующие человеку предки, молекулярным цепочкам генома неизменно принадлежала функция хранить знание и умножать его тем же путем — закладывая его в геном. И вот в конце третичного периода внезапно явилась на свет органическая система, устроенная совсем иначе и начавшая выполнять ту же функцию, но быстрее и лучше.

Если бы мы хотели дать определение жизни, то, безусловно, в него надо было бы включить функцию приобретения и хранения информации, а также структурные механизмы, осуществляющие то и другое. Но в это определение не вошли бы специфические свойства и функции человека. В этом определении жизни отсутствует существенная часть — все, что составляет человеческую жизнь, *духовную* жизнь*. Можно поэтому без всякого преувеличения утверждать, что *духовная жизнь человека есть новый вид жизни*. Мы должны теперь обратиться к особенностям этой жизни.

2. НАСЛЕДОВАНИЕ ПРИОБРЕТЕННЫХ ПРИЗНАКОВ

Объем и значение обучения, существенные уже у высших животных, у человека возрастают во много раз. Размышление и понятийное мышление дают возможность превратить сообщения механизмов, первоначально служивших лишь для получения кратковременной информации, в длительно сберегаемое сокровище выученного знания. Таким образом сохраняются мгновенные прозрения, а процессы рациональной объективации поднимаются на высший уровень познания и приобретают новое значение. Но прежде всего с этих пор независимая от объекта традиция, которую делает возможным понятийное мышление, приобретает огромное влияние на функцию всех процессов обучения.

Возникновение независимой от объекта традиции делает все выученное потенциально наследственным. Как я уже говорил, мы привыкли связывать с термином "наследственность" вполне определенное биологическое явление, забывая при этом первоначальный *юридический смысл* этого слова. Когда некий доисторический человек изобрел лук и стрелы, то этими орудиями *владело* в дальнейшем не только его потомство, но и все его сообщество, а впоследствии, быть может, даже все человечество. Вероятность, что они будут забыты, была не больше, чем вероятность обратной "рудиментации" телесного органа со сравнимым значением для сохранения вида. Кумулируемая традиция означает не более и не менее как *наследование приобретенных признаков*.

Передача и распространение человеческого знания происходит столь быстрым и удивительным образом, что кажется едва ли не простительным, когда многие из нас забывают, что человеческий дух также имеет органическую, материальную основу. Счастливая догадка отдельного человека может навсегда существенно увеличить запас знаний всего человечества; мысль молодого человека может настолько повлиять на научную установку и даже на всю духовную позицию старшего, что было бы вполне оправданно считать младшего духовным отцом старшего. В молодости на мою естественно-научную и вообще гносеологическую позицию сильнейшим образом повлиял мой друг Густав Крамер, который был на восемь лет моложе меня. Он вырос в школе выдающегося биолога Макса Гартмана, который в свою очередь был большим почитателем Николая Гартмана, сильно повлиявшего на его установку в отношении внесубъективной действительности. Я перенял ее от моего друга Густава без ведома нас обоих, причем "наследование" целого комплекса приобретенных признаков переходило в обоих направлениях границу двух "поколений".

Наследование приобретенных признаков ускоряет темп развития, что сказывается на всех областях человеческой жизни, и, по всей вероятности, достаточно сильно, чтобы вызвать со временем распад отдельных человеческих культур. Как известно, после Дарвина много обсуждался вопрос, наследуются приобретенные признаки или нет. Однажды я придумал, полушутя, естественно-научный афоризм, применимый в этом случае. Я сказал тогда: "Часто мы начинаем сознавать, что определенный процесс в общем случае *не* происходит, когда некоторое исключение показывает нам, чтó получается, *если* он происходит".

3. ДУХОВНАЯ ЖИЗНЬ КАК СВЕРХЛИЧНОЕ ЯВЛЕНИЕ

Как мы уже знаем (с. 378—379), высокоорганизованная социальная жизнь предшествовавших человеку приматов была предпосылкой интегрирования когнитивных функций, из которого возникла фульгурация понятийного мышления и вместе с нею синтаксический язык и кумулируемая традиция. Эти способности оказали, в свою очередь, сильнейшее обратное воздействие на форму совместной жизни людей. Быстрое распространение знаний, выравнивание мнений всех членов общества и прежде всего закрепление традицией определенных социальных и этических установок создали новый вид *сообщества* индивидов, никогда ранее не бывший вид живой системы, определяющим системным свойством которой является новый вид жизни, именуемый духовной жизнью.

Индивидуальное, конкретное осуществление такой сверхличной системы мы называем *культурой*. Попытки провести различие между культурной и духовной жизнью бессмысленны. Данное определение культуры должно содействовать отчетливому осмыслению этого понятия. Новая система разделяет с другими, низшими формами жизни все уже известные нам определяющие свойства; цикл положительной обратной связи, доставляющей информацию и энергию, функционирует в принципе таким же образом, хотя некоторые из физиологических и физических процессов, осуществляющих то и другое, совершенно новы.

Как было уже сказано в предыдущем разделе этой главы, передача приобретенного знания в системе человеческой культуры опирается на иные механизмы, чем аналогичные процессы в системе какого-либо вида животных или растений. Функции приобретения энергии, основанные на такой информации, отчасти также новы и своеобразны: человек — единственное живое существо, способное использовать в энергетическом хозяйстве своего вида не только силы, которые происходят от энергии солнечного излучения и вводятся в круг жизни путем фотосинтеза растений (т. е. образования углеводородов с помощью солнечного света и зеленого вещества листьев).

Сверх того из наследования приобретенных признаков возникает также новый когнитивный аппарат, функции которого строго аналогичны функциям генома в том смысле, что процессы приобретения и хранения информации осуществляются в каждом из случаев двумя различными механизмами, находящимися во взаимном отношении антагонизма и равновесия.

4. СОЦИАЛЬНОЕ КОНСТРУИРОВАНИЕ ТОГО, ЧТО СЧИТАЕТСЯ ВЕРНЫМ

Каждому человеку традиция его культуры предписывает, чему и каким образом он должен учиться. Но прежде всего для него устанавливаются отчетливые границы того, чему он *не должен учиться*. Из книги Питера Л. Бергера и Томаса Лакмена мы знаем, насколько наши познавательные функции зависят от влияния того, что считается "истинным" и "верным" в культуре, к которой мы принадлежим. К "аппарату отображения мира", с которым мы являемся на свет, прибавляется духовная, культурная настройка, доставляющая нам — точно так же, как структуры врожденных когнитивных механизмов, — рабочие гипотезы, определяющие направление нашего дальнейшего, индивидуального приобретения знаний. У этого аппарата есть свои собственные структуры. Как и все структуры, они также означают определенное ограничение степеней свободы. Но информация, на которой строятся эти рабочие гипотезы, происходит не из заключенного в геноме клада, а из гораздо более новой и более способной к приспособлению традиции нашей культуры. Поэтому она менее испытана и менее надежна, но лучше подходит к современным требованиям.

Как было уже сказано, структуры, в которых содержится все это знание, определяющее наш культурный аппарат отображения мира, столь же материальны по своей природе, как и другие хранилища знания; но многие из них отличаются от всех дочеловеческих структур с такими же функциями тем, что состоят не из живого вещества. Многое из того, что накопила культура в виде совместного знания, что определяет аппарат отображения мира и вместе с ним мировоззрение ее носителей, как уже было сказано, хранится в *написанном* виде, а в последнее время также в виде пластинок и магнитных лент.

Несмотря на такую "вспомогательную память" человеческой культуры, огромнейшее значение в хранении кумулируемой информации принадлежит центральной нервной системе. Арнольд Гелен, определивший человека как "недостаточное существо"* и подчеркивавший плохую приспособленность его органов, упустил из виду, что человеческий мозг — это телесный орган, сверх всякой меры приспособленный к задаче человеческой жизни. Несомненно, увеличение мозговых полушарий у наших предков началось в то время, когда фульгурация понятийного мышления и словесного языка сделала возможным наследование приобретенных знаний. Это должно было вызвать начавшееся с внезапностью фульгурации селекционное давление в направлении увеличения полушарий. Такое предположение я услышал от Жака Моно в ходе одной дискуссии, причем в виде побочного замечания, как о чем-то само собой разумеющемся. Это естественное предположение я еще не видел опубликованным, хотя встречал в печати много весьма натянутых объяснений внезапного увеличения головного мозга во время становления человека. Возникновение человека *есть* фульгурация кумулируемой традиции, и человеческий мозг — ее орган.

Аппарат отображения мира современного человека, обусловленный его культурой, содержит огромную массу информации, но лишь очень малая ее часть доступна сознанию носителя этой культуры. Она стала его "второй натурой", которую он считает истинной и верной с той же наивностью, с какой наивный реалист принимает сообщения своих органов восприятия текущей информации за саму внесубъективную реальность. Как мы уже видели в начале "Пролегоменов", функция *объективации,* составляющая, в свою очередь, основу всех дальнейших и высших этапов познания, опирается на знание собственного аппарата, отражающего внешнюю реальность. Немногие отдают себе ясный отчет в том, в сколь высокой степени социальные и культурные факторы воздействуют на этот аппарат и его функции, а тем самым и на все, что мы считаем истинным, правильным, достоверным и действительным. Исследователь, поставивший себе целью объективное изучение действительности, обязан знать и принимать в расчет эти культурно обусловленные функции человеческого познания и их ограничения наряду с априорными функциями нашего аппарата отображения мира.

Это, пожалуй, труднейшая задача, какую может поставить себе человек, добивающийся объективного познания этого мира. Во-первых, требуемой объективации препятствуют *ценностные ощущения,* ставшие нашей второй натурой; вторым же препятствием является культура, духовная жизнь, высочайшая по уровню интеграции живая система, существующая на нашей планете: нам трудно подняться на *еще более высокий уровень,* откуда можно было бы ее рассмотреть.

Но это — наша обязанность. Именно по той причине, что наша собственная культура доставляет нам значительные части нашего аппарата отображения мира, требование объективности, которое мы в первую очередь предпослали постановке задачи этой книги, вынуждает нас пытаться удовлетворить требованию Бриджмена (с. 246). Как уже было сказано, обязанность естественно-научного исследования культуры и ее духовной жизни вытекает из нашего чувства ответственности перед собственной культурой, которой угрожают болезнь и упадок.

Глава 9

КУЛЬТУРА КАК ЖИВАЯ СИСТЕМА

1. АНАЛОГИИ МЕЖДУ ФИЛОГЕНЕТИЧЕСКИМ И КУЛЬТУРНЫМ РАЗВИТИЕМ

Мы будем теперь исследовать человеческую культуру с той же постановкой вопроса и теми же методами, какие мы применяем к любой живой системе в сравнительном исследовании эволюции видов. При непредубежденном сравнительном рассмотрении филогенеза различных видов животных и растений и истории различных культур они представляются двумя видами жизненных процессов, которые происходят, конечно же, на разных уровнях интеграции, но, как и все живое вообще, являются "предприятиями с совместным приобретением силы и знания"*.

Чтобы поставить себя, насколько возможно, в непредубежденную позицию, вообразим, что с Марса явился не раз уже упоминавшийся нами зоолог и что на этот раз он — профессиональный исследователь эволюции видов, сведущий в социологии различных видов животных, особенно "государственных насекомых", но ничего не знающий о специфических функциях человеческого духа, в частности, об ускорении темпа развития, вызываемом наследованием приобретенных признаков. Если такой исследователь сравнит, например, одежду и жилища жителей Нью-Йорка с соответствующими признаками папуасов в центральной части Новой Гвинеи, то он, несомненно, подумает, что эти культурные группы принадлежат различным видам, а может быть, и различным родам. Поскольку наш человек с Марса ничего не знает о порядках промежутков времени, необходимых для эволюционных процессов, то при изучении культурных и естественно-исторических эволюционных рядов ему, возможно, вообще не придет на ум, что речь идет о различных рядах явлений.

Аналогии между этими различными видами творческих явлений заходят так далеко, что для их исследования были независимо изобретены в различных областях знания *одинаковые методы*. Лингвист судит о происхождении современных словоформ, сравнивая их и устанавливая их сходства и различия, точно так же, как поступает специалист по сравнительной морфологии, восстанавливая происхождение телесных признаков. Тот же сравнительный метод в принципе применим ко всем областям культурного развития.

Он был применен к ним относительно поздно, потому что этому препятствовали те же идеалистические и типологические привычки мышления, которые были ответственны также за позднее развитие подлинного сравнительного метода в исследовании поведения. По той же идеологической причине многие авторы, занимавшиеся философией истории, вплоть до последнего времени цеплялись за постулат *единообразного* исторического развития всего человечества. Лишь А. Тойнби, О. Шпенглер и другие ясно осознали, что единство человеческой "цивилизации" — такая же фикция, как единство филетического* развития древа жизни. Каждая веточка, каждый вид растет на свой страх и риск в своем собственном направлении — и точно так же ведет себя каждая отдельная культура! В области, где раньше обитало лишь крестьянское население, составлявшее неустойчивые племенные союзы, могут, по выражению Ганса Фрейера, как будто в одну ночь вырасти храмы и пирамиды, укрепленные города и государственная власть.

Все это повторялось в разное время в разных местах земного шара; вследствие этого философы, пытавшиеся объяснить историю, по словам Фрейера, "впали в соблазн, сконструировав нечто вроде модели, хотя и не объяснявшей это чудо высокой культуры, но сводившей его к некоторой понятной формуле. Но чем глубже современная историческая наука, с ее археологическими методами и сравнительным языковедением, погружается в начальные периоды этих культур, тем сомнительнее становятся эти модели и тем яснее обнаруживается, что уже с самого начала они столь же сильно индивидуализированы, как и в их дальнейшем развитии". Таким образом, человеческие культуры не возникают, как это постулировала унифицирующая философия истории, в линейной последовательности и по единому закону, а независимо друг от друга, точно так же, как возникают виды животных и растений, — исследователь эволюции сказал бы, что они возникают "полифилетически".

Итак, возникновение время от времени тех сложных систем, которые мы называем вместе с историками *высокими культурами,* было, вероятно, следствием фульгураций, аналогичных тем шагам эволюции, которые привели к возникновению видов животных. Можно даже предположить, что любой культурный прогресс происходит вследствие интеграции ранее существовавших и до того независимых подсистем: известно, что высокие культуры возникали особенно часто — если не всегда — в тех случаях, когда некоторый пришлый народ приходил в соприкосновение с другим, оседлым народом. По-видимому, прививка чужой культуры — "La Greffe"[1]*, как ее назвал Поль Валери*, часто оказывалась импульсом, вызывавшим культурные фульгурации. Это обычный в истории культуры процесс, ставший возможным благодаря наследуемости приобретенных признаков.

Влияние, производимое высокими культурами друг на друга посредством таких прививок, могло быть весьма велико. Но при этом каждая из них в своем полном расцвете настолько отличается от всякой другой, что слово "фантастически" кажется слишком слабым. Никакая фантазия не могла бы изобрести такое разнообразие. "Если сопоставить какие-нибудь происходящие из них предметы, сравнимые по порядку величин, — говорит Фрейер, — например иероглифическую надпись с клинописным текстом, пирамиды в Гизехе с руинами ступенчатых башен в Уруке и в Уре, рельеф Древнего царства с одновременной победной стелой аккадского царя Нарамсина, дворцы минойского Крита и их фрески с архитектурой и изобразительным искусством одновременного хеттского царства, то в каждом случае, меняя направление взгляда, мы как будто попадаем в другой мир, и требуется некоторое интел-

---

[1]*Прививка *(фр.).* — *Примеч. пер.*

лектуальное усилие, чтобы эти различия не обострялись до противо-речий".

Глубокая мысль, высказанная в этом предложении, в равной мере относится и к многообразию филогенетически возникших форм жизни, и точно так же к исторически возникшему разнообразию культур. И в самом деле, требуется "интеллектуальное усилие", чтобы подавить в себе общечеловеческую склонность ошибочно толковать различия, усматривая в них противоречия. Деление мира явлений на пары противоположностей — это врожденный принцип упорядочения, априорный принудительный шаблон мышления, присущий человеку с древнейших времен. Вытекающая из него склонность образовывать дизъюнктивные (взаимно исключающие) понятия становится у некоторых мыслителей просто непреодолимой. Но сколь бы ни была важна эта склонность мышления как общий упорядочивающий принцип, настоятельно необходимо ее контролировать, в особенности если мы хотим *исторически* понять разнообразие форм, возникших из роста и ветвления живого дерева эволюции. Мышление в дизъюнктивных понятиях — это один из корней типологического подразделения и систематики, по-видимому близких как раз нам, немцам, и помешавшим многим из наших великих мыслителей, в том числе и Гёте, открыть эволюционное происхождение живых существ. В истории человеческой культуры уклонение от требуемого Фрейером интеллектуального усилия точно так же препятствует познанию, как и в общей истории эволюции.

К упомянутым здесь идеологическим причинам, по которым историки гуманитарного направления не способны представить себе историю культуры, как она в действительности совершается, принадлежит также идеалистическая вера в существование некоего *плана* мироздания. Как видно из опыта, тот факт, что ход истории, точно так же, как ход филогенеза, определяется лишь случаем и необходимостью, для очень многих людей попросту неприемлем.

2. ФИЛОГЕНЕТИЧЕСКИЕ ОСНОВЫ РАЗВИТИЯ КУЛЬТУРЫ

Параллели и аналогии между филогенетическим и культурным становлением, рассмотренные в предыдущем разделе, легко могли бы привести к представлению, будто речь идет о двух процессах, способных сменять друг друга, протекающих наряду друг с другом, но отдельно, и в причинном смысле никак не связанных между собой. Тем самым еще раз открылся бы путь к ошибочному дизъюнктивному построению понятий. На подобном способе рассуждения основывается также широко распространенное мнение, что культурное развитие некоторым образом отделено резкой горизонтальной чертой от результатов предшествовавшей эволюционной истории, которую считают завершившейся с "возникновением человека".

На этом ложном представлении основывается также мнение, что все "высшее" в человеческой жизни, и прежде всего все более тонкие структуры социального поведения, обусловлены культурой, тогда как все "низшее" происходит от инстинктивных реакций. Но в действительности человек превратился в культурное существо, каким он является теперь, в ходе типичного эволюционного становления. Перестройка человеческого мозга, происшедшая под селекционным давлением кумуляции традиционного знания, — это не культурный, а филогенетический процесс. Она совершилась *после* фульгурации понятийного мышления. Вероятно, одновременно с нею произошли полное выпрямление тела и более тонкая дифференциация мускулатуры руки и пальцев.

Нельзя также считать, что эволюционное изменение нашего вида прекратилось. Напротив, быстрое изменение человеческого жизненного пространства и предъявляемые им требования приводят к предположению, что Homo sapiens испытывает в наше время быстрое генетическое изменение. Это допущение поддерживается также наблюдениями, например, быстрым увеличением размеров тела и другими признаками, обусловленными доместикацией* человека. Мы должны признать, что в развитии человека происходят процессы двух видов, хотя и весьма различные по своим темпам, но теснейшим образом взаимодействующие между собой: медленное эволюционное развитие и во много раз более быстрое культурное развитие.

Одна из важнейших задач исследования поведения — различать действия этих процессов и сводить их к надлежащим причинам. Различение филогенетически программированных норм и норм, обусловленных культурой, имеет величайшую практическую важность прежде всего потому, что при патологических нарушениях показаны совершенно различные терапевтические меры в зависимости от того, связаны ли эти нарушения с тем или другим видом элементов поведения. Но, кроме того, фундаментальная теоретическая задача состоит в том, чтобы установить происхождение приспособительной информации, определяющей значение некоторой формы поведения для сохранения вида.

Сравнительный метод доставляет нам различные средства для требуемого анализа. Одно из них — это определение относительной скорости, с которой меняется во времени определенный признак или группа признаков. Еще до того, как вместе с фульгурацией понятийного мышления появилось наследование приобретенных признаков, во много раз ускорившее темп их изменения, отдельные строительные элементы и структурные принципы менялись с весьма различными скоростями. Например, структурный принцип клеточного ядра остался одним и тем же, от одноклеточных до человека; еще старше микроструктура генома. Между тем макроскопическое строение различных живых существ принимало за то же время развития все мыслимые формы. Мухомор и омар, дуб и человек столь отличны друг от друга, что если бы мы знали лишь эти "кончики ветвей" древа жизни, то было бы нелегко прийти к мысли, что они выросли из одного корня — в чем нет сомнения. Именно это ошеломляющее разнообразие форм приводит к тяжелому заблуждению — к упорядочивающим процедурам чистой типологии.

Одна из важных задач современной сравнительной истории эволюции — определение скорости потока признаков; при этом признаки, общие большим группам организмов, могут с полным основанием считаться "консервативными". Если, например, клеточное ядро, как было сказано на с. 362, у всех ядерных организмов ("эукариотов") имеет одинаковую форму, то можно с уверенностью заключить, что эта структура очень стара, а потому имеет величайшую "таксономическую значимость". Чем меньше таксономическая группа, объединяемая определенным признаком, тем моложе, вообще говоря, соответствующий признак. Между самыми быстрыми и самыми медленными формами филогенетического изменения признаков существуют все мыслимые переходы. Продолжительность быстрейших из них иногда приближается к продолжительности культурно-исторических процессов. Так, например, многие домашние животные в течение исторической эпохи столь сильно изменились по сравнению с их дикими предками, что их можно рассматривать как новые виды.

И все же скорость этих быстрейших из всех известных нам филогенетических процессов столь уступает темпу культурно-исторических изменений, что различие в скорости может быть использовано для распознавания этих процессов. Если мы обнаруживаем, что определенные формы движения и определенные нормы социального поведения являются *общечеловеческими,* т. е. наблюдаются в совершенно одинаковой форме у всех людей всех культур, то можно заключить с вероятностью, граничащей с достоверностью, что они филогенетически программированы и наследственно закреплены. Иными словами: крайне маловероятно, чтобы нормы поведения, фиксируемые лишь традицией, оставались неизменными в течение столь длительных промежутков времени. Таким доказательством филогенетической программированности форм человеческого поведения стало поразительное совпадение результатов двух направлений исследования, на первый взгляд далеких друг от друга.

Первым из них является сравнительное исследование поведения, применяемое к человеку. В этой науке можно с полным основанием предполагать, что в эмоциональной сфере, играющей столь важную роль в мотивации нашего социального поведения, содержится особенно много филогенетически закрепленных, унаследованных элементов. Как знал уже Чарлз Дарвин, выражения аффектов* содержат особенно много врожденных, присущих человеческому виду форм движения. Исходя из этого предположения, И. Эйбль-Эйбесфельдт сделал выразительные движения человека предметом сравнительного исследования, распространенного на все доступные культуры. Он снимал на кинопленку ряд типичных выразительных движений, предсказуемым образом происходящих в определенных стандартно воспроизводимых ситуациях, таких, как приветствие, прощание, спор, влюбленность, радость, страх, испуг и т. д. В камере была встроенная в объектив призма, так что направление съемки составляло прямой угол с видимой установкой аппарата, и снятые на пленку люди вели себя непринужденно. Результат оказался простым и поразительным: формы движений, выражавшие аффекты, оказались тождественными, даже при точнейшем анализе путем замедленной съемки, у папуасов центральной части Новой Гвинеи, у индейцев вайка верхнего Ориноко, у бушменов Калахари, у отж-химба области Каоко, у австралийских аборигенов, у высококультурных французов, южноамериканцев и других представителей нашей западной культуры.

Вторым направлением исследований, совершенно независимо приведшим к точно таким же результатам, поразительным образом оказалась лингвистика — сравнительное изучение языка и его логики. Однажды в дискуссии, посвященной общим проблемам языкового взаимопонимания, моя жена выразила удивление, что вообще возможен перевод с одного языка на другой. Каждый учащийся уверенно задает вопрос, как будет по-японски или по-венгерски "уже", "хотя" или "впрочем", удивляясь, если в чужом языке в виде исключения отсутствует точно соответствующее слово. В действительности, как мы теперь знаем, всем людям всех народов и культур присущи определенные врожденные структуры мышления, не только лежащие в основе логического строения языка, но попросту определяющие логику мышления. Ноам Хомский и Р. Г. Леннеберг вывели это заключение из сравнительного изучения структуры языков; Герхард Гёпп, следовавший другим путем, пришел к подобным же взглядам о единстве языка и мышления и показал в своей книге "Эволюция языка и разума", "насколько ошибочно разделение психики* на внешнюю часть — язык и на внутреннюю — мышление, тогда как в действительности это две стороны одного и того же явления". Из представителей гуманитарных наук близкие взгляды высказал один только австрийский ученый д-р Ф. Деккер, не занимающий академической должности.

Никто не станет отрицать, что понятийное мышление и словесный язык в течение их возрастающей дифференциации взаимно влияли друг на друга. Уже самонаблюдение свидетельствует о том, что при трудных процессах мышления приходят на помощь словесные формулировки, хотя бы в виде мнемотехнического средства, подобно употреблению карандаша и бумаги при счете. Несомненно, структуры логического мышления существовали еще до появления синтаксического языка, но так же несомненно, что их нынешний высокий уровень дифференциации никогда не был бы достигнут, если бы не возникло взаимодействие мышления и языка, о котором идет речь.

Кроме сравнения родственных, т. е. происходящих от общих предков, форм исследователь поведения располагает еще и другим средством, позволяющим отличать индивидуально выученные, переданные традицией шаблоны поведения от филогенетически возникших, т. е. врожденных. Подопытное животное выращивают от его рождения или выхода из яйца в искусственных условиях, намеренно лишая его возможности приобретать определенные виды информации. По само собою разумеющимся причинам такой эксперимент не может быть поставлен над человеком, но можно оценить результаты тех жестоких "экспериментов", которые ставит сама природа, лишая детей от рождения таких источников опыта, как зрение и слух. И. Эйбль-Эйбесфельдт снимал на пленку и анализировал выразительные движения этих несчастных детей теми же методами и с той же постановкой вопроса, какие он применял в своем исследовании культур. Результат оказался простым и многозначительным: именно те выразительные движения, которые при сравнительном исследовании оказались тождественными у людей всевозможных культур, почти без исключений проявлялись в той же форме у детей, родившихся глухими и слепыми. Тем самым опровергается теория, по сей день еще упорно защищаемая многими антропологами, по которой все социальное и коммуникативное поведение человека обусловливается исключительно культурной традицией.

Как уже было сказано, Хомский и лингвисты его школы пришли к своему результату в принципе тем же путем, которому следовал Эйбль-Эйбесфельдт в своем доказательстве генетической программированности выразительных движений, а именно абстрагировав законы, справедливые для всех человеческих культур. Предположение исследователей этологии человека, а также лингвистов нашло сильную поддержку в результатах исследования онтогенеза, в частности, при лишении некоторых видов опыта.

Уже при нормальных условиях обучения языку оказывается, что ребенок не подражает, как попугай, словам и предложениям, а заранее обладает некоторыми правилами построения предложений. Как удачно выразился однажды Отто Кёлер, ребенок, собственно, не учится говорить, а лишь выучивает *вокабулы**. Изучение детей, родившихся одновременно глухими и слепыми, лишь в редких случаях дает ценные результаты для анализа врожденных структур мышления и речи — разумеется, по той причине, что лишь в редчайших случаях центральное повреждение мозга, полностью выключающее зрение и слух, не нарушает в то же время функции мозга в целом, существенно препятствуя логическому мышлению.

Впрочем, мы знаем единственный случай, имеющий поистине огромное познавательное значение; в настоящее время это значение часто недооценивается, поскольку модная научная глупость запрещает рассматривать однократные наблюдения, не допускающие ни "воспроизведения", ни статистической оценки, как законный источник научного познания. Я имею в виду простое описание психического развития глухонемой и слепой девочки Хелен Келлер, составленное ее учительницей Энн М. Салливан. Вряд ли можно преувеличить значение этого документа. Оно состоит в том, что единственное в своем роде счастливое стечение обстоятельств столкнуло исключительно талантливую учительницу, оказавшуюся в то же время отличной наблюдательницей, описавшей последовательное развитие своей ученицы, с высокоодаренным, почти гениальным ребенком, на котором природа поставила жестокий эксперимент, полностью выключив обе важнейшие области его чувственного опыта.

Возникает вопрос, как могло случиться, что богатые результаты этого единственного в своем роде источника знания не получили гораздо бо́льшую известность, не стали знамениты среди психологов и исследователей поведения. Я полагаю, что знаю ответ. То, что́ Энн М. Салливан сообщает о легкости и быстроте, с которой ее ученица осилила на первый взгляд неразрешимую задачу изучить словесный язык и построить труднейшие абстрактные понятия с помощью одних только сообщений, выписанных на ладони пальцевым алфавитом, должно показаться совершенно *невероятным* каждому, кто увяз в представлениях бихевиоризма. Но кто знает кое-что об этологии и об упомянутых выше результатах современной лингвистики, тот отнесется к рассказу Энн Салливан с полным доверием, хотя и он удивится многому из описанного больше, чем она, по-видимому, удивлялась сама.

6 марта 1887 года Энн Салливан начала обучать Хелен Келлер, родившуюся 27 июня 1880 года. До этого девочка почти все время сидела на коленях матери, отвечавшей с любовным пониманием на потребность ребенка в тактильном общении. Как видно из позднейшего замечания Энн Салливан, у Хелен было тогда два движения, выражавших потребность в еде и питье, но она не понимала никаких символических или словесных сообщений, как бы они ни были выражены. Энн Салливан начала свое преподавание с того, что стала писать девочке на ладони с помощью пальцевого алфавита не только отдельные слова, а сразу целые предложения — точно так же, как делает наивный воспитатель, акустически обращаясь к слышащему ребенку. Через два дня после первого знакомства она подарила Хелен куклу — кажется, девочка играла с куклой и раньше — и написала ей на руке слово "doll"[1]*. Так же она поступала и с другими, самыми разнообразными предметами, т. е. пользуясь не упрощенными образными символами, а с самого начала обычным буквенным алфавитом.

Если бы я не знал об успешном результате и кто-нибудь спросил бы меня, возможно ли, чтобы глухой и слепой человек сразу научился читать таким способом, *не научившись раньше говорить,* то я без колебания дал бы отрицательный ответ. Но Хелен уже в *первый* день ее обучения не только установила мысленную связь между сигналом и получением желанного предмета, но, что еще гораздо невероятнее, моторно воспроизвела и передала обратно этот сигнал! При этом она, разумеется, еще не овладела абстракцией заключенных в тактильном изображении букв, а реагировала на общий образ всей тактильной последовательности, которую она затем сама воспроизвела — хотя и неполно, но в узнаваемом виде. Уже то, что она вообще попыталась это сделать, кажется просто невероятным!

20 марта Хелен попыталась вступить в общение со своей любимой собакой, написав ей на лапе первое выученное слово "doll". 31 марта она владела уже 18 существительными и 3 глаголами и начала *спрашивать* о названиях вещей, принося их своей учительнице и подставляя для писания свою ладонь. Таким образом, у нее была ясно выраженная потребность усваивать такие мысленные связи. Как здесь не вспомнить историю Адама, начавшего свои отношения с миром с того, что он дал вещам имена!

При этом Хелен еще не вполне овладела принципами словесной символики, как это видно, в частности, из того, что она вначале не умела различать существительные и глаголы. Как рассказывает Энн Салливан, слова mug[2]* и milk[3]* затрудняли Хелен больше всех других. Она смешивала существительные с глаголом drink[4]*. Не зная слова "пить", она помогала себе тем, что каждый раз, когда передавала по буквам mug или milk, *выполняла пантомиму питья* (курсив мой). Здесь мы узнаем — попутно и между прочим — нечто очень важное, о чем Энн Салливан упоминает и ранее в своем отчете, еще менее подчеркивая это: слепо-

---

[1] *Кукла *(англ.).* — Примеч. пер.*
[2] *Кружка *(англ.).* — Примеч. пер.*
[3] *Молоко *(англ.).* — Примеч. пер.*
[4] *Пить *(англ.).* — Примеч. пер.*

глухонемой ребенок пользовался, чтобы быть понятым, подражательными движениями. Это приближается к подлинному образованию символов не менее, чем сигналы, которые ребенок уже до того научился понимать и даже передавать. Все они вначале относились к "действенным вещам", по выражению Якоба фон Юкскюля: "doll" означало "куклу" и в то же время "играть с куклой", "cake" означало "пирожное" и в то же время "есть пирожное". По той же причине понятия "mug", "milk" и "drink" вначале были для ребенка неразличимы.

Шаг к разделению символов, относящихся к вещам и к действиям, совершился у Хелен Келлер в высшей степени драматически, так что лучше всего будет дословно привести описание этого происшествия у Энн Салливан. 5 апреля она записывает: "Когда я умывала ее сегодня утром, она захотела узнать, как называется вода. Если она хочет что-то знать, она указывает на это и поглаживает мне руку. Я передала ей в руку w-a-t-e-r[1]*и больше не думала об этом до конца завтрака. Затем мне пришло в голову, что с помощью нового слова я смогу раз навсегда объяснить ей разницу между mug и milk. Мы пошли к насосу, где я велела Хелен держать свою кружку под краном, пока я качала воду. Когда потекла холодная вода, наполняя кружку, я передала ей в свободную руку w-a-t-e-r. Это слово, столь непосредственно последовавшее за ощущением холодной воды, текущей по ее руке, по-видимому, ее озадачило. Она уронила кружку и стояла как прикованная. Лицо ее просияло новым, небывалым выражением. Она передала по буквам слово "water" несколько раз. Потом она присела на корточки, коснулась земли и спросила, как она называется; точно так же она показала на насос и на решетку. Затем она вдруг повернулась и спросила мое имя. Я передала ей в руку "teacher"[2]*. В этот момент няня принесла к насосу маленькую сестричку Хелен; Хелен передала "baby"[3]* и показала на няню. На всем обратном пути она была чрезвычайно возбуждена и спрашивала названия всех предметов, к которым прикасалась, так что за несколько часов она прибавила к своему словарю 30 новых слов". На следующий день Энн Салливан продолжает: "Сегодня Хелен встала, как сияющая фея, перелетала от одного предмета к другому, спрашивая об их названиях, и поцеловала меня — просто от радости. Когда я вчера ложилась спать, Хелен бросилась по собственному побуждению в мои объятия и в первый раз поцеловала меня; сердце мое, казалось, подпрыгнуло, переполненное радостью". Как мы знаем из предыдущей части отчета Салливан, до тех пор в телесных контактах между учительницей и ученицей поддерживалось достигнутое с большим трудом ранговое отношение. Теперь же к уважению прибавилась горячая любовь и благодарность.

Столь же характерно, как прискорбно, что в позднейшей литературе о глухонемых детях нельзя найти ни одного другого рассказа, где возникновение понимания символов было бы описано с ясностью, хотя бы приближающейся к приведенному отрывку из этой недостаточно оцененной книги. Энн Салливан была талантливая, пожалуй, гениальная

---

[1] *Вода *(англ.).* — *Примеч. пер.*
[2] *Учительница *(англ.).* — *Примеч. пер.*
[3] *Младенец *(англ.).* — *Примеч. пер.*

женщина, на долю которой выпало редкое счастье обучать ребенка, страдавшего одним только лишением чувственных восприятий, без нарушения других функций мозга, более того, несомненно особо одаренного ребенка. Дальнейшее счастливое обстоятельство состояло в том, что взаимодействие между учительницей и ученицей происходило в достаточно раннюю эпоху и потому не было нагружено воззрениями той психологической школы, которая считает каждое отдельное наблюдение "анекдотическим" и любое эмоциональное участие несовместимым с наукой. Благодаря этому Энн Салливан, исполненная наивности и сердечной теплоты, вела себя педагогически правильно и сделала из своих успехов этологически правильные выводы. Ее высказывания о том, как человеческий ребенок учится языку, очень близко подходит к нашим представлениям о так называемых врожденных предрасположениях к обучению, вытекающим из исследований Эйбль-Эйбесфельдта, Гарсиа и других. Она говорит, например: "Ребенок является на свет со способностью к обучению и учится по собственному побуждению, если только имеются необходимые для этого внешние стимулы". В другом месте она говорит о Хелен: "Она учится, потому что не может иначе, точно так же, как птица учится летать" — а птица имеет такую способность от рождения!

Мы знаем из исследований Ноама Хомского, как высоко дифференцирован общечеловеческий врожденный аппарат понятийного мышления и как много его подробностей наследственно закреплено (5). Мы не учимся думать, мы выучиваем, вместе со словарем, символы вещей и отношений между ними, укладывая выученное в ранее сформировавшуюся несущую конструкцию, без которой мы не могли бы думать, попросту не были бы людьми. Вряд ли имеются факты, столь разительно свидетельствующие о существовании этого врожденного аппарата понятийного мышления, построения символов и понимания символов, как те, которые сообщает нам в своем простом и беспристрастном рассказе Энн Салливан.

Прежде всего удивительная быстрота, с которой развивалось понятийное мышление у Хелен Келлер, показывает, что здесь не строилось нечто ранее отсутствовавшее, а лишь приводилось в действие нечто уже бывшее, только ожидавшее включения. В тот же день, когда начинается обучение, она осмысленно передает обратно сообщенные ей символы. Через 14 дней Хелен пытается передать буквенный сигнал собаке; еще через 11 дней она располагает уже более чем 30 буквенными сигналами, 4 из которых были приобретены путем активных вопросов; через 5 дней после этого она внезапно постигает различие между существительным и глаголом и знает с этих пор, что каждая вещь и каждое действие имеют "имя". Через 19 дней Хелен образует предложения: когда она хочет дать своей новорожденной сестричке твердые конфеты и ей в этом препятствуют, она передает по буквам: "Baby eat no"[1]*. И затем: "Baby teath no, baby eat no"[2]*. Еще через 14 дней Хелен использует союз "и". Ей велят закрыть дверь, и она спонтанно прибавляет: "and lock" — и запе-

---

[1] *"Бэби есть нет" *(англ.).* — *Примеч. пер.*
[2] *"Бэби зубы нет, бэби есть нет" *(англ.).* — *Примеч. пер.*

реть. В этот же день она обнаруживает новорожденных щенков своей собаки и сообщает по буквам взрослым, еще об этом не знающим: "baby dog"[1]*. После этого, основательно обласкав и ощупав щенков, она высказывает: "Eyes shut, sleep no"[2]*. В тот же день она овладевает наречием "very"[3]*.

Отчетливая потребность усваивать новые словесные значения видна из того, что, едва уяснив значение нового слова, она каждый раз начинает проверять свое понимание, разными способами применяя новый символ. В случае "very" она говорит: "baby small, puppy very small"[4]* (она только что научилась заменять baby dog на puppy)[5]*, затем она приносит два камешка разной величины и показывает их учительнице один за другим, говоря: "stone small — stone very small"[6]*.

Не прошло и трех месяцев с тех пор, как она не могла еще сказать ни одного слова, и вот она уже пишет алфавитом Брайля* вполне осмысленное письмо другу; она так одержима чтением, что вопреки запрещению протаскивает вечером в постель книгу, напечатанную алфавитом Брайля, чтобы тайком читать ее под одеялом. Через несколько дней, когда ей показывают помет новорожденных поросят, она спрашивает: "Did baby pig grow in egg? Where are many shells?"[7]*. К концу июля она научилась разборчиво и быстро писать карандашом и пользовалась этим, чтобы объясняться. К этому времени она открыла вопросы "почему?" и "зачем?" и стала почти докучливой в своей любознательности. В сентябре она начала правильно употреблять местоимения, а вскоре после этого появился глагол "быть" — "to be". Артикли она еще долго считает ненужными. В сентябре 1888 года она овладевает сослагательным наклонением (Konjunktiv), пользуется конъюнктивом с ирреальным значением (Irrealis) и условным наклонением (Konditionalis) не только правильно, но с явным предпочтением и вообще старается употреблять столь изысканный и изящный синтаксис, что у восьмилетней девочки это производит впечатление некоторой аффектации. Надо отдать себе отчет в том, что для этого ребенка все вообще пережитое, в том числе переживание красоты и добра, происходило только из буквенных сообщений и имело чисто языковой характер. Неудивительно, что она так любила язык.

Энн Салливан, по ее собственным словам, "полностью изгнала из преподавания грамматику, с ее запутанной массой классификаций, терминов и парадигм"; но она никогда не говорила с Хелен упрощенными фразами, а всегда соблюдала правильный синтаксис, не опуская наречий, местоимений и т. д. Но Хелен говорила вначале упрощенными фразами, включая в них затем один за другим добавочные элементы, — последним, как уже сказано, был артикль. Вот что Салливан говорит о поразительной быстроте, с которой Хелен Келлер справилась с этой трудней-

---

[1]*"Бэби собака" *(англ.). — Примеч. пер.*
[2]*"Глаза закрыты, спать нет" *(англ.). — Примеч. пер.*
[3]*"Очень" *(англ.). — Примеч. пер.*
[4]*"Бэби маленький, щенок очень маленький" *(англ.). — Примеч. пер.*
[5]*Щенок *(англ.). — Примеч. пер.*
[6]*"Камень маленький — камень очень маленький" *(англ.). — Примеч. пер.*
[7]*"Бэби свинья росла в яйце? Где много скорлуп?" *(англ.). — Примеч. пер.*

шей задачей: "Мне кажется странным, что удивляются столь простой вещи. Конечно, так же легко сообщить ребенку название понятия, уже ясно предстоящего его душе, как и название какого-нибудь предмета; вообще, было бы Геркулесовой работой заучивать слова, если бы в душе ребенка не было уже соответствующих представлений". Она упускает при этом из виду, что абстрагирование всех сложных правил грамматики и логики языка, которое Хелен Келлер совершенным образом выполнила за время с марта 1887 по сентябрь 1888 года, было еще несравненно бо́льшим достижением, чем усвоение словаря и символических значений. Как я считаю, видимая невозможность этого гигантского достижения неопровержимо доказывает правильность теорий Ноама Хомского.

Установленные Эйбль-Эйбесфельдтом общечеловеческие формы выражения и только что рассмотренные, также врожденные структуры мышления и речи составляют лишь два примера шаблонов поведения, выработанных в ходе эволюции программой нашего вида и хранимых в его геноме. Следует допустить, что существует бесчисленное множество других норм поведения, возникших и хранимых тем же способом. Как было сказано, уже Чарлз Дарвин предполагал, что большинство чувств (Gefühle) и аффектов (Affekte) — английское слово "emotion" имеет смысл, охватывающий оба этих немецких слова, — и связанных с каждым из них форм поведения "инстинктивны", т. е. являются генетически закрепленной собственностью нашего вида. Вероятность этого общего предположения Дарвина значительно возросла после того, как Эйбль-Эйбесфельдт доказал, что оно безусловно верно для внешних выражений чувств и аффектов. Весьма вероятно, что врожденные нормы человеческого поведения играют особо важную роль в структуре человеческого общества. Антропологи Лайонел Тайгер и Робин Фокс сделали успешную попытку составить общую "биограмматику" социального поведения человека, используя постановку вопроса и метод, подобные примененным Эйбль-Эйбесфельдтом и группой Хомского. Их книга "The Imperial Animal"[1]* — гениальное дерзание, и при всей смелости выдвинутых в ней утверждений важнейшие из них абсолютно убедительны.

Общее свойство всех коренящихся в наследственном материале программ поведения — их *резистентность* по отношению к изменяющим влияниям, исходящим от человеческой культуры. Высокодифференцированные комплексы форм поведения, существование которых было доказано столь разными методами, неизменно и в одинаковой форме присущи всем людям всех культур. Этот факт имеет важное значение, которое в состоянии оценить лишь тот, кто знает, насколько в остальном отличаются друг от друга обычаи, занятия и идеалы разных культур — напомню цитированные выше (с. 401) высказывания Ганса Фрейера.

Совпадение таких норм поведения означает нечто гораздо большее, чем их простую *независимость* от культурных влияний; оно означает фундаментальную и непреодолимую *силу сопротивления* таким влияни-

---

[1] *Буквенный перевод "Имперское животное" *(англ.);* впрочем, imperial имеет еще значения "властное", "повелительное". — *Примеч. пер.*

ям. Эта доказуемая прочность рассматриваемых здесь структур поведения делает вероятным предположение, что они выполняют некоторую необходимую *опорную функцию*. Они составляют остов, в некотором смысле скелет нашего социального, культурного и духовного поведения, определяя тем самым форму человеческого общества. Человек есть, как говорит Арнольд Гелен, "по своей природе культурное существо", т. е. уже его природные и наследственные задатки таковы, что многие из их структур нуждаются для своего функционирования в культурной традиции. Но, с другой стороны, только они и делают вообще возможными традицию и культуру. Без них не имел бы функций увеличенный конечный мозг, возникший лишь вместе с кумулирующей традицией культуры. То же верно для важнейшей его части, центра речи. Без его функции не было бы логического и понятийного мышления. С другой стороны, он не мог бы функционировать, если бы культурная традиция не доставила ему словарь языка, выросшего за тысячелетия истории культуры.

Если мы хотим понять структуру и функцию сложной живой системы или объяснить ее другим посредством преподавания, то мы, как правило, начинаем с ее *наименее изменчивых* частей. Каждый учебник анатомии начинается с описания скелета. Этот установившийся образ действия имеет своим оправданием то простое и убедительное соображение, что при изучении разнообразных взаимодействий, составляющих функцию такой системы, наименее изменчивые части встречаются чаще всего в виде причин и реже всего в виде следствий.

В этологии оправдало себя правило начинать изучение некоторого вида животных с составления так называемой *этограммы*, т. е. с инвентаризации филогенетически программируемых форм поведения, присущих этому виду. Одна из причин, до сих пор еще препятствующих более глубокому пониманию человеческого поведения, состоит в том, что философская антропология, зашедшая в идеологический тупик, отказывается допустить у человека, хотя бы в виде возможности, существование врожденных структур поведения.

Это особенно плохо потому, что наследственные инварианты человеческого поведения, несомненно, играют важную роль в *патологии* культурного развития. Например, представляется вероятным, что регулярно повторяющаяся гибель высоких культур является, как это впервые осознал Освальд Шпенглер, следствием расхождения между скоростями развития филогенетически программированных норм поведения и норм поведения, определяемых традицией. Культурное развитие человека обгоняет его "природу", и, как это выразил Людвиг Клагес, дух может стать противником души. Было бы крайне важно больше узнать обо всех этих явлениях.

3. ВОЗНИКНОВЕНИЕ И ДИВЕРГЕНТНОЕ* РАЗВИТИЕ ВИДОВ И КУЛЬТУР

Как было сказано в разделе 1 этой главы, история и исторические связи различных культур могут быть исследованы теми же методами, что и эволюция и родственные отношения видов животных. Одно уже это обстоятельство указывает на существование далеко идущих аналогий. Поскольку способ возникновения "вида" или "культуры" важен также и для формулировки понятий, которые мы связываем с этими названиями, мы должны его ближе рассмотреть.

Когда популяция животных одного вида навсегда делится на две части, например, когда геологическое событие создает непреодолимую границу, проходящую через область распространения вида, то после этого разделенные части популяции развиваются в разных направлениях даже в том случае, если условия жизни в двух разделенных областях обитания не производят отбора в разных направлениях. Достаточно одного только случайного характера вызывающих эти изменения процессов наследственности, чтобы две популяции, не связанные между собой обменом генов, могли стать отличными друг от друга.

Напротив, постоянный обмен наследственных задатков внутри популяции, так называемая панмиксия, *препятствует* ее распаду на два вида даже в том случае, если ее части подвергаются различному отбору. Рассмотрим упрощенный пример, когда на северной границе области распространения некоторого вида млекопитающих климат производит селекционное давление в сторону уплотнения меха, а на южной границе условия противоположны. До тех пор, пока между северной и южной популяцией происходит неограниченный обмен генов, морфологическое развитие вида должно быть компромиссом между этими двумя требованиями. Если же северная и южная популяции отделяются друг от друга ограничением генного обмена, то соответствующее селекционное давление может выработать в каждой из них приспособление генетических задатков к заданным условиям. По обоснованному суждению Эрнста Майра, полное формирование новых видов возможно в принципе лишь вследствие изоляции, в большинстве случаев географической. У видов с обширной областью распространения уже дальнее расстояние действует как географическая изоляция; популяции отдаленных граничных областей могут уже значительно различаться в генетическом отношении, и в этом случае они обычно называются расами или подвидами.

Поскольку существуют всевозможные переходы между полным прекращением возможности генного обмена и неограниченной панмиксией, часто приходится предоставлять произволу таксономов, следует ли считать две формы животных расами, подвидами или "хорошими" видами. Лучше всего поддается определению "хороший" вид, сложившийся в реальное единство в результате действительно происходившей неограниченной панмиксии. Критерием того, что две формы животных являются двумя отдельными видами, часто считают их способность совместно существовать, не смешиваясь, в одной области распространения. Но бывают случаи, когда все эти критерии, применяемые для определения понятия вида, отказываются служить. Вот поучительный пример. Первоначальная форма, от которой произошли серебристая чайка (Larus argentatus L.) и клуша (Larus fuscus L.), распространилась в северной умеренной зоне вокруг всего земного шара из места, уже не поддающегося точному определению; к востоку она становилась все темнее и меньше, короче говоря, все более похожей на клушу, а к западу светлее и больше, все более напоминая серебристую чайку. На всем пространстве имеются все мыслимые переходы, и, несомненно, еще и в наше время происходит неограниченный обмен генов между соседними формами.

Однако на долготе Европы клуши и серебристые чайки живут как два "хороших" вида, никогда не смешиваясь в нормальных условиях; хотя, как известно из опытов скрещивания в неволе, они дают способное к размножению гибридное потомство. Иными словами, предки этих чаек, продвигаясь на восток и на запад, становились все более непохожими друг на друга, а когда они обошли вокруг земного шара, они стали уже столь различными, что могут жить, не смешиваясь, в европейских морях*.

Пытаясь подразделить культуры по степени их различия, например определить понятие "субкультуры", мы встречаемся с теми же трудностями образования понятий, что и в таксономии филогенетически возникших групп. Между большими, отчетливо различающимися высокоразвитыми культурами и лишь мало различающимися мельчайшими культурными группами существуют всевозможные переходы, и исторически мыслящему исследователю, не смешивающему различия с типологическими противоположностями (см. с. 402), сразу же становится ясно, что они являются результатом дивергентного культурно-исторического развития. Поэтому к ним также применимы постановки вопросов и методы, оправдавшие себя в филогенетике. Но, конечно, при перенесении этих методов в область культурно-исторических исследований необходимо принимать во внимание особенности развития культур, чуждые филогенезу. Во-первых, в истории культур, и прежде всего в изобретении технических процедур, конвергентное развитие происходит, разумеется, еще гораздо чаще, чем в филогенезе, и это обстоятельство упускалось из виду в старом народоведении. В нем все виды сходства объяснялись гомологиями, что часто приводило к совершенно ложным заключениям. "Учение о культурных кругах" не знало никаких конвергенций. Во-вторых, как уже говорилось на с. 401, благодаря наследованию приобретенных признаков целые комплексы признаков одной культуры могут передаваться другой как прививки в смысле Валери. И в-третьих, культуры, даже прошедшие независимо друг от друга значительный отрезок мировой истории, способны затем смешиваться в подлинно однородное единство. Таким образом, культуры легче "гибридизируются"*, чем виды.

Несмотря на эти различия, обусловленные различием лежащих в основе процессов, существует замечательное сходство между возникновением видов и самостоятельных культур (6). Насколько мне известно, на эти параллели впервые указал Эрик Эриксон, предложивший для обозначения дивергентного развития различных культур из общего корня выражение "Pseudo-Speciation", что означает квазивидообразование. Действительно, культуры, достигшие определенной степени отличия друг от друга, во многих отношениях ведут себя по отношению друг к другу как различные, но очень близко родственные виды животных. Важно подчеркнуть это близкое родство, потому что ни в одном известном случае две культурные группы не стали вследствие дивергентного развития столь различны в этологическом и экологическом отношении, чтобы они могли мирно и независимо жить рядом друг с другом в одной и той же области, не поддерживая между собой отношений, без трений и без конкуренции, как благополучно сожительствуют разные виды животных, например чирок-свистунок, широконоска и кряква*.

Ввиду принципиальной возможности смешения культур возникает вопрос, каким образом они вообще могут в столь значительной мере сохранять свою "чистоту", как это действительно происходило в мировой истории, а отчасти происходит и сейчас. В разделе, посвященном ритуализации, нам придется подробнее рассмотреть, как уже при развитии мельчайших "субкультур" или "этнических групп" передаваемые традицией отдельные черты поведения превращаются в символы статуса. Обычай, *манеры* собственной группы считаются "благородными", а всех других групп, в том числе объективно равноценной конкурирующей группы — неблагородными, причем оценка их тем ниже, чем меньше их сходство со своей группой. Эмоциональное значение, придаваемое таким образом всем свойственным группе ритуализациям, и, параллельно этому, унижающая эмоциональная установка по отношению ко всем чуждым группе признакам поведения не только усиливают внутреннюю сплоченность группы, но и способствуют ее изоляции от других групп и тем самым независимости ее дальнейшего культурного развития. Это приводит к последствиям, аналогичным роли географической изоляции в изменении видов.

Относительно прочные преграды, создаваемые только что описанными процессами между двумя дивергентно развивающимися зародышами культуры, присущи всем культурам и, очевидно, необходимы для их высокого развития. Конкуренция между собратьями по виду у животных неизбежно приводит к такой форме отбора, которая отнюдь не полезна соответствующему виду в его взаимодействии с окружающим миром, а часто наносит ему тяжелый ущерб. Соперники, конкурирующие друг с другом с помощью специализированных морфологических структур, стимулируют друг друга в сторону усиления соответствующих признаков, и цикл положительной обратной связи часто останавливается лишь на том пределе, где причудливые преувеличенные образования вступают в противоречие с другими факторами отбора. Рога оленя и маховые перья аргус-фазана полезны своим носителям *лишь* в соревновании с собратьями по виду; тем не менее они оказывают чрезвычайно сильное селекционное давление: индивид, лишенный этих признаков, не имел бы никаких шансов произвести потомство.

Конкуренция людей внутри одной и той же культуры производит вредные воздействия, аналогичные последствиям внутривидового отбора. Ей серьезно противодействует лишь склонность человеческих культур к расщеплению и развитию в дивергирующих направлениях. Именно разнообразие культур имело решающее значение для высшего развития человечества. Оно привело к тому, что различные культуры вступали в соревнование друг с другом *в различных областях и с различными средствами*. Они ели разную пищу, пользовались разными орудиями и сражались разным оружием. Эта форма соревнования культур, преобладавшая в прежние времена, была одним из важнейших факторов, вырабатывавших у людей интеллект, подвижность ума, изобретательность и т. п. В высшей степени вероятно, что уже в раннюю эпоху такие факторы имели решающее значение для быстрого увеличения большого головного мозга, что бы ни думали философские антропологи о "гносеологической чудовищности" принципа приспособления.

Общее направление великого органического становления, идущее от низшего к высшему, определяется разнообразием селекционного давления, многообразием требований, предъявляемых к организму. Где это многообразие уступает место одностороннему и чрезмерному селекционному давлению — как в упомянутом примере внутривидовой конкуренции животных, — там эволюция также отклоняется от направления, ведущего к созданию новых и высших форм. Такому селекционному давлению, во многом сходному с внутривидовым соревнованием животных, подвергается в наше время человечество. Границы между культурами размываются и исчезают, этнические группы во всем мире стремятся слиться в единую общечеловеческую культуру. Этот процесс на первый взгляд может показаться желательным, поскольку он способствует уменьшению взаимной ненависти наций. Но наряду с этим уравнивание всех народов имеет и другое, уничтожающее действие: если все люди всех культур сражаются одним и тем же оружием, конкурируют друг с другом с помощью одной и той же техники и пытаются перехитрить друг друга на одной и той же мировой бирже, то *межкультурный отбор теряет свое творческое действие*. Во втором томе этой книги рассматривается, в частности, регресс в развитии человечества, происходящий от такого выпадения творческого отбора*.

Первоначальная склонность человеческих культур к расщеплению и дивергентному развитию имеет, наряду с уже рассмотренным благотворным действием, также и опасные последствия. Если мы попытаемся оценить, чем обязано человечество соревнованию между культурами, то на отрицательной стороне счета стоят ненависть и война. Как я уже говорил в моей книге об агрессии*, факторы, сплачивающие мельчайшие культурные группы и изолирующие их от других, в конечном счете вызывают кровавый раздор. Те же механизмы культурного поведения, которые вначале кажутся столь продуктивными, — гордость собственной традицией и презрение к любой другой — с возрастанием групп и обострением их конфликтов приводят к коллективной ненависти в ее опаснейшей форме. От мелких потасовок, в которых мы, ученики Шотландской гимназии, выражали свою враждебность к "презренным" и "подлым" ученикам гимназии Ваза*, всевозможные переходы ведут к ожесточенной национальной ненависти, развязывающей коллективную агрессию и заставляющей умолкнуть все мотивы, сдерживающие убийство.

Глава 10
ФАКТОРЫ, СОХРАНЯЮЩИЕ ПОСТОЯНСТВО КУЛЬТУРЫ

1. СПОСОБНОСТЬ К РАЗВИТИЮ КАК СОСТОЯНИЕ РАВНОВЕСИЯ

Животное или растение можно отнести к определенному виду, поскольку большое число признаков этого вида с достаточной неизменностью закреплено в хранилище наследственных задатков, общих определенной популяции живых организмов. Именно по этим признакам мы узнаем о принадлежности к данному виду отдельного живого существа.

Как вытекает из предыдущего раздела, это хранилище, "gene pool"[1]*, как говорят англоязычные генетики и филогенетики, и определяет сущность вида.

Так же как зоолог определяет вид животного, археолог и историк культуры с первого взгляда узнают, от какой культуры и из какого ее периода происходит некоторый предмет. Ввиду легкости, с которой наследование приобретенных признаков может изменять произведения человеческого духа, относительное постоянство культурных функций, позволяющее знатоку столь уверенно высказывать свои суждения, нуждается в особом объяснении.

Жизнеспособность вида зависит от того, что постоянство его наследственных задатков находится в правильном равновесии с их изменчивостью. Филогенетики и генетики сейчас уже довольно точно знают, каким образом животный или растительный вид справляется с помощью текущих приспособительных процессов с постоянно происходящими независимо от них бо́льшими или меньшими изменениями их жизненной среды. Равновесие между факторами, обусловливающими постоянство наследственного материала, и факторами, изменяющими его, у разных видов различно и во всех случаях приспособлено к изменчивости жизненной среды. В мало меняющихся жизненных средах, например в мировом океане, преобладают факторы, способствующие постоянству; там наблюдается наименьшая частота мутаций и расщепления признаков. Напротив, эти явления наиболее интенсивны у организмов, живущих в быстро меняющихся биотопах.

Ряд известных аналогий между видообразованием и историческим становлением культур наводит на мысль проследить и в человеческой культуре две категории процессов, гармонический антагонизм которых устанавливает и поддерживает необходимое для сохранения жизни равновесие между постоянством и приспособляемостью. Я не могу при этом избежать некоторых забеганий вперед, в содержание второго тома этой книги, где будут рассмотрены нарушения этого равновесия и неправильные функции его отдельных факторов. То немногое, что мы знаем об этих процессах, большей частью происходит именно от изучения этих нарушений равновесия и неправильных функций. Могу сказать в свое оправдание, что строю изложение так же, как и большинство учебников физиологии, начинающихся с описания нормального процесса, хотя почти все, что о нем известно, выведено из его патологических нарушений. В сущности, было бы желательно провести учащегося тем же путем, которым шло исследование. Но, к сожалению, этот путь долог и труден.

В двойственности действия любых структур заключена проблема, стоящая перед каждой живой системой — как перед видом, так и перед человеческой культурой: ее *опорная* функция должна быть куплена ценой *жесткости,* т. е. потери степеней свободы! Дождевой червь может изгибаться как хочет; мы же в состоянии менять позицию нашего тела

---

[1] *Генофонд *(англ.);* англ. pool означает "общий фонд"; словом "хранилище" мы переводим нем. Sammeltopf, означающее "сборный котел". — *Примеч. пер.*

лишь в тех местах, где предусмотрены суставы. Зато мы можем стоять прямо, а дождевой червь не может. Постоянные структуры вида обеспечивают его приспособленность и в то же время состоят в примечательном отношении к знанию. С одной стороны, каждая приспособленная структура содержит знание; знание только и может закрепляться в приспособленных структурах, таких, как молекулярные цепочки генома, ганглионарные клетки мозга или буквы учебника. Структура — это приспособленность в готовом виде; и она должна быть в состоянии, по крайней мере частично, опять *разрушаться** и *перестраиваться,* когда происходят дальнейшие приспособления и должно быть усвоено новое знание.

Прекрасный пример такого процесса — рост кости. Он никоим образом не сводится к тому, что костеобразующие клетки, "остеобласты", откладывают все время новое, сразу же обызвествляющееся вещество кости; одновременно должны работать также клетки, способные уничтожать старое вещество кости, так называемые остеокласты. Посредством гармонического взаимодействия этих антагонистов растущая кость в целом все время приспосабливается к величине растущего животного и на каждой стадии роста вполне гармонирует с общим строением организма. Все накопление знания, определяющее культуру человека, основывается на возникновении прочных структур. Эти структуры должны обладать относительно высоким постоянством, чтобы вообще возможна была передача от поколения к поколению и кумуляция знаний в течение длительных промежутков времени. Совокупное знание некоторой культуры, заключенное во всех ее нравах и обычаях, в ее процедурах земледелия и техники, в грамматике и словарном составе ее языка и тем более в "сознательном" знании так называемой науки, должно быть отлито в структуры относительно постоянной формы, чтобы возможна была ее кумуляция и дальнейшая передача.

Но никогда нельзя забывать, что структура есть лишь *приспособленность,* а не приспособление, лишь знание, а не познание. Гёте говорит: "Слово умирает уже на кончике пера". А вот что говорит Ницше: "Мысль горяча и текуча, это лава! Но каждая лава возводит вокруг себя крепостную стену, каждая мысль в конце концов удушает себя в законах". И точно так же, как кость не может расти без разрушения, живой рост человеческого знания невозможен, если шаг за шагом уже приспособленное, уже усвоенное не разрушается, чтобы уступить место новому и высшему. Так же как в геноме животного или растительного вида постоянство и изменчивость наследственности должны находиться в гармоническом равновесии, должно быть равновесие между постоянством и изменчивостью культурного знания. В этой главе речь идет о факторах, поддерживающих постоянство культуры.

2. ПРИВЫЧКА И ТАК НАЗЫВАЕМОЕ МАГИЧЕСКОЕ МЫШЛЕНИЕ

В моей книге об агрессии я подробно рассказал, какую роль в закреплении выученных последовательностей поведения играет простая привычка; поэтому я ограничусь здесь кратким обзором. Индивидуально усвоенные привычки, например путевые дрессировки, часто принимают в поразительно короткое время жестко определенную форму, от которой животное может избавиться лишь с трудом или вовсе не может. Для существа, не способного к причинному пониманию возможных последствий своего поведения, полезно придерживаться образа действий, который оказался успешным и безопасным. Достаточно напомнить здесь историю моей "суеверной" или, если угодно, компульсивно-невротической гусыни, которая однажды забыла второпях сделать привычный крюк, а затем, испугавшись, старалась восполнить свое упущение, или историю лошадей Маргарет Альтман, не решавшихся пройти мимо места, где они уже несколько раз останавливались.

У нас, людей, случайно приобретенная привычка тоже скоро становится "любимой" привычкой. Каждое отклонение от привычного поведения начинает восприниматься как неприятное, даже пугающее; я испытал это на себе, когда однажды, возмутившись против своей животной привычки, попытался отказаться от некоторых случайно усвоенных путей. Типичный компульсивный невроз, вынуждающий страдающего им человека к удивительным, часто сложнейшим формам поведения, есть всего лишь гипертрофия механизма, служащего в нормальных случаях сохранению постоянства поведения и необходимого для кумуляции традиционного знания.

Каждое существо, зависящее от привычек, испытывает глубокий страх при любом отклонении от привычного поведения; это очень примитивный, могущественный стимул, действующий уже у дочеловеческих организмов, но играющий необходимую роль также в сложной системе мотиваций человеческой культурной жизни. Он играет важную роль в окрашенном страхом чувстве совершённого прегрешения, короче, чувстве вины, внося тем самым значительный вклад в законопослушное поведение культурного человека. Как я сказал в моей книге об агрессии, если бы не привычка, указанным способом превратившаяся в могущественный стимул поведения, не было бы ни правдивого сообщения, ни надежного договора, не было бы ни верности, ни закона.

Но никому не пришло бы в голову говорить о любимых привычках, если бы наряду со страхом, наказывающим за их нарушение, не действовали также другие эмоции, вознаграждающие "достойное" и послушное поведение того, кто следует привычке. Каждый знает особенное, ни с чем не сравнимое ощущение удовольствия, когда мы снова видим нечто близко знакомое, например памятную с детства местность, комнаты дома, где мы когда-то жили, или черты лица старого друга. Выполнение усвоенного, хорошо выученного движения доставляет подобное же удовольствие. Сильное чувство вознаграждения, вызываемое обоими процессами — рецепторным и моторно-проприоцепторным, — противостоит описанному выше экзистенциальному страху; это успокоительное чувство безопасности гораздо значительнее, чем простое устранение страха: оно заметно повышает наше самоуважение! "Чувствуется, что я у себя дома" или "Я еще не разучился это делать". Думаю, все мы недооцениваем, как сильно и прочно сидит в нас страх и как жаждем мы обрести безопасность!

3. ПОДРАЖАНИЕ И СЛЕДОВАНИЕ ОБРАЗЦУ

Все эти не специфически человеческие процессы, способствующие закреплению привычного, резко усиливаются у культурного человека. Мы, люди, — об этом следует всегда помнить — по своей природе культурные существа, а потому все традиции, воспринимаемые в детстве и юности от наших родителей и старших родственников, мы неизбежно наделяем теми эмоциональными ценностями, которые представляют для нас носители этих традиций. Если уважение к этим ценностям падает ниже нуля, то передача культурной традиции пресекается.

Нелегко проанализировать качества различных чувств, которые младший должен испытывать к старшему, чтобы вообще быть в состоянии воспринять от него традицию. Более того, все эти качества чувств в принципе доступны лишь феноменологическим методам, так что в отношении их каждый может говорить, строго говоря, лишь за себя. Хотя я отношусь в общем с высоким уважением к психологической утонченности развитого повседневного языка, я сомневаюсь, создал ли этот язык для каждого из этих качеств подходящее слово. Как много качественно различного обозначается словом "любовь"! Некоторого рода любовь принадлежит, без сомнения, к необходимым предпосылкам восприятия традиции. Может быть, самое подходящее название того чувства, которое воспринимающий традицию должен испытывать к передающему ее, — это "расположение" (Gernhaben)[1]*. Человек вряд ли станет охотно слушать того, к кому он не расположен.

Вторую эмоциональную предпосылку составляет то, что, как мне кажется, неоднозначно выражается словом "страх". Я полагаю, что требуемое здесь значение слова "страх" яснее всего передается выражением "богобоязненность" или "страх Божий". Пока в индивидуальном развитии растущего человека еще не вполне достигнута его "социализация", т. е. его включение в традиционную культуру и отождествление с нею не достигли такой степени, чтобы он непосредственно воспринимал свою культурную традицию как нечто достойное почтения, как "Tremendum"[2]*, до тех пор безусловно необходимо, чтобы он испытывал это чувство вполне личным образом к некоторому старшему носителю этой культуры. "Tremendum" происходит от латинского слова, означающего "дрожать" или "трепетать"; название одной из самых прекрасных и разумных религий, "квакеры", происходит от английского слова, означающего "трепетать" или "дрожать". Нынешний человек не склонен трепетать перед отеческой личностью. Но необходимо, чтобы воспринимающий традицию признавал более высокое ранговое положение передающего традицию. Эмоциональная установка, соответствующая такому признанию, на нашем нынешнем повседневном языке лучше всего выражается как более или менее глубокое *уважение* (Respekt) к передающему традицию.

---

[1] *Gernhaben означает "предпочтение, радостное одобрение" (Der Sprachbrockhaus). — *Примеч. пер.*

[2] *Внушающее содрогание, трепет *(лат.).* — *Примеч. пер.*

Широко распространенное заблуждение, в котором повинны психоанализ и псевдодемократическая доктрина, состоит в представлении, будто чувства любви и уважения несовместимы. Я попытался перенестись мыслью в мое детство и уяснить себе, кого из моих друзей примерно моего возраста и из моих старших знакомых и учителей я больше всего любил. Среди сверстников я по меньшей мере столь же часто любил тех, к кому испытывал уважение и даже некоторый страх, как и тех, которые были мне преданными друзьями, но, несомненно, мне подчинялись. Я вполне уверен, что вряд ли кого-нибудь из моих друзей так любил и уважал, как старшего на четыре года бесспорного предводителя нашего альтенбергского детского общества. Еще в младших классах мы усердно играли в индейцев. И я немало его боялся, имея для этого серьезные причины, поскольку предводитель, который был куда сильнее меня, наказывал за прегрешения — прежде всего против индейского кодекса чести. Этот мальчик был чрезвычайно рыцарственным, в высшей степени ответственным и мужественным вождем. Однажды он спас жизнь моей нынешней жене, рискуя собственной жизнью. Я обязан Эммануэлю Ларошу, моему первому подлинному начальнику, рядом этических правил.

Даже те из моих сверстников, которым я приписал бы по критериям животной социологии низший ранг, как показывает более тщательное размышление, всегда имели в себе нечто импонировавшее мне, в чем они меня превосходили. Я сомневаюсь, можно ли вообще любить человека, на которого смотрят во всех отношениях сверху вниз.

В детской установке по отношению к взрослому положительная корреляция между любовью и уважением выступает еще отчетливее; в установке подростков по отношению к взрослым мужчинам она становится почти абсолютной. Из моих учителей я любил почти исключительно самых строгих, где под строгостью понимается, конечно, не произвольная тирания, а лишь безусловное требование признания их рангового положения. Должен сознаться, что было и исключение — моя детская привязанность к двум незамужним теткам, чадолюбивым старым девам, безмерно нас баловавшим. Я их вовсе не уважал, но любил их с нежностью, слегка окрашенной состраданием.

Даже простейшая, самая примитивная форма усвоения традиции, *подражание,* предполагает, что вызывающий подражание некоторым образом "импонирует" тому, кто подражает, — хотя бы в том смысле, как подействовал на моего маленького внука японский церемониал поклона (см. с. 380). На более высоком уровне дети пытаются всей своей личностью войти в образ того, кому они подражают, от чего возникает так называемое разыгрывание ролей. Выбор роли зависит от того, что импонирует ребенку, а вознаграждающее удовольствие, несомненно, состоит в повышении чувства собственного достоинства, что я вполне отчетливо вспоминаю по собственному опыту. У меня разыгрывание ролей относилось — как нетрудно догадаться — преимущественно к животным образцам, и могу заверить, что я просто блаженствовал в образе утки или дикого гуся. Роль фыркающего и свистящего паровоза, мчащегося впереди скорого поезда, тоже приводила меня в экстаз, повышая мое ощущение собственной важности. Неплохо было также быть Виннету, благородным вождем апачей, пусть даже под справедливой властью его отца Инчучуны.

Из этих фаз разыгрывания ролей в моем детстве я могу, по-видимому, заключить, что более ранние образцы, которым я подражал примерно с восьми до десяти лет, имели более сильное и продолжительное действие, чем более поздние. Позже не входят уже так полно в разыгрываемую роль.

Что ребенок может принять на себя даже роль безжизненной машины, как это было описано выше, свидетельствует лишь о том, в каких широких пределах находится врожденная способность к подражанию человеческого ребенка. В моем собственном детстве разыгрывание ролей сыграло в уже указанном отношении большую, возможно даже решающую, роль для моей дальнейшей жизни. Я отчетливо вспоминаю, с каким поистине актерским подражанием я старался повторять движения моих любимых животных. Это привело к сохранившейся у меня привычке "запоминать" формы движения животных путем подражания. Эта способность доставляет удовольствие моим ученикам.

Не столь избалованные дети выбирают себе более обычные образцы, среди которых водители автомобилей и кондукторы трамвая по-прежнему пользуются успехом, тогда как солдаты, которым дети чаще всего подражали еще несколько поколений назад, теперь — слава Богу! — уже не импонируют им. О более простых "низших" культурах мы знаем из работ О. Кёнига, И. Эйбль-Эйбесфельдта и других, что выбираемые и увлеченно разыгрываемые детьми роли — это просто роли взрослых, занятых какой-нибудь импонирующей детям деятельностью. Согласно Кёнигу, разыгрывание ролей часто незаметно переходит у них в настоящую помощь деятельности тех, кому подражают.

Элементы детского разыгрывания ролей, несомненно, присутствуют в том, как мы уже взрослыми принимаем за образец других людей, чье превосходство мы признаем и кому подражаем. При этом может случиться, что мы совершенно бессознательно повторяем образец даже и в том, "как он кашляет и чихает". Сам я, как меня часто уверяли моя жена и критически настроенные друзья, в своих докладах впадаю в несколько отрывистую и скандирующую манеру речи моего учителя Фердинанда Гохштеттера, а именно в тех случаях, когда предмет имеет для меня особую важность. Я этому не верил, пока не стал однажды свидетелем, как И. Эйбль-Эйбесфельдт в одном очень важном докладе пришел в заметное возбуждение. Тогда я с удивлением услышал отзвук манеры Гохштеттера как наследование приобретенных признаков во втором поколении.

Могу заверить, что Фердинанд Гохштеттер дал мне нечто большее, чем аффектацию речи. Вряд ли можно принять за образец другого человека лишь в отношении некоторых отдельных свойств или функций, отвергая его в остальном. Стихийная сила образца действует лишь в том случае, если он одобряется во всех отношениях, и *прежде всего в этическом*. В первую очередь от уважаемого образца перенимаются нормы социального поведения, т. е. *нравственные* обычаи в собственном смысле слова. Чувство вины, которым наказывается их нарушение, ближе всего напоминает мучительные переживания, какие у нас были бы, если бы этот человек поймал нас на таком поступке. Действенным наказанием может быть уже умеренное неодобрение такого человека, даже касающееся лишь профессиональных, а не этических вопросов. Самое строгое неодобрение, когда-либо высказанное Гохштеттером в мой адрес, заключалось в словах: "Это прямо постыдно". Речь шла при этом лишь об ошибке в препарировании трупа, подлежавшего лекционной демонстрации. Мне даже трудно представить себе, как бы я себя почувствовал, если бы мой учитель сделал мне более серьезное внушение, задевающее мою не только профессиональную честь. Понятно, что у такого учителя признание и похвала, выраженные еще более скупо, имеют сильное вдохновляющее действие.

Вся культурная традиция, перенимаемая у столь почтенного образца, и прежде всего традиционные нормы социального поведения, неизбежно воспринимаются с тем же глубоким уважением, что и сам любимый человек. Это, несомненно, весьма способствует постоянству культуры. Поскольку в наше время такого постоянства как раз заметно недостает, многие ответственные лица склоняются к тому, чтобы считать абсолютно благотворными любые факторы, сохраняющие постоянство. Но, разумеется, они остаются благотворными лишь до тех пор, пока хорошо уравновешиваются другими процессами, разрушающими и изменяющими структуры, обеспечивая этим приспособление системы к непрерывно меняющемуся жизненному пространству, о чем уже была речь на с. 417. Нарушения этого равновесия будут подробно рассмотрены во втором томе.

Все передаваемые традицией структуры обладают жесткостью, необходимой для их опорных функций. Поскольку почитаемая фигура отца, которая одна лишь в состоянии сообщать традицию, сама проникнута, в свою очередь, почтением к своему отцу, то этот дед, может быть уже лично не известный молодому человеку, вызывает в нем еще большее почтение. Таким образом, у человека филогенетически запрограммировано закономерное почтение к предкам. Неудивительно, что культ предков обнаруживается у самых различных народов в почти одинаковом развитии. Поскольку почтение к своим — часто даже обожествленным — предкам с течением времени возрастает, усиливается также уважение к традиционным формам поведения: чем дальше погружается во тьму прошлого их происхождение, тем более они принимают характер священного наследия, а оскорбление или нарушение их становится *грехом,* вызывающим чувства страха и вины.

Этим процессам, наказывающим каждое отступление человека от традиционных норм поведения, сопутствуют другие, вознаграждающие соблюдение нравов и обычаев: возможность отождествления с некоторой отеческой фигурой, ощущение своей покорности заповедям некоего этического целого, большего, чем он сам, дают человеку просто необходимую ему внутреннюю уверенность. Один из важнейших методов поистине дьявольского "промывания мозгов" состоит в том, что его жертвы лишают этой уверенности, заставляя их сомневаться во всем, в чем они были уверены прежде.

Только что описанные процессы имеют тенденцию медленно, но неуклонно закреплять все входящее в сокровищницу культуры и общее всем ее носителям знание, превращая его в доктрину. Как уже было сказано, в известных пределах этот процесс необходим. Он необходим даже в той области, которая менее всего считается связанной с доктринами или построенной на фундаменте твердой веры, а именно в естествознании. Естествоиспытатель может сколько угодно внушать себе, что все его знание состоит из одних лишь рабочих гипотез и что он готов в любое время, без эмоционального сопротивления и даже с радостью, объявить неправильным все, что он до сих пор считал верным. Это, может быть, и справедливо в отношении гипотез недавнего происхождения, стоящих в средоточии текущих исследований, что я могу сказать и о самом себе. Может быть, и существуют исследователи, действующие в точности по предписаниям Карла Поппера, — только о том и думающие, чтобы всеми средствами опровергнуть свою собственную гипотезу, т. е. доказать ее неверность и таким образом, исключив одну за другой различные возможности объяснения, прийти к единственной неопровержимой теории*.

Но, как я мог заметить, исследователи, наделенные хорошей способностью распознавания образов, так называемой интуицией*, никогда так не поступают. Уже первая гипотеза, приходящая на ум такому человеку, не конструируется произвольно, вне связи с внешним восприятием; она всегда является результатом сложных процессов, происходящих в органах чувств и в центральной нервной системе, о чем уже была речь во 2-м разделе главы 7. Основываясь на феноменологическом самонаблюдении, могу засвидетельствовать, что во все, интуитивно воспринятое мною, я сначала просто *верю*. Конечно, затем я всеми средствами пытаюсь опровергнуть мое предположение, создавая самые изощренные условия, в которых может обнаружиться его истинность или ложность. Если окажется, что я верил в нечто совершенно ложное, то на этой стадии я способен еще испытать от такого переживания искреннюю радость. Но я солгал бы, сказав, что *желаю,* чтобы все мои гипотезы были разоблачены как совершенно ложные. Прежде всего в отношении более ранних из них я надеюсь, что они окажутся устойчивыми при всех попытках опровержения. Полагаю, что в них обнаружатся и некоторые не столь существенные недостатки; но, впрочем, я всегда был уверен в том, что мои гипотезы не могут быть верны во всем. Ведь я слишком хорошо знаю ловушки, в которые меня нередко заводит моя интуиция*. Но точно так же я знаю по опыту, что она лишь очень редко сообщает мне нечто совершенно ложное, и должен сознаться, что при испытании каждого из моих предположений я рассчитываю, что моя интуиция окажется хотя бы отчасти правильной. При этом "правильность" понимается в том смысле, как патер Адальберт Мартини определил понятие истины в одной из наших дискуссий: "Истина — это то заблуждение, которое оказывается лучшей подготовкой к следующему меньшему".

Без такой надежды на правильность своих предположений исследователь, пожалуй, вряд ли был бы настроен подвергать новую гипотезу дальнейшим испытаниям. "Подвергать" — здесь очень подходящее выражение. То, что считается правильным, подводится как фундамент под растущее здание, которое может устоять лишь в том случае, если эта основа прочна*. Чем выше здание, которое мы возводим, чем больше вложенный в него труд, тем большего доверия должен заслуживать этот фундамент. Но тем больше должна быть и смелость, и прежде всего готовность к труду, чтобы решиться, если понадобится, полностью снести здание и построить его заново. К такой жертве естествоиспытатель в принципе всегда должен быть готов.

4. ПОИСК ПРИНАДЛЕЖНОСТИ

Человек — по природе своей культурное существо — просто не может существовать без опорного скелета, который доставляет ему принадлежность к некоторой культуре и участие в ее благах. Из детского подражания возникает поведение, ориентирующееся на некоторый образец; человек чувствует себя тождественным с этим образцом, ощущает себя носителем — а также владельцем — его культуры. Без этого отождествления с некоторым представителем традиции человек, безусловно, не обладает подлинным сознанием своей принадлежности культуре*. Каждый крестьянин знает, "кто он такой", и гордится этим. Отчаянный поиск своей принадлежности, ставший в наши дни даже предметом обсуждения в газетах, "identity problem"[1]* нынешней молодежи — это симптомы расстройства в передаче культурной традиции. Человеку, страдающему этим недостатком, очень трудно помочь. Если молодой человек потерял духовное наследие культуры, в котором он вырос, и если он не находит ей замены в духовной жизни другой культуры, то ему не дано отождествить себя ни с чем и ни с кем, и тогда он в самом деле ничто и никто — как это можно ясно прочесть сегодня в отчаянной *пустоте* многих юношеских лиц. Кто потерял духовное наследие культуры, тот поистине обездолен. Неудивительно, если он, отчаявшись, ищет последнее убежище в душевной броне закоснелого аутизма*, делающего его врагом общества.

Человек не может сохранять душевное здоровье, не отождествляя себя с другими людьми; но точно так же — как слишком хорошо знают специалисты по промыванию мозгов — это невозможно, если другие люди не выражают ему некоторого, хотя бы минимального признания. У здорового человека тоже бывают моменты, когда он сомневается в себе и задает себе вопрос о своей принадлежности: "Кто же я такой?" Я попытаюсь описать с возможной феноменологической точностью, что происходит во мне самом в такие моменты углубленной самооценки, поскольку, как мне кажется, это представляет интерес для понимания поиска собственной принадлежности. Первое, чем я пытаюсь спасти свое самоуважение, это вовсе не мои научные результаты: хотя и в таком настроении я не сомневаюсь в их приблизительной правильности, мне кажется, что они безнадежно *банальны*. Выручает меня только сознание, что в общем я человек примерно того же рода, как Фердинанд Гохштеттер, Оскар Гейнрот, Макс Гартман и другие. При этом подсознательно происходит нечто близко напоминающее детское разыгрывание ролей. Я пытаюсь некоторым образом "играть в Гохштеттера", как в раннем

---

[1]*Проблема принадлежности, идентичности. — *Примеч. пер.*

детстве играл в паровоз или в дикого гуся, и извлекаю из этого подобное же повышение самоуважения. Потом я напоминаю себе, что также и другие превосходящие меня люди признают мой труд и обращаются со мною как с равным. Все эти мысли и чувства приходят сами собой, несомненно по некоторой своеобразной программе, которую несет в себе человек — культурное существо.

Вот еще другая, входящая в мой сознательный опыт и весьма низкопробная мера для повышения моего самоуважения. Если его падение связано с моими научными результатами, которые кажутся мне тривиальными и вообще не заслуживающими опубликования — что регулярно случается со мною незадолго до окончания всякой сколько-нибудь длинной рукописи, — тогда я читаю сочинения моих ожесточенных оппонентов. Чем больше такое сочинение наполнено недоразумениями и нагружено аффектами, тем легче мне поверить, что в моих публикациях "все-таки кое-что есть".

Возможно, большинство мужчин не зависит таким образом от своего отождествления с другими и от мнения других, как я это рассказал о себе. Но и величайшие из людей не могут выдержать полного одиночества, и этого даже не следует желать. Как сказал однажды Йеркс о наших родственниках обезьянах, *один* шимпанзе — это вообще не шимпанзе. На гораздо более высоком уровне познания справедливо постижение Арнольда Гелена, что *один* человек — это вообще не человек, потому что человеческая духовность — сверхличное явление.

5. ОБРАЗОВАНИЕ РИТУАЛОВ В ЭВОЛЮЦИИ ВИДОВ

Постоянству культурной традиции существенно способствует целый комплекс форм поведения, совершенно различных по своему происхождению, но поразительно сходных по результатам; они были отчасти рассмотрены в предыдущем разделе. Между тем они имеют и другие функции, роль которых как в поведении животных, так и в поведении человека столь значительна, что им следует посвятить отдельный раздел. Речь идет о процессах так называемой ритуализации. Они происходят поразительно аналогичным образом в эволюции видов и в истории культуры. Чтобы лучше понять их, мы обратимся сначала к ритуализации в истории видов.

Уже больше полувека назад Джулиан Хаксли сделал открытие необычайной важности, показав, что взаимопонимание между животными одного вида, т. е., в объективных терминах, координация их социального поведения, осуществляется с помощью *сигналов, символизирующих* вполне определенную форму поведения. В своей классической работе о большой поганке* (1914) он описал, каким образом самец при ухаживании за самкой достает со дна водоема строительный материал для гнезда, а затем, держа его в клюве, выполняет на поверхности воды движения, несомненно напоминающие движения при постройке гнезда. На человеческом языке этот сигнал означает: "Давай будем вместе строить гнездо".

Уже тогда Джулиан Хаксли отчетливо понял, что и многие человеческие способы взаимопонимания также возникли из символизированного представления определенных способов поведения. Поскольку в этом случае процесс их возникновения — не эволюционный, а культурно-исторический, у человека это часто приводит к свободному образованию подлинных символов. Но аналогия между обоими процессами, а также между возникающими из них функциями заходит так далеко, что представляется оправданным в обоих случаях говорить о *ритуализации* и о ритуализованных действиях; так и поступил Хаксли уже в 1914 году с полным пониманием существа дела. Выражение "ритуализация" я буду применять, без различия и без кавычек, для обозначения определенного чисто функциональным образом понятия, охватывающего как эволюционные, так и аналогичные культурно-исторические явления.

В моей книге об агрессии я подробно говорил о ритуализации; но я не могу ограничиться здесь простой ссылкой на сказанное, поскольку сейчас для меня важны другие точки зрения. Прежде всего я должен подчеркнуть здесь функциональные аналогии, придающие результатам обоих видов ритуализации столь разительное сходство.

Начну с филогенетической ритуализации, поскольку о ее ходе нечто известно и поскольку она доставляет нам более простую функциональную модель, позволяющую лучше понять функции образования ритуалов в человеческих культурах. Наши весьма основательные знания о филогенетической ритуализации берут начало уже в "героической" эпохе этологии, т. е. в первых десятилетиях нашего века. Ритуализированные формы движения представляют собой особенно благодарные объекты сравнительно-эволюционного исследования; и как раз на этих объектах Ч. О. Уитмен и О. Гейнрот *открыли* возможность в подлинном смысле сравнительного исследования поведения. Именно выразительные движения, ритуализованные средства взаимопонимания, с их закономерным постепенным изменением, позволяющие проследить их сходства и расхождения в зависимости от вида, рода, семейства и отряда, прежде всего навели Уитмена и Гейнрота на мысль, что шаблоны поведения — столь же надежные признаки родственных групп, как любые телесные черты. Это открытие породило этологию.

Таким образом, наша отрасль науки возникла как вспомогательная дисциплина общего исследования эволюции, доставлявшая ценные данные для применения в таксономии. И обратно, она приобрела значительные сведения об эволюционном образовании наследственно координированных циклов движений; а поскольку выразительные движения по ряду причин являются особенно удобными объектами сравнительного исследования, тем самым были получены ценные знания о возникновении форм поведения, действующих *подобно символам*. Для значительного числа групп животных мы знаем теперь дифференцированные ряды гомологичных форм движения, позволяющие выяснить ход их развития. Эти ряды восходят к "неритуализованному прообразу", т. е. к инстинктивному движению, еще не изменившемуся на службе коммуникации, и ведут через множество переходов к высокоритуализованным движениям, которые могут изменяться до неузнаваемости под селекционным давлением их сигнальной функции. Трудно было бы догадаться об их происхождении, если бы, к счастью исследователя, перед его глазами не стоял целый ряд промежуточных ступеней, соединяющих неритуализо-ваный прообраз с "символическим действием".

Ритуалы, возникшие эволюционным и культурно-историческим пу-тем, имеют четыре важные общие функции, благодаря которым результа-ты ритуализации носят столь несомненную печать формальной аналогии.

Первая и старейшая из этих функций — это функция коммуникации.

Вторая функция, в случае филогенетической ритуализации возник-шая, вероятно, из коммуникации, состоит в том, что многие формы поведения с помощью ритуализации направляются на определенные пути. Они "вводятся в рамки" наподобие того, как река, заключенная между двумя дамбами, принимает некоторое желательное направление. При филогенетической ритуализации таким образом прежде всего на-правляется агрессивное поведение, в случае же аналогичного культур-но-исторического процесса — почти все социальное поведение.

Третья, очень важная функция обоих видов ритуализации состоит в том, что они создают новые мотивации, активно включающиеся в систему социальных отношений.

Четвертая функция состоит в том, чтобы препятствовать смешению двух видов или двух "квази-видов", т. е. культур или субкультур.

Еще одна функция свойственна только культурно-исторической ри-туализации: это создание свободных символов, устанавливаемых для культурного сообщества и защищаемых им так же, как оно защищает само себя. Вначале мы сравним между собой четыре указанные функции, присущие обеим формам ритуализации.

(1) Займемся коммуникативной функцией филогенетической риту-ализации. Каждая система коммуникации состоит из двух взаимно дополнительных частей — передатчика и приемника. Высылаемому сигналу, составляющему ключевой стимул, должен соответствовать его рецепторный коррелят, избирательно на него реагирующий. При фило-генетическом образовании ритуала развитие началось, очевидно, с реце-пторной стороны коммуникации; это значит, что выработались полез-ные для сохранения вида реакции, запускаемые движениями, которые собрат по виду *так или иначе* производит. Это давно известное явление называли "резонансом", "социальной индукцией" и т. д., причем не задавались вопросом, какие физиологические механизмы приводят к то-му, что лошадь впадает в панику, видя другую лошадь, обратившуюся в безудержное бегство, или что почти насытившаяся курица заново принимается есть, увидев, как ест другая, голодная курица.

Такое "понимание" поведения собрата по виду становится воз-можным благодаря возникновению некоторого приемного аппарата; это и превращает определенную форму поведения в *сигнал*. Тем самым поведение, служившее ранее лишь другой полезной для сохранения вида функции, как, например, бегство лошади или клевательные дви-жения курицы, приобретает новую, коммуникативную функцию вслед-ствие того, что собрат по виду *его понимает*. Вначале это "превращение в сигнал" ничего не меняет в самом поведении! В. Виклер назвал этот процесс "семантизацией с приемной стороны". Вероятно, он со-ставляет первый шаг во всех случаях образования ритуализованных форм движения.

Новая коммуникативная функция или, точнее, приемный аппарат, делающий возможным понимание некоторой формы поведения, оказывает, разумеется, селекционное давление на ее дальнейшее развитие. Все свойства, которые делают выполнение соответствующего движения более однозначным и действенным сигналом, при этом предпочитаются и в ходе дальнейшего развития утрируются. Сюда часто вносят свой вклад также телесные структуры, повышающие ценность движения в качестве сигнала. Селекционному давлению со стороны новой сигнальной функции данной формы движения противостоит, разумеется, селекционное давление ее первоначальной функции, служащей сохранению вида, для которой любое изменение представляет угрозу. Лишь при движениях, возникающих как лишенные функций эпифеномены поведения, это препятствие к развитию сигнала отпадает; так обстоит дело, например, при переходных движениях (Übersprungsbewegungen)[1]*, движениях, выражающих намерения, и при вегетативных* явлениях. Из этих движений и возникло большинство выразительных движений.

Лишь очень редко случается, что добавочные элементы, действующие как сигналы, прививаются к движениям, выполняющим действительную функцию. Особенно редко такие изменения касаются самого движения. Один из немногих примеров — хлопание крыльями у голубей, в котором амплитуда нормального взмаха как при токовании, так и при взлете возрастает настолько, что передние маховые перья сталкиваются друг с другом в верхнем и нижнем положении. Большей же частью новая коммуникативная функция не может соединиться с первоначальной функцией ее неритуализованного прообраза (как это еще возможно при хлопанье крыльями и взлете голубя); тогда ритуализованный сигнал отщепляется от первоначальной формы движения, превращаясь в *автономную* наследственную координацию.

(2) Мы переходим теперь ко второй функции ритуализованного поведения; она состоит в том, чтобы направлять свойственные виду формы поведения на определенные пути и прежде всего предотвращать или по меньшей мере смягчать вредные для сохранения вида воздействия внутривидовой агрессии. Как мы уже видели выше, изменения, которым подвергается некоторое поведение на службе коммуникации, могут ослабить его первоначальную эффективность, что в большинстве случаев нежелательно для сохранения вида. Случай внутривидовой борьбы составляет исключение, поскольку весьма желательно как можно более ослабить ее первоначальные последствия — телесные повреждения собратьев по виду. Формы движения при внутривидовой борьбе у большинства животных произошли от движений пожирания пищи. Большинство рыб, рептилий, птиц и млекопитающих используют для борьбы с собратьями по виду свои орудия пожирания. Лишь относительно немногие из них наносят удар передними ногами, и еще меньшее число пользуется в борьбе хвостом, как это делают, например, некоторые рептилии. Еще реже случается, что внутривидовой агрессии служат движения и органы, возникшие для защиты от хищников. В виде примеров могу назвать только рыб-бабочек (Tetrodontidae), которые в борьбе

---

[1] *Буквальный перевод: "движения перепрыгивания" *(нем.). — Примеч. пер.*

с соперником колют друг друга иглами спинного плавника, и некоторых полорогих*. Насколько мне известно, единственные животные, у которых оружие конкурентной борьбы возникло лишь для такой цели, — это олени.

Поскольку смысл внутривидовой борьбы для сохранения вида состоит не в уничтожении противника, а в его ранговом подчинении или изгнании из участка, то оружие и формы движения, созданные для умерщвления добычи или для защиты от хищников, оказываются слишком острыми и эффективными для конкурентной борьбы. Поэтому уменьшение остроты этих органов и надлежащее направление движений весьма важны для сохранения вида. У очень многих животных это достигается тем, что настоящей борьбе предшествуют угрожающие формы движения, которые происходят от движений, выражающих намерения, и от амбивалентных шаблонов поведения, возникающих вследствие конфликта побуждений. Эти движения часто подвергаются далеко идущей ритуализации. Часто формы поведения, служащие для угрозы и для избегания борьбы, приводят к тому, что противники буквально *меряются* друг с другом. При угрозе шириной (Breitseitsdrohen) соперничающие рыбы меряются размерами тела; при толкании ртами (Maulkämpfen) они меряются силой. При конкурентной борьбе оленей они также в подлинном смысле меряются силой.

Как уже было сказано, все сигналы эволюционируют под селекционным давлением, производимым на них механизмами приема сигналов. Мимикрия, т. е. подражание сигналам другого вида, состоит в одностороннем приспособлении отправителя сигнала к аппарату приема сигналов "обманутого" вида. Но именно поэтому, как показал В. Виклер, мимикрия представляет собой особенно простой случай возникновения сигналов. Когда же, как это бывает в большинстве случаев, отправитель и получатель — животные одного вида, то сигнал и приемный аппарат находятся в равной степени под селекционным давлением их коммуникативной функции и могут, взаимно дополняя друг друга, достигать все большей однозначности и действенности.

Уже была речь о том, что более высокая дифференциация некоторой ритуализованной формы движения, служащей для передачи сигналов, означает ее *отщепление* от неритуализованного прообраза, который остается неизменным. Поэтому каждая более высокая ритуализация сопровождается возникновением *новой наследственной координации*. Эта последняя вызывает, в свою очередь, столь же автономно, как и все другие инстинктивные движения, специфически направленное на нее аппетентное поведение; иными словами, выполнение новой церемонии становится *потребностью* для соответствующего животного. Так, например, у серого гуся потребность выполнения церемонии, называемой триумфальным криком, является сильной мотивацией, в значительной мере определяющей структуру сообщества этих птиц. Она составляет крепкую связь, сплачивающую супружескую пару и семью. Она не просто "выражает" такие связи, а создает их.

Обширные исследования Вольфганга Виклера и его сотрудников показали, что связь, соединяющая двух индивидов в длительном моногамном браке, как это наблюдается у очень разнообразных животных

— млекопитающих, птиц, рыб и даже раков, — в большинстве случаев зависит от потребности выполнения определенной церемонии, которую каждый из супругов способен избирательно выполнять только с другим. Иначе обстоит дело лишь у моногамных Garnele Hymenocera. У них пара соединяется аппетенцией к состояниям покоя в смысле Мейер-Гольцапфель. Самец, потерявший самку, не находит покоя и повсюду разыскивает ее, пока не найдет, после чего оба погружаются в глубокое спокойствие.

Один из замечательных примеров церемонии, составляющей связь, — это пение дуэтом, изученное у гиббонов, бородатковых*, сорокопутов и дронго. У названных птиц супруги, чередуясь, быстро обмениваются короткими строфами, вплотную примыкающими одна к другой, так что возникает сплошная продолжительная последовательность звуков; услышав ее, вряд ли кто-нибудь догадается, что ее произвели два индивида. Отдельные короткие строфы и их последовательность существенно меняются от пары к паре, и партнеры должны, вероятно, подстраиваться друг к другу путем индивидуального обучения, т. е. "проводить репетиции", чтобы у них получилась единая звуковая конструкция. Если это верно, что еще надо точнее проверить, то каждая птица может пропеть свой дуэт с единственным индивидом своего вида; тем самым аппетенция к этой церемонии устанавливает между партнерами прочную связь.

(3) Вследствие процесса филогенетической ритуализации возникает, таким образом, новая автономная мотивация социального поведения. Пользуясь предложенным мною в свое время сравнением, можно сказать, что ритуализованная форма движения получает место и голос в великом "парламенте инстинктов" соответствующего вида животных. У очень многих общественных животных структура сообщества в значительной степени определяется ритуализованными формами поведения. Уже упомянутый триумфальный крик серого гуся управляет всей общественной жизнью этого вида; у северных олуш*, колониальных морских птиц, форма колонии — например, точное расстояние между гнездами — определяется столь высокоритуализованными церемониями, что трудно установить их филогенетическое происхождение. Соответствующие явления наблюдаются у галок и очень многих других общественных животных.

Ритуализованные формы поведения, в их двойной функции коммуникации и мотивации социальных форм поведения, образуют у высших общественных животных единую систему; при всей пластичности и способности к регулированию эта система составляет прочный остов, несущий всю социальную структуру соответствующего вида. И прочность, и способность к регулированию такой системы очень часто зависят от напряжения между антагонистически действующими церемониями, например церемониями угрозы и умиротворения. Достаточно присмотреться в течение часа к павианам на обезьяньей скале соседнего зоопарка, чтобы понять, как складывается равновесие этих двух функций. Точно так же в волчьей стае или в стаде шимпанзе угроза и умиротворение составляют бо́льшую часть выразительных движений, которыми обмениваются члены сообщества. И конечно, никоим образом не случайно, что как раз у этих весьма агрессивных видов в естественных условиях столь редко наблюдается применение грубой силы.

(4) Упомянем еще четвертую важную функцию эволюционной ритуализации — лишь потому, что она также имеет свою аналогию в области культурного развития. Ритуализованные формы движения могут вносить свой вклад в предотвращение скрещивания видов. Этому служат многие движения токования у птиц. У многих пипридов, мелких тропических птиц, самцы окрашены очень пестро, тогда как самки разных видов мало отличаются друг от друга. Чепин и Чепмен показали, что самцы ухаживают также за самками других видов; но те отвечают с большой избирательностью исключительно на токование самцов своего вида. То же справедливо для социального ухаживания многих видов плавающих уток, как правильно установил Гейнрот уже много лет назад.

6. ОБРАЗОВАНИЕ РИТУАЛОВ В ИСТОРИИ КУЛЬТУРЫ

Культурно-историческая ритуализация в основном тоже может быть понята как возникновение некоторой системы коммуникации; и в этом случае образование символов также составляет важный шаг. В моем предыдущем изложении, касающемся филогенетической ритуализации, я ставил выражение "символ" в кавычки или заменял это понятие описаниями, поскольку эволюционно возникшие "механизмы запуска" суть сигналы, но не символы в смысле понятия, выработанного при исследовании человеческого языка. Эти сигналы не применяются свободно, и значение их не выучивается; напротив, весь аппарат взаимопонимания до мельчайших подробностей возник эволюционным путем и закреплен наследственностью. В системах животных сообществ как раз все выученное играет весьма скромную роль, и прежде всего оно вообще не влияет на *форму* передаточного и приемного аппарата.

Несмотря на указанные важные различия, филогенетически возникший сигнал и выработанный историей культуры подлинный символ имеют в своем происхождении нечто общее: возникновение обоих начинается с того, что представитель некоторого вида вырабатывает *понимание* тех форм движения, которые *позволяют предсказать* непосредственно следующее за ними поведение своего собрата по виду. Типичными примерами таких форм движения являются так называемые движения намерения, т. е. неполно выполняемые движения, указывающие на постепенное усиление готовности к определенному поведению. Если в случае филогенетической ритуализации "понимание" движений собрата по виду основывается на унаследованных функциях приемника сигнала — точно так же, как "понимаемые" при этом движения суть наследственные координации, — то в случае культурной ритуализации отправление и прием сигналов развиваются на основе обучения и культурного наследования приобретенных признаков.

Что касается отправителя, то способность к *подражанию собственным движениям,* лишь зачаточная у антропоидов и высокоразвитая только у человека, позволяет отправителю продемонстрировать получателю сигналов копию той формы поведения, которую он хочет ему сообщить. Как уже говорилось в разделе о подражании, это подражание всевозможным формам движения предполагает, естественно, наличие свободно выбираемых *произвольных движений* (с. 379 и дальше). У шимпанзе известны случаи, когда одна обезьяна побуждала другую к сотрудничеству свободным подражанием требуемым движениям. В лаборатории Йеркса двум шимпанзе была предложена проблемная ситуация, в которой они должны были достать корзинку, одновременно вытягивая два конца веревки, продетой через ее ручки. Когда одна из обезьян поняла задачу, она подвела другую к одному из концов веревки, схватила ее руку и положила ее на веревку. Затем она сама быстро побежала к другому концу, схватила его и показала, "как тянуть веревку". Насколько мне известно, это наибольшее приближение к подлинным символам, достигнутое животным спонтанно, т. е. без предварительной направленной дрессировки.

Герхард Гёпп в своих интересных размышлениях о возникновении словесного языка пришел к выводу, что первое подлинно словесное высказывание должно было быть императивом. Немногие имеющиеся наблюдения первоначального образования подлинных символов, по-видимому, подтверждают его точку зрения. Ситуация, в которой высшее живое существо самым настоятельным образом ощущает необходимость коммуникации с другим, безусловно, возникает тогда, когда ему нужна помощь. Когда собака, испытывающая жажду, подталкивает носом своего хозяина, приподнимаясь к умывальнику, смотрит на него через плечо назад и при этом скулит — это высокий результат, достижение которого могло возникнуть лишь под давлением сильной потребности и которое я наблюдал лишь однажды у самой умной из моих собак.

Примечательно, что самые примитивные из коммуникационных функций человека, о которых можно с достоверностью утверждать, что они не являются врожденными, имеют аналогичный характер. Слепоглухонемая Хелен Келлер, прозябавшая до седьмого года своей жизни без духовного общения с людьми, еще до того, как Энн М. Салливан взяла в свои руки ее воспитание, могла сообщать свою потребность в еде и питье узнаваемым подражанием соответствующим формам движения. Такое подражание могло быть в этом случае лишь подражанием самой себе.

В ходе исторического становления культуры подобные зародыши способов общения подвергаются, на службе своей коммуникативной функции, дифференциации, происходящей аналогично дифференциации врожденных сигнальных аппаратов. Аналогичным образом — о чем нам еще предстоит говорить подробнее — культурная ритуализация вырабатывает и три другие функции, уже знакомые нам как функции филогенетической ритуализации, служащие сохранению вида, — направление поведения на безопасные пути, образование новых мотиваций и предотвращение смешения культур.

Но в то время как филогенетическая ритуализация ничем не способствует *постоянству* признаков вида — разве лишь косвенно, препятствуя скрещиванию, — культурное образование ритуалов играет существенную роль в сохранении традиционных признаков культуры.

В развитии культурных систем коммуникации свойства передатчика определяются прежде всего селекционным давлением требований приемника. Соответственно этому мы обнаруживаем в культурных ритуалах едва ли не все свойства, известные нам по филогенетически возникшим сигналам и обеспечивающие их однозначность. Однозначность сигнала зависит также, разумеется, от избирательности приемного аппарата, которая в случае врожденных механизмов запуска намного меньше, чем в случае выученных реакций. Способность различать сложные комбинации сигналов, даже если они отличаются друг от друга лишь конфигурацией, а не содержащимися в них стимулирующими элементами, основывается на функциях восприятия, осуществляемых на гораздо более высоком уровне центральной нервной системы, чем врожденные механизмы запуска. Процессы обучения также играют при этом важную роль.

Хотя в каждой возникшей культурным путем системе коммуникации роль приемника играет, конечно, выученное распознавание образов, при этом сохраняют свою роль и те функции восприятия, которые осуществляются на низшем уровне; более того, они являются основой и строительным материалом любого более высокоинтегрированного распознавания образов. Физиологи и психологи, занимавшиеся этими функциями, хорошо знают, какие требования предъявляет наше восприятие к комбинациям сенсорных стимулов, чтобы они могли однозначно узнаваться как неизменные образы. При этом во всех случаях решающее значение имеет так называемая выразительность, состоящая в соединении возможной простоты с возможно большей общей невероятностью сигнала. На низшем уровне сложности врожденные механизмы запуска предъявляют к сигналам, на которые они должны отвечать, в принципе те же требования однозначности, что и наше восприятие образов на высшем уровне. Объясняется это тем, что в основе обоих видов приемных аппаратов лежат одни и те же элементарные физиологические процессы, составляющие их "вход". По тем же причинам однотипные приемники сигналов "выработали" аналогичные свойства у противостоящих им передатчиков. О них я говорил в другой работе ("Образование ритуалов в эволюции видов и в истории культуры").

Как уже было сказано, четыре функции эволюционной ритуализации, рассмотренные в предыдущем разделе, мы обнаруживаем в аналогичных формах и при изучении культурно образовавшихся ритуалов: это коммуникация, "направление" различных, прежде всего агрессивных, форм поведения, образование новых, сильных мотивов социального поведения и, наконец, предотвращение смешения. Эти функции будут теперь рассмотрены в том же порядке.

По поводу коммуникативной функции ритуализации достаточно сказать немного. Почти все языковые средства взаимопонимания основываются на ритуализации, и даже на человеческие выразительные движения, в столь значительной мере содержащие врожденные формы поведения, в различных культурах накладываются традиционные ритуалы. Весьма вероятно, что — как и в случае эволюционно возникших форм поведения — первоначальной функцией всех культурных ритуалов была коммуникация. От нее можно произвести все другие.

В то время как вторая функция — сдерживание и направление потенциально опасных форм поведения — при филогенетической ритуализации ограничивается главным образом смягчением резкости движений во время борьбы, аналогичная функция культурной ритуализации оказывает влияние на бо́льшую часть всего социального поведения человека: едва ли не все, что мы делаем в присутствии других, подвергается влиянию культурной ритуализации. Подлинно неритуализованное поведение человека, и прежде всего большинство неритуализованных инстинктивных движений, социально запрещено. Почесывание, потягивание, ковыряние в носу и другие виды "бесцеремонного поведения" запрещаются так же, как испражнение и копуляция. Непосредственным следствием всеохватывающей культурной ритуализации является *стыд*.

Культурный смысл ритуальной смирительной рубашки, надетой на все наше биологически заданное* поведение, а тем самым ее значение для сохранения вида, состоит в необходимости поставить под контроль устанавливаемых культурой норм поведения если не все, то бо́льшую часть человеческих инстинктивных побуждений.

Поскольку "Pseudospeciation", псевдовидообразование культур, происходит намного быстрее, чем изменение видов, то расхождение между врожденными для человека нормами социального поведения и тем, чего требует от него культура, увеличивается вместе с возрастом и высотой культуры. Как уже было сказано, в этом, возможно, состоит одна из причин, по которым культуры с большой регулярностью разрушаются как раз тогда, когда достигают стадии высокой культуры. Это явление, которое Освальд Шпенглер назвал смертью от старости, конечно, *не* затрагивает культур, застывших на относительно простой, "близкой к природе" стадии развития, как, например, культура индейцев пуэбло в штате Нью-Мексико, традиции которых восходят к доисторическим временам.

В то время как филогенетическая ритуализация всегда ограничивается формами поведения, служащими взаимоотношениям собратьев по виду, культурная ритуализация влияет также и на формы поведения, связывающие человека с его вневидовой средой. В эту вневидовую среду человек встраивает целый мир предметов, окружающий его наподобие скорлупы и при некоторых условиях мешающий ему понять, что за этой рукотворной оболочкой есть еще независимая от человека внесубъективная действительность. Между тем у многих авторов мы находим вводящее в заблуждение, совершенно ошибочное высказывание, будто у человека нет никакой внешней среды; особенно подчеркивает эту точку зрения Арнольд Гелен.

Ганс Фрейер дал одному из разделов своей книги "Порог времен" название "Торжествующая вещь" ("Der triumphierende Gegenstand"). Там он с чрезвычайной ясностью анализирует роль конкретной, созданной человеком вещи в социальной жизни носителей культуры. "Вещь" ("Gegenstand") в смысле Фрейера есть искусственный продукт именно этого рода, что нужно здесь отметить, поскольку в разделе о пространственном представлении и понимании я обозначал этим словом гораздо более широкое понятие*. Фрейер говорит: "Тогда как другие виды работы бесконечно повторяются в круговращении потребности и удов-

435

летворения, изготовление (вещей) имеет определенное начало и определенный конец". Изготовленная вещь не исчезает при потреблении; хотя она и не вечна, но устойчива, более того, она "сохраняется также и в том смысле, что процессы гибели, разрушения и порчи, естественно, также ее затрагивающие, для нее не существенны; они относятся, так сказать, лишь к ее веществу, но не к ней самой". Этими словами Фрейер описывает бессмертие, присущее созданной смертными руками вещи в том же смысле, как идее Платона. Мне представляется, что эта правильно понятая многими мыслителями трансценденция человеческого труда была моделью для всех идеалистических представлений об акте творения (см. также примечание (2), с. 459—460).

Триумф трансцендирующей вещи увенчивается тем, что она вообще освобождается от употребления, так что ее право на существование связывается исключительно с ее духовным содержанием, которое "вливается в нее в акте изготовления, становится в ней вещественным явлением и затем пребывает как таковое. Так обстоит дело в случае произведения искусства". "Лишь с обращением духа к вещи, — говорит Фрейер, — категория эстетического приобретает основополагающий характер". В этом я несколько сомневаюсь, так как предполагаю, что эстетическое — новая форма бытия, воплощенная в искусстве, — уже намного раньше произошло от человеческих форм движения в несомненно старейшей форме искусства для искусства — в танце.

Как бы то ни было, изготовленный человеком мир вещей — его одежда, мебель, здания и сады, измененный его культурой "очарованный пейзаж", как его называет Фрейер, и прежде всего окружающие человека со всех сторон свойственные его культуре произведения искусства неизбежно накладывают на культурного человека свой отпечаток, проявляющийся в его поведении. Социальное поведение, начиная с самых внешних, поверхностных форм обращения, именуемых "манерами", вплоть до глубочайших внутренних этических "установок", также формируется стилем времени: усиливающееся с развитием культуры принуждение налагается на биологически заданное в человеке, т. е. на филогенетически сложившуюся, врожденную программу его социального поведения. "Упадок нравов", иными словами, восстание против все более невыносимого принуждения все выше ритуализирующей культуры, может быть одной из причин внезапного разрушения высоких культур.

Обращение человеческого духа к вещи влияет не только на манеры и позы, но через них удивительным образом также на весь внешний вид человека, на его фенотип. Как известно, структура и функция даже в понятии не могут быть строго отделены друг от друга; позиции тела могут быть генетически закреплены и стать постоянными видимыми признаками расы. У дикой формы нашей домашней курицы рулевые перья расположены горизонтально, как у наших фазанов, и только в настроении импонирования* дикий петух поднимает их и выглядит тогда точно так же, как всегда выглядят наши домашние петухи — не потому, что они морфологически иначе устроены, а лишь по той причине, что они гиперсексуализированы и постоянно находятся в настроении импонирования. Аналогичные воздействия могут производить предписываемые культурой позиции тела. В какой поразительной степени модные костюмы эпохи определяют внешний вид человеческого тела, можно понять, лишь сравнивая образцы моды с фотографиями того же времени. Даже в тех случаях, когда следовавшие моде дамы фотографировались обнаженными, они приводили свое тело в положение, точно подходившее к модной в то время одежде.

На поведение и внешний вид носителей культуры влияют не только присущие ей способы одеваться, но и все производимые ею вещи. Как образно говорит Ганс Фрейер, рыцари и дамы эпохи миннезингеров просто не могли бы сидеть на высоких готических стульях своего времени и естественно передвигаться в готических залах, если бы стиль того времени не был уже заложен у них в позициях тела. Я вполне сознательно употребил слово "естественно": человек, как уже часто повторялось, по своей природе культурное существо, и сюда относится его врожденная готовность воспринимать предписываемое его культурой ритуализованное поведение как вторую натуру.

Носить предписанный костюм с приличием и достоинством считалось обязанностью, но временами это должно было быть подлинной пыткой. Вдобавок к этому предписываемое большинством высоких культур строго ритуализованное поведение было не просто обязанностью, но рассматривалось как символ статуса, а потому питалось также из врожденных инстинктивных источников импонирования. Как мы знаем, все усвоенные и мастерски заученные движения становятся самоцелью и удовольствием. Но какие формы движения столь виртуозно заучивались, столь совершенно усваивались, как доведенные до уровня эстетических шедевров формы общения высокой культуры? "Tenue"[1]*, которую человек высокой культуры обретает и выдерживает, не просто имеет вид подлинности, "как будто, — по выражению Фрейера, — это самая естественная вещь на свете"; более того, для носителя традиции она *и есть* самая естественная вещь на свете, и в системе его мотиваций она действует почти так же, как если бы возникла эволюционным путем и была генетически закреплена.

Придворный 15—16 столетий граф Бальдассаре Кастильоне написал книгу об искусстве придворного под названием "Il Cortegiano"[2]*, к сожалению, известную мне лишь по цитатам Фрейера. Кастильоне тоже объясняет, насколько подлинно то, что слишком легко принимают за внешнюю видимость. При более глубоком рассмотрении под этой поверхностью обнаруживается некоторая категория бытия — это уже не выработанная культурой видимость, а подлинная человечность, уже не приличие внешнего поведения, а порядочность сердца. Приличие и порядочность* составляют единое целое, во всяком случае в том, что касается процесса их традиционной передачи и общности их филогенетических основ. В обоих случаях имеется врожденная открытая программа, наполняемая в частностях данной культурой. В обоих случаях врожденной основой является чувствительность к эстетическому и этическому, иными словами, распознавание образов.

---

[1] *Tenue *(фр.)*, здесь — внешний вид, осанка, манера держаться, выправка; также одежда, мундир. — *Примеч. пер.*
[2] *"Придворный". — *Примеч. пер.*

Часто можно услышать превратившиеся в разговорные штампы высказывания о пустой поверхностности хороших манер. Но, как правило, человек с сердечной приветливостью при всем своем желании — или против желания — не может быть по-настоящему груб; во всяком случае, я наблюдал это лишь в редких, исключительных случаях. По горькому опыту я научился опасаться людей, старающихся произвести впечатление, будто их выставляемая напоказ грубость носит лишь внешний характер. О людях, принимающих установку "рубахи-парня"*, чтобы безнаказанно говорить неприятные вещи, можно предполагать с вероятностью, граничащей с уверенностью, что они прикрывают грубой скорлупой полное отсутствие золотого ядра.

Узко ограниченные пути, на которые культурная ритуализация направляет едва ли не все социальное поведение человека, сдерживают, естественно, также его агрессивность — впрочем, большей частью лишь в тех случаях, когда она направляется против членов той же культуры и того же общественного класса. Это может приводить к парадоксальным последствиям, возмутительным для нашего восприятия. В эпоху миннезингеров дворяне множества мелких суверенных государств составляли один класс, а крестьяне — другой. Когда одно из этих мелких государств воевало с другим, то рыцари сражались между собой со всей "Fairneß"[1]* турнирной борьбы, так что смертельный исход поединка в такой войне вряд ли случался чаще, чем в чисто спортивном турнире. Но от misera plebs[2]*, т. е. от крестьян, ожидали, что они будут решать исход сражений между их господами в настоящей, не ритуализованной кровавой борьбе. Побежденные и плененные рыцари принимались как любезные гости, а пленную пехоту третировали как скот.

В пределах небольших культурных групп направление агрессивного поведения достигалось при помощи самых разнообразных форм культурной ритуализации. По Эйбль-Эйбесфельдту, у индейцев вайка родители, согласно принятому обычаю, прямо побуждают детей к дракам, в которых соблюдается, впрочем, строгий ритуал битья. Напротив, у африканских бушменов тот же автор обнаружил в высшей степени действенное воспитание детей в духе мирного поведения. Индейцы и бушмены находятся в разном экологическом положении; первые часто ведут войны с соседними племенами, вторые, по-видимому, никогда.

Во многих культурах, даже относительно примитивных, ритуализация превратила боевое поведение в особый вид соревнования, который мы называем спортом. Поскольку я подробно говорил в моей книге об агрессии, каким образом спорт препятствует борьбе, мне нет надобности дальше заниматься этим вопросом.

О третьей функции ритуализации — создании автономных мотивов социального поведения — достаточно сказать немногое. Само собой разумеется, что удовольствие от заученных форм движения, от tenue, весь созданный культурой мир вещей, свойственное культуре искусство и доведенный до уровня этики кодекс приличия и порядочности ощуща-

---

[1] *Fairness *(англ.),* здесь — честная игра, игра по правилам. Автор пишет вместо "ss" немецкое "ß", согласно австрийскому написанию этого заимствованного слова. — *Примеч. пер.*

[2] *Жалкий плебс *(лат.).* — *Примеч. пер.*

ются каждым носителем этой культуры как высочайшие ценности; а стремление настаивать на них и защищать их становится мощным мотивом, управляющим его поведением.

Перехожу к последней из функций, в которых культурная ритуализация обнаруживает аналогии с филогенетической, — к ее функции поддерживать сплоченность группы и изолировать ее от других. Как было упомянуто в разделе о псевдовидообразовании (с. 412 и далее), уже мельчайшие мыслимые этнические группы и субкультуры структурируются и сплачиваются ритуализованными нормами поведения, в то же время отделяющими их от других сравнимых сообществ. Уже в социальных группах, объединяемых не общими культурными символами, а всего лишь личным знакомством и дружбой, как это бывает, например, у серых гусей или у маленьких детей, сплоченность внутри группы заметно укрепляется враждебной установкой по отношению к другой сравнимой группе. На уровне культурных групп, сплачиваемых общими культурными ценностями, укрепление группового единства посредством противостояния враждебным группам проявляется еще гораздо отчетливее.

Глава 11

ФУНКЦИИ, СЛУЖАЩИЕ ДЛЯ РАЗРУШЕНИЯ* ПОСТОЯНСТВА КУЛЬТУРЫ

1. ДЛИТЕЛЬНАЯ ОТКРЫТОСТЬ МИРУ И ЛЮБОЗНАТЕЛЬНОСТЬ

Как в приведенном для сравнения примере роста костей (с. 418) остеокласты противодействуют остеобластам и как в становлении видов изменчивость находится в отношении гармонического антагонизма к постоянству наследственности, так и в жизни культуры описанным в предыдущей главе функциям, сохраняющим структуру, противостоят другие функции, обеспечивающие необходимое для любого дальнейшего развития культуры *разрушение*.

Насколько сильно жизнеспособность любой культуры зависит от равновесия этих двух групп факторов, лучше всего можно понять из нарушений, происходящих от преобладания одной из них. Увязание культуры в жестких, строго ритуализованных обычаях может быть столь же гибельно, как и потеря всей традиции вместе с хранящимся в ней знанием. Функции, разрушающие постоянство культуры, которые мы теперь рассмотрим, носят столь же специфически человеческий характер, как и функции, сохраняющие ее постоянство.

Как было уже сказано в главе 7, в разделе о любознательном поведении (с. 373 и далее), одна из характерных особенностей человека состоит в том, что у него аппетенция к исследованию и игре, в отличие от других высших организмов, не исчезает с достижением половой зрелости. Это свойство, вместе со склонностью к самоисследованию, делает человека конституционно неспособным безусловно подчиняться принуждению старой традицией. В каждом из нас существует напряжение между господством освященных традиций ценностей и мятежной любознательностью, влечением к новизне. У римлян политическим термином для революционера было выражение "Novarum rerum cupidus"[1]*.

В системе наших мотиваций, аналогично действию наших эндокринных желез — которые и служат первоисточниками мотиваций, — каждый стимул соединен с противоположным стимулом в "систему эквипотенциальной* гармонии". Две враждебные силы, любовь к традиции вместе с чувством вины при ее нарушении, с одной стороны, и столь же нагруженное эмоциями стремление к истине и новому познанию — с другой, могут яростно сражаться между собой, и платить за это приходится человеку, в чьей душе разыгрывается сражение. Чем больше человек, тем больше борьба. От одного из самых великих людей, Чарлза Дарвина, мы знаем, как дорого обошлась ему победа истины: когда он в муках борьбы пришел к освободительному, в подлинном смысле слова революционному открытию великого становления органического мира, он вовсе не чувствовал себя победителем. Он записал в своем дневнике: "Я ощутил себя убийцей".

На менее героическом уровне то же происходит в каждом из нас. Диапазон различий между людьми огромен, и равновесие между консервативными и революционными тенденциями у каждого из нас устанавливается в другом месте. Люди с большим доверием к собственной способности суждения — а это далеко не всегда самые умные люди — часто эмоционально слабы и наделены лишь ограниченной способностью восприятия сложных образов. Поэтому они, как правило, бывают мало привязаны к традиции и особенно подвержены рассматриваемой во втором томе духовной болезни техноморфного мышления. Эмоционально сильные люди, способные к любви и благоговению, часто не решаются, даже при наилучшей способности к аналитическому мышлению, подвергнуть рассудочной критике обычаи старины. Каждого, кто на это решается, они рассматривают как еретика и разрушителя высших ценностей. И часто случается, что именно люди, высоко стоящие в духовном отношении, парадоксальным образом оказывают упрямое, нагруженное эмоциями сопротивление любому каузальному объяснению явлений природы и любому новшеству в культурной жизни.

Сохраняющее культуру *равновесие* между факторами, сохраняющими и разрушающими традицию, может поддерживаться в желательном устойчивом виде. Тогда, хотя обе чаши весов одинаково нагружены, вес их может быть очень велик у одного человека и очень мал у другого. У Чарлза Дарвина напряжение между антагонистическими силами было, конечно, особенно велико, и возможно, что это способствует творчеству.

Если присмотреться к взаимодействию охранительных и обновляющих факторов в самом себе, то, как это, несомненно, подтвердят многие люди моего возраста, т. е. старые люди, складывается отчетливое впечатление, что из двух душ, живущих в нашей груди, консервативная принадлежит старому человеку, а новаторская — молодому.

---

[1]*Буквально: "страстно жаждущий нового" *(лат.)*. В политическом контексте это означало "стремящийся к переменам" (res novae — новшество, перемены, переворот). — *Примеч. пер.*

Феноменологическая честность, которой я от себя требую, вынуждает меня признаться, что даже в моем нынешнем зрелом возрасте во мне явно живет душа озорного мальчишки*, враждебная всякому профессорскому достоинству, и при торжественных академических актах она особенно склонна нашептывать мне инфантильные выходки против принятых обычаев. Полагаю, что так обстоит дело не только у меня; это доказывает случай, когда однажды, одетый в мантию, в торжественном шествии членов Баварской академии наук я получил неожиданный, хорошо нацеленный пинок сзади от одного лауреата Нобелевской премии. Конечно, мальчишеская душа лишена всякого уважения к любой традиции, в том числе к научной, и испытывает радость с некоторым дьявольским оттенком, когда что-нибудь долго внушавшее доверие вдруг оказывается ложным, даже если это означает массу нового труда.

Наряду с этой еще и в старости живой душой уже с ранней юности во мне живет другая душа, с искренним благоговением воспринимающая традицию; она боготворит почитаемых учителей, как это было описано выше (с. 423), и с величайшим почтением привязана ко всему в этой традиции, даже к ее внешней помпезности вроде академических мантий. Несомненно, обе эти души были у меня уже в ранней юности, но я столь же ясно сознаю, что в течение моей жизни вторая из них стала сильнее. А между тем я не думаю и даже не хотел бы, чтобы во мне когда-нибудь умерла непочтительная мальчишеская душа.

2. СТРЕМЛЕНИЕ К НОВШЕСТВАМ В ЮНОСТИ

У медоносной пчелы различные формы поведения, служащие общему благу улья, распределяются между разными возрастными классами. Молодые пчелы заботятся о потомстве, кормят его выделениями своих желез и производят воск. Старшие вылетают и собирают пищу для всех. Потенциально оба возрастных класса обладают обеими способностями: как показал Рёш, если удалить всех старших пчел, то молодые вылетают за пищей, и наоборот, при отсутствии молодых пчел старшие не только возвращаются к воспитанию потомства, но их уже регрессировавшие железы возобновляют работу для прокормления личинок.

В человеческой культуре также есть две функции, выполняемые различными возрастными классами в аналогичном разделении труда. Все мы считаем само собой разумеющимся, что старшие обычно консервативны, а младшие стремятся к новшествам, так что у нас не возникает повода задуматься, не кроется ли за этим антагонизмом некая глубокая гармония.

Возмущение молодежи бывает не только в человеческом культурном обществе, оно встречается также у животных, у которых родители и дети долго остаются в иерархически организованном семейном сообществе. У таких видов, например у волков, подрастающий молодой самец лишь тогда начинает бунтовать против вожака стаи, когда сам он физически в состоянии взять на себя его роль. Этот бунт против безусловно признанного до тех пор владыки нередко происходит с внезапностью, производящей впечатление злобного коварства, как это знают многие люди, воспитывавшие в обстановке человеческой семьи волка или другое животное, принадлежащее к виду с аналогичной социальной организацией.

У шимпанзе и вообще у обезьян половая зрелость наступает еще до того, как животное достигает своего окончательного веса, а именно сразу же после смены зубов, т. е. примерно на седьмом году жизни. С этого момента проходит еще пять-шесть лет, прежде чем молодой самец начинает играть роль взрослого в свойственной виду социальной структуре. Как известно, у человека юношеское развитие еще более растянуто во времени. Естественно предположить, что необходимость усвоения традиционного знания произвела то селекционное давление, которым вызвано это удлинение времени развития. В естественно образовавшемся языке слова ”детство” и ”юность” были созданы для обозначения двух качественно различных фаз развития. Можно выдвинуть некоторые гипотезы о смысле и цели этих периодов жизни.

Долгое детство человека служит для обучения, для заполнения резервуара его памяти всеми благами кумулирующей традиции, в том числе языком. Долгий период между наступлением половой зрелости и принятием роли взрослого, называемый ”юностью”, также служит вполне определенной цели. Когда юноши во время полового созревания начинают критически подходить ко всем традиционным ценностям родительской культуры и искать новых идеалов, это, безусловно, нормальное явление, предусмотренное филогенетическим программированием человеческого социального поведения. Так ведут себя и ”хорошие” дети, у которых при внешнем наблюдении их отношений с родителями вначале не заметно никаких перемен. Но втайне, несомненно, происходит некоторое охлаждение чувств к родителям и другим уважаемым лицам. И это касается, как показал Н. Бишоф, не только эмоциональной установки в отношении родителей, семьи и самых уважаемых людей, но, что весьма важно, также позиции юноши по отношению ко *всему, что принимается на веру*.

Неизвестное, чужое, вызывавшее до сих пор страх и отчуждение в такой степени, что подавлялась даже сама любознательность, вдруг приобретает волшебную притягательную силу. Одновременно с этим возрастает храбрость — особенно у молодых мужчин, и, вероятно, под прямым влиянием гормонов, — и в самом широком смысле слова усиливается агрессивность. Вместе с влечением к новому и чужому это приводит к установке, которую можно назвать тягой к приключениям. Отсюда происходит и ”тяга к странствиям”, воспетая в народной песне ”Маленький Ганс”. Примечательно, что у диких гусей есть аналогичное явление; у белолобого гуся*, как показал Н. Бишоф, превращение положительной валентности* знакомых собратьев по виду в отрицательную вызывает распад семьи. Сверх того тот же механизм препятствует спариванию братьев и сестер.

У человека изменения, сопровождающие наступление половой зрелости, гораздо сильнее выражены у мужского пола, чем у женского. Молодой человек намного сильнее возмущается против отца, чем девушка против отца или матери.

Преданность культурного человека традиционным нормам поведения весьма существенно поддерживается тем, что он переносит свои чувства к передающему традицию на все содержание традиции, которое тот передает. В нормальных условиях вероятнее всего, что таким близким человеком, сильнее всего действующим на юношу, является отец; в первобытной большой семье им может быть точно так же старший брат, двоюродный брат, дядя или дед, но, конечно, во всех случаях это член семьи. Я говорю здесь о передающем традицию в единственном числе, выражая этим мое мнение, что в большинстве случаев роль передающей традицию отеческой личности играет один определенный человек; конечно, я не хочу этим сказать, что традиция не может передаваться также общим воздействием многих носителей культуры.

Освобождение от самых узких и самых специальных норм поведения семейной традиции было бы вообще невозможно, если бы любовь и уважение подростка к передающему традицию не превращались в известный момент, переменив знак, в умеренную агрессивность и враждебность или, точнее, не смешивались бы амбивалентным образом с этими антагонистическими чувствами. Интенсивность такого переключения зависит от ряда обстоятельств. Если традицию передает тиранический и строгий человек, насильно навязавший подростку семейные нормы поведения, то он вызывает более интенсивный мятеж и более сильные чувства ненависти, чем мягкий и "демократичный" воспитатель. *Совсем* без враждебных чувств освобождение молодого человека от семьи, вероятно, вообще невозможно. Между тем такое освобождение столь же необходимо для развития человеческой культуры, как перекрестное опыление для многих растений или экзогамия* для многих видов животных.

Сразу же после того, как юноша начинает критически и несколько враждебно относиться к отеческой личности и сообщаемым ею нормам социального поведения, он начинает также высматривать других людей, передающих традицию, но стоящих дальше от узкой традиции его семьи. За годами учения следуют вошедшие в пословицу годы странствий. Часто они и в самом деле состоят в перемене мест, но часто и в чисто духовных поисках. То, что влечет молодого человека вдаль, — это стремление к чему-то высокому и безымянному, совершенно отличному от повседневных происшествий семейной жизни. Нетрудно ответить на вопрос, в чем заключается подлинная цель такого аппетентного поведения, служащая сохранению культуры и вида: она состоит в отыскании культурной группы, традиционные социальные нормы которой *отличны* от норм родительского общества, но при этом все же достаточно похожи на них, чтобы возможно было отождествление с ними. Таким образом подросток часто "присваивает"* себе в качестве людей, передающих традицию, учителя, старшего друга, а нередко и целую дружественную семью.

В критической стадии развития юноша воспринимает родительские формы поведения как пошлые, устарелые и скучные. Внезапно он проявляет готовность принять чужие, отклоняющиеся от родительских нравы, обычаи и взгляды. Для выбора этой новой традиции важно, чтобы она содержала идеалы, *за которые можно бороться.* По этой причине как раз эмоционально полноценные юноши столь часто примыкают к некоторому *меньшинству,* которое очевидным образом подвергается несправедливому обращению и за которое стоит бороться.

Поразительно быстрое присоединение к новой культурной группе, фиксация инстинктов коллективного энтузиазма на новом объекте имеют черты, весьма напоминающие известный в мире животных процесс фиксации объекта, именуемый *запечатлением*. Это явление так же связано с определенной чувствительной фазой юношеского развития, так же независимо от процессов дрессировки и так же необратимо, во всяком случае в том отношении, что за первой связью этого рода никогда не следует другая столь же интенсивная и прочная связь. Есть еще другой процесс фиксации объекта, обладающий сходными свойствами, — влюбление, внезапность которого столь удачно передает английское выражение "falling in love"[1]*.

Когда ищущий новые идеалы юноша обретает в старшем друге, в учителе или в некоторой группе воплощение всего, к чему он стремится, у него может возникнуть мечтательное обожание, несколько напоминающее в своих внешних проявлениях влюбленность. Усматривать в этом гомосексуальные наклонности, как это нередко делается, было бы столь же ошибочно, как считать упомянутую выше враждебность к отцу Эдиповым комплексом с сексуальным влечением к матери. Даже самый нормальный юноша может сильнейшим образом обожать толстого старика с седой бородой и лысиной.

Описанные процессы, происходящие с подростками при достижении половой зрелости, известны каждому по собственному опыту или по наблюдению окружающих. Эти процессы хорошо известны психологам и тем более психоаналитикам. Но истолкование, которое я им даю, сильно отличается от точки зрения психоанализа. Я выдвигаю гипотезу, согласно которой только что описанные процессы, в их закономерной временнóй последовательности, имеют выработанную эволюцией программу, а функция их для сохранения культуры и вида состоит в том, что они, разрушая устаревшие элементы традиционного поведения и строя вместо них новые, осуществляют текущее приспособление культуры к непрерывно меняющимся условиям окружающего мира.

Чем выше культура, тем более необходимы для ее выживания эти функции, поскольку, чем выше уровень культуры, тем сильнее, естественно, ее собственное воздействие, изменяющее окружающий мир. Можно полагать, что пластичность культуры, обусловленная разрушением и перестройкой традиционных норм, вообще говоря, не отстает от этих изменений. Есть основания считать, что в старых и примитивных культурах традиция соблюдалась более жестко, что сын более верно следовал в них по стопам своего отца и других людей, передающих традицию, чем в высоких культурах. Трудно сказать, случалось ли уже в прошлом, что высокие культуры погибали от расстройства описанных выше процессов, прежде всего от преобладания процессов разрушения культуры. Но нашей собственной культуре, без всякого сомнения, угрожает опасность гибели из-за слишком быстрого разрушения и даже полного обрыва всей ее традиции. Этот вопрос также будет рассмотрен в следующем томе.

В нормальных условиях и в здоровой культуре (определение того, что называется нормальным и здоровым, также будет дано в следу-

---

[1] *Буквально: "падение в любовь" *(англ.). — Примеч. пер.*

ющем томе) такой обрыв традиции и потеря всего традиционного знания определенным образом предотвращаются. Где есть равновесие между факторами, сохраняющими постоянство, и факторами, разрушающими или перестраивающими его, там новые культурные нормы поведения, усваиваемые подростками, не слишком отличаются от родительских, поскольку в большинстве случаев происходят из той же или родственной культуры. Кроме того, раннее начало поиска новых идеалов позволяет юноше в течение нескольких лет сравнивать их с традициями родительского дома: и разрушение, и строительство приходятся на тот промежуток времени, когда юноша еще тесно связан с социальной жизнью своего родительского дома. Таким образом, в нормальном случае "остеокласты" никогда не делают свое дело сами по себе и беспрепятственно. И уже в то время, когда неодолимое влечение к странствиям тянет "маленького Ганса" вдаль, можно заметить возникающую тоску по дому, которая с возрастом становится все сильнее. Мятеж радикальнее всего вначале; с годами он смягчается, дети становятся все терпимее к своим родителям или их памяти, и вряд ли найдется нормальный человек, который в 60 лет не думал бы о своем отце лучше, чем в 17.

Глава 12
ОБРАЗОВАНИЕ СИМВОЛОВ И ЯЗЫК

1. "СГУЩЕНИЕ" СИМВОЛИЧЕСКИХ ЗНАЧЕНИЙ

В разделах предыдущей главы, посвященных филогенетической и культурной ритуализации, мы познакомились с рядом процессов, приближающихся к символическому представлению действий и вещей. Свободно создаваемые символы культурной ритуализации сходны с квазисимволами филогенетического образования ритуалов в том отношении, что вначале их значение крайне расплывчато. Они никогда не означают точно определенной вещи или действия, а всегда целый комплекс вещей и действий, в особенности же чувств и аффектов, — комплекс, в котором все переплетено и который не допускает простого определения. На вопрос, когда вообще в области несловесного или дословесного общения некоторый свободно созданный и передаваемый по традиции символ означает точно определенную вещь, я нахожу лишь один ответ: в тех случаях, когда культурно возникший символ связывает в одно целое некоторую группу людей.

Кроме таких групповых символов, обозначающих и представляющих определенную единую вещь, столь же точное значение имеют лишь символы языка. Но они резко отличаются как от любой филогенетической, так и от любой другой ритуальной символики тем, что это символы внутренних процессов, происходящих в центральной нервной системе и подчиняющихся очень сложной, филогенетически сложившейся закономерности — закономерности *понятийного мышления*. Происходящее здесь резкое сужение значения символа до вполне определенного понятия носит, таким образом, совсем иной характер, чем "сгущение" группового символа.

2. СИМВОЛ ГРУППЫ

Группы, более многочисленные, чем связываемые личным знакомством и дружбой, сохраняют свою сплоченность всегда и исключительно благодаря символам, созданным культурной ритуализацией и воспринимаемым всеми членами группы как нечто ценное. Они точно так же заслуживают любви, почтения и прежде всего защиты от всех опасностей, как самые любимые из ближних. В главе о факторах, сохраняющих постоянство культуры (с. 416 и далее), мы видели, какие процессы перенесения чувств придают символам эту эмоциональную ценность.

Самая примитивная и, вероятно, первая встречающаяся в культурной истории человека реакция на рассматриваемые здесь символы, объединяющие группу, гомологична защите группы у шимпанзе. Мы, современные люди, выступаем на защиту символов нашей культуры с теми же врожденными формами движения, с которыми шимпанзе защищает, рискуя жизнью, свою группу; это коллективная боевая реакция, при которой топорщатся волосы, выдвигается подбородок и затмевается разум. Украинская пословица гласит: "Коли прапор в'ється, про голову нейдется!"*

Вероятно, первые выработанные нашими предками символы, означавшие конкретную вещь, а может быть, и первые символы вообще были символами боевой сплоченности группы, вроде военных татуировок или военных флагов. Все мы знаем, как легко коллективный воинствующий энтузиазм превращается в летальный фактор уничтожения культур.

3. ЯЗЫКОВАЯ СИМВОЛИЗАЦИЯ

Насколько я знаю, единственный способ образования символов, в котором символ соответствует точно определенному понятию, — *языковой*. Несомненно, предпосылкой возникновения словесного языка наряду с функциями понятийного мышления были также процессы ритуализации, закрепляющие символы и обеспечивающие их традиционную передачу. Словесный язык — типичное творение фульгурации, создавшей путем слияния этих двух функций новую способность обозначать однозначным словесным символом точно определенный мысленный процесс. Надо представить себе, как сложна логическая связь, символизируемая, например, словечком "хотя", имеющим точные эквиваленты во всех высокоразвитых языках. Мы уже отметили на с. 405 значение того факта, что возможен перевод с одного языка на другой.

Хотя процессы культурной ритуализации, коренящейся, в свою очередь, в наличии традиции, безусловно гораздо старше синтаксического языка, такой язык и сам является средством — настоящим средством традиции и одним из самых необходимых факторов, способствующих постоянству культуры. Но, с другой стороны, язык — важнейший орган понятийного мышления и происходящего на высшем уровне любознательного поведения человека, которое мы называем *исследованием*. Тем самым он становится также важным фактором разрушения и перестройки затвердевших культурных структур. Из главы 9 мы знаем уже об упорядоченной и в высшей степени сложной врожденной программе, определяющей путь онтогенетического развития языка. В этой системе предусмотренных учебных установок самой важной является готовность сопоставлять понятиям свободно выбираемые символы, иными словами, готовность *называть* вещи и действия. Из наблюдений Энн Салливан, которые я столь подробно пересказал, ясно вытекает, что название обозначает сначала комплекс, состоящий из объекта и связанного с ним действия, как, например, питья молока или игры в мяч (с. 408). Но столь же ясно, что у нас имеется врожденная программа для существительных и глаголов и тем самым способность символизировать действие независимо от объекта, на который оно направлено. Здесь следует еще раз отметить два дальнейших факта, однозначно вытекающих из наблюдений Энн Салливан. Во-первых, человек испытывает в определенной фазе своего детства непреодолимо сильное стремление находить для вещей и действий *имена* и ощущает сильное специфическое удовлетворение, когда это ему удается. Во-вторых, вопреки силе этого стремления, он не пытается самостоятельно *изобретать* словесные символы, как это якобы сделал Адам, согласно известной легенде, а врожденным образом "знает", что он должен *научиться им у кого-то, кто передает традицию*. Таким образом, обучение языку основано на филогенетически сложившейся программе, по которой у каждого ребенка заново осуществляется интеграция врожденного понятийного мышления и переданного культурной традицией словаря. Это чудо творения наполняет понимающего наблюдателя благоговением и умилением каждый раз, когда он видит совершающее его человеческое дитя.

Глава 13
БЕСПЛАНОВОСТЬ КУЛЬТУРНОГО РАЗВИТИЯ

1. АФФЕКТИВНЫЕ СОПРОТИВЛЕНИЯ

Мы наталкиваемся на сильное, окрашенное аффектами сопротивление, когда пытаемся объяснить образованному небиологу, что великое органическое становление, несмотря на его общее направление от более простого к более сложному, от более вероятного к менее вероятному, короче — от низшего к высшему, обусловлено лишь законами случая и необходимости. Лишь этими эмоциональными причинами можно объяснить неприятие столь многими людьми книги Жака Моно. Понимание того, что великие законы природы не знают исключений, кажется противоречащим нашему ощущению и оценке свободной воли, которую все мы считаем одной из высочайших человеческих ценностей и неотъемлемым правом человека. Свидетельство нашего переживания, что у нас есть свободная воля, и естественно-научное знание о физиологической детерминированности наших поступков образуют апорию, которая рассматривается в следующем томе и из которой, как я полагаю, я знаю выход.

Почти так же трудно принять представление, что развитие нашей культуры не направляется нашей волей и тем более нашим понятийным мышлением, нашим рассудком и разумом. До последнего времени философы, занимавшиеся историей, придерживались убеждения, что историческое развитие человечества, последовательный расцвет и упадок различных культур направляются неким предустановленным планом, некоей идеей.

2. ЭВОЛЮЦИОННОЕ РАССМОТРЕНИЕ РАЗВИТИЯ КУЛЬТУРЫ

Понимание того, что культуры развиваются аналогично видам животных и растений, каждая сама по себе, на собственный страх и риск, проникло в философию истории относительно поздно. Как уже было сказано в главе 9 (с. 400 и далее), развитие культур, так же как развитие всех других живых систем, происходит без всякого предустановленного плана. По-видимому, Тойнби был первый, кто отошел в истории и в философии истории от представления, что развитие человечества и его культур есть единый процесс.

Если мы хотим изучить ход культурного развития методами причинного исследования, с утопической целью научиться его предсказывать и направлять, то прежде всего мы должны с надлежащей скромностью осознать, что факторы, обусловливающие приращение знания в некоторой культуре, в принципе аналогичны тем факторам, которые направляют развитие вида. Изложенное выше понимание культуры как живой системы и описание факторов, сохраняющих ее постоянство, и факторов, способствующих ее разрушению, дают представление о том, каким образом можно рассматривать становление культуры с точки зрения естествознания — а может быть, даже и понять его.

Прежде всего я должен был показать, что *когнитивная* функция культуры, приобретение и накопление знания, осуществляется с помощью процессов, в принципе аналогичных приобретению знания в эволюции вида. Это кажется удивительным и неожиданным, поскольку интеллект и проницательность отдельного человека входят как познавательные функции в процесс накопления сверхличного, традиционного знания. Таинственным и несколько жутким образом культура поглощает и переваривает эти отдельные вклады ее носителей и посредством процесса, столь удачно описанного и проанализированного Питером Л. Бергером и Томасом Лакменом в уже неоднократно упоминавшейся книге, превращает их в общее знание или, лучше сказать, в общественное мнение о том, что истинно и что действительно происходит. Впрочем, в этом процессе наряду с рассмотренными функциями, сохраняющими и разрушающими традицию, участвуют и многие другие, здесь не упомянутые, имеющие между собой лишь то общее, что они *не управляются сознательно и разумно.* Поэтому общественное мнение, господствующее в некоторой культуре, гораздо больше напоминает сокровище информации некоторого вида животных и основанную на ней приспособленность этого вида к среде, чем то, что знает и умеет целесообразно применять отдельный человек.

Конечно, современное естествознание, представляющее собой новую форму коллективного человеческого стремления к познанию, сложившуюся лишь несколько столетий назад, в принципе организовано таким образом, что общепринятое требование объективности навязывает ему более строгую параллельность и согласованность мышления и формирования мнений; но и в естествознании формирование мнений отнюдь не свободно от нерациональных воздействий, определяющих господствующее в культуре общее мнение. Ученый тоже сын своего времени и своей культуры.

Полное отсутствие разумного планирования в развитии культуры и ее продуктов самым удивительным образом проявляется в тех случаях, когда можно было бы с наибольшей уверенностью ожидать такого планирования, например когда инженеры садятся за чертежный стол и, как они полагают, чисто рациональным способом проектируют какие-нибудь технические продукты, например железнодорожные вагоны. Кажется невероятным, что в этой деятельности существенную роль играет так называемое магическое мышление, уже известное нам как один из факторов, поддерживающих постоянство культуры (с. 418 и далее). Но, рассматривая ряд стадий развития, пройденных пассажирскими вагонами наших железных дорог всего лишь за одно столетие с небольшим, мы видим, с каким упрямством человек придерживается традиций. Трудно отделаться от впечатления, что перед нами отражение процесса филогенетической дифференциации.

Сначала на железнодорожные рельсы попросту поставили карету; затем оказалось, что база — расстояние между осями колесных пар — недостаточно велика; ее увеличили и тем самым удлинили весь вагон. Но вместо того, чтобы, как было бы разумно, свободно сконструировать новую карету, подходящую к длинной базе, выстроили невероятным образом ряд обыкновенных карет, одну за другой. Эти кареты "склеились" друг с другом по торцовым стенкам и превратились в купе, но при этом остались без изменений боковые двери, с бо́льшими окнами в них, и меньшие окна спереди и сзади дверей. Стенки, разделяющие купе, остались в целости, так что кондуктору приходилось перемещаться снаружи, для чего был устроен ряд ручек и проходящая вдоль всего поезда подножка (рис. 3). Такое в самом прямом смысле боязливое следование однажды испытанному и нежелание испробовать что-нибудь совсем новое типичны для магического мышления. Но нигде эти свойства не проявляются яснее, чем в тех технических изделиях, где они препятствуют очевидным решениям задач.

Еще более отчетливо, если и не столь удивительно, эта склонность людей к магическому консерватизму проявляется в таких продуктах культуры, форма которых в меньшей степени определяется их функцией и потому оставляет больше места другим факторам, например сим-

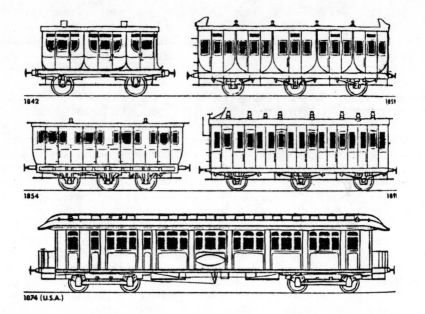

Рис. 3. Инерция потерявших функции форм в развитии техники. Форма кареты, в которую запрягали лошадей, сохраняется как остаточный признак. Даже в американском сплошном вагоне, уже не имеющем боковых дверей, сохраняется расположение окон, характерное для карет. Как показывают даты, крайне нецелесообразное устройство купе с боковыми дверями сохранялось в Европе до конца столетия, тогда как в Америке сплошные вагоны строились уже почти 30 лет.

волическому значению, возникшему из ритуализации. Отто Кёниг предпринял в своей книге "Культура и исследование поведения" сравнительное изучение исторического развития военных мундиров, показав, что в этой области не только применимы в строгом смысле понятия гомологии и аналогии, но даже явления изменения функций, рудиментации и остаточных образований выступают точно так же, как в филогенезе. Из множества одинаково впечатляющих примеров приведем здесь развитие так называемого латного воротника, воспроизводимое на следующей иллюстрации. Оно показывает, как из первоначально функциональной части панциря получается путем изменения функции знак различия (рис. 4).

Все эти явления свидетельствуют об отсутствии предварительного планирования в развитии упомянутых продуктов культуры. Они служат определенным функциям точно так же, как органы животных, и параллели, существующие между их историческим развитием и филогенетическим становлением структуры органов, наводят на мысль, что в обоих случаях действуют аналогичные факторы и прежде всего что главную роль играет при этом, безусловно, отбор, а вовсе не рациональное планирование.

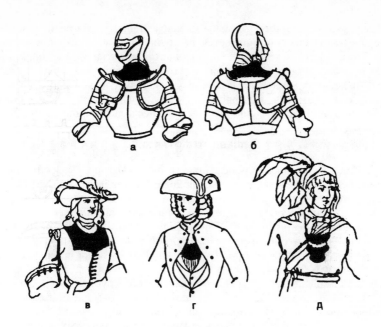

Рис. 4. Развитие знака различия из функциональной части панциря.

а—б) Латы эпохи около 1500 г. с "воротником" спереди и сзади.

в) Офицер Бранденбургского курфюршества (около 1690 г.) с большим кольцеобразным воротником, по которому еще отчетливо видно его происхождение от латного воротника.

г) Офицер бранденбургской пехоты (около 1710 г.) с уже уменьшившимся кольцеобразным воротником, ставшим знаком различия.

д) Осцеола, вождь семинолов, с декоративным тройным кольцеобразным воротником, служащим для импонирования.

Еще в последнюю мировую войну остаток кольцеобразного воротника был отличительным знаком немецкой полевой полиции.

Глава 14

КОЛЕБАНИЕ КАК КОГНИТИВНАЯ ФУНКЦИЯ

1. ФИЗИЧЕСКОЕ И ФИЗИОЛОГИЧЕСКОЕ КОЛЕБАНИЕ

Любой процесс регулирования, в котором играют роль механизмы *инерции,* имеет тенденцию к *колебанию.* Стрелка компаса, выведенная из положения равновесия, после возмущения долго колеблется, прежде чем снова успокаивается в "правильном" положении, и очень трудно сконструировать регулирующее устройство любого рода, например термостат, которое при выравнивании возмущения не переходило бы немного через цель, возвращаясь к номинальному значению лишь после затухающих колебаний. Именно так обстоит дело и во всех физиологических процессах регулирования. Например, так называемое возбуждение покоя

(Ruheerregung) нервного элемента, испустившего ударный импульс (Erregungsstoß), сначала снижается до нуля, т. е. до состояния полной невозбужденности, но затем не возвращается к прежнему состоянию по простой асимптотической кривой, а заходит дальше. Поэтому за периодом "невосприимчивости" к любому стимулу следует период повышенной возбудимости, и первоначальное значение возбуждения покоя достигается лишь постепенно, часто после нескольких колебаний.

2. ПСЕВДОТОПОТАКСИС

Альфред Кюн описал процесс ориентации, в котором колебательный процесс используется для выполнения когнитивной функции. Хотя единственным строительным элементом этого механизма является фобическая реакция, он способен определять точное направление цели столь же хорошо, как описанный на с. 289 и далее топотаксис. Поэтому Кюн назвал его "псевдотопотаксисом". Хороший пример этого представляет поведение, с помощью которого находит добычу улитка насса. Возбужденная запахом, она вылезает из песка и, покачивая в разные стороны своей длинной хоботообразной дыхательной трубкой — сифоном, ищет, с какой стороны запах усиливается. При этом она ползет вперед в одном произвольном направлении и, таким образом, не выполняет повороты на регулируемые углы, характерные для всех топических реакций или таксисов (с. 289 и далее). Улитка продолжает двигаться вперед в случайно выбранном направлении до тех пор, пока *разности* концентраций вызывающего запах вещества, воспринимаемых ее сифоном при взмахах в разные стороны от направления пути, не начинают *убывать*. Понятно, что максимум этой разности достигается в тот момент, когда улитка пересекает направление к цели под прямым углом* и когда, следовательно, взмах сифона совпадает с этим направлением. Но затем улитка вовсе не поворачивается на прямой угол к цели, как этого невольно ожидает наблюдатель, а на вполне определенный, нерегулируемый острый угол. В этом проявляется настоящая *фобическая* реакция (с. 288 и далее). Повторяя этот процесс, насса продвигается в направлении усиления запаха наподобие парусной лодки, лавирующей против ветра, пока наконец не касается добычи сифоном при его очередном взмахе, прямо "наталкиваясь" на нее. Одна моя американская знакомая имела обыкновение ориентироваться подобным образом на широких дорогах со слабым движением. Она ехала на своей машине приблизительно в направлении дороги, пока не приближалась слева или справа к обочине, на что она затем фобически реагировала небольшим изменением курса. Поведение, именуемое "псевдотопотаксисом", состоит в том, что выполняется последовательность фобических реакций, в сумме образующих регулируемое по величине изменение направления.

3. ЧЕРЕДОВАНИЕ "ГИПЕРТИМНОГО" И "ГИПОТИМНОГО" НАСТРОЕНИЯ

Как все знают из самонаблюдения, настроение человека колеблется между веселостью и подавленностью, между радостными и депрессивными состояниями. Одна из форм этих колебаний распространяется на длительные промежутки времени; у творчески активных людей особенно заметно чередование периодов повышенного, деятельного настроения с периодами дурного настроения и бездействия. Патологическим усилением такого чередования настроений является так называемый *маниакально-депрессивный психоз,* при котором сильно возрастают и период и амплитуда колебаний.

Существуют всевозможные переходы между "нормальным" и "патологическим" чередованием "гипертимных" и "гипотимных" состояний или, как говорили раньше психиатры, "мании" и "меланхолии". Меняется также продолжительность отдельных состояний: есть люди, почти всегда находящиеся в несколько гипертимном настроении; окружающие завидуют их веселости, но лишь немногие знают, что им приходится расплачиваться за нее кратковременными, но глубокими депрессиями. Напротив, есть люди, вообще пребывающие в несколько "меланхолическом" настроении, но покупающие этой ценой периоды чрезвычайной активности и творческой силы. Я не без умысла употребляю здесь выражения "расплачиваться" и "покупать", потому что убежден, что между рассматриваемыми фазами настроения в самом деле существует физиологическая связь.

"Нормальна" и явно способствует сохранению вида смена настроений *в течение дня,* происходящая почти у всех здоровых людей. Переживания, которые я попытаюсь здесь описать феноменологически, многие наблюдали на себе. Когда я, как со мной обычно бывает, просыпаюсь на некоторое время в очень ранние часы, мне приходит на память все неприятное, с чем мне пришлось столкнуться в последнее время. Я вдруг вспоминаю о важном письме, которое давно уже должен был написать; мне приходит в голову, что тот или другой человек вел себя в отношении меня не так, как мне хотелось бы; я обнаруживаю ошибки в том, что написал накануне, и прежде всего в моем сознании возникают всевозможные *опасности,* которые я должен немедленно предотвратить. Часто эти ощущения так сильно осаждают меня, что я, взяв карандаш и бумагу, записываю вспомнившиеся мне обязанности и вновь открывшиеся опасности, чтобы их не забыть. После этого я снова засыпаю, как будто успокоившись; и когда в обычное время просыпаюсь, все это тяжелое и угрожающее представляется мне уже далеко не столь мрачным, и к тому же приходят на ум действенные предохранительные меры, которые я тут же начинаю принимать.

Весьма вероятно, что эти перемены настроения, испытываемые большинством из нас, основаны на некотором *регулирующем контуре,* в который встроен элемент инерции, вызывающий торможение и тем самым колебания. Как все знают, внезапное исчезновение угнетающих факторов приводит к приливу радостного настроения, и столь же известен противоположный процесс. Во внутренне обусловленном колебании между гипотимными и гипертимными состояниями я усматриваю важный для сохранения вида процесс *поиска,* с одной стороны, предваряющий опасности, угрожающие нашему существованию, а с другой — разведывающий возможности, которые мы можем использовать для своего блага.

Мой покойный друг Рональд Харгривс, весьма богатый идеями психиатр, в одном из своих последних писем задал мне вопрос, каково может быть положительное значение опасливо-депрессивного настроения для сохранения вида. Я ответил ему, что если бы моя жена не была склонна к таким настроениям, то двоих из моих детей не было бы в живых. Оба они погибли бы от очень рано подхваченной и поэтому особенно опасной туберкулезной инфекции, если бы моя жена, как опытный врач и опасливая мать, не поставила им своевременный диагноз и не принялась их лечить, когда все другие врачи отрицали еще какую-либо опасность.

Как известно, внешние влияния могут чрезвычайно усилить размах рассматриваемых колебаний настроения, и это также имеет очевидное значение для сохранения вида. Если человек однажды узнает, что потерял работу или что у него сахарная болезнь, это целесообразным образом приводит в действие механизм, ищущий *опасности*, поскольку из наступившего бедствия таковые непременно произойдут. Точно так же целесообразно, когда после выздоровления от болезни или после большой удачи человек впадает в настроение, в котором он ищет новые возможности, открытые благоприятным поворотом судьбы.

Пассивность человека в опасливо-депрессивном настроении также имеет свой телеономный смысл. Дикое животное, прислушивающееся к опасностям или выслеживающее их, также ведет себя в моторном отношении спокойно и только обыскивает окрестности своими органами чувств, воспринимая все поступающие стимулы. Член сообщества животных, на которого возложена обязанность искать возможные опасности, — это никоим образом не самый слабый и трусливый его член. Роль "сторожевого гуся" (Sicherganter), стоящего на страже, когда стадо мирно пасется, выпадает на долю самого сильного и храброго из старых самцов. Videant consules ne res publica aliquid detrimenti caperet (пусть консулы смотрят, чтобы государство не претерпело никакого вреда).

То же верно в отношении порывов активности, охватывающих нас в приподнятом настроении. Если для обнаружения опасностей необходимы прежде всего функции нашего рецепторного аппарата, то использование вновь открывшихся возможностей всегда связано с моторной деятельностью.

Соответствующие колебания пороговых значений всех комбинаций стимулов, поочередно запускающих гипертимные и гипотимные настроения, выполняют задачу "поискового аппарата", или, как его называют кибернетики по-английски, "scanning mechanism". Этот аппарат, по очереди выслеживающий вновь возникающие опасности и высматривающий вновь открывающиеся благоприятные возможности, выполняет таким образом безусловно когнитивную функцию.

4. КОЛЕБАНИЯ ОБЩЕСТВЕННОГО МНЕНИЯ

Как известно, общее согласие в том, что считается действительным и истинным, основывается на очень сложном *социальном* явлении. В этом явлении также играют роль процессы регулирования, в которых заложена определенная инерция и которые тем самым имеют тенденцию к колебанию. Как сказал Томас Хаксли*, каждая новая истина начинает свой путь как ересь и завершает как ортодоксальность. Если понимать ортодоксальность как застывшую жесткую доктрину, то это высказывание звучит весьма пессимистично. Но если представлять ее себе как умеренное воззрение, разделяемое большинством носителей данной культуры, то можно усмотреть в описанном Хаксли процессе типичную когнитивную функцию человеческого общества.

Истинно великое, эпохальное новое открытие вначале почти всегда *переоценивается,* по крайней мере тем гением, которому оно принадлежит. Как свидетельствует история естествознания, область применимости вновь открытого принципа объяснения едва ли не во всех случаях переоценивалась его открывателем. Это принадлежит, можно сказать, к прерогативам гения. Жак Лёб полагал, что объяснил все поведение животных и человека принципом тропизма; И. П. Павлов придавал такое же значение условному рефлексу; в аналогичные заблуждения впал Зигмунд Фрейд. Единственным великим первооткрывателем, *недооценившим* найденный им принцип объяснения, был Чарлз Дарвин.

Даже в узком кругу определенной научной школы образование нового общего мнения начинается с такого отклонения от ранее принятого, которое выходит за рамки поставленной цели. Как уже было сказано, в преувеличении бывает обычно виновен сам инициатор нового мнения. Его не столь гениальным, но наделенным лучшими аналитическими способностями ученикам выпадает на долю задача притормозить колебание и в надлежащем месте его остановить. Обратный процесс означает задержку дальнейшего познания вследствие образования доктрины. Если первооткрыватель новой истины находит не критически настроенных учеников, а верующих последователей*, это приводит к основанию религии, что в общей культурной жизни иногда весьма благотворно, но нежелательно в науке. Этот процесс нанес тяжелый ущерб открытиям Зигмунда Фрейда.

В культурах, в крупных культурных группах, и прежде всего в естествознании, процесс колебания, следующий за каждым значительным шагом познания, выполняет когнитивную функцию особого рода. Публика вначале переоценивает новое познание, которое может заключаться, например, в открытии нового метода, таким же образом, как великие первооткрыватели сами переоценивают свое достижение. Такая коллективная переоценка заходит особенно далеко, если новое открытие становится *модой,* что чаще всего происходит в тех случаях, когда открываются новые *методы.* Если эти методы требуют больших денежных и материальных затрат, то для молодых ученых они могут превратиться чуть ли не в символы статуса, как это происходит, например, в настоящее время с применением вычислительных машин — компьютеров.

Положительная познавательная функция таких преувеличений состоит в том, что при усиленных попытках применить новый принцип объяснения или новый метод ко всему возможному и невозможному часто обнаруживаются, несмотря на явную некритичность такого образа действий, некоторые возможности применений, которые ускользнули бы от более осторожных исследований.

Но, с другой стороны, такие преувеличения в применении вновь открытых принципов могут привести к разочарованиям. Их некритическое применение может привести к нежелательному и даже неверному "reductio ad absurdum"[1]*, а иногда и к тому, что общественное мнение отворачивается от нового знания и в некоторых случаях даже забывает его. История естествознания доставляет много примеров такого рода.

Например, история учения Дарвина показывает, в какой степени ошибочные сами по себе сопротивление и критика нового открытия, возникшие из такого обратного колебания общественного мнения, способствовали новому исследованию и обнаружению дальнейших, более убедительных аргументов.

Рассматриваемые колебания коллективного формирования мнений приводят в совокупности к тому, что самые различные люди ищут, с весьма сильной мотивацией, аргументы "за" и "против" нового учения, так что даже прежние его противники способствуют построению его прочного основания и точному определению области его применимости. Колебание мнения между "за" и "против" действует как механизм поиска (scanning-mechanism), и точка, в которой в конце концов стабилизируется коллективное мнение, оказывается ближе к истине, чем подошел к ней сам первооткрыватель в первом упоении своим успехом.

Колебание общественного мнения и развивающаяся из него когнитивная функция принадлежат к тем физиологическим процессам, наличие которых замечается лишь по их патологическим нарушениям. Как я уже сказал, поиск аргументов "за" и "против" активируется весьма сильными мотивациями. Пока эти мотивации не выходят за пределы чистого стремления к истине, колебание остается *затухающим* и приходит в равновесие в правильном положении. Но если в игру включаются более сильные инстинктивные побуждения, то возникает опасность, что расхождение двух мнений приведет к возникновению двух этнических групп, каждая из которых убеждена в правильности собственного мнения и впадает в состояние воинствующего энтузиазма, опасность которого я подробно рассмотрел в моей книге об агрессии.

Вторжение инстинктивных побуждений приводит в этом случае к победе гипоталамуса* над функцией полушарий головного мозга, причем противостоящие друг другу мнения *теряют* содержащуюся в них истину. Этому способствует и то обстоятельство, что каждая из партий для привлечения сторонников сжимает свое мнение в простейшие, легкодоступные формулировки, по возможности такие, чтобы их удобно было повторять хором. Поскольку мнения обеих сторон вследствие таких упрощений в самом деле становятся глупее, они становятся все менее приемлемыми для противников, а это ведет к *самовозбуждающемуся* колебанию, которое может завершиться "катастрофой регулирования". Эти опасности будут подробнее рассмотрены в следующем томе.

---

[1] *"Приведение к нелепости" *(лат.)*, прием, часто применяемый в математических доказательствах. — *Примеч. пер.*

Глава 15

ОБОРОТНАЯ СТОРОНА ЗЕРКАЛА

1. РЕТРОСПЕКТИВНЫЙ ВЗГЛЯД

В этой книге я предпринял, может быть, слишком смелую попытку описать когнитивные механизмы человека. Подлинным оправданием такого предприятия могло бы быть лишь всестороннее знание, на которое я никак не могу претендовать. В защиту моей попытки я могу лишь сказать, что *до сих пор этого не сделал никто другой,* и сверх того, что продуманный общий обзор познавательных функций человека насущно необходим. Каждая отдельная из них имеет тенденцию к нарушениям, и это в особенности относится к процессам приобретения и хранения культурного знания. Физиологическое рассмотрение* всегда является предпосылкой понимания патологических процессов, а также любой попытки терапевтического воздействия на них. Но очень часто патология доставляет нам, наоборот, ключ к пониманию нормальной, здоровой функции.

Читатель заметил, что в последних разделах этой книги я особенно часто ссылался на следующий том. В таких случаях я часто выдвигал гипотезы о физиологической природе той или иной познавательной функции, основанные на знании ее патологических нарушений. Такие забегания вперед были неизбежны.

Множество, даже большинство нарушений социального поведения, как врожденного, так и определяемого нормами культуры, вызывает у каждого человека с нормальными задатками резко отрицательные *ценностные ощущения.* В этой книге я столь же намеренно избегал говорить о них, как и о патологических явлениях, вынесенных пока за рамки моего изложения. То и другое мне удалось сделать лишь несколько насильственным, даже искусственным способом, но мне казалось разумным ограничиться вначале познавательными функциями человека.

Как уже было сказано в "Пролегоменах", мой способ рассмотрения познавательных функций и вообще всех процессов жизни основывается на гносеологической установке, которую я — вместе с Дональдом Кэмпбеллом — называю гипотетическим реализмом. Как я полагаю, гипотеза, лежащая в основе этого реализма, поддерживается тем, что на протяжении всего хода мыслей, проведенного в этой книге, я ни разу не столкнулся с противоречием.

2. ЗНАЧЕНИЕ ЕСТЕСТВЕННОЙ НАУКИ, ИЗУЧАЮЩЕЙ ПОЗНАВАТЕЛЬНЫЕ ФУНКЦИИ

Когда мы, этологи, говорим, что в социальном поведении человека также заключено инстинктивное содержание, не поддающееся изменению посредством культурных воздействий, это часто истолковывают как крайний пессимизм в отношении культуры. Такое толкование совершенно неоправданно. Если некто указывает на угрожающие опасности, это как раз доказывает, что он вовсе *не* фаталист, считающий надвигающееся бедствие неизбежным.

Во всем сказанном до сих пор я придерживался, для упрощения изложения, фикции, будто рассматриваемые процессы развития и упадка культуры большинству людей неизвестны или, по крайней мере, что такие знания не оказывают и не могут оказывать обратного воздействия на будущий ход человеческой истории. Это могло произвести впечатление, будто я считаю себя единственным, кто сознает необходимость естественно-научного изучения человеческого аппарата познания, который я называю "оборотной стороной зеркала". Я очень далек от такого самомнения. Более того, меня глубоко радует тот факт, что изложенные здесь гносеологические и этические взгляды разделяются быстро возрастающим числом мыслителей. Есть такие открытия, которые в определенное время "носятся в воздухе".

Как я полагаю, можно видеть верные признаки того, что начинает пробуждаться самосознание культурного человечества, основанное на естественно-научных знаниях. Если — что вполне возможно — это самосознание расцветет и принесет свои плоды, то тем самым культурное духовное стремление человечества поднимется на высшую ступень точно так же, как в глубокой древности фульгурация мышления подняла на новую, высшую ступень познавательную способность отдельного человека. *До сих пор на нашей планете никогда не было разумного самоисследования человеческой культуры,* точно так же, как до времен Галилея не было объективного в нашем смысле естествознания.

Задача естественно-научного изучения системы, образуемой человеческим обществом и его духовной жизнью, необозримо огромна. Человеческое общество — самая сложная из всех живых систем нашей Земли. Наше научное знание о нем едва коснулось поверхности этого сложного целого, наше знание относится к нашему незнанию таким образом, что выразить это могут лишь астрономические числа. И все же я полагаю, что человек как вид находится сейчас у поворота времен, что именно сейчас есть потенциальная возможность невиданно высокого развития человечества.

Конечно, положение человечества теперь более опасно, чем было когда-либо в прошлом. Но потенциально мышление, обретенное нашей культурой благодаря ее естествознанию, дает ей возможность избежать гибели, постигшей все высокие культуры прошлого. Это происходит *впервые* в мировой истории.

ПРИЛОЖЕНИЕ

Согласно разумному обычаю, новую книгу дают прочесть, прежде чем отдать в печать, сведущим друзьям. Они часто обнаруживают поразительные логические и другие ошибки, не замеченные автором, слишком уж привыкшим к предмету. И прежде всего они указывают на "лакуны", пустые места, где осталось не сказанным то, о чем надо было сказать. Подобные пробелы особенно неизбежны в такой книге, как эта; более того, многие необходимые уточнения, ограничения и дополнения было бы трудно включить в текст, поскольку это слишком часто прерывало бы изложение мыслей, к которым они относятся. Многие из таких прибавлений слишком объемисты, чтобы их можно было включить в виде подстрочных примечаний. Поэтому мы (т. е. автор и издательство) решили выделить эти "большие подстрочные примечания" в особое приложение. Мы рассчитываем, что в дальнейших изданиях книги оно будет расти. Выражаю здесь сердечную благодарность всем друзьям, представившим свои комментарии, и в особенности Эдуарду Баумгартену, Дональду Маккею, Отто Рёсслеру и Гансу Рёсснеру. Поскольку "Гносеологические пролегомены" читало больше людей, чем остальную часть книги, к ним относится несоразмерно большая часть комментариев.

1. (С. 257) "Я мыслю, следовательно, существую" — таков популярный перевод этого изречения Декарта. Даже в американском юмористическом журнале "Нью-Йоркер" можно было недавно увидеть на рисунке гигантский компьютер, изумляющий своих конструкторов тем, что пишет на ленте "cogito, ergo sum". Точнее, однако, было бы перевести Декартово "cogito" не "я мыслю", а "я сомневаюсь"*. Великий шаг, совершаемый ребенком, когда он впервые говорит "я", шаг, который можно было бы назвать онтогенетическим возникновением человека, никоим образом нельзя отождествить с процессом, который имеет в виду Декарт. Ребенок вовсе не говорит "sum cogitans"[1]*, он говорит "я не хочу" или "я хочу есть". Декарт ставит под сомнение именно фундаментальные переживания нашего Я, выраженные в этих словах; уверен он лишь в том, что сомневается. С принятой здесь точки зрения гипотетического реализма нелепо сомневаться в неустранимых данных, которые мы находим в переживании нашего "Я". Вольфганг Метцгер ввел понятие "данного" в переживании (erlebensmäßig "Vorgefundene"), того, что просто "здесь есть" (da ist), существование чего не нуждается в "объяснении" и не может быть подвергнуто сомнению. Это первично пережитое и есть "primum datum"[2]*, основа не только всего того, что мы находим в себе путем размышления (reflektierend) и что составляет предмет феноменологии и большой части всей философии. Более того, оно является первоисточником всего нашего косвенного знания об окружающем нас реальном мире, которое Дональд Кэмпбелл назвал "дистальным" знанием. Именно это и забывают обычно многие псевдообъективные ученые. Выражение "дистальное" взято из анатомии, где оно означает "удаленное от центра тела"; в переносном смысле оно отлично подходит к тому, что имеет в виду Кэмпбелл.

Я воспользовался цитатой из Декарта в откровенно популяризированной форме для выражения того, что знание о нашем собственном переживании непосредственно и несомненно; но это вовсе не означает, будто все другое, косвенное и "дистальное", знание ненадежно, как утверждают с разной степенью настойчивости философы нереалистического направления. Единственное последовательно нереалистическое мировоззрение — это солипсизм*.

2. (С. 258) Может показаться противоречием, что я, критикуя здесь идеализм Гёте, в то же время предпослал моей книге в виде девиза цитату из "Мягких ксений": "Wär nicht das Auge sonnenhaft, die Sonne

---

[1] *"Я есмь сомневающийся" *(лат.).* — *Примеч. пер.*
[2] *"Первое данное" *(лат.).* — *Примеч. пер.*

459

könnt'es nie erblicken"*. Во введении к своему "Учению о свете" Гёте приводит другой вариант: "Wär nicht das Auge sonnenhaft, wie könnten wir das Licht erblicken?"¹* Незадолго до этого он говорит: "Глаз обязан свету своим существованием. Из безразличного животного вспомогательного органа свет вызвал к жизни орган, подобный самому себе; таким образом, глаз образовался в свете ради света, чтобы внутренний свет встретился с внешним". Какое невероятное смешение поистине гениального прозрения с вывернутым наизнанку истолкованием фактов! Провидец Гёте постигает во всей полноте факт *взаимной приспособленности* организма и окружающего мира, но типолог Гёте не может понять сущность *процесса* приспособления, хотя часто кажется, что он к этому очень близок. Таким образом, возникает просто непостижимое противоречие: Гёте, проявляющий столь глубокое понимание динамики в природе (достаточно вспомнить "die ewig rege, die heilsam schaffende Gewalt"²* или "Wenn ich beharre, bin ich Knecht"³* и т. д.), остается слеп к тому, что *творит* не кто иной, как сама жизнь, и что вовсе не какая-то предустановленная гармония привела к тому, что внутренний свет воссиял навстречу внешнему!

Мы *знаем*, что глаза возникли в постепенном приспособлении к физическим свойствам света. Однако *есть* такие соответствия между внешним и внутренним, о которых нельзя прямо утверждать, что они созданы процессом приспособления. У человека есть *ценностные восприятия,* находящиеся в несомненном соответствии с великим становлением мира организмов. Но эволюционное объяснение этого соответствия звучит малоубедительно и искусственно. Соответствие состоит в том, что каждый нормальный человек воспринимает как высочайшую ценность то, что делает испокон веку органическое становление, превращая неупорядоченное и более вероятное в упорядоченное и менее вероятное. Этот процесс все мы воспринимаем как созидание *ценностей*. Шкала ценностей "ниже — выше" совершенно одинаковым образом применима к видам животных, культурам и созданным человеком произведениям искусства. Согласованность нашего восприятия ценностей с творческим свершением, охватывающим все живое, *может быть* основана на том, что определенные процессы, действующие во всем мире организмов, в человеке как мыслящем существе пробуждаются к сознанию. Если это так, то восприятие, мышление и бытие образуют в этом отношении единое целое, и ценностное суждение, основанное на восприятии, является априорным в собственно Кантовом смысле, т. е. логически необходимым (denknotwendig) для каждого сознательно мыслящего существа. Альтернативное объяснение состоит в том, что в человеке заложен эволюционно возникший, врожденный механизм запуска, представляющий ему все более упорядоченное как заслуживающее предпочтения; как уже было сказано выше, такое предположение кажется несколько искусственным.

---

¹ *"Если бы глаз не был подобен солнцу, как могли бы мы увидеть свет?" *(нем.).* — *Примеч. пер.*

² *"Вечно деятельная, благотворная сила" *(нем.);* фраза из "Фауста". — *Примеч. пер.*

³ *"Если я не меняюсь, я раб" *(нем.).* — *Примеч. пер.*

Следует подчеркнуть, что предположение об априорности человеческих ценностных суждений не имеет ничего общего с допущением сверхъестественных, виталистических факторов. Если считать это предположение справедливым, то произведение чистого искусства, создаваемое человеком независимо от побуждений, связанных с целесообразностью для сохранения вида, могло бы рассматриваться как материализация априорных ценностей. Тогда создание произведения искусства с внутренне присущей ему ценностью было бы в самом деле подобием процесса творения: заложенный в нем творческий принцип, в этом предположении, не имманентен* преходящему материалу, глине или мрамору статуи, холсту или краске картины, он живет лишь в художнике, создавшем произведение искусства. Живой организм столь же преходящ, как произведение искусства; но он не создан художником, его создал принцип, заложенный в нем самом, — если угодно, некий имманентный своему творению творец. Живое существо — не подобие* чего-то иного, оно само есть знающая реальность. Допущение, что оно лишь подобие непреходящего, содержит в себе ту же ошибку антропоморфного толкования творческого процесса, о которой была речь на с. 257—258.

3. (С. 259) Может показаться странным, что здесь, в контексте сравнительного исследования поведения, как будто неожиданно зашла речь о постановках вопроса, принятых в медицине. Между тем эти науки теснейшим образом связаны между собой. Сравнительное исследование поведения исторически началось с того, что *расстройства* врожденных форм поведения привлекли внимание к их физиологической природе. Если мы, например, наблюдаем врожденную форму поведения, как она проявляется в нормальных условиях свободной жизни соответствующего вида, скажем, поведение волка, закапывающего в укромном месте кусок добычи, то мы попросту ничто не узнаём о физиологии этого действия. Но когда мы видим, как молодая такса относит кость в угол комнаты и там безуспешно выполняет движения рытья ямы, затем укладывает кость на место не вырытой ямы и, наконец, тщательно обнюхивает несуществующую землю над костью, то мы узнаём тот в высшей степени примечательный факт, что вся эта последовательность форм поведения в целом является врожденной и не направляется добавочными стимулами.

Таким же образом в принципе *патологическое* явление служит важнейшим источником нашего знания о "нормальном" ходе физиологического процесса. То же отношение взаимного прояснения, какое существует между физиологией и патологией вообще, связывает физиологию и патологию поведения, иначе говоря, сравнительное исследование поведения и психиатрию. В дальнейших главах, и особенно в следующем томе, мне придется еще не раз возвращаться к этому предмету.

Слово Schöpfung[1]*, как учит нас филология, еще в раннем средневерхненемецком языке расщепилось на "schaffen" = лат. creare[2]* и "schöpfen" = лат. haurire[3]*. Значение "schaffen" совпадает со значени-

---

[1] *Творение *(нем.).* — *Примеч. пер.*
[2] *Творить *(нем., лат.).* — *Примеч. пер.*
[3] *Черпать, собирать, заимствовать, поглощать *(нем., лат.).* — *Примеч. пер.*

ем древневерхненемецкого "schaffon" = bewirken[1]*. Таким образом, в "schöpfen" заключено также и значение "erschaffen"[2]*.

4. (С. 359) В контексте этой книги нельзя не упомянуть, что Хомский постоянно ссылается на работы Вильгельма фон Гумбольдта как языковеда. В работе "О различиях в строении человеческого языка" (1827) Гумбольдт пишет: "Язык, понимаемый в его подлинной сущности... есть не произведение (Ergon), а деятельность (Energeia). Поэтому его подлинное определение может быть только генетическим. Именно, он есть вечно повторяющаяся работа духа, чтобы сделать членораздельный звук способным к выражению мысли... В этой работе духа, стремящегося возвысить членораздельный звук до выражения мысли, содержится нечто постоянное и однотипное; понятое возможно более полно и систематически изложенное, оно составляет форму языка". И в другом месте: "Язык есть формирующий орган мысли. Умственная деятельность, вполне духовная, вполне внутренняя и в некотором смысле бесследно исчезающая, посредством звука получает внешнее выражение, превращаясь в чувственно воспринимаемую речь, а в письме обретает прочную телесность. Таким образом возникают все виды сказанного и написанного; язык же есть совокупность, включающая звуки, производимые указанным образом умственной деятельностью или могущие быть произведенными ею в будущем, а также возможные соединения и преобразования этих звуков по законам, аналогиям и привычкам, опять-таки вытекающим из природы умственной деятельности и соответствующей ей звуковой системы; притом язык включает эти звуки, соединения и преобразования таким образом, как они содержатся в совокупности всего сказанного или написанного. Тем самым умственная деятельность и язык едины и неотделимы друг от друга; и нельзя, например, попросту считать, что умственная деятельность производит язык, а язык ею производится. Потому что, хотя все однажды сказанное есть, конечно, произведение духа, оно принадлежит уже существующему языку, а потому определяется не только деятельностью духа, но также звуками и законами языка; и каждый раз, как только оно снова является в языке, оно производит обратное определяющее действие на дух. Умственная деятельность необходимым образом связана со звуком, потому что без этого мышление не достигает отчетливости, а представление не превращается в понятие. Она производит звук по своему свободному решению и формирует его своей силой, так как именно ее воздействие и делает звук членораздельным (если бы можно было вообще представить себе начало всякого языка); тем самым она образует область таких звуков, которая, став самостоятельной, производит на нее обратное действие, определяющее и ограничивающее ее".

5. (С. 409) Здесь опять уместно сослаться на упомянутые в примечании 4 исследования о языке Вильгельма фон Гумбольдта.

6. (С. 414) Непосредственное сравнение видов животных с целыми культурами обычно вызывает возражения людей, сильно ощущающих различную ценность низших и высших живых систем. Тот бесспорный

---

[1] *Вызывать, быть причиной *(нем.)*. — *Примеч. пер.*
[2] *Создавать, творить *(нем.)*. — *Примеч. пер.*

факт, что культуры представляют собой в высшей степени сложные *духовные* системы, построенные на символах объективированных культурных ценностей, побуждает людей, запутавшихся в привычках дизъюнктивного мышления, забывать, что культуры — естественные образования, возникшие естественным путем. Напомню сказанное в главе 2 о возникновении новых системных свойств, а также рассмотренное в 3.4 заблуждение, связанное с построением противоположных понятий.

Различие в ценности, придаваемой нашим восприятием низко- и высокоинтегрированным живым системам, не рассматривается в этом томе, как было уже упомянуто на с. 457; оно несколько искусственно обойдено, поскольку должно составить предмет следующего тома. В частности, там будет речь о резко отрицательных ценностных ощущениях, которые вызывает у нас всякий регресс в ходе эволюции.

Список литературы

BAERENDS G. P. Fortpflanzungsverhalten und Orientierung der Grabwespe (Ammophila campestris) // Tijdsch. v. Entomologie, 84 (1941) — Specializations in Organs and Movements with a releasing Function // Physiological mechanisms in Animal Behaviour. Cambridge, 1950 (Univ. Press.).

BALL W. — TRONICK E. Infant Responses to Impending Collision // Optical and Real. Science. 171, 818—820 (1971).

BALIY G. Vom Ursprung und von den Grenzen der Freiheit. Eine Deutung des Spieles bei Mensch und Tier. Basel, 1945 (Birkhäuser).

BATESON P. P. B. The Characteristics and Context of Imprinting // Biol. Rev. 41, 177—220 (1966).

BEACH F. A. Hormones and Behavior. New York, 1948 (Hoeber).

BENNET J. G. The Dramatic Universe. Mystic Conn, 1967 (Verry).

BERGER P. L. — LUCKMANN Th. The Social Construction of Reality. New York, 1966 (Doubleday).

BERTALANFFY L. v. Theoretische Biologie. Bern, 1951 (Francke).

BISCHOF N. Die bilogischen Grundlagen des Inzesttabus // Reinert (Hrsg.), Bericht über den 27. Kongreß d. Deutschen Gesellsch. f. Psychologie, Kiel. Göttingen, 1972 (Verlag f. Psychologie). — Aristoteles, Galilei, Kurt Lewin — und die Folgen. Z. f. Sozialpsychol. im Druck.

BOLK L. Das Problem der Menschwerdung. Jena, 1926.

BOWER T. G. The Object in the World of the Infant // Scient. Americ. 225 (4), 30—38 (1971).

BRIDGEMAN P. W. Remarks on Niels Bohr's Talk. Daedalus Spring, 1958.

BRUN E. Zur Psychologie der künstlichen Allianzkolonien bei den Ameisen // Biol. Zentralbl. 32 (1912).

BRUNSWIK E. Wahrnehmung und Gegenstandswelt. Psychologie vom Gegenstand her. Leipzig-Wien, 1934. — Scope and Aspects of the Cognitive Problem // Bruner et al. (eds.), Contemporary Approaches to Cognition. Cambridge, 1957 (Harvard Univ. Press).

BÜHLER K. Handbuch der Psychologie. I. Teil: Die Struktur der Wahrnehmung. Jena, 1922.

BUTENANDT E. — GRÜSSER O. J. The Effect of Stimulus Area on the Response of Movement Detecting Neurons in the Frog's Retina // Pflügers Archiv. 298, 283—293 (1968).

CAMPBELL D. T. Evolutionary Epistemology // Schilpp, P. A. (ed.), The Philosophy of Karl R. Popper. La Salle, 1966 (Open Court Publ.). — Pattern Matching as an Essential in Distal Knowing. New York, 1966 (Holt, Rinehard & Winston).

CHANCE M. R. A. An Interpretation of some Agonistic Postures; The Role of "cut-off" Acts and Postures // Symp. Zool. Soc. London. 8, 71—89 (1962).

CHOMSKY N. Sprache und Geist. Frankfurt, 1970 (Suhrkamp).

CORTI W. R. Das Archiv für genetische Philosophie // Librarium. Z. d. Schweiz. Bibliophilen Gesellsch. 5, Heft I u. II (1962).

COUNT E. W. Eine biologische Entwicklungsgeschichte der menschlichen Sozialität // Homo. 9, 129—146 (1958); 10, 1—35 u. 65—92 (1959).

CRAIG W. Appetites and Aversions as Constituents of Instincts // Biological Bulletin 34, 91—107 (1918).

CRANE J. Comparative Biology of Salticid Spiders at Rancho Grande // Venezuela. IV: An Analysis of Display // Zoologica. 34, 159—214 (1949). — Basic Patterns of Display in Fiddler Crabs // Zoologica. 42, 69—82 (1957).

CRISLER L. Wir heulten mit den Wölfen. Wiesbaden, 1960, ⁵1972 (Brockhaus).

DARWIN C. Der Ausdruck der Gefühle bei Mensch und Tier. Düsseldorf 1964 (Rau).

DECKER H. Das Denken in Begriffen als Kriterium der Menschwerdung.

DETHIER V. G. — BODENSTEIN. Hunger in the Blowfly // Z. Tierpsychol. 15, 129—140 (1958).

ECCLES J. C. The Neurophysiological Basis of Mind: The Principles of Neurophysiology. London, 1953 (Oxford Univ. Press). — Brain and Conscious Experience. New York, 1966 (Springer). — Uniqueness of Man (Roslansky, J. D. ed.). Amsterdam, 1968 (Northolland).

EIBL—EIBESFELDT I. Angeborenes und Erworbenes im Verhalten einiger Säuger // Z. Tierpsychol. 20, 705—754 (1963). — Grundriß der vergleichenden Verhaltensforschung. München, 1967, 1972 (Piper). — Liebe und Haß, München, 1970, ⁵1972 (Piper). — Die !Ko-Buschmann-Gesellschaft*. Gruppenbindung und Aggressionskontrolle. München, 1972 (Piper). — Expressive Behavior of the Deaf and Blind Born // Vine, I. (ed.), Social Communication and Movement. London, 1973, 163—193 (Academic Press).

ERIKSON E. H. Ontogeny of Ritualisation in Man. Philosoph. Transact // Royal Soc. London. 251 B, 337—349 (1966).

FOPPA K. Lernen, Gedächtnis, Verhalten. Ergebnisse und Probleme der Lernpsychologie. Köln, 1966 (Kiepenheuer u. Witsch).

FRAENKEL G. S. — GUNN D. S. The Orientation of Animals. Oxford, 1961 (Clarendon Press).

FREYER H. Schwelle der Zeiten. Stuttgart, 1965 (Deutsche Verlagsanstalt). — Theorie des gegenwärtigen Zeitalters. Stuttgart, 1967 (Deutsche Verlagsanstalt).

GARCIA J. A Comparison of Aversions induced by X-Rays, Drugs und Toxins // Radiation Res. Suppl. 7, 439—450 (1967).

HARLOW H. F. Primary Affectional Patterns in Primates // Amer. J. Orthopsychiat. 30 (1060). — The Maternal and Infantile Affectional Patterns. 1960.

HARLOW H. F. — HARLOW M. K. — MEYER D. R. Learning Motivated by a Manipulation Drive // J. Exp. Psychol. 40, 228—234 (1950).

HARTMANN M. Allgemeine Biologie. 1953. — Die philosophischen Grundlagen der Naturwissenschaften. Jena, 1948, 1959 (G. Fischer).

HARTMANN N. Der Aufbau der realen Welt. Berlin, 1964 (de Gruyter).

HASSENSTEIN B. Kybernetik und biologische Forschung // Handb. d. Biologie, 1, 631—719. Frankfurt, 1966 (Athenaion).

HEILBRUNN L. v. Grundzüge der allgemeinen Physiologie. Berlin, 1958 (Dtsch. Verl. der Wiss.).

HEINROTH O. Beiträge zur Biologie, namentlich Ethologie und Psychologie der Anatiden // Verhandl. d. V. Intern. Ornithol. Kongreß. Berlin, 1910. — Reflektorische Bewegungen bei Vögeln // J. f. Ornithol. 66 (1918). — Über bestimmte Bewegungsweisen der Wirbeltiere. Sitzungsberichte der Ges. d. naturforsch. Freunde. Berlin, 1930.

HEINROTH O. u. M. Die Vögel Mitteleuropas. 4 Bde., Berlin, 1924—1928 (Bermühler), Nachdr. 1966—1968.

HESS E. H. Space Perception in the Chick // Scient. Americ. 195, 71—80 (1956). — Imprinting. New York, 1973 (van Nostrand).

Знак ! обозначает здесь особый звук, имеющийся в бушменских языках. — Примеч. пер.

HINDE R. A. Animal Behavior, a Synthesis of Ethology and Comparative Psychology. New York, 1972 (McGraw-Hill).

HOLST E. v. Zur Verhaltensphysiologie bei Tieren und Menschen. Band I und II. München, 1969/70 (Piper).

HÖPP G. Evolution der Sprache und Vernunft. Berlin, 1970 (Springer); dt. Frankfurt, 1972 (Suhrkamp).

HULL C. L. Principles of Behavior. New York, 1943.

HUXLEY J. The Courtship-Habits of the Great Crested Grebe (Podiceps cristatus); with an Addition to the Theory of Sexual Selection // Proc. Zool. Soc. London, 35, 491—562 (1914).

IMMELMANN K. Prägungserscheinungen in der Gesangsentwicklung junger Zebrafinken // Naturwiss. 52, 169—170 (1965). — Zur Irreversibilität der Prägung // Naturwiss. 53, 209 (1966).

ITANI J. Die soziale Ordnung bei den japanischen Affen // TIER, 6, 8—12 (1966).

JANDER R. Die Hauptentwicklungen der Lichtorientierung bei den tierischen Organismen // Verh. Verb. Dtsch. Biol. 3, 28—34 (1966).

JENNINGS H. S. The Behavior of the Lower Organisms. New York, 1906; dt. Berlin/Leipzig, 1910.

KAWAI M. Newly Acquired Pre-cultural Behavior of the Natural Troops of Japanese Monkeys on Koshima Island // Primates, 6, 1—30 (1965).

KAWAMURA S. The Process of Sub-Cultural Propagation among Japanese Macaques // Southwick (ed.), Primate Social Behavior. New York, 1963 (van Nostrand).

KELLER H. Die Geschichte meines Lebens. Stuttgart, 1905 (Lutz).

KOEHLER O. Die Ganzheitsbetrachtung in der modernen Biologie // Verhandlundgen der Königsberger Gelehrten Gesellsch. (1933). — "Zählende" Vögel und vorsprachliches Denken // Zool. Anz. Suppl. 13, 129—138 (1949).

KÖHLER W. Intelligenzprüfungen an Menschenaffen. Berlin, 1921.

KOENIG O. Kultur und Verhaltensforschung. Einführung in die Kulturethologie. München, 1970 (Deutscher Taschenbuch-Verlag).

KONISHI M. Effects of Deafening on Song Development in two Species of Juncos // Condor. 66, 85—102 (1964). — Effects of Deafening on Song Development of American Robins and Black-Headed Grosbeaks // Z. Tierpsychol. 22, 584—599 (1965). — The Role of Auditory Feedback in the Control of Vocalisation in the White-Crowned Sparrow // Z. Tierpsychol. 22, 770—783 (1965).

KRUUK H. The Spotted Hyena. Chicago, 1972 (University Press).

KUENZER P. Die Auslösung der Nachfolgereaktion bei erfahrungslosen Jungfischen von Nannacara anomala (Cichlidae) // Z. Tierpsychol. 25, 257—314 (1968).

KÜHN A. Die Orientierung der Tiere im Raum. Jena, 1919 (Fischer).

LASHLEY K. S. In Search of the Engramm // Symposia of the Society for Exper. Biol. IV. Physiol. Mechanisms in Animal Beh. Cambridge, 1950 (Univers. Press).

LAWICK-GOODALL H. u. J. van. Unschuldige Mörder. Hamburg, 1972 (Rowohlt).

LENNEBERG E. H. Biological Foundations of Language. New York, 1967 (Wiley).

LETTVIN — MATURANA — McCULLOCK — PITTS. What the Frog's Eye tells the Frog's Brain // Proc. I. R. E. 47, 1940—1951 (1959).

LEYHAUSEN P. Über die Funktion der relativen Stimmungshierarchie (dargestellt am Beispiel der phylogenetischen und ontogenetischen Entwicklung des Beutefangs von Raubtieren) // Z. Tierpsychol. 22, 412—494 (1965).

LOEB J. Die Tropismen // Handb. vergl. Physiologie. 4 (1913).

LORENZ K. Das sogenannte Böse. Zur Naturgeschichte der Aggression. Wien, 1963 (Borotha-Schoeler). — Evolution and Modification of Behavior. Chicago, 1965 (Univ. Press). — Über tierisches und menschliches Verhalten. Aus dem Werdegang der Verhaltenslehre // Ges. Abhandlungen. Bd. I. München, 1965, 1971; Bd. II, 1965, 1971 (Piper). — Stammes- und kulturgeschichtliche Ritenbildung // Mitt. d. Max-Planck-Ges. I, 3—30 u. Naturwiss. Rdschau 19, 361—370. — Die acht Todsünden der zivilisierten Menschheit. München, 1973 (Serie Piper 50).

MACKAY D. M. Freedom of Action in a Mechanistic Universe. Cambridge, 1967 (Univ. Press).

MAIER N. R. F. Reasoning in White Rats // Comp. Psychol. Monogr. 6, 29 (1929) — Reasoning in Humans: I. On Direction // J. comp. Psychol. 10, 115—143 (1930).

MAYR E. Artbegriff und Evolution. Berlin, 1967 (Parey).

METZGER W. Psychologie. Darmstadt, 1953, ⁴1968 (Steinkopff).

METZNER P. Studien über die Bewegungsphysiologie niederer Organismen // Naturwiss. II (1923).

MEYER-EPPLER W. Grundlagen und Anwendung der Informationstheorie. Berlin, 1959 (Springer).

MEYER-HOLZAPFEL M. Triebbedingte Ruhezustände als Ziel von Appetenzhandlungen // Naturwiss. 28, 273—280 (1940).

MITTELSTAEDT H. Über den Beutefangmechanismus der Mantiden // Zool. Anz. Suppl. 16, 102—106 (1953). — Regelung in der Biologie. Regelungstechnik. 2, 177—181 (1954). — Regelung und Steuerung bei der Orientierung von Lebewesen // Regelungstechnik. 2, 226—232 (1954).

MONOD J. Zufall und Notwendigkeit. Philosophische Fragen der modernen Biologie. München, 1971, ⁵1973 (Piper).

NICOLAI J. Zur Biologie und Ethologie des Gimpels // Z. Tierpsychol. 13, 93—132 (1950).

PECKHAM G. W. u. E. G. Observations on Sexual Selection in Spiders of the Family Attidae // Occasional Papers of the National History Soc. of Wisc. Milwaukee, 1889.

PITTENDRIGH C. S. Perspectives in the Study of Biological Clocks // Perspectives in Marine Biology. La Jolla, 1958 (Scripps Inst. Oceanogr.).

PLANCK M. Sinn und Grenzen der exakten Wissenschaft // Naturwiss. 30 (1942).

PLESSNER H. Philosophische Anthropologie. Stuttgart, 1970 (Fischer).

POLANYI M. Life Transcending Physics and Chemistry // Chemical and Engineering News (1967). — Personal Knowledge towards a Post-Critical Philosophy. Chicago, 1958 (Univ. Press).

POPPER K. R. The Logic of Scientific Discovery. New York, 1962 (Harper & Row). — The Open Society and its Enemies. London, 1945, 1957. Dt.: Die offene Gesellschaft und ihre Feinde. Bern, 1957—1958.

PORZIG W. Das Wunder der Sprache. München/Bern, 1950, 1971 (Francke).

REESE E. S. The Behavioral Mechanisms Underlying Shell Selection by Hermit Crabs // Behavior, 21, 78—126 (1963). — A Mechanism Underlying Selection or Choice Behavior which is not based on Previous Experience // Am. Zool. 3, 508 (1963). — Shell Use: An Adaptation for Emigration from the Sea by the Coconut Crab // Science, 161, 385—386 (1968).

REGEN J. Über die Orientierung des Grillenweibchens nach dem Stridulationsschall des Männchens // Sitz. Ber. Akad. Wiss. Wien, math.-naturw. Kl. 132 (1924).

RICHTER C. P. The Self-Selection of Diets. Essays in Biology. Berkeley, 1943 (Univ. of California Press).

RÖSSLER O. E. Theoretische Biologie. Vorlesung im Max-Planck-Institut für Verhaltensphysiologie Seewiesen (1966).

ROSE W. Versuchsfreie Beobachtungen des Verhaltens von Paramaecium aurelia // Z. Tierpsychol. 21, 257—278 (1964).

SCHEIN W. M. On the Irreversibility of Imprinting // Z. Tierpsychol. 20, 462—467 (1963).

SCHLEIDT M. Untersuchungen über die Auslosung des Kollerns beim Truthahn // Z. Tierpsychol. 11, 417—435 (1954).

SCHLEIDT W. M. Reaktionen von Truthühnern auf fliegende Raubvögel und Versuche zur Analyse ihrer AAMs // Z. Tierpsychol. 18, 534—560 (1961). — Wirkungen äußerer Faktoren auf das Verhalten // Fortsch. Zool. 16, 469—499 (1964).

SCHLEIDT W. M. — SCHLEIDT M. — MAGG M. Störungen der Mutter-Kind-Beziehung bei Truthühnern durch Gehörverlust // Behavior, 16, 254—260 (1960).

SCHUTZ F. Sexuelle Prägung bei Anatiden // Z. Tierpsychol. 22, 50—103 (1965). — Sexuelle Prägungserscheinungen bei Tieren // H. Giese (Hrsg.). Die Sexualität des Menschen // Hb. d. Med. Sexualforschung. 1968, 284—317 (Enke).

SCHWARTZKOPFF J. Vergleichende Physiologie des Gehörs und der Lautäußerungen // Fortschr. Zool. 15, 214—336 (1962).
SEDLMAYR H. Gefahr und Hoffnung des technischen Zeitalters. Salzburg, 1940 (Otto Müller).
SEIBT U. Die beruhigende Wirkung der Partnernähe bei der monogamen Garnele Hymenocera picta // Z. Tierpsychol. 33 (1973).
SHERRINGTON C. S. The Integrative Action of the Nervous System. New York (1906).
SKINNER B. F. Conditioning and Extinction and their Relation to Drive // J. gen. Psychol. 14, 296—317 (1936). — The Behavior of Organisms. New York, 1938 (Appleton-Century-Crofts). — Reinforcement today // Amer. Psychologist, 13, 94—99 (1958). — Beyond Freedom and Dignity. New York, 1971 (Knopf).
SNOW C. P. The Two Cultures. London, 1959, 1963 (Cambridge Univers. Press). Dt.: Die zwei Kulturen. Stuttgart, 1967 (Klett).
SPENGLER O. Der Untergang des Abendlandes. München, 1918/20, Neudr. 1967/69 (Beck).
SPITZ R. Vom Säugling zum Kleinkind. Naturgeschichte der Mutter-Kind-Beziehungen im ersten Lebensjahr. Stuttgart, 1965, 1970 (Klett).
STRINIGER F. Zur Soziologie und sonstigen Biologie der Wanderratte // Z. Tierpsychol. 7, 356—379 (1950).
STORCH O. Erbmotorik und Erwerbsmotorik // Anz. Math. Nat. Kl. Österr. Ak. Wiss. 1, 1—23 (1949).
TAUB E. — ELLMAN St. J. — BERMAN A. J. Deafferentiation im Monkeys. Effects on Conditioned Grasp Response // Science 151, 593—594 (1965).
THORNDIKE E. L. Animal Intelligence. New York, 1911 (MacMillan).
THORPE W. H. — JONES F. H. W. Olfactory Conditioning in a Parasitic Insect and its Relation to the Problem of Host Selection // Proc. Roy. Soc. London B., 124, 56—81 (1937). — Science, Man and Morals. London, 1965 (Methuen).
TIGER L. — FOX R. Das Herrentier. München, 1973 (Bertelsmann).
TINBERGEN N. Die Übersprungbewegung // Z. Tierpsychol. 4, 1—40 (1940). — The Study of Instinct. London, 1951 (Oxford Univ. Press); dt. 1966 (Parey).
TOLMAN E. C. Purposive Behavior in Animals and Men. New York, 1932 (Appleton).
TRUMLER E. Mit dem Hund auf Du. München, 1971 (Piper).
UEXKÜLL J. v. Umwelt und Innenleben der Tiere. Berlin, 1909, 1921.
WEIDEL W. Virus und Molekularbiologie. Berlin, 1964 (Springer).
WEISS P. A. The Living System: Determinism stratified // Koestler & Smythies (eds.), Beyond Reductionism. London, 1969 (Hutchinson). — Dynamics of Development: Experiments and Inferences. New York, 1968 (Academic Press).
WELLS M. J. Brain and Behavior in Cephalopods. London, 1962 (Heinemann).
WHITMAN Ch. O. Animal Behavior. Biological Lectures of the Marine Biological Laboratory, Woods Hole, Mass. 1898.
WICKLER W. Mimikry — Signalfälschung in der Natur. München, 1968 (Kindler).
WUNDT W. Vorlesungen über die Menschen- und Tierseele. Leipzig, 1922 (Voss).
WYNNE-EDWARDS V. C. Animals Dispersion in Relation to Social Behavior. London, 1962 (Oliver & Boyd).
ZEEB K. Zirkusdressur und Tierpsychologie // Mitt. Nat. Forsch. Ges. Bern, N. F. 21 (1964).

ПОСЛЕСЛОВИЕ

Австрийский биолог Конрад Лоренц (1903—1989) — один из немногих ученых, чьи труды не только определяют дальнейшие пути развития науки, но и оказывают сильное воздействие на самопонимание человека. Около пятидесяти лет, с 20-х по 70-е годы, он исследовал поведение животных и человека. Биология долго была "описательной" наукой, изучавшей и классифицировавшей живые организмы в том виде, в каком они существуют в наше время. Дарвин объяснил, как в процессе естественного отбора развились все *формы* живых организмов. Дарвин задавался также вопросом о происхождении *поведения* животных. В своей книге о происхождении человека он описал социальный инстинкт, "притягивающий" друг к другу общественных животных. Но динамика поведения животных не может быть понята из одного этого инстинкта.

Лоренц показал, что у "территориальных" животных, занимающих определенный охотничий участок, социальному инстинкту противостоит открытый им "инстинкт внутривидовой агрессии", "отталкивающий" друг от друга любых особей одного вида. Поведение территориальных животных определяется динамическим равновесием этого инстинкта с "притягивающими" инстинктами — половым инстинктом и, в случае общественных животных, социальным инстинктом. Как показал Лоренц, из взаимодействия этих инстинктов возникли все "высшие" эмоции животных и человека — ограничение агрессии, узнавание индивида, дружба и любовь. Основываясь на знании сил, определяющих поведение, Лоренц открыл способы, позволяющие восстановить *эволюционную историю поведения*. Все это позволяет считать Лоренца основоположником науки о поведении животных и человека как биологического существа — *этологии*.

Открытия, сделанные Лоренцем в сфере исследования биологической природы человека, имеют важное значение в преодолении патологических явлений современного общества и в поисках путей дальнейшего развития человечества. Они рождают мудрый оптимизм.

Конрад Лоренц родился в Альтенберге близ Вены и был воспитан в лучших традициях европейской культуры. Окончив медицинский факультет Венского университета, где был учеником выдающихся биологов и медиков, он получил диплом врача, но не занимался медицинской практикой, а посвятил себя исследованию поведения животных.

В 20-е годы Лоренц прошел стажировку в Англии под руководством известного биолога и философа Джулиана Хаксли. Воспитанный в уважении к дарвинизму, он стал также знатоком и любителем английского языка и литературы. Затем приступил к самостоятельным исследованиям в Австрии. Вслед за своим учителем, знаменитым орнитологом Оскаром Гейнротом, он начал с наблюдений за поведением птиц, распространив их впоследствии на весь животный мир. Совсем молодым человеком он открыл, что животные передают друг другу приобретенные знания путем обучения, что было полной неожиданностью для того времени. В 30-е годы Лоренц был уже одним из признанных лидеров биологии. Вокруг него стала складываться группа учеников; он сотрудничал со своим другом, голландцем Нико Тинбергеном, с которым разделил впоследствии (в 1973 году) Нобелевскую премию.

После оккупации Австрии гитлеровской Германией Лоренц остался без работы. Друзья устроили ему приглашение в Кёнигсбергский университет, где он занял престижную кафедру Канта, к сожалению, не дававшую ему возможности работать с животными. Во время войны Лоренц был мобилизован и направлен в качестве врача в военный госпиталь в Белоруссии, где ему пришлось делать операции. В 1944 году, при отступлении немецкой армии, Лоренц был взят в плен и попал в лагерь для военнопленных в Армении. Впоследствии он с большим реализмом и чувством юмора рассказал об этой части своей жизни в беседах с английским историком науки А. Нисбетом. Он знал о тяжкой ситуации во многих лагерях; но в его лагере, говорит он, начальство не воровало, и можно было выжить. Не хватало белковой пищи, и "профессор", как его называли, ловил скорпионов и, к ужасу конвойных, съедал в сыром виде их жирное брюшко — потому что, как он знал, ядовит у них только хвост.

Пленных водили на какие-то работы, во время которых он сделал одно из своих решающих открытий. Вот как он это описывает: "Наблюдая полудиких коз армянского нагорья, я заметил однажды, как уже при первых отдаленных раскатах грома они отыскивали в скалах подходящие пещеры, целесообразно готовясь к возможному дождю. То же они делали, когда поблизости раздавался грохот взрывов. (По-видимому, там велись взрывные работы. — *А. Ф.*) Я вполне отчетливо помню, что при этом наблюдении я внезапно осознал: в естественных условиях образование условных реакций лишь тогда способствует сохранению вида, *когда условный стимул находится в причинной связи с безусловным*". Это был важнейший шаг в понимании открытых И. П. Павловым условных рефлексов; однако наблюдение, сделанное Лоренцем, вряд ли вызвало бы подобное прозрение у обыкновенного ученого, точно так же как тысячи лет никто не понимал, как устроена жизнь птичьего двора, проходившая на глазах у всех.

В 1948 году Лоренц одним из первых в числе австрийцев, насильственно мобилизованных в немецкую армию, был освобожден из плена. В лагере он уже начал писать книгу о поведении животных и человека, окончательный вариант которой, составивший итог всей его жизни, вы можете прочесть в этом издании под названием "Оборотная сторона зеркала". За неимением лучших средств он писал гвоздем на бумаге от мешков из-под цемента, пользуясь марганцовкой вместо чернил. Окружающие относились к его занятиям с пониманием. "Профессора", который был старше других пленных, уважало также и лагерное начальство. Когда ему пришло время уезжать, он попросил разрешения взять с собой свою "рукопись". Офицер госбезопасности, от которого это зависело, предложил Лоренцу перепечатать книгу, дав для этого машинку с латинским шрифтом и бумагу. Когда "профессор" это сделал, офицер попросил автора дать честное слово, что в рукописи ничего нет о политике, и разрешил взять ее с собой. Более того, он дал Лоренцу "охранную грамоту", чтобы рукопись не отбирали на этапах! Это кажется невероятным, но Лоренц, лучше нас с вами знавший человеческую природу, не был удивлен. Наконец, усталый, но полный энтузиазма и замыслов, Лоренц возвратился в Альтенберг, к своей семье.

В Австрии для него опять нет работы. Однако вскоре его приглашают в ФРГ, где вместе с физиологом Эрихом фон Гольстом он возглавляет институт в Зеевизене, в Баварии, и получает наконец возможность развернуть исследовательскую работу и воспитывать учеников. Выходит его книга "Так называемое зло" (1963), также включенная в предлагаемое издание. (Работа приобрела известность в английском переводе под названием "On Aggression" ("Об агрессии"); мы возвращаем ей первоначальное название.) Эта книга принесла Лоренцу мировую славу и была переведена на многие языки. В книге, адресованной широкой образованной публике и написанной великолепным языком, Лоренц рассказывает о внутривидовой агрессии и ее роли в образовании высших форм поведения. Лоренц начинает ее с "Пролога в море", описывающего наблюдения за рыбами кораллового рифа, проведенные им самим в Карибском море с использованием акваланга.

Вернувшись на родину, Лоренц вновь поселяется в Альтенберге. Австрийская академия наук организует для него Институт сравнительного изучения поведения. Последние годы жизни Лоренца заполнены упорным трудом. Сознавая свою ответственность перед людьми, Лоренц выступает по венскому радио с популярными лекциями о биологическом положении в современном мире, опубликованными затем под названием "Восемь смертных грехов цивилизованного человечества". Этой небольшой книжкой открывается наше издание. Она содержит ответы на жгучие вопросы современности, вызывающие столько безответственных разговоров и противоречивых суждений: Действительно ли нам грозит перенаселение? Полезно ли жить в больших городах? Что получается в результате нынешнего темпа конкуренции? Не грозит ли нам генетическое вырождение? Чего хочет молодость, бунтующая против культурных традиций? Что происходит с человеческими чувствами?

Беспощадные диагнозы Лоренца могут помочь справиться с этими опасностями. Об атомной угрозе автор говорит, что по крайней мере известно, как ее избежать — просто не сбрасывать атомную бомбу. В книге есть также очень важная, хотя и более трудная для понимания глава о патологических явлениях в области науки, о вырождении личности ученого в условиях общего упадка культуры.

Книга "Оборотная сторона зеркала", завершающая настоящее издание, содержит не только несравненный по глубине обзор поведения животных и человека, но и общую картину современной биологии, щедро насыщенную плодотворными гипотезами, над которыми будут работать поколения ученых. И очень вероятно, что интуиция, никогда не обманывавшая Лоренца, уже изображает нам будущее биологии. Например, в книге изложена гипотеза о происхождении человеческого мышления (и тем самым — человека); происхождение жизни Лоренц также рассматривает как естественное событие, допускающее научное объяснение.

Всю книгу красной нитью пронизывает "кибернетический подход". Эволюцию уже давно рассматривают как последовательность "мутаций", создающих материал для отбора. Но что такое мутации? Лоренц отбрасывает представление, что мутация — это всегда *малое* случайное изменение, а весь процесс изменчивости состоит из накопления таких небольших событий. Он видит движущую силу эволюции в образовании новых регулирующих контуров. Когда линейная последовательность процессов, действующих друг на друга в определенном порядке, замыкается в контур, то последний процесс начинает действовать на первый, и возникает *новая обратная связь*. Такое случайное событие Лоренц называет *фульгурацией,* от латинского слова, означающего удар молнии. Он представляет себе эволюцию в виде ряда резких скачков, создающих качественно новые свойства живой системы. Таким образом, не только действие уже существующих организмов, но и самое возникновение органического мира получает кибернетическое истолкование.

Для многих наблюдавших развитие кибернетики это осуществление заветной мечты. Когда Норберт Винер в конце 40-х годов заметил глубокую аналогию между действием систем автоматического регулирования и живых организмов, он предположил, что принципы обратной связи и регулирующего контура могут объяснить, что такое жизнь. Но в это трудно было поверить: казалось невозможным свести к столь простому принципу объяснения все качественное своеобразие живых систем, а популяризаторы кибернетики — не биологи, а инженеры — много сделали, чтобы подорвать доверие к нему. И вот, под рукой Лоренца кибернетика буквально обретает *живую* плоть, превращаясь в то, что со временем назовут "теоретической биологией". Для этого надо было, чтобы *биолог* проникся духом этой математической науки, и удивительно, что Лоренц сумел ее освоить, будучи уже сложившимся ученым. Невольно вспоминается, как Эйнштейн, уже создавший теорию относительности, принялся изучать тензорный анализ. Впрочем, в книге Лоренца нет формул: она предназначена для образованного читателя, но не предполагает специальной подготовки. Вы найдете в ней всего лишь *одну* схему электрической цепи, притом очень простой. Но какую идею иллюстрирует эта цепь!

Теперь о философском содержании книги. "Оборотной стороной зеркала" Лоренц называет познавательную способность человека. Об этой способности с незапамятных времен говорили философы: предполагалось, что есть особая часть философии, "гносеология", занимающаяся этим предметом и даже лежащая в основе всей философии вообще. Поэтому книги по философии начинались с описания процессов, совершающихся в человеке: "ощущения", "восприятия", "представления" и, наконец, "мышления". Все эти явления были известны философам из самонаблюдения или, как они говорили, "феноменологическим путем". В течение средних веков философия не имела других методов, кроме "феноменологии" и того, что она заимствовала у Аристотеля под названием логики. Со времен Платона в человеческом мышлении укоренился предрассудок, враждебный объективному исследованию природы. Средневековые схоласты считали, что человеческий разум — "микрокосм" — есть точное отражение внешнего мира — "макрокосма" — со всеми его связями и закономерностями. Поэтому, как они полагали, наблюдение за деятельностью собственного разума может доставить едва ли не все необходимое знание о мире. Спекулятивная система мышления сохранилась в "немецкой классической философии", важнейшим представителем которой считается Гегель. В XX веке этот подход был полностью скомпрометирован — с немалым ущербом для престижа философии. Естественные науки энергично теснили философские "системы".

Что же касается *научного* содержания философии, то оно постепенно выделялось в самостоятельные дисциплины. Психология стала предметом экспериментальных исследований и разбилась на ряд направлений, принимающих более или менее научный характер. Логика обрела новую жизнь в качестве математической науки. А *гносеологию* Лоренц превращает в этой книге в *биологическую науку.*

Гносеология (или эпистемология, что одно и то же) претендует быть "теорией познания". Но наше *знание* отнюдь не исчерпывается *научным* знанием и, уж конечно, не начинается с него. Как объясняет Лоренц, научному знанию предшествует гораздо более древнее и более необходимое нам, людям, знание об окружающем мире, о человеческом обществе и о самих себе, составляющее сокровищницу человеческих культур. Самое существование человека и общества есть познавательный, "когнитивный" процесс, основанный на присущем человеку "любознательном", или "исследовательском", поведении. Это поведение, посредством которого уже маленький ребенок обретает фантастически обширное знание об окружающем мире и о себе, мы разделяем с нашими родичами и предшественниками — животными. Его невозможно понять, не выяснив, что такое поведение вообще, а для этого необходимо прежде всего изучить те формы поведения, которые общи человеку и животным. Этим и занимается этология. Поэтому неудивительно, что в "Оборотной стороне зеркала" исследование познавательного поведения начинается с амебы и постепенно переходит ко все более сложным организмам, вплоть до человека и человеческих культур — самых сложных систем, какие мы знаем во Вселенной.

При этологическом подходе становится очевидным, что каждый акт познания есть *взаимодействие* между некоторой частью мира, внешней по отношению к организму, и самим организмом или теми его органами, функцией которых является познание. Наблюдение познавательного поведения животных в этом смысле более убедительно, чем самонаблюдение, при котором субъект наблюдает свою собственную деятельность, что неизбежно приводит к искажениям. Исключительная сосредоточенность философов на самонаблюдении, причины которой проницательно анализировал Поппер, привела их к странным, но чрезвычайно живучим заблуждениям. Некоторые философские школы еще в древности приписывали человеку врожденное знание как часть присущей ему божественной природы. Средневековые философы полагали, что человек рождается с некоторым, хотя и несовершенным, знанием о Боге. Эмпирическая философия Нового времени заняла противоположную позицию: она отрицала *любое* врожденное знание и представляла себе разум новорожденного человека как tabula rasa (чистую доску), на которой записывается приобретенный опыт: "в интеллекте нет ничего, чего раньше не было в ощущении". Так думали английские эмпирики Локк и Юм, а вслед за ними философы французского Просвещения. Главной заслугой Канта было преодоление этого заблуждения. Кант полагал, что человек от рождения обладает некоторыми основными формами мышления, на которые накладывается приобретенный им жизненный опыт. По характеру своего мышления Кант был рационалистом и человеком эпохи Просвещения, хотя и непоследовательным рационалистом, пытавшимся сконструировать Бога из постулатов "практического разума". Но в теории познания, в своем главном труде "Критика чистого разума" Кант не предполагает у человека врожденного знания о боге. "Априорное знание", т. е. знание, предшествующее всякому опыту, состоит, по его мнению, из основных идей математики и логики, которые он перечисляет и классифицирует. Таким образом, согласно Канту, человек от рождения "знает", что такое "точка", "прямая", "плоскость", каковы простейшие отношения между этими идеальными понятиями, и точно так же "знает" основные представления о целых числах и о правилах логического вывода. Если бы это было верно, то другие представления об этих предметах были бы для человека "немыслимы", и Кант был убежден, что выделенное им "априорное знание" составляет неизбежную основу всякого мышления. Как известно, появление неевклидовой геометрии вскоре опровергло это убеждение. Но самая идея о том, что человек рождается некоторым образом оснащенным для познания, что его разум не является на свет в виде tabula rasa, как думали эмпиристы, была плодотворной и получила дальнейшее развитие.

Для Лоренца очевидно, что "врожденное знание" существует и имеет своим материальным носителем человеческий геном; но это "знание" не имеет вида математических или логических понятий и вообще не доставляет человеку готовой "информации о мире", а состоит из структур, делающих возможным усвоение такой информации. Мозг новорожденного не содержит, таким образом, представления о "прямой линии", но содержит устройства, позволяющие ему очень быстро обучиться данному представлению. В отношении "списка основных понятий" Кант был не так уж далек от истины: именно пространственные ("геометрические") понятия, как мы теперь знаем, лежат в основе всех языков. Но, конечно, Кант никогда не думал о "материальных носителях" того, что он называл априорным знанием: представление о человеческом "Я" он составлял преимущественно путем самонаблюдения.

Лоренц стремится выяснить, какие именно способности к обучению являются врожденными, и приходит к главным выводам об этом в своем глубоком анализе процесса обучения Хелен Келлер — девочки, родившейся слепой и глухонемой и воспитанной учительницей Энн Салливан с помощью одних только тактильных ощущений. Этот уникальный эксперимент не был понят и оставался забытым в течение почти ста лет.

Последовательное понимание биологии как науки о *взаимодействии* живых систем с окружающей средой и, в частности, между собой определяет позицию Лоренца по отношению к основному вопросу философии — об отношении человеческого сознания к внешнему миру. Конечно, его установка совпадает с извечным убеждением естествоиспытателей в реальности внешнего мира. Противоположную позицию, принимающую в качестве исходного материала одни лишь ощущения и отрицающую реальное существование объектов, вызывающих эти ощущения, Лоренц называет "идеализмом" и отвергает как бесплодное извращение мышления. С его точки зрения, такая позиция приводит лишь к ненужному усложнению языка, сосредоточивая внимание на процессах, не поддающихся объективному наблюдению, и никоим образом не углубляет наше знание о мире и о самих себе. Лоренц предлагает историческое объяснение того факта, почему профессиональные философы в своем большинстве были "идеалистами", ни в малейшей степени не смущаясь этим фактом. Он полагает, что древние греки, впервые обратившие свое мышление на собственное "Я", были поражены видимой легкостью самонаблюдения по сравнению с наблюдением внешнего мира и вдохновлялись результатами геометрии, как будто бы вытекающими из "чистого мышления". Отсюда возник разрыв между абстрактным мышлением и опытом, главным виновником которого, несомненно, был Платон, а продолжительность существования такого разрыва объясняется общим упадком науки в средние века.

Собственная гносеологическая установка Лоренца, которую он вслед за Дональдом Кэмпбеллом называет "гипотетическим реализмом", непосредственно отражает естественный процесс роста научного знания. Наблюдения и эксперименты над внешним миром доставляют нам множество фактов, описывающих "внесубъективную реальность", т. е. реальность, одинаково признаваемую всеми наблюдателями. Ученый пытается объяснить эту реальность с помощью теорий, устанавливающих закономерности в этом множестве фактов. Теория возникает не из простого накопления и классификации фактов, как думал Бэкон, а из гипотез, изобретаемых исследователем и подлежащих опытной проверке. Каждая такая гипотеза является интуитивной догадкой, стимулируемой не только наблюдаемыми фактами, но и другими, уже успешно подтвержденными гипотезами. Процесс рождения гипотез, как и вся интуитивная деятельность человека, остается загадочным: можно лишь заметить, что он родствен процессам "распознавания образов" или "сравнения признаков" (pattern matching), которыми занимались в кибернетике в гораздо более простых случаях. Гипотеза сравнивается с опытными фактами, и чем более обширна область фактов, согласующихся с нею, тем больше приписываемая ей вероятность. Правильно построенная гипотеза должна быть в принципе "опровержимой" (falsifiable), т. е. несовместимой с определенными результатами определенных экспериментов. Это условие, выдвинутое Поппером, исключает "ненаучные" гипотезы, не столь определенные, чтобы вообще допускать опытную проверку. Естественно, ученые, проверяющие некоторую гипотезу, сопоставляют ее с разнообразными опытными фактами, имеющими к ней отношение, в том числе и возможно более далекими от исходных фактов, породивших данную гипотезу. Если гипотеза выдерживает подобные проверки в течение длительного времени, ее вероятность возрастает. Научная теория — это система таких тщательно проверенных гипотез, поддерживающих друг друга, как говорит Лоренц, по принципу "взаимного прояснения". Этот принцип отличает его философию науки от несколько более формальной системы Поппера. Лоренц подчеркивает, что никакая гипотеза не может быть опровергнута одним или несколькими не согласующимися с ней фактами: опровергается она лишь другой гипотезой, которой подчиняется *большее* число фактов. Истина, согласно Лоренцу, "есть рабочая гипотеза, способная наилучшим образом проложить путь другим гипотезам, которые сумеют объяснить больше".

Философское значение работ Лоренца далеко не исчерпывается гносеологией. Важнейшей составной частью философии всегда были размышления о природе человека, о его месте в мире, о судьбах человечества. Эти вопросы больше всего волновали и Лоренца, и он подходил к их исследованию не с умозрительных, а с естественнонаучных позиций, используя данные эволюционной теории поведения и эволюционной теории познания — новых биологических дисциплин, созданных им самим. Невозможно переоценить значение открытых им новых путей в исследовании природы человека и человеческой культуры — таких, как объективный анализ соотношения инстинктивных и запрограммированных культурой побуждений в человеческом поведении, подход к культуре как к живой системе, подчиняющейся общим закономерностям развития живых систем и в принципе доступной изучению научными методами. В наше время, когда дальнейшее существование человеческой культуры оказалось под угрозой в результате процессов, к которым привело ее собственное развитие, такие пути особенно актуальны.

Лоренц всегда был оптимистом, он верил в человеческий разум и в человеческие инстинкты, контролируемые разумом. Отказываясь признать современного человека, каков он есть, "венцом творения", Лоренц надеялся на его улучшение и совершенствование в ходе дальнейшей эволюции. Последняя глава книги "Так называемое зло" называется "Исповедание надежды". "Я верю, — пишет Лоренц, — ... в силу человеческого разума, верю в силу отбора и верю, что разум осуществит разумный отбор".

А в конце "Зеркала" Лоренц с полной уверенностью утверждает, что в наше время — впервые в мировой истории — появилась надежда достичь естественнонаучного понимания сложнейшей из всех живых систем — человеческого общества. "Человек как вид, — говорит он, — находится сейчас у поворота времен... мышление, доставленное нашей культуре ее естествознанием, дает ей возможность избежать гибели, постигшей все высокие культуры прошлого".

Для XXI века понадобится новое мировоззрение. Читатель, ищущий такое мировоззрение, способен читать серьезные книги, — пусть же он их прочтет.

А. И. Федоров

ПРИМЕЧАНИЯ

ВОСЕМЬ СМЕРТНЫХ ГРЕХОВ
ЦИВИЛИЗОВАННОГО ЧЕЛОВЕЧЕСТВА

Книга впервые опубликована в 1973 г. На русском языке ранее не издавалась. Перевод выполнен А. И. Федоровым по изданию: *Lorenz Konrad*. Die acht todsünden der zivilisierten Menschheit. R. Piper & Co. Verlag, München, 1973. Примечания составлены А. И. Федоровым.

С. 5. *Телеология* (от греч. τέλος — цель и λογος— слово, учение) — учение о целях явлений; объяснение явлений не предшествующими им причинами, а их предполагаемыми целями.

С. 7. *Филогенез* (от греч. φῦλον— род, племя и γένεσις — происхождение) — процесс исторического развития мира организмов, их видов, родов и т. д.

Облигатные связи — связи, обязательные в процессе функционирования системы.

Аппетентное поведение — от лат. appetens — домогающийся, добивающийся, жадный, падкий.

С. 12. Оба термина — *экономика* и *экология* — содержат корень греческого слова οἰκος — *дом*.

С. 13. *Биотоп* (от греч. βίος — жизнь и τόπος — место) — место, занятое биоценозом, определенным сообществом организмов.

Закарстоваться — приобрести рыхлое строение с трещинами и пустотами (от названия плато Карст в Словении).

С. 14. *Гистология* (от греч. ἱτός — ткань и λόγος — слово, учение) — наука, занимающаяся микроскопическим изучением тканей организма.

С. 17. Скрытое цитирование слов Фауста, обращенных к Мефистофелю (буквальный перевод):

> Итак, ты противопоставляешь вечно деятельной,
> Благотворно созидающей силе
> Холодный дьявольский кулак,
> Сжимающийся в тщетной злобе.

С. 18. *Глубинная психология* — данным термином обозначают психоанализ Фрейда, аналитическую психологию К.-Г. Юнга, индивидуальную психологию А. Адлера и другие связанные с ними психологические концепции; термин отграничивает их от психологии реакций, не занимающейся более глубокими слоями личности (ср. ниже, гл. 8).

С. 20. *Тепловая смерть чувства* — от выражения "тепловая смерть мира", обозначающего гипотетический процесс выравнивания неоднородности Вселенной вследствие перехода упорядоченного механического движения частиц в неупорядоченное тепловое движение. Происходящее при этом разрушение структур приводит к возрастанию беспорядка, мерой которого служит энтропия. В данном случае это выражение означает общее притупление, ослабление чувства.

Аппетенция — от лат. appetentio — сильное желание, стремление.

Аверсия — от лат. aversio — отвращение, неприязнь.

С. 21. *Нейросенсорные системы* — системы, включающие в себя мозг, нервы и органы чувств.

...а потом перестал — в подлиннике — австрийский диалект.

С. 24. Непереводимая игра слов: фамилия Фрейда (Freud) созвучна со словом "радость" (Freude).

"Радость, прекрасная божественная искра" — начальная строка оды Шиллера "К радости".

С. 29. *Лептосомы* — так называются люди с врожденной недоразвитостью мышечной системы (от греч. λεπτός — тонкий, худой, слабый и σῶμα — тело).

Шизотимная последовательность — напоминающая шизофреническое упрямство.

О *госпитализации* подробнее см. на с. 41.

С. 30. *Эвтаназия* — умерщвление психически больных в Германии по приказу Гитлера.

С. 31. *Mobbing* — *"нападение толпы"* — реакция нападения общественных животных на хищника, схватившего одного из них. Здесь имеется в виду реакция против субъекта, которого воспринимают как хищника.

С. 33. *Онтогенез* (от греч. ὄν, род. п. ὄντος— сущее и γένεσις — происхождение) — индивидуальное развитие организма.

С. 36. *Наследование приобретенных свойств* — ироническая ссылка на теорию Ламарка, приписывающую животным способность передавать по наследству свойства, приобретенные в процессе онтогенеза. Здесь идет речь о передаче таких свойств путем культурной традиции, а не генетическим путем (что, как установлено, невозможно).

...на много порядков быстрее — говорят, что одно число на *n* порядков больше другого, если разность между числом цифр десятичной записи первого числа (точнее, его целой части) и числом цифр десятичной записи второго равна *n*. Например, шестизначное число на два порядка больше четырехзначного.

С. 37. *Геномом* организма называется полный набор его генов.

С. 38. *Дивергирующее развитие* (от позднелат. divergentio — расхождение) — имеется в виду аналогия с "дивергенцией признаков" в Дарвиновой схеме эволюции, объясняющей возникновение новых видов.

С. 39. *...полки императорской королевской австрийской армии.* — Австрийский император был одновременно венгерским королем, отсюда двойное название различных учреждений Австро-Венгрии.

С. 42. *Без фрустраций* — имеется в виду популярная в США начиная с 20-х гг. система воспитания, в соответствии с которой полагалось избегать любых ситуаций, способных вызвать у детей ощущение подавленности, вынужденного сдерживания эмоций (лат. frustratio).

С. 43. *Регрессией* называется поведение, соответствующее более ранней стадии развития индивида и возобновляющееся при эмоциональном потрясении.

С. 44. *Гипоталамус* — область мозга, регулирующая деятельность желез внутренней секреции.

С. 46. *Опровержение* — перевод термина К. Поппера Falsifikation (англ. falsification). Попперу принадлежит и гносеологический принцип, содержащийся в этой фразе.

Феноменологическая точка зрения — здесь (в смысле философии Канта): основанная на самонаблюдении субъекта.

С. 47. *Теория пустотелого мира* — имеется в виду благосклонно принятая правителями нацистской Германии фантазия шарлатана Гарбигера, представлявшего себе земную поверхность в виде внутренней поверхности шаровой полости, окруженной твердым веществом, подобным хрусталю.

"Поступают так, как если бы" — выражение Канта.

С. 48. См. главу 2 книги К. Лоренца "Так называемое зло" (в наст. изд. с. 71).

С. 49. Здесь труднопереводимое противопоставление слов Schüler (ученик в смысле школьного обучения) и Jünger (ученик основателя религии, апостол).

"...и ужас потрясает мир". — Дословный перевод: "В конце концов во всех праздниках дьявола ненависть партий наилучшим образом играет свою роль, доводя ужас до последнего предела".

С. 53. *"Порядок клевания"* — специальный термин для обозначения рангового порядка в обществе животных, заимствованный из наблюдений над курами, у которых порядок клевания соответствует популяционному рангу.

С. 54. Немецкое слово Geist не тождественно по смыслу русскому слову "дух" и шире по объему, чем слово "разум". В данном контексте оно означает психическую деятельность человека.

С. 55. *"...любое исследование природы является наукой в той мере, в какой в ней используется математика..."* — высказывание Канта.

С. 56. *Нейросенсорная система* — см. примечание к с. 21.

ТАК НАЗЫВАЕМОЕ ЗЛО
К естественной истории агрессии

Книга впервые опубликована в 1963 г. На русском языке впервые издана (под названием "Агрессия") в 1994 г. издательской группой "Прогресс" в переводе, выполненном Г. Ф. Швейником по изданию: *Lorenz Konrad, Das sogennannte Böse, Borotha-Schoeler, 1963*. В настоящем издании печатается тот же перевод, но в заново отредактированном и значительно исправленном виде.

Примечания составлены Г. Ф. Швейником и А. В. Гладким.

С. 80. *"mobbing"*. — См. примечание к с. 31.

Святой Губерт (656 (?)— 727) — покровитель животных и охоты. Старший сын герцога Бертрана Аквитанского. Согласно легенде обратился в христианство, повстречав на охоте оленя с сияющим крестом на рогах. Был епископом маастрихтским и льежским. Канонизирован в XV в.

С. 81. *Штази.* — Так называлась тайная полиция в Германской Демократической Республике (Stasi от Staatssicherheit — государственная безопасность).

"Апосематическая" — от греч. ἀποσημαίνω — оповещаю знаками, сигнализирую.

С. 92. *...враждующие соседние группы людей.* — В подлиннике Horden — орды, кочующие племена.

С. 97. *"Виталистический".* — Витализм (от лат. vitalis — жизненный) — учение, объясняющее живую природу с помощью особой "жизненной силы", не поддающейся экспериментальному изучению.

С. 100. *Иглу* — эскимосская хижина из плотного снега.

С. 101. *Чомга,* или большая поганка (podiceps cristatus), — птица из семейства утиных.

С. 106. *Толкунчики (нем.* Tanzfliegen) — "танцующие мухи".
Хищные мухи — нем. Raubfliegen.
Мухи-убийцы — нем. Mordfliegen.

С. 113. *Супер-эго (нем.* Über-Ich) — термин психоанализа Фрейда, объясняемый тут же в тексте.

С. 135. *"Переходное обмахивание".* — "Переходные движения" выполняются вместо других, почему-либо недоступных, и в данной ситуации они, как правило, бесполезны.

С. 136. В оригинале эта фраза *("Du sollst...")* совпадает с началом немецкого текста заповеди, взятой в качестве эпиграфа к пятой главе ("Du sollst nicht töten" — буквально: "Ты должен не убивать").

С. 137. *..."спортивное благородство".* — В подлиннике англ. Fairness, буквально: "честная игра".

С. 145. В подлиннике берлинский диалект.

С. 160. В подлиннике старое выражение staatenbildende Insekte — буквально: "насекомые, образующие государства".

С. 162. В подлиннике приведена фраза из немецкой народной песни, почти дословно совпадающая с русским переводом.

С. 198. *Каспар Гаузер* (1812—1833) — юноша загадочного происхождения, появившийся в Нюрнберге в мае 1828 г. Юноша назвался Каспаром Гаузером и рассказывал, что, сколько себя помнил, находился один в темном помещении. Его история послужила сюжетом для ряда литературных произведений и поэтому известна немецкому читателю.

С. 208. О гипотетическом реализме см. в книге Лоренца "Оборотная сторона зеркала" (в наст. изд. с. 244—260).

С. 210. Русское слово "развитие" является калькой немецкого "Entwicklung", которое, в свою очередь, есть калька латинского "evolutio", буквально означающего "развертывание".

С. 225. В подлиннике von Jugend auf — "с юности" (имеется в виду, очевидно, юность человечества).

...приводит к притуплению... — Буквально: "к уставанию" (Ermüdung).

С. 226. См. примечание к с. 225.

С. 228. "Боже Мой, Боже Мой! для чего Ты Меня оставил?" (Мф. 27:46) — последние слова распятого Христа; арамейская вставка в греческом и прочих текстах Евангелия.

Слово Vernunft происходит от vernehmen — "слышать, воспринимать". К тому же этимологическому гнезду (группирующемуся вокруг глагола nehmen — "брать") принадлежит слово Benehmen — "поведение" (преимущественно в смысле "социальное поведение"). Выражение ins Benehmen zu setzen — буквально "ставить себя в поведение" — означает "завязывать отношения", "договариваться", "входить в соглашение".

С. 231. У Лоренца эта пословица дана в следующем виде: "Wenn die Fahne fliegt, ist der Verstand in der Trompete" *(нем.)* — "Когда развевается знамя, разум в трубе". Мы дали в переводе приблизительный вариант украинской пословицы и будем признательны читателям, которые помогут ее уточнить.

С. 234. Первоначальное значение латинского глагола aggredi — приступать, подходить (к чему-либо или кому-либо). Другие значения: приступать (к какому-либо делу), начинать, затевать, пытаться, предпринимать; бросаться, нападать. От этого глагола происходит существительное aggressio — "нападение".

ОБОРОТНАЯ СТОРОНА ЗЕРКАЛА
Опыт естественной истории человеческого познания

Книга впервые опубликована в 1973 г. На русском языке ранее не издавалась. Перевод выполнен А. И. Федоровым по изданию: *Lorenz Konrad, Die Rückseite des Spiegels: Versuch einer Naturgeschichte menschlichen Erkennens, Piper & Co. Verlag, 1973.* При переводе названий биологических видов переводчика консультировали В. М. Лоскат, А. Нилов и Ю. С. Равкин, которым он выражает благодарность. Примечания составлены А. И. Федоровым.

С. 244. *Гносеологические пролегомены. — Гносеология* (от греч. γνῶσις — познание и λόγος — слово, учение) — теория познания; *пролегомены* (от греч. πρό — перед и λέγω — говорю) — предварительное рассуждение, введение в изучение.

С. 245. Лат. jacere означает кидать, бросать, метать, а также выражать, высказывать. Subjectum — грамматический термин ("подлежащее"), от subjicere — "помещать внизу, подкладывать".

Das Subjekt (нем.), как и subjectum *(лат.),* — существительное среднего рода. По-латыни subjectum (под-брошенное, подложенное) есть страдательное причастие.

Нем. *sachlich,* стоящее в подлиннике, означает "касающееся вещи; относящееся к делу; трезвое (о мышлении), свободное от предрассудков, объективное" (*Wahrig.* Deutsches Wörterbuch).

С. 246. *Когнитивный* (от лат. cognitio — знание, познание) — познавательный, относящийся к познанию.

С. 247. В этой книге *феноменология* понимается в кантовском смысле — как изучение объектов и событий, непосредственно появляющихся в нашем переживании. Таким образом, метод феноменологии состоит в самонаблюдении, или интроспекции. Теория познания Канта ("трансцендентальный идеализм") рассматривается ниже, в п. 3.

С. 248. Обещанный второй том, к сожалению, не вышел. Его в некоторой степени заменяют последние главы данной книги и другая книга Лоренца, указанная ниже.

Эон (от греч. αἰών — век, эпоха) — самый крупный отрезок геологической истории, объединяющий несколько эр.

С. 250. В скобках приведен перевод с немецкого перевода, сделанного с английского К. Лоренцем, который в двух местах нуждается в комментариях. Appearances Лоренц переводит как Erscheinungen ("явления"), что следует понимать как явления в нашем переживании, а не во внешнем мире (англ. appearance означает также "видимость"). Are to be understood ("должны пониматься") Лоренц переводит как kann verstehen ("можно понять").

Эпистемология (от греч. ἐπιστήμη — знание и λόγος — слово, учение) — термин для обозначения теории познания.

С. 251. *Трансцендентальный идеализм Канта.* — Трансцендентальным идеализмом обычно называют философию Канта. Согласно Канту, наше восприятие необходимо принимает некоторые врожденные формы (априорные формы созерцания), не зависящие от опыта; точно так же наша способность суждения необходимо принимает некоторые врожденные формы, именуемые категориями мышления. Вместо кантовского метода рассмотрения восприятия и мышления человека, основанного лишь на самонаблюдении (феноменологии), Лоренц предлагает другой философский подход к этой проблеме, сохраняя к своему предшественнику по кафедре должное почтение. Этот подход, "гипотетический реализм", тесно связан с данными современной биологии.

Вещь в себе (нем. Ding an sich) — у Канта объект внешнего мира, каков он есть сам по себе, независимо от нашего восприятия и познания.

Речь идет о работе Канта "Пролегомены ко всякой будущей метафизике, могущей появиться как наука" (1783).

Феноменальное пространство — пространство, в котором происходят явления (феномены).

С. 253. В подлиннике забавная неправильность в образовании множественного числа от "вещи в себе".

С. 254. Здесь и в других случаях старомодные выражения "преобразование силы", "сохранение силы" относятся к энергии.

С. 256. В подлиннике: das reflektierende Wesen — "рефлектирующее существо". Лат. reflectere означает первоначально "загибать, обращать назад". Немецкий глагол reflektieren означает "размышлять, особенно о собственных поступках, мыслях, переживаниях" (*Wahrig*. Deutsches Wörterbuch). Это двойное значение слова надо иметь в виду для понимания данного места.

С. 257. *Кристиан Моргенштерн* (1871—1914) — немецкий поэт и сатирик.

С. 259. *Гештальтпсихология* — теория, согласно которой физиологические и психологические явления не составляются простым суммированием отдельных ощущений и рефлексов, а происходят с формированием целостных образов или конфигураций (гештальтов, от нем. Gestalt), несводимых к свойствам входящих в них элементов. Основоположником гештальтпсихологии был немецкий психолог Макс Вертгеймер (1880—1943).

С. 261. В подлиннике Gefälle, что в физике означает "градиент". Имеется в виду движение энергии от мест более высокой ее концентрации к местам более низкой. Лоренц намеренно употребляет здесь и далее этот наглядный термин вместо более специального Gradient.

С. 262. *Нуклеотид* — соединение, состоящее из молекулы сахара, молекулы фосфорной кислоты и молекулы одного из "органических оснований" (строение этих оснований здесь не предполагается известным). Чередование в молекулярной цепочке нуклеотидов с разными основаниями составляет подобие буквенной записи, задающей указанный выше "план" живого существа.

Редупликация — от позднелат. reduplicatio — удвоение.

С. 265. Слово *pattern,* специфически английское и не переводимое на другие языки, подробно объясняется дальше в тексте; здесь мы предварительно перевели его как "признак". По поводу термина "дистальный" см. приложение в конце книги, п. 1.

Еще одно важное значение термина pattern — "признак". В литературе по кибернетике часто используется транслитерация— "паттерн".

С. 266. *...понимающее* поведение. — В подлиннике einsichtig, труднопереводимое слово, означающее "умный, понимающий, разумный, рассудительный" (*Wahrig*. Deutsches Wörterbuch). Соответствующее существительное Einsicht означает "взгляд, ознакомление, понимание; разумность, разум; познание, знание дела" (там же). В применении к животным наилучшим переводом кажется "понимающий" для einsichtig и "понимание" для Einsicht. Сходство и различие с человеческим поведением рассматриваются в дальнейшем.

С. 270. *Emergenz* — философский термин, означающий внезапное появление. Слово происходит от лат. emergere — вынырнуть, выплыть, возникнуть.

С. 273. *Ганглии* — нервные узлы.

...к проблеме специалиста. В подлиннике здесь труднопереводимое слово *Spezialistentum,* означающее "свойство быть специалистом". К сожалению, обещанный второй том книги, посвященный более подробному изучению проблемы

человека, не вышел. По-видимому, Лоренц не успел его написать; нам неизвестно, оставил ли он материалы к этому тому.

С. 274. Термин *"онтология"* (от греч. ὄν, род. п. ὄντος — сущее и λόγος — слово, учение), от которого произведено прилагательное *"онтологический"*, имеет два смысла: специально философский и общий. В первом смысле она обычно определяется как "раздел метафизики, занимающийся природой и отношениями бытия" (Webster's Third New International Dictionary, 1976). Лоренц, далекий от метафизических систем, применяет слово "онтология" в его общем смысле: "теория, касающаяся видов понятий (entities) и, в частности, видов абстрактных понятий, допускаемых в языковой системе" (там же). Образные "онтологические" описания автора каждый раз объясняются им в конкретных ситуациях, что и делается ниже.

С. 275. *Каузальный* — от лат. causalis — причинный.

Телеономный,— связанный с целями, с целесообразностью. Более подробно смысл этого термина разъясняется ниже, в гл. 5.

С. 276. *Николай Гартман* (1882—1950) — немецкий философ.

...его логически имманентная форма трансцендирует. Имманентный (от лат. immanens — пребывающий в чем-либо, свойственный чему-либо) — здесь означает "происходящий в уме субъекта"; трансцендировать — от лат. transcendere — выходить за пределы чего-либо. Смысл этой фразы состоит в том, что суждения, формы которых зависят от законов мышления, имеют значение, выходящее за его пределы. Дальнейшая фраза об "онтологической устойчивости" понятия категории подразумевает, по-видимому, его длительное сохранение в философии (после Канта).

С. 277. *Филогенетик* — исследователь происхождения видов.

...это делает его теорию съедобной. — В подлиннике genießbar — удобоваримая, приемлемая.

С. 278. *...т. е. "психику".* — В оригинале "Seele" — "душу". Кавычки (и общий смысл текста) свидетельствуют о том, что имеется в виду психическая жизнь, а не душа в религиозном смысле этого слова.

Нарушение правил... — В подлиннике: Verstöße gegen die Regeln phänomengerechten Kategorial-Analyse und systemgerechten Kausal-Analyse.

С. 280. *"Орименты"* (иначе — ориментарные органы) — зачатки органов, прогрессивно развивающихся в филогенезе и приобретающих у потомков более сложное строение.

С. 281. *...естество и воспитание.* — В подлиннике данное противопоставление состоит из двух *английских* слов: nature и nurture.

С. 287. *...у многих равноногих ракообразных.* — Isopoda, к которым относятся мокрицы.

...о направлении перепада. — Richtung des Gefälles на количественном языке называется направлением градиента.

С. 290. *Моторное* — двигательное.

С. 291. Точнее, имеется в виду угольная кислота H_2CO_3, разлагающаяся на двуокись углерода CO_2 и воду H_2O.

С. 292. Пустельга — Turmfalk, falco tinnunculus.

С. 293. *...импульсивное поведение* в смысле Оскара Гейнрота — данным выражением переведено немецкое слово Triebhandlung, где Trieb означает "побуждение", "импульс", "инстинкт". Поскольку слово "инстинкт" имеет менее специфический характер и не было использовано Гейнротом и Лоренцем, мы предпочли приведенный в тексте перевод, не связанный с какой-либо абстрактной концепцией поведения.

Афферентный — идущий от периферии к центру.

С. 296. *То, что "подгоняет" животное, "импульс"...* — немецкое Trieb, переведенное у нас словом "импульс", происходит от глагола treiben, первоначальное значение которого "гнать, подгонять" соответствует латинскому impulsus — толчок, побуждение.

"Импульс детумесценции". — "Detumeszenztrieb", от лат. tumere — распухнуть, раздуться.

С. 297. *Чеглок* — Baumfalk, falco sabluteo.

С. 307. *...которое охотники называют "травлей".* — В оригинале "auf sie hassen" ("ненавидят их"). Здесь глагол hassen имеет специальное значение, объясняемое ниже.

Загоны — Koje — здесь: "Область, открытая сверху и спереди, отделенная от бо́льшего пространства временными стенами, которая (временно) устроена для определенной цели". См.: *Duden*. Das große Wörterbuch der deutschen Sprache. Bd. 4.

С. 309. *Сарыч* — Bussard (Buteo).

С. 311. *Анатиды* — утиные.

С. 313. *Наездники* — Schlupfwespen (Ichneumonidae).

С. 314. *Инцест* — половые сношения между близкими родственниками.

С. 317. *Конвергентное приспособление.* — Конвергенцией (от лат. convergo — сближаюсь, схожусь) в биологии называется образование сходных признаков в независимо эволюционирующих группах организмов.

С. 318. *...успех подкрепляет поведение животного.* — В подлиннике — bestärkt. Согласно "Большому немецко-русскому словарю" (М.: Русский язык, 1980), bestärken означает подкреплять, подтверждать *(что-либо),* утверждать, укреплять, поддерживать *(в чем-либо);* то же в Немецко-русском словаре И. Я. Павловского (Рига, 1911). Verstärken переводится в этих словарях как усиливать, укреплять; подкреплять; утолщать, соответственно усиливать, увеличивать, подкреплять. Термин И. П. Павлова делает акцент на "усилении", а предлагаемый Лоренцем — на "подкреплении".

По-латыни одно из значений прилагательного *prior* — "более значительный" или "лучший".

С. 319. *"Датчик"* — в подлиннике "Fühler", "чувствователь".

С. 321. *Энграмма* — след, оставленный в мозгу событием индивидуального прошлого (психологический термин).

...знак в памяти... — в подлиннике Gedächtnisrune — руна памяти.

С. 322. *Морфогенез* (от греч. μορφή — форма и γένεσις — происхождение) — развитие форм живых организмов в ходе эволюции.

С. 323. *Аверсия.* — См. примечание к с. 20.

С. 327. *Экстероцепторный механизм* — собирающий возбуждения, исходящие из внешней среды.

Проприоцепторный механизм — собирающий возбуждения, идущие от мышц, связок и костей (но не от внешней среды и не от внутренностей; возбуждения от внутренностей называются энтероцепторными).

С. 328. *Автохтонный* — от греч. αὐτόχθων — туземный, местный; местного, специфического происхождения.

С. 329. *...называют "сочинением".* — В подлиннике Dichten, что означает поэтическое творчество.

С. 331. Немецкий перевод К. Лоренца отличается некоторыми нюансами от английского текста Поппера. Мы перевели это место (и дальнейшее) с немецкого текста Лоренца.

Апория (от греч. ἀ πορία — трудность, безвыходное положение) — противоречие в мышлении, видимая невозможность совместить два тезиса, кажущиеся одинаково правдоподобными.

С. 335. *Землеройка* — Wasserspitzmaus, Sorex fodiens.

Гомофонное — однотонное.

Проприоцепторы — мышечные и скелетные рецепторы.

С. 336. *Филетическое развитие* — развитие, происходящее вследствие изменения генома.

Фибриллярные сокращения — сокращения мышечных волокон.

Эндогенная — исходящая изнутри организма.

С. 337. *Афферентные.* — См. примечание к с. 293.

С. 339. *...представление о кинестезии его выполнения* — о телесных ощущениях при движении.

С. 340. В подлиннике сопоставляются глаголы greifen (хватать) и begreifen (понимать, постигать); от последнего происходит существительное Begriff (понятие). Таким образом, в немецком языке непосредственно отразилась связь между схватыванием предметов и образованием понятий. Впрочем, в русском языке "схватывать" также употребляется в значении "понимать", да и само слово "понять" происходит от "ять", означающего "взять".

С. 342. *Эпифеномен* (от греч. ἐπί — над, сверх, при, после и φαινόμενον — являющееся) — побочное, сопровождающее явление.

С. 343. *Гомологичными* называют органы, имеющие общее происхождение в процессе эволюции, хотя, возможно, и получившие разные функции.

Ткачиковых (Estrildini и Ploceini). — В подлиннике Prachtfinken, подсемейство Estrildinae, и Webervögel, семейство Ploceidae — птицы, похожие на зяблика.

С. 344. *Реафференции* — сообщения центральной нервной системе, выполнен ли на периферии (например, мышцами) полученный по нервам "приказ".

С. 345. ...*сложных процессов обработки.* — В оригинале Verrechnungsvorgängen, буквально: процессы расчета.

С. 346. *Ретина* — сетчатка.

Неврит — аксиальная (осевая) часть нервного волокна, исходящая в виде конуса из нервной клетки.

С. 348. Употребление глаголов "выделять" (herausheben) и "абстрагировать" (abstrahieren) во взаимосвязанных значениях обусловлено тем, что одно из первоначальных значений латинского слова abstrahere — отделять, отрывать.

С. 351. *Параллаксом* называется угол между направлениями на один и тот же предмет, исходящими из разных мест.

Пеленгация — в оригинале морской термин Anpeilen, означающий "засечение" положения объекта.

С. 352. *Как конвергенция глазных осей...* — в оригинале "сходимость"; имеется в виду угол между глазными осями, когда оба глаза фиксируют один и тот же предмет.

Субстрат перемещения — среда, в которой совершается перемещение.

Литораль — прибрежная полоса морского или речного дна.

С. 357. ...*требования к точности пространственного понимания.* — В оригинале Einsicht, что вообще означает "понимание", "постижение" и переводится как "понимание"; но надо иметь в виду, что это слово происходит от sehen — "видеть".

С. 358. ...*перед Рождеством и после...* — немецкое nach еще лучше русского "после" выражает расположение за чем-то.

...*на протяжении двух лет.* — По-немецки еще выразительнее: innerhalb eines Zeitraums von zwei Jahren, буквально: "внутри временно́го пространства в два года".

...*о глубинах...* — ср. "уровни интеграции" в этой книге; слово, переведенное нами как "уровень", у Лоренца — Ebene — "плоскость".

С. 359. *Наряду* — по-немецки буквально "около, рядом" (neben).

За — по-немецки буквально "сзади" (hinter).

С. 361. *Р. Майер* открыл в 1842 г. первый принцип термодинамики, т. е. закон сохранения энергии; второй принцип был сформулирован Р. Клаузиусом (1850) и В. Томсоном (1851).

Нативный — первичный, естественный.

Секрет — здесь — выделение.

С. 362. *Локомоторный* — связанный с переменой места.

С. 365. *Губановые рыбы* — также зеленушковые (Labridae).

С. 366. *Эквиды* — лошадиные.

...*не способен.* — Здесь в командах непереводимые диалектные особенности.

С. 367. *Турецкая утка.* — В оригинале Türkenente — наименование, отсутствующее в словарях. Предположительно имеется в виду мускусная утка, Cairina moschata.

Каролинская утка — нем. Brautente, Aix sponsa (L.).

С. 370. *Вильгельм Буш* (1832—1908) — немецкий сатирик и карикатурист.

С. 373. Слово *wirklich* происходит от глагола wirken, означающего "действовать", "влиять", "работать". Прилагательное wirklich переводится как "действительный, реальный, настоящий, истинный, существующий, фактический". Таким образом, это прилагательное, выражающее "истинность", в то же время происходит от "действия". Точно так же русское прилагательное "действительный" происходит от глагола "действовать".

Английское прилагательное *actual* означает "существующее в действии или в факте; реальное; существующее в данный момент, текущее; действительное в данное время" (Webster's Encyclopaedic Dictionary). (Слово это происходит от позднелатинского actualis, в свою очередь происшедшего от латинского глагола ago — "действую".)

...с угрожающим хищником — в оригинале Freßfeind, что означает "пожирающий враг".

С. 374. *Серая крыса* — нем. Wanderratte, серая крыса, или пасюк, Mus decumanus или Rattus norvegicus.

С. 376. *Таксономия* — классификация по определенным признакам; здесь — систематическая классификация животных.

С. 377. Так в подлиннике (Eisbär).

С. 379. Здесь имеется в виду изречение, приписываемое Протагору: "Человек — мера всех вещей".

...а его знание о существенных свойствах схваченной вещи стало понятием. — В подлиннике здесь непереводимая словесная параллель: немецкое Jreifen (схватывание) того же корня, что и Begreifen (образование понятия), и оба слова происходят от глагола greifen (хватать), точно так же, как слово Begriff (понятие). (См. примечание к с. 340.)

С. 381. *Акустический шаблон.* — В оригинале Muster (образец, пример, модель, шаблон); дальше Лоренц замечает, что немецкое слово Schablon, точно отвечающее русскому слову "шаблон", является наилучшим переводом английского template.

С. 382. *Вальтер Ульбрихт* (1893—1973) — один из лидеров Германской Демократической Республики.

С. 383. *...восприятие образов.* — В оригинале Gestaltwahrnehmung — "восприятие гештальтов".

С. 385. *Корвиды* — семейство вороновых (Corvidae, нем. Rabenvögel), включающее галок, ворон, сорок, соек, воронов и др.

С. 388. "Doch red' ich in die Lüfte, denn das Wort bemüht sich nur umsonst, Gestalten schöpf'risch aufzubauen". — В подлиннике стихи приведены без разбиения на строки. "Образы" — неточный перевод нем. Gestalten; ср. термин "гештальт", объясненный выше. В русской поэзии ту же идею выразил Ф. И. Тютчев: "Мысль изреченная есть ложь".

С. 389. *Коррелят* (от позднелат. correlatio — соотношение) — явление или понятие, определенным образом соответствующее данному или соотнесенное с ним.

С. 390. *"Любознательность".* — В данном случае русское слово выражает этот смысл точнее, чем соответствующее немецкое Neugier (буквально: "жажда нового").

С. 391. *Ретардация.* — задержка.

...Приближается к понятию. — См. примечание к с. 340.

С. 393. *Дизъюнктивные* — взаимоисключающие.

Теория приспособления. — В подлиннике "Das Theorem der Anpassung", "теорема о приспособлении".

С. 394. *Континуум* — непрерывная последовательность.

С. 396. *...духовную жизнь.* — В подлиннике geistiges Leben. Geistig — прилагательное, происходящее от существительного Geist, означающего не только "дух", но и "ум", и вообще психическую сторону жизни человека. "Духовная жизнь" понимается здесь в таком общем смысле, как это видно из употребления слова Geist в разных местах книги.

С. 399. *Недостаточное существо.* — В оригинале Mängelwesen, от Mangel *(нем.)* — "недостаток", "нехватка", "дефицит".

С. 400. *Совместный* — один из возможных переводов технического термина gekoppelt, использованного здесь Лоренцем и означающего также "спаренный", "сдвоенный", "сцепленный" (в применении к частям машины). "Сила" (Macht) означает, как часто у Лоренца, энергию (см. примечание к с. 254), а "знание" (Wissen) — информацию.

Филетический — происходящий наследственным путем.

С. 401. *Поль Валери* (1871—1945) — французский поэт.

С. 403. *Доместикация* (от лат. domesticus — домашний) — процесс превращения диких животных в домашних вследствие условий их содержания, а также осуществляемого человеком отбора. Лоренц открыл аналогичные процессы, происходящие в современном человечестве, и описал их в своей книге "Восемь смертных грехов цивилизованного человечества" (см. наст. изд., с. 3–60).

С. 404. *Аффекты* (от лат. affectus — душевное волнение, страсть) — сильные психические переживания, эмоции.

С. 405. *...разделение психики.* — В подлиннике Geist, что означает также "дух".

С. 406. *Вокабулы* — отдельные слова.

С. 410. *Алфавит Брайля* — азбука для слепых.

С. 412. *Дивергенцией* (от позднелат. divergentia — расхождение) называется расхождение форм вследствие эволюционного развития, приводящее в случае форм животных к образованию видов.

С. 414. *...в европейских морях.* — В подлиннике Meeren; Meer может означать либо море, либо большое озеро.

"гибридизируются". — В подлиннике verbastardieren, от Bastard (помесь, гибрид).

Три вида уток; немецкие и латинские названия их в том же порядке: Krickente (Anas crecca L.), Löffelente (Anas clipeata L.), Stockente (Anas platyrhyncha L.).

С. 416. К сожалению, второй том этой книги не вышел, и переводчику неизвестно, что успел написать К. Лоренц об этих основных проблемах современной общественной жизни.

...в моей книге об агрессии. — Имеется в виду книга К. Лоренца "Так называемое зло" (см. в наст. изд., с. 61—242).

Шотландская гимназия и гимназия Ваза. — Две гимназии в Вене, существовавшие в начале нашего столетия.

С. 418. *Разрушаться* — в подлиннике abgebaut werden, буквально "разбираться", "демонтироваться".

С. 424. *...прийти к единственной неопровержимой теории.* — Эта фраза представляет собой ироническое изложение точки зрения К. Поппера, подчеркивающего, что ученый стремится не подтвердить свое предположение (поскольку никакое число подтверждений не доказывает его безусловную верность), а опровергнуть его (to falsify; у Лоренца нем. falsifizieren), для чего достаточно одного противоречащего факта. Впрочем, изложение это неточно. Поппер не считает, что исследователь должен "прийти к единственной неопровержимой теории": напротив, никакая научная теория, согласно Попперу, в принципе не может быть неопровержимой. В действительности содержание следующего абзаца хорошо согласуется с тем, как Поппер представляет себе ход научного исследования.

...так называемой интуицией. — Здесь К. Лоренц отождествляет "хорошую способность к распознаванию образов" с "интуицией". Поскольку явление, называемое интуицией, весьма загадочно, это попутное замечание заслуживает внимания.

...заводит моя интуиция. — В подлиннике Gestaltwahrnehmung, "распознавание образов".

С. 425. *...если эта основа прочна.* — В подлиннике непереводимая игра слов: unterstellen означает и "подвергать", и "ставить что-либо под чем-либо".

...сознанием своей принадлежности культуре. — Немецкое Identität несет здесь функции трудного для перевода, очень важного английского термина identity, означающего, кроме простого тождества, принадлежность к некоторой группе, отождествление себя с этой группой и определение себя через эту принадлежность, составляющее самосознание индивида.

Аутизм (от греч. αὐτός — сам) — мышление, управляемое личными нуждами и иллюзиями; погружение в собственные мысли и фантазии.

С. 426. *Большая поганка* — или чо́мга (нем. Haudentaucher), Podiceps cristatus L.

С. 429. *Вегетативные явления* — в данном контексте: явления, не поддающиеся нервному контролю.

С. 430. *Полорогие* — нем. Horntiere (Bovidae).

С. 431. *Бородатковые* — нем. Bartvögel, семейство Capitonidae.

Олуши — нем. Baßtölpel (Sula bassana).

С. 435. *...наше биологически заданное поведение.* — В подлиннике kreatürliches — свойственное живым существам.

...я обозначил этим словом гораздо более широкое понятие. — В русском тексте смешение вряд ли возможно, так как в соответствующем разделе слово Gegenstand переводится как "предмет".

С. 436. *Импонированием* называют способы поведения, вызывающие определенное впечатление у особей того же вида, например, у конкурентов или сексуальных партнеров.

С. 437. *Приличие и порядочность.* — Оба слова (Anstand и Anständigkeit) происходят в немецком языке от одного корня.

С. 438. *"Рубаха-парень".* — В подлиннике Michel Gradaus — "Михель, выкладывающий все без церемоний".

С. 439. *Разрушение* — в подлиннике Abbau, буквально "разборка", "демонтаж".

С. 440. *...система эквипотенциальной гармонии.* — Здесь: гармонии между силами равной величины.

С. 441. *...душа озорного мальчишки.* — В подлиннике lausbubenhafte Seele, от южнонемецкого Lausbub — "мальчишка", "озорник", "пострел"; также — "мошенник", "шут", "бездельник", "повеса". Второй ряд значений, несомненно, означает здесь отношение к традиции.

С. 442. *Белолобый гусь* — нем. Bleßgans, Anser albifrons.

Положительная валентность — здесь в биологическом смысле: значение, оценка.

С. 443. *Экзогамия* (от греч. ἔξω — вне, снаружи и γάμος — брак) — брак вне семьи.

...подросток часто "присваивает". — В подлиннике употреблено слово adoptiert, означающее также "усыновляет".

С. 446. См. примечание к с. 231.

С. 452. Это легко следует из того, что концентрация вещества в воздухе убывает обратно пропорционально квадрату расстояния от источника запаха.

С. 455. В старой русской литературе эта фамилия (как и фамилия его внука Джулиана Хаксли) писалась "Гексли".

...последователей — в подлиннике противопоставляются слова Schüler и Jünger (см. примечание к с. 49).

С. 456. См. примечание к с. 44.

С. 457. *Физиологическое рассмотрение.* — В оригинале Einsicht, что означает также "проницательность, понимание, постижение".

С. 459. Согласно латинско-русскому словарю И. X. Дворецкого (изд. 3-е, 1986), cogitare означает "мыслить, думать, рассуждать; придерживаться мнения, быть расположенным; представлять себе, воображать; задумывать, замышлять, затевать; намереваться прибыть, рассчитывать отправиться". Примеры из латинских классиков не содержат оттенка сомнения. По-видимому, Лоренц исходит из общего смысла текста, содержащего эти слова. Так как речь идет о решающем моменте, знаменующем начало новой европейской философии, приведем соответствующий отрывок из перевода декартовского "Рассуждения о методе" (ч. IV):

"Доводы, доказывающие существование Бога и человеческой души, или Основание метафизики.

Не знаю, следует ли мне знакомить вас с моими первыми тамошними размышлениями; они столь метафизичны и столь необычны, что, пожалуй, не всем придутся по вкусу. И, однако, чтобы можно было судить, достаточно ли тверды заложенные мною там основы, я некоторым образом вынужден говорить о них. Я давно уже замечал, что в повседневной жизни необходимо иногда следовать мнениям, заведомо недостоверным, совершенно так, как если бы они не вызывали сомнений, о чем уже сказано выше; но желая заниматься только поисками истины, я считал, что в данном случае надо делать противоположное и отбросить как абсолютно ложное все, в чем я мог сколько-нибудь усомниться, чтобы видеть, не останется ли после этого в моем представлении чего-либо такого, что было бы совершенно несомненным. Так как чувства нас иногда обманывают, то я готов был предположить, что нет ни единой вещи, которая была бы такова, какою они нам ее изображают. И так как имеются люди, которые ошибаются в рассуждениях, относящихся даже к простейшим предметам геометрии, и делают здесь паралогизмы [ложные выводы], то, полагая, что я способен ошибаться так же, как и любой другой, я отбросил как ложные все доводы, принятые мною раньше за доказательства. Наконец, принимая во внимание, что те же мысли, какие мы имеем, когда бодрствуем, могут появиться у нас и во сне, причем ни одна из них не является в тот момент истиною, я решил вообразить, что все когда-либо приходившее мне на ум не более истинно, чем обманчивые сновидения. Но тотчас же вслед за тем я обратил внимание на то, что, в то время как я готов мыслить, что все ложно, необходимо, чтобы я, который это мыслит, был чем-нибудь. Заметив, что истина: *я мыслю, следовательно, я существую,* столь прочна и столь достоверна, что самые причудливые предположения скептиков неспособны ее поколебать, я рассудил, что могу без опасения принять ее за первый искомый мною принцип философии.

Затем, исследуя со вниманием, что я такое, и видя, что я могу вообразить, будто у меня нет тела и нет никакого мира, где бы я находился, но что я никак не могу вообразить, что я не существую, а напротив, из самого факта, что я намеревался сомневаться в подлинности других вещей, вытекает весьма очевидно и достоверно, что я существую; если же я перестал только мыслить, то, хотя бы все существовавшее когда-либо в моем воображении и оказалось истинным, я не имел бы никакого основания считать себя существующим" (*Декарт Р.* Избранные произведения. М., 1950. Перевод В. В. Соколова).

Солипсизм — философская позиция, согласно которой нам может быть известно лишь наше собственное существование.

С. 460. См. примечание к с. 244.

С. 461. *Имманентен* — здесь: внутренне присущ.

Живое существо — не подобие. — Намек на финал "Фауста": "Alles Vergängliche ist nur ein Gleichnis" ("Все преходящее есть лишь подобие").

СОДЕРЖАНИЕ

ВОСЕМЬ СМЕРТНЫХ ГРЕХОВ ЦИВИЛИЗОВАННОГО ЧЕЛОВЕЧЕСТВА
(Перевод А. И. Федорова)

ТАК НАЗЫВАЕМОЕ ЗЛО
К естественной истории агрессии
(Перевод Г. Ф. Швейника)

ОБОРОТНАЯ СТОРОНА ЗЕРКАЛА
Опыт естественной истории человеческого познания
(Перевод А. И. Федорова)

Конрад Лоренц

ОБОРОТНАЯ СТОРОНА ЗЕРКАЛА

На переплете помещена репродукция
с картины Альбрехта Дюрера "Адам и Ева" (1507 г.).
В оформлении книги использованы гравюры Дюрера.

**Заведующий редакцией
и ведущий редактор издания** *М. М. Беляев*
Редактор *Т. И. Аверьянова*
Технический редактор *Р. Я. Лаврентьева*

ЛР № 010273
Сдано в набор 29.05.97. Подписано в печать 25.06.98.
Формат 60 × 90 $^1/_{16}$. Бумага офсетная № 1. Гарнитура "Таймс".
Печать офсетная. Усл печ. л. 31,0. Уч.-изд. л. 38,04. Тираж 5000 экз.
Заказ № 3448.

Электронный оригинал-макет подготовлен в издательстве.

Российский государственный
информационно-издательский Центр "Республика"
Государственного комитета Российской Федерации по печати.

Издательство "Республика".
125811, ГСП, Москва, А-47, Миусская пл., 7.

Полиграфическая фирма "Красный пролетарий".
103473, Москва, Краснопролетарская, 16.